KB003704

火山島
소설어 사전

트리콘 세계문학 총서 8

火山島
소설어 사전

화산도 소설어 사전
편찬팀 엮음

보고사
BOGOSA

《화산도 소설어 사전》을 펴내며

　김석범의 《화산도》는 제2차 세계대전 후 해방공간에서 명멸해간 '해방 주체'의 정동(情動, affection)을 물 막힌 섬 제주에서 일어난 '4·3혁명'의 시계(視界)로 추적한다. 재일조선인 작가 김석범은 국가권력의 폭력에 의해 무참히 스러져간 패배한 혁명에 대한 비운의 역사를 재현하는 게 아니라 제주의 들녘과 오름, 그리고 바다에서 스러지는 제주 민중의 장엄하고 아름다운 삶의 가치를 되살려내고 싶은 것이다. 그리하여 해방공간에서 왜곡되고 뒤틀린 '4·3혁명'의 진실을 추구하는 도정에서 잃어버렸던, 아니 애써 지워버린 '해방 주체'로서 제주 민중의 정치적 삶을 올곧게 재현하고 싶은 것이다.

　여기서, 분명히 짚고 넘어갈 것은 《화산도》가 제주중심주의에 갇혀 있지 않다는 사실이다. 4·3혁명이 함의하는 정치사회적 해방의 가치가 웅변해 주듯, 《화산도》는 제주중심주의에 구속되지 않고 해방공간에서 추구해야 할 일제 식민주의로부터 진정한 해방과, 또 다른 제국으로 등장한 미국과 옛 소련 중심의 냉전 대립 구도 속에서 조국 분단의 현실에 대한 저항을 문학적으로 실천하고 있음을 간과할 수 없다. 이것은 구차한 말이 필요 없듯, 《화산도》가 다루고 있는 해방공간을 살고 있는 사람들의 구체적 모습에서 이해할 수 있다.

　바로 여기서 《화산도 소설어 사전》의 필요성이 제기된다. 한국어로 12권에 걸쳐 완역된 《화산도》는 대하소설로서 등장하는 인물과 그에 따른 장소와 사건이 다채롭다. 가령, 이 작품이 4·3혁명을 비중 있게 다루고 있다는 이유로, 제주라는 한정된 장소와 공간을 주목할 때 다소 단조롭겠다는 생각을 지레 가질 수 있으리라. 하지만 《화산도》에서 다뤄지고 있는 장소와 공간 그리고 사선들은 제주도와 한반도는 물론 일본 열도까지 포괄하고 있다. 따라서 자연스레 이들 지역을 두루 포괄한 해방공간의 다양한 모습들이 서사화되고 있다. 물론, 여기에는 크고 작은 사건들과 연계된 여러 인물들 또한 등장한다. 말하자면, 《화산도》는 해방공간에 대한 재일조선인 작가의 인문지(人文知)를 천착한 것이라 해도 과언이 아니다.

그래서 《화산도》가 한국어로 완역된 이후 2016년부터 트리콘(아시아, 아프리카, 라틴아메리카 문학 및 문화를 공부하는 모임) 소속 회원들 몇 명이 모여 독회를 시작하고, 이 작품이 지닌 문학적 의미뿐만 아니라 정치사회적 영역에 걸친 거의 모든 분야를 망라한, 이른바 '화산도학(火山島學)'에 대한 공부를 매달 정기적으로 하였다. 《화산도》를 함께 읽을수록 작가 김석범과 이 작품을 비롯한 재일조선인(문학)과 '4·3혁명'에 대한 공붓길이 순탄치 않다는 것을 체감하기도 하였다. 특히, 한국문학의 대하소설과 흡사하면서도 전혀 그렇지 않은 면이 읽으면 읽을수록 우리에게 부여된 공붓거리였다. 더욱이 《화산도》는 김석범 특유의 일본어 표현으로 쓰인 것이 (물론, 김석범은 미완의 《화산도》 한글본을 쓴 적이 있다) 한국어로 번역된바, 번역이 지닌 문화 횡단적 맥락을 살피는 독서를 소홀히 해서 안 된다는 또 다른 중압감도 없지 않았다.

이 과정에서 우리는 개별 소논문과 비평을 발표하면서 《화산도》의 학술적·문예적 가치를 깜냥 소개하기도 하였다. 그럴 때마다 쉽게 포기할 수 없던 공동 작업이 있었는데, 바로 《화산도 소설어 사전》 편찬이었다. 12권짜리 한국어 번역본 《화산도》를 연구자뿐만 아니라 일반 대중은 물론, 이 작품을 대상으로 한 인접 문화예술 분야에서 창조적으로 활용할 수 있도록 이 작품의 이해를 돕는 그 무언가가 절실히 필요하다는 데 의견을 모았기 때문이다. 그래서 우리는 이와 관련한 논의 속에서 시대, 인물, 지명, 풍속 등 4개 대항목을 선정하고, 각 항목에 따른 세부 표제어를 개인별 또는 팀별로 분담하여 사전 편찬 작업을 시작하였다.

사실, 어떻게 보면, 무모한 작업이다. 기존 한국의 대하소설과 달리《화산도》는 번역 작품인바, 원전을 구성하는 원어를 대상으로 한 사전 작업과 그 성격이 다르기 때문이다. 표준어를 근간으로 한 번역 작품을 대상으로 한 문학 사전의 경우, 이유야 어떻든지 원전의 언어와 다른 판본의 언어, 즉 번역본의 언어를 대상으로 한 것이므로 문학 사전 본래의 몫을 보증하는 데 한계를 가질 수밖에 없다. 하지만 생각을 달리해 보면, 한국어로 번역된《화산도》는 엄연히 번역 문학으로서 이 또한 문학성이 충분히 보증된 실체다. 번역 문학이라고 하여, 원전보다 그 문학성이 폄하되는 것은 결코 아니다. 이와 관련하여, 세계적 대문호 괴테가 중국 문학과 페르시아 문학을 중국어와 페르시아어가 아닌 라틴어 번역본으로 접하면서 유럽 문학의 한계를 비판적으로 성찰하고 마침내 '세계문학'의 새로운 가치를 주목한 것을 상기해 보건대, 중요한 것은 어떤 작품을 번역해야 하는지와, 그 번역의 공로에 따른 문학적 완성도이다. 이 점에서, 감히 말하건대, 한국어 번역본《화산도》는 세계문학의 숱한 문학 성취를 이루는 번역본들에 뒤처지지 않는다고 생각한다. 게다가 작가 김석범처럼 디아스포라의 삶을 살면서 어쩔 수 없는 불가항력적 이유로 인해 오랫동안 모국어, 즉 한국어를 표현할 수 없었다면, 한국어 번역본을 바탕으로 한《화산도 소설어 사전》이 아직도 명맥이 끊기지 않는 한국어로 일상을 살고 있는 수많은 디아스포라적 존재에게 그 무엇과도 바꿀 수 없는 소중한 문화적 산물로서 작동할 수 있는 것이다. 특히, 일본 사회에서 '재일(在日)'을 살고 있는 재일조선인에게 말이다.

이런 문제의식을 공유하면서 우리는《화산도》독회를 시작한 이듬해 2017년부터 본격적으로 시작하여 햇수로 7년 동안 사전 편찬 작업을 수행하였다. 시대, 인물, 지명, 풍속 항목의 원고와 자료를 하나하나 마련해 가면서 김석범과《화산도》에 훨씬 밀착하게 되었고, 이 작품이 한국 사회의 안팎에서 널리 읽혔으면 하는 바람이 간절해졌다. 조국의 분단을 회피하지 말고, 해방 공간을 정면으로 응시하면서 그때 그곳에서 어떤 정치적 상상력이 솟구쳤는지를 대중이 문학적 실감으로 자기화하면 얼마나 좋을까. 그리하여 남과 북이 분단을 극복함으로써 악무한으로 점철된 이 현실 너머의 낙토(樂土)를 꿈꾸면 얼마나 좋을까.

《화산도 소설어 사전》을 펴내는 과정에서 책임편찬에 혼신의 힘을 쏟은 최동일 선생과 박보름 연구자의 노고를 특기하고자 한다. 방대한 분량의 원고와 관련 자료를 사전 편찬에 최적화되도록 다듬은 그들의 눈길과 손길이 《화산도 소설어 사전》 곳곳에 배어들어 있다. 아울러 사전 편찬에 물심 양면으로 적극 지원해준 보고사의 김흥국 대표와 사전이 그 자태를 갖도록 해준 편집부에 감사의 뜻을 전한다. 그리고 이 사전 편찬의 도정에서 일일이 모두 기억할 수 없지만, 크고 작은 도움과 관심을 가져주고 용기를 북돋아준, 시쳇말로 김석범과 《화산도》의 '찐팬'들에게 감사의 말씀을 어떻게 전해야 할지 모르겠다. 《화산도 소설어 사전》이 《화산도》를 한층 더 넓고 깊게 이해시킬 뿐만 아니라 다양한 측면(교육 및 각종 문화예술 콘텐츠 등)으로 활용되기를 기대한다.

2024년 4·3 76주년을 맞아
혹한의 겨울을 견딘 제주의 동백꽃 앞에서
편찬팀을 대표하여 고명철 씀

일러두기

1. 표제어

① 선정·표기

《화산도》에서 시대·인물·지명·풍속 항목의 표제어 645개를 가려 뽑았다. 각 항목의 표제어는 소설에 사용된 표기법을 그대로 따랐으나 예외가 적용된 경우도 있다.

- 시대: 142개. 역사·시대 용어와 이에 준하는 용어를 다루었다. 단, 소설의 문장에 용어를 풀어 쓴 경우, 통용되는 용어를 표제어로 밝혀 적었다.
- 인물: 195개. 대부분의 등장인물을 다루었다. 등장인물이 아닌, 역사적 인물이나 기타 인물은 배제하였다.
- 지명: 244개. 지명과 장소, 공간을 다루었다.
- 풍속: 64개. 제주의 풍속을 다루었다.

② 배열

숫자/ 알파벳/ 가나다 순으로 배열하였다.

③ 부표제어

표제어와 유사한 형태가 소설에서 함께 쓰이고 있는 경우, 부표제어를 표제어 옆에 명시하였다. 또한 표제어와 유사하거나 다른 형태의 용어가 학계에 널리 쓰이고 있는 경우에도 그리하였다.

④ 용례(출처)

시대·지명·풍속 항목은 해당 표제어가 쓰인 최우선적인 용례를 싣고, 그와 관련된 출처를 '권수–장–절:쪽번호(예 1-2-3:202)'로 밝혀 적었다. 인물 항목의 경우, 용례를 싣지 않았다. 그 대신에 출처는 표제어가 쓰인 대부분의 용례를 제시하였다.

⑤ 풀이

시대·지명·풍속 항목은 참고한 자료를 이 사전의 부록에 밝혀두었다. 인물 항목의 경우, 등장인물의 일대기를 요약해둔 것이라 따로 참고한 자료가 없다.

2. 항목별 구성

각 항목은 '색인–관련 자료–본문(표제어/부표제어–용례(출처)–풀이)' 순으로 구성하였다. '본문'은 앞서 '1. 표제어'에서 언급했으므로 여기에서는 '색인'과 '관련 자료'에 대해서만 다룬다.

① 색인

해당 항목의 전체 표제어/부표제어를 한눈에 살피면서 이들이 실린 페이지로 찾아갈 수 있게 하였다.

② 관련 자료

시대 항목에는 〈4·3사건 연표〉, 인물 항목에는 〈인물 관계도〉, 지명 항목에는 〈지도〉를 수록하여 소설의 이해를 더하고 관련 지식을 확장시킬 수 있게 하였다.

3. 약물, 문장부호 기타

① 약물(용례 제외)
　– 책명, 신문·잡지명: 《　》
　– 편명, 법령, (예술)작품명: 〈　〉

② 문장부호 기타
　– 강조: '　'
　– 대화·인용: "　"
　– 내용의 생략: (…)
　– (부)표제어와 용례에서 바로잡기(원 설명 제외): [　]

목차

1
시대

색인

4·3사건 연표

1947년	03.01.	제주도 민주주의민족전선(약칭 제주민전) 주최 제28주년 3·1절 기념식 개최, 관덕정과 도립병원 앞에서 응원 경찰의 발포로 주민 6명 사망, 8명 중경상을 당하는 '제주3·1사건' 발생.
	03.05.	남조선노동당(약칭 남로당) 제주도당, '3·1사건대책 남로당 투쟁위원회' 결성, 대정면당의 건의로 전 도 총파업 결의.
	03.09.	'제주3·1사건 대책위원회(위원장 홍순용)' 결성.
	03.10.	제주도청을 시작으로 3·1사건에 항의하는 민·관 총파업 돌입, 13일까지 166개 기관·단체(전체 기관의 약 95퍼센트)에서 파업 가세(41,211명 파업).
	03.14.	박경훈 제주도지사, 스타우드 제주도 군정장관에게 사직서 제출. 조병옥 경무부장 제주 방문.
	03.15.	전남경찰 122명, 전북경찰 100명 등 응원 경찰 222명 제주도 도착. 조병옥, 파업주모자 검거 명령.
	3월 중	미군 방첩대(CIC) 제주사무소 설치.
	03.22.	남로당 지도 아래 전국적인 총파업 실시.
	04.10.	제주도지사에 전북 출신 유해진 발령.
	05.21.	【국외】미·소공동위원회 재개.
	05.23.	3·1사건 관련 재판에 회부된 328명에 대한 공판 완결(처형 52명, 집행유예 52명, 벌금형 56명, 그 외 168명 기소유예 및 불기소처분).
	06.01.	경찰, 삐라(전단) 살포 혐의로 제주읍내 중학생 20명 검속.
	06.06.	구좌면 종달리, 민주애국청년동맹(약칭 민청) 집회를 단속하던 경찰관 3명이 마을 청년들로부터 집단 폭행당한 '6·6사

1947년		건' 발생(43명 기소, 10명 실형 선고).
	07.18.	전 제주도지사 박경훈, 제주민전 의장에 추대.
	08.07.	제주에서 '미군을 축출하자'는 반미 삐라 살포.
	09.17.	【국외】 제2차 미·소공동위원회 결렬. 미국, 한반도 문제 UN에 상정.
	09.26.	제1구 경찰서장 김차봉 해임, 후임 서장에 평남 출신 문용채 발령.
	10.19.	미 CIC 제주사무소, 우익정당 당원 확장 과정에서 테러가 자행되고 있다고 중앙에 보고.
	10.21.	미 CIC 제주사무소의 개입으로 대동청년단 제주도단부(단장 김충희) 결성.
	11.02.	서북청년회(약칭 서청) 제주도본부(위원장 장동춘) 발족.
	12.03.	제3대 제주도 군정장관으로 맨스필드 중령 부임.

1948년	01.08.	【국외】 UN한국임시위원단 서울 방문.
	02.26.	【국외】 UN임시총회, "UN한국임시위원단이 접근 가능한 지역에서 단독 선거 실시"라는 미국안 채택.
	2월 말	남로당 제주도당 임원들의 '신촌회의'에서 무장투쟁 방침 결정.
	03.01.	【국외】 UN한국임시위원단, 남한만의 단독 선거 결정 발표.
	03.06.	조천지서에서 취조를 받던 조천중학원생 김용철 고문치사 사건 발생(3월 4일 연행, 6일 사망).
	03.11.	김구·김규식·김창숙·조소앙·조성환·조완구·홍명희 등 7인 공동성명으로 5·10 단선 반대 성명 발표.
	03.14.	모슬포지서에서 대정면 영락리 청년 양은하 고문치사 사건 발생.
	04.03.	제주도에서 무장봉기 발발. 350여 명의 남로당 제주도당 무장대가 새벽 2시를 기해 제주 도내 12개 지서와 우익 단체 요원의 집을 습격, 경찰 4명, 민간인 8명, 무장대 2명 사망.

1948년	04.04.	미군정, 제주도사태를 치안상황으로 간주해 각 도의 경찰청에서 1개 중대씩 차출, 8개 중대 1,700명의 본토 경찰 병력을 제주에 파견할 것을 승인.
	04.05.	미군정, 약 100명의 전남경찰을 응원대로 급파하고 제주경찰감찰청 내에 제주비상경비사령부(사령관 김정호 경무부 공안국장) 설치.
	04.06.	조병옥 경무부장, 서울에서 기자회견을 통해 제주도사태 발표, 서청 본부에 서청단원 500명을 제주에 파견 요청.
	04.13.	제9연대 미군 주둔지와 정부시설 경비 목적으로 특별경비부대 제주읍에 파견, 미군 당국 본토에서 제주에 미군 증파.
	04.15.	남로당 제주도당 대회에서 무장봉기 추인, 기존 자위대 해체 인민유격대 편성.
	04.16.	제주도 인민유격대 총책 김달삼의 명의로 미군정을 상대로 '5·10 망국단선 반대를 위한 무장봉기 성명' 발표.
	04.19.	김구·김규식 등이 참석한 가운데 평양 남북정당·사회단체 연석회의 개최.
	04.25.	평화 협상 추진 중이던 제9연대장 김익렬에게 딘 군정장관이 초토화 작전 감행 회유, 김 연대장이 이를 거부, 미군정, 부산 제5연대 1개 대대(대대장 오일균 소령)를 제주에 파병 명령.
	04.28.	김익렬 연대장과 무장대 총책 김달삼 간 평화 협상 진행. 72시간 내 전투 중지 등에 합의.
	04.29.	딘 군정장관 극비 제주 시찰, 이후 화평보다는 토벌 위주로 선회.
	04.30.	제주읍 오라리에서 대동청년단원 부인 2명이 좌익 청년들에 의해 '민오름'으로 납치당함.
	04.30.	【국외】UP통신, 4월 한 달 동안 남한에서 선거 관련 무력충돌로 154명이 사망했다고 전 세계에 타전.
	05.01.	'오라리 방화 사건' 발생으로 평화 협상 결렬.
	05.05.	제주읍 미군정청에서 딘 군정장관, 안재홍 민정장관, 조병옥

1948년	경무부장, 송호성 경비대 사령관, 맨스필드 중령, 유해진 제주도지사, 김익렬 제9연대장, 최천 제주경찰감찰청장 등이 모여 '5·5최고수뇌회의' 개최.
05.06.	미군정, 김익렬 연대장 해임. 박진경 중령 신임 연대장 임명.
05.08.	조병옥 경무부장, '제주도 사건의 치안수습대책' 발표(경찰전문학교 정예부대, 유능 형사대 제주 파견).
05.09.	【국외】UP통신, 5·10선거를 앞두고 남한의 상황은 내전을 방불케 하는 분위기며 "그리스 사태의 완전한 재연"이라고 타전.
05.10.	5·10총선거 실시. 제주도 62.8퍼센트로 국내 최저 투표율 기록, 북제주군 갑·을 2개 선거구는 과반수 미달로 선거 무효.
05.15.	제11연대 수원에서 제주로 이동(연대장에 제9연대장 박진경 중령 취임), 기존의 제9연대는 제11연대로 합편.
5월 중	미 제20연대장 브라운 대령, 제주 지역 미군사령관으로 부임, 현지에서 진압 작전 최고지휘권 행사.
05.20.	경비대원 41명이 모슬포 부대에서 탈영, 무장대 가담.
05.28.	유해진 제주도지사 경질. 제주 출신 임관호 지사 임명.
06.17.	제주경찰감찰청장에 제주 출신 김봉호 임명.
06.18.	제11연대장 박진경 숙소에서 피살.
06.21.	제11연대장에 최경록 중령, 부연대장에 송요찬 소령 임명.
07.15.	제9연대를 제11연대에서 배속 해체하여 재편성(연대장에 송요찬 소령, 부연대장에 서종철 대위 임명).
07.20.	이승만, 국회에서 초대 대통령으로 선출.
08.15.	대한민국 정부 수립 공포.
08.21.	김달삼 등 6명 해주에서 열린 남조선인민대표자대회에서 주석단 일원으로 선출.
08.27.	콜터 장군, 하지 장군을 대신해 미 제24단장 겸 주한미군사령관으로 부임.
08.28.	수도관구경찰청 소속 경찰관 800명이 제주로 출발, 9개 정

1948년	당 사회단체가 참가한 '제주도사태 진상조사단'이 목포에 도착했으나 입도 제지.
09.15.	【국외】주한미군, 비밀리에 철수 시작.
09.19.	【국외】소련, UN 결의에 따라 북한 주둔 소련군이 연말까지 철수할 것이라고 발표.
09.22.	〈반민족행위처벌법(약칭 반민법)〉 공포, 반민족행위특별조사위원회(약칭 반민특위) 결성.
09.23.	이종형 등 친일파 주도로 〈반민법〉에 반대하는 '반공구국총궐기대회' 개최, 이승만 참석하여 축사.
9월 말	제9연대, 중산간 지대를 중심으로 토끼몰이식 수색 작전 전개.
10.05.	제주경찰감찰청장에 김봉호 후임으로 평남 출신 홍순봉 임명.
10.11.	제주도 경비사령부(사령관 김상겸 대령) 설치.
10.17.	송요찬 제9연대장, 제주 해안에서 5킬로미터 이상 지역에 통행금지 명령 위반 시 이유 여하를 불문하고 총살하겠다는 내용의 포고문 발표.
10.18.	제주 해안 봉쇄.
10.19.	여수 제14연대 반란 사건 발생. 김상겸 대령 파면, 송요찬 제9연대장이 제주도 경비사령부 사령관 겸임.
10.20.	임시군사고문단 로버츠 준장, '여수·순천사건' 대책 비상회의 소집, 하우스먼 대위 등 미군이 진압 작전 지휘.
10.22.	국방장관 이범석, 국회에서 "공산주의자들이 제주도사태를 전국에 전개시키려 한다"고 발언.
10.24.	무장대, 이덕구 명의로 정부에 선전포고, 토벌대에는 호소문 발표.
11월 중	군경토벌대, 제주도에서 초토화 작전 전개, 200명의 서청 경찰대 제주 도착.
11.13.	토벌대, 애월면 소길리 원동마을에서 주민 50~60명을 집단 총살, 약 4개월간 중산간 마을 초토화 작전 개시.
11.17.	대통령령 제31호로 제주도 전역에 계엄령 선포.

1948년 12.01. 〈국가보안법〉 공포.

12.03. 1차 계엄고등군법회의 개정, 3일부터 27일까지 총 12차례에 걸쳐 민간인 871명에 대해 유죄판결. 무장대, 경찰지서 소재지인 구좌면 세화리를 대대적으로 습격해 주민 50여 명을 살해하고 40가호 150채에 방화.

12.10. 명동 서울시공관에서 열린 서청 총회에 이승만 참석, '전국 각지에 서청 배치' 계획 연설.

12.12. 【국외】 UN총회, 대한민국 정부를 승인하면서 미·소 양군의 조속한 철수 요구.

12.13. 서청 단원 620명, 정식 경찰로 임용.

12.15. 토벌대, 표선면 토산리 주민 백수십여 명을 표선국교로 끌고 가 감금 후 18~19일 양일에 걸쳐 집단 총살.

12.18. 토벌대, 구좌면 하도리·종달리 주민 10여 명(여자 3명 외 어린이 포함)이 숨어 있던 '다랑쉬굴'을 발견, 굴속으로 불을 지펴 질식사시킴.

12.19. 서청 단원 250명 제주 도착, 이 중 25명은 경찰, 225명은 군인으로 배치. 서청·대동청년단 등이 통합해 '대한청년단' 결성.

12.21. 토벌대, 조천면 관내 자수자 150명을 제주읍 '박성내(속칭)'라는 냇가로 데려가 집단 총살.

12.25. 【국외】 소련, 북한 주둔 소련군을 완전 철수했다고 발표.

12.29. 제2연대(연대장 함병선), 제9연대와 교체해 제주 주둔.

12.31. 제주도지구 계엄령 해제.

1949년 01.12. 무장대, 남원면 의귀리 주둔 제2연대 제2중대 습격 후 패퇴, 군인들은 전투 직후 의귀국교에 수용했던 중산간 마을 주민 80여 명을 집단 총살.

01.17. '북촌사건' 발생, 토벌대, 인근 마을에서 군인들이 기습받은데 대한 보복으로 조천면 북촌리를 모두 불태우고 18일까지

1949년	주민 400여 명을 집단 총살.
01.22.	토벌대, 안덕면 동광리·상창리 주민 80여 명을 서귀포 정방 폭포 부근에서 집단 총살.
02.04.	제주읍 봉개지구(봉개·용강·회천리)에 대한 육해공군 합동 작전 전개, 토벌대, 도망가는 주민들 추격하여 수백 명 총살.
02.19.	경찰특별부대(사령관 김태일)의 응원 병력 505명 제주 입도.
02.27.	제2연대, 1948년 12월 고등군법회의에서 사형선고 받은 39명 에 대해 사형 집행.
03.02.	제주도지구 전투사령부(사령관 유재흥 대령, 참모장 함병선 제2연대장) 설치.
04.09.	이승만 제주도 방문, 약 250명에게 사면령.
04.29.	소개령 해제.
05.10.	국회의원 재선거 실시, 홍순녕·양병직 당선.
05.15.	제주도지구 전투사령부 해산.
06.06.	친일파 경찰, 반민특위 습격.
06.07.	무장대 총사령관 이덕구, 경찰에 의해 사살.
06.21.	'국회 프락치 사건' 발생.
06.23.	고등군법회의 개최, 6월 23일부터 7월 7일까지 총 10차례 개 최, 민간인 1,659명에 대해 유죄판결.
06.30.	주한미군 철수 완료, 군사고문단 500명 잔류.
08.13.	제2연대, 독립 유격대대 제1대대(부대장 김용주)에 제주도지 구 경비 일체를 인계 후 완전 철수.
08.20.	제주도지구 위수사령부 설치(제주주둔 부대장이 위수사령관 겸임).
10.02.	제주비행장 인근에서 '1949년 고등군법회의' 결과 사형 선고 된 249명에 대한 총살형 집행 후 암매장.
11.24.	〈계엄법〉 제정·공포.
12.27.	독립 유격대대 제1대대 제주에서 철수.
12.28.	해병대(사령관 신현준 대령) 제주 도착.

1950년	06.25.	한국전쟁 발발, 제주도 해병대 사령관이 제주도지구 계엄사령관 겸임.
	07.17.	조병옥, 내무장관에 임명, 이후 예비검속자 학살 시작(인천상륙작전의 성공으로 9월 28일 서울이 수복될 때까지 지속).
	07.20.	비상계엄 남한 전역으로 확대.
	07.27.	제주읍 주정 공장에 예비검속된 사람들이 사라봉 앞 바다에 수장됨.
	07.29.	서귀포경찰서 관내에 수감된 예비검속자 150여 명이 바다에 수장됨.
	08.04.	제주경찰서·주정 공장에 수감된 예비검속자 수백 명이 제주항 바다에 수장됨.
	08.05.	모슬포 부대에서 해병대 신병 입영식 거행, 오현중학교 학생 423명이 학도병 지원.
	08.08.	제주지검장, 법원장 등 도내 유력 인사 16명이 '인민군환영준비위원회'를 결성했다는 혐의로 체포·구금.
	08.19.	제주경찰서 유치장에 수감된 예비검속자 수백 명이 19일 밤부터 20일 새벽까지 제주비행장에서 총살된 후 암매장.
	08.20.	모슬포경찰서 관내 한림면·대정면·안덕면 예비검속자 252명이 군에 송치돼 송악산 섯알오름에서 집단 총살(백조일손지묘 희생 발생).
	09.15.	인천상륙작전.
	10.10.	제주도지구의 계엄 해제.

| 1951년 | 01.22. | 육군 제1훈련소, 대구에서 제주도로 이동. |
| | 05.10. | 제주도 육군특무대 창설. |

| 1952년 | 10.13. | 제주도경찰국장에 이경진 경무관 부임. |

1952년	11.01.	제주도경찰국, 제100전투경찰사령부(약칭 100사령부(사령관 김원용 총경)) 창설.
1954년	01.15.	이경진 제주도경찰국장, 잔여 무장대는 "6명뿐"으로 발표.
	04.01.	한라산 부분 개방, 산간 부락 입주 및 복귀 허용.
	09.21.	한라산 금족 구역 해제.
1957년	04.02.	최후의 무장대원 오원권 체포.

2·7전국총파업 | 2·7총파업, 2·7투쟁 | 이 석방훈령은 남한만의 단독선거에 반대하는 2·7전국총파업(1948년 2월 7일) 이후의 투쟁에 대한 회유책인 동시에, '총선거 감시'를 위해 입국한 국제연합 조선위원회의 건의를 받아들이는 형식을 취한 고도의 정치적 판단에 따른 결과물이었다. 1-2-3: 202 ¶ "(…) 단독선거라는 음모를 꾸미고 있는 매국 행위를 규탄하고, 2·7투쟁(1948년 2월 7일, 미국의 남한 단독선거 강행정책에 반대하여 일어난 대규모 반대 투쟁. 노동자를 중심으로 하는 총파업으로 2백만 민중이 참가했다) 이후 끈질기게 '남북통일'과 '민족자결'을 전면에 내세워, 남북정치 협상의 준비를 강력히 추진해 온 남로당의 투쟁 결과라는 점을 알아주기 바라네. (…)" 3-7-1:253

▷ 1948년 2월 7일, 조선노동조합전국평의회(朝鮮勞動組合全國評議會, 약칭 전평)가 남한만의 단독 정부 수립을 위한 총선을 추진하고자 입국한 유엔한국임시위원단(UN Temporary Commission on Korea, UNTCOK)을 반대하여 일으킨 파업 투쟁이다. 1948년 1월 7일 유엔한국임시위원단이 방한하자 전평 산하 일부 노조에서 파업 투쟁을 시작하였고, 철도·광산·토건·전기·금속·출판·어업·식료 등 여러 업계의 전평 노조들이 유엔한국임시위원단의 활동에 반대하는 성명서를 발표했다. 미군정의 탄압에도 불구하고 지하 활동을 전개한 전평은 2월 7일 유엔한국임시위원단 항의 남조선총파업위원회를 조직했다. 이 총파업위원회는 토지의 무상몰수·무상분배, 적산과 주요 산업의 국유화 및 인민의 관리 등 경제적 측면과 단선단정(單選單政)의 반대, 외국 군대의 퇴출과 남북통일 및 자주 정부 수립 등 정치적 측면에서 요구사항을 내놓았다. 이러한 내용이 담긴 〈총파업 선언서〉와 〈항의서〉를 유엔한국임시위원단에 보냈고, 기업체와 노동자의 동맹파업뿐 아니라 학교의 동맹휴학을 일으켜 전국적 규모의 총파업을 진행하였다. 2월 9일까지 3일간 이어진 총파업은 미군정의 진압으로 결국 실패하였다. 2월 26일 미국이 주도하는 유엔 소총회에 의해 남한만의 단독 선거와 단독 정부 수립이 결정되기에 이른다.

2·8독립선언 │ 2·8독립선언서, 조선청년독립선언 │ "(…) 이광수는 그 한 달 전, 3·1운동의 도화선이 된 도쿄에서 재일조선독립단 2·8독립선언문을 기초한 사람으로, 말하자면 두 사람 모두 독립운동을 한 동지였던 거야. (…)" 9-20-6:175

▶1919년 2월 8일, 일본 도쿄(東京)에서 조선인 유학생들이 발표한 조선독립선언이다. 1910년 국권피탈 이후 도쿄 유학생들은 조선유학생학우회, 조선기독교청년회, 조선학회 등의 자치단체를 조직하여 애국사상을 고취하는 활동을 펼친다. 제1차 세계대전이 종전될 무렵, 참전국들은 파리강화회의에서 식민지 국가들의 전후 처리 문제를 논의했고, 당시 미국의 대통령 윌슨(T. W. Wilson)은 민족자결주의 원칙을 제창했다. 1918년 1월, 윌슨 대통령이 내세운 14개조 평화원칙은 주권 회복과 독립을 염원하는 식민지 국가에 큰 영향을 끼쳤다. 이를 계기로 1919년 1월 6일, 재일유학생들은 도쿄 간다(神田)에 소재한 기독교청년회관에 모여 조선 민족의 독립운동을 결의한다. 다음날, 청년회관에 집결한 회원들 200여 명 중 11명으로 구성된 조선청년독립단을 발족했다. 조선청년독립단원으로는 최팔용(崔八鏞)·서춘(徐椿)·백관수(白寬洙)·이종근(李琮根)·김상덕(金尙德)·전영택(田榮澤, 이후 신병으로 사퇴)·김도연(金度演)·윤창석(尹昌錫)·송계백(宋繼白)·최근우(崔謹愚)·이광수(李光洙)·김철수(金喆壽) 등이 뽑혔다. 2월 8일, 기독교청년회관에서는 최초의 조선독립선언식이 거행되는데, 이광수가 기초한 〈2·8독립선언서〉를 백관수가 낭독했다. 당시 현장에는 강종섭, 김도연, 김철수, 변희용, 서춘, 송계백, 이봉수, 윤창석, 장영규, 최팔용 등 유학생 400여 명이 집결했다. 이들은 동경유학생학우회 임시총회라는 명목으로 집회를 개최하였는데, 시작 직후 조선청년독립단대회로 변경하여 조선은 독립국임과 조선인은 자주민임을 선언하였다. 하지만 독립선언서와 결의문 낭독이 끝난 후 가두시위를 진행하는 과정에서 일본 경찰대의 진압으로 강제 해산되었으며 주동자 30여 명이 검거되었다.

3·1독립운동 28주년 기념 인민대회 형체를 낮추며 태양 밑을 지나가는

바람 저편에 보이는 것―수만 군중의 행진, 만세와 구호를 외치는 소리. 3·1독립운동 28주년 기념 인민대회를 저지하려는 경찰. 기관총을 든 기동대와 기마대의 호령. 1-2-7:299

▷1947년 3월 1일, 제주북국민학교의 기미독립운동 28주년 기념행사에 30,000여 명의 제주인들이 모였다. 이 3·1절 28주년 기념 제주도 대회에서 미군정의 퇴출과 보리 공출의 중단을 요구하는 구호 제창이 있었다. 군중은 미군정 철회를 촉구하며 관덕정을 향해 가두시위를 벌였고, 이 행진 도중에 기마경찰이 타고 있던 말의 발굽에 어린 아이가 밟히는 사건이 발생했다. 경찰이 이 상황을 경시하고 지나치자 군중들은 돌을 던지고 경찰서를 습격하여 이에 항의한다. 경찰은 이를 폭동으로 몰아 응원 경찰을 대동하여 민중에게 총격을 가함으로써 무력 탄압을 가했다. 이로 인해 무고한 주민 6명이 사망하고 8명의 중상자가 발생했다.

3·1절 기념 시위 사건 | 제주3·1사건, 기마대 발포 사건 | 내일은 3·1절로, 작년의 3·1절 데모에 대한 경찰의 무차별적인 발포로 소년들이 사살되는 바람에 제주도 전역에서 반미 투쟁이 일어난 지 1주년이 되는 날이다. 1-2-6:276 ¶ 이방근의 뇌리에 작년의 3·1운동 기념일을 즈음하여 수만 명의 군중이 '해방의 노래'를 소리 높여 부르며 성내 거리를 메웠던 광경이 되살아났다. 그는 당시에 본토를 여행 중이어서 성내에는 없었지만, 그 광경을 떠올리고 있었다. 시위대와 경찰의 충돌, 소년의 시체, 시위자의 시체를 떠메고 노도와 같이 행진하던 항의데모의 물결……. 3-7-8:443 ¶ 특히 작년 3·1독립기념 시위대에 대한 미군과 경찰 기마대의 발포 사건 이후, 제주도민의 통역들을 바라보는 눈에는 하얀 이빨이 드러나 있었다. 4-9-3:277

▷1947년 3월 1일, 제주에서 경찰이 시위 군중에게 오인 발포하여 6명의 사망자가 발생한 사건이다. 당시, 제주북국민학교에서는 3·1절 기념 제주도 대회 개최로 30,000여 명의 제주도민이 모여 인산인해를 이루었다. 기념식이 끝나자 행사에 참가했던 도민들은 3·1정신 계승과 외세 배격,

통일 독립 쟁취 등의 구호를 외치며 시가행진을 시작했다. 그러던 중 제주 북국민학교에서 관덕정으로 가는 도로 모퉁이에서 어린이가 기마경찰대 의 말발굽에 치이는 사고가 발생했다. 가두 행렬을 통제하던 경찰대가 이 사고를 무시하고 지나치자, 시위대는 "경찰이 어린아이를 죽였다"라며 대치 중이던 경찰대 쪽으로 이동했다. 그때 제주도청 쪽에서 총소리가 나면서 일대가 아수라장으로 변했고, 이에 당황한 경찰들은 시위대에 총 격을 가했다. 이때 경찰의 오인 총격으로 시위대와 무관하게 구경을 하고 있던 일반 시민들까지 사상을 당했다. 현장에서 총 14명이 쓰러졌고, 그 중 6명이 사망했다. 희생자 중에는 국민학생과 젖먹이를 안고 있던 20대 여인도 포함되어 있었다. 사망자 6명의 신원은 허두용(15세, 남, 제주북국 민학교 5학년, 오라리), 박재옥(21세, 여, 도두리), 오문수(34세, 남, 아라리), 김태진(38세, 남, 도남리), 양무봉(49세, 남, 오라리), 송덕수(49세, 남, 도남 리)로 밝혀졌다. 이 사건을 계기로 군중들의 항의시위가 걷잡을 수 없이 커졌으며, 이 인민항쟁에 대한 검거선풍(檢擧旋風)으로 주민 2,500여 명 이 검거된다. 아울러, 경찰에 검거된 주민 3명이 고문치사를 당하자, 제주 도민들은 3월 10일에 총파업을 단행한다.

3월 대공세   정월 당초의 합동작전을 해체, 대규모로 재편한, 입체적 토벌 섬멸작전이라 일컫는 3월 대공세가 시작된 것이었다. 12-종-5:325

▶ 1949년 3월 2일, 남조선국방경비대(南朝鮮國防警備隊) 총사령부는 육군 전투 부대인 제주도지구 전투사령부(戰鬪司令部)를 설치하여 제주4·3사 건을 진압하고자 하였다. 사령관에 육군사관학교 부교장 유재흥(劉載興) 을, 참모장에 제2연대장 함병선(咸炳善) 중령을 임명했다. 여기에 김용주 (金龍周) 대령의 독립 유격대대를 투입하여 적극적인 무장대 소탕 작전을 전개했다. 사령관 유재흥은 제주에 주둔하던 제2연대와 유격대대 병력 이외에 제주의 경찰과 응원 경찰(응원 경찰로 파견된 경찰 특별부대(사령관 김태일)가 505명의 병력으로 1949년 2월 19일 제주에 입도), 우익 청년단 등을 통솔하는 지휘권이 있었다. 4월 1일을 기준으로 사령관 유재흥이 지휘하

는 토벌대는 한국군 2,622명, 경찰 1,700명, 민보단(民保團) 약 50,000명
으로 조직되어 있었다. 육군 본부는 해상 봉쇄를 위해 해군 제3특무정대
(特務艇隊, 사령관 남상휘)를 지원받아 육·해·공군 합동 작전을 구상했다.
제주도지구 전투사령부가 설치된 기간은 1949년 3월 2일부터 5월 15일까
지인데, 3월 말에 제주에 도착한 사령관 유재흥이 통솔하기 전까지는
제2연대장 함병선이 지휘하였다. 따라서 작전 기간은 제2연대장 함병선
이 주도한 제1기와 사령관 유재흥이 지휘한 제2기로 나눌 수 있다. 제2연
대장 함병선은 서귀중학교에서 국민학교·중학교 직원, 면·군 직원, 청년
단 간부들에게 1개월의 군사 훈련을 실시하여 침투 작전에 동원한다. 여
기에다 군 1개 분대, 경찰 1개 분대, 민보단 25명으로 1개 소대를 편성하여,
일본군이 한라산을 요새화하기 위해 만든 병참로, 일명 하치마키(鉢卷,
머리띠) 도로를 이용한 섬멸 작전을 펼쳤다. 사령관 유재흥은 군 병력을
산악 지역에 집중 배치하여 무장대를 체포하고자 했는데, 대략 20,000명
의 민간인이 산간 지대에 기거하는 것을 파악하여 이들을 하산시키려는
선무(宣撫) 작전이었다. 국방부의 자료에 따르면, 제2연대장 함병선이 사
령부를 지휘했을 당시 사살된 인원은 821명, 생포된 인원은 999명이었다
고 한다. 물론 여기에는 민간 제주도민이 다수 포함되어 있다.

3월 대공습　패전하던 해 3월 대공습으로 거의 불타버린 도시였지만, 조금
전의 고베 역 플랫폼에서 바라보던 항구의 불빛과 번화가의 시끌벅적함
을 보더라도, 이미 폐허를 딛고 일어서는 새로운 분위기가 역력했다. 2-5-
4:392

▶ 제2차 세계대전 중인 1945년 3월 10일 새벽, 미국이 일본의 수도 도쿄
에 2,500여 톤의 소이탄(燒夷彈)을 퍼부은 사건이다. 도쿄에서 남쪽으로
1,050킬로미터 떨어진 해상에 위치한 이오지마(硫黃島)는 소규모 화산섬
으로, 미국 해군의 출범을 방어하고자 비행장과 군사기지를 건설한 곳이
었다. 미군은 일본의 수도를 격침하기 위한 거점 지역으로 이오지마를
점령하고자 하였다. 이러한 까닭으로 미국과 일본은 이오지마에서 격렬

한 전투를 벌이게 된다. 2월 16일에 미국의 상륙으로 발발한 이 전투는 3월 26일 구리바야시 다다미치(栗林忠道) 육군대장의 마지막 공격을 끝으로 종결된다. 일본은 21,000여 명의 군력 가운데 20,700여 명이 전사하는 참패를 당했고, 미군은 이오지마를 점령하여 미 육군 항공대와 공군의 기지로 사용하게 된다. 승기를 잡은 미군은 일본 제6방면군(方面軍) 사령부가 주둔한 중국 한커우(漢口)와 일본 고베(神戶)에 소이탄을 터뜨린다. 이후 3월 10일, 미군 폭격기 B-29는 도쿄 상공에서 소이탄을 무차별적으로 투하하여 도시의 군사·제반 시설은 물론 민가 구역까지 초토화하였다.

4·28협상 | 4·28정전협상, 4·28평화협상 결렬 | 4월 28일 오후, 게릴라 측 대표 김성달과 김익구 국방경비대 제9연대장의 회담이 성립되어, 일단은 협상의 내용대로 정전이 실행되었던 것이다. 5-12-7:335 ¶ 4·28협상이 실시되면 머지않아 진행될 제주도의 경찰 기구 해체가 그들에게 공포를 주었다. 쌍방의 합의 사항 안에는 3개월 후 게릴라 측의 무장해제도 들어 있었지만, 게릴라 측의 협상 체결의 네 가지 조건에는 제주도민에 의한 경찰 업무의 수행, 악질 테러 단체 및 서북청년회의 즉시 철거가 있었다. 11-25-1:220

▶ 1948년 4월 28일, 제주 무장봉기를 주도한 무장대와 이에 대한 진압대인 국방경비대 간에 시도된 정전 협상이다. 이 평화 협상은 제주4·3사건의 경과상 전화를 일으키는 중요한 사건으로, 협상이 결렬되면서 무장대와 군경의 충돌이 심화되었다. 4·3사건이 발발한 초기에 국방경비대는 이 사건을 제주도민과 경찰·서북청년회(西北靑年會, 약칭 서청) 간의 마찰로 여겼다. 국방경비대의 수뇌부에서 제주의 사건을 치안 문제로 인식하고, 사태의 해결을 경찰 측 임무로 간주하였던 것이다. 더욱이 그간 지속된 군대와 경찰 세력의 대립도 국방경비대가 사태 해결을 주저케 하는 요인이었다. 제주의 무장 세력이 경찰지서의 습격을 지속하는 상황에서, 국방경비대 제9연대장 김익렬(金益烈)은 양측의 대립 상황 가운데

중립적 입장을 견지했다. 그리하여 연대장 김익렬은 제주 사태를 해결하고자 무장대의 총책임자인 김달삼(金達三)과 접선하여 평화 협상을 시도하였다. 그는 책임자 김달삼과 교섭하여 교전 중지와 무장대의 해체를 협의하였으나, 협상 4일째인 5월 1일 제주읍 오라리 연미마을에 방화 사건이 발생한다. 국방경비대와 무장대 측의 평화 교섭을 방해하고자 서북청년회, 대동청년단 등 우익 청년단원들이 일으킨 것이었다. 연대장 김익렬은 진상조사를 통해 우익 청년단의 소행임을 밝히지만 제주도 군정장관 맨스필드(Mansfield) 대령은 이를 일축했다. 오라리 방화 사건을 계기로 4·28평화협정은 결렬되었고, 무장대와의 유혈 충돌이 심화되며 미군정과 경찰의 강경 진압이 본격화되었다.

9월 철도노동자 총파업 | 9월 총파업 | 이미 여름에 접어들면서 탄광과 자동차, 방적 공장에서 처우 개선을 요구하는 파업이 벌어졌고, 7월에는 국립서울대학교 법안 실시 반대 데모, 9월에는 부산 지구 철도노동자들의 파업을 계기로 전국의 모든 철도노동자가 동맹파업에 들어갔다. 그리고 투쟁은 노동자나 농민뿐만이 아니라 학생과 일반 시민까지 합세하여 230만 민중이 참가한 가운데 두 달 동안 계속되었다. 1-1-4:97

▶1946년 9월 1일, 서울 철도 회사의 노동자들이 일급제 실시에 반대하면서 휴업에 들어갔다. 9월 13일, 조선철도노동조합(朝鮮鐵道勞動組合)은 식량 배급, 처우 개선, 임금 인상 등의 요구 조건을 미군정청 운수부에 제출했으나 수용되지 않았다. 또한 부산에서도 철도 노동자들이 같은 요구를 제기하였으나 미군정 당국은 이를 묵과하였다. 이러한 상황을 계기로 9월 19일, 부산 철도 공장 8,000여 명의 노동자들이 노동 환경의 개선과 생존권 보장을 요구하며 총파업을 실시하였다. 남조선철도 종업원대우개선 투쟁위원회가 구성되어 산하 노동자들이 연대 투쟁을 하였고, 이에 전국의 철도 교통이 단절되었다. 하지만 미군정과 경찰의 탄압으로 10월 8일 이후 부산 철도는 노동자들이 복귀하면서 정상화되어 갔다. 부산 철도 파업은 10월 12일에 타결되었다.

10월 인민항쟁 |대구10월사건, 대구10·1사건| 9월, 노동자들의 항의 총파업. 그리고 10월 1일, 대구에서 굶주린 군중 1만여 명의 '쌀을 달라'는 시위에 대한 미군과 경찰의 무력 단입(검사 6백여 명, 사상사 17명, 부상사 23명)이 소위 10월 인민항쟁을 촉발시켰다. 민중봉기는 대구, 전주, 광주 형무소의 탈옥, 각 지방의 경찰서 습격으로 이어져 결국 남조선 전역으로 퍼져 나갔다. 1-1-4:97

▶ 1946년 10월 1일, 대구에서 경찰과 시민들 간의 충돌로 시작된 대규모 유혈 사태를 말한다. 해방 후 미군정은 친일파 세력을 군정의 요직에 기용하고 토지 개혁 등과 같은 시민들의 요구를 수용하지 않아 이에 대한 불만과 비판의 여론이 고조되었다. 특히 미군정이 실시한 식량 정책이 실패하여 쌀값이 폭등하고 시중에 유통되는 쌀이 희소해져서 식량난을 겪는 시민들이 급증했다. 미군정은 식량 문제를 해결하고자 보리를 강제 공출하여 농민들과 마찰을 빚었고, 식량 배급을 요구하는 시민들은 불만을 터뜨리며 시위를 일으켰다. 한편, 1946년 5월 미·소공동위원회가 휴회된 후 미군정은 좌파 세력에 대한 탄압을 심화하는데, 조선공산당은 이에 맞서 적극적으로 미군정을 비판한다. 조선공산당과 조선노동조합전국평의회는 미군정의 철도노동자 인원 감축을 비판하고 임금 지급 방식의 개선을 요구하며 1946년 9월 철도노동자를 중심으로 파업을 단행한다. 이 파업은 전국으로 확대되는데, 투쟁이 한창이던 10월 1일, 대구역 앞에서 시위를 진압하던 경찰이 시위대를 향해 발포하여 노동자 2명(황말용, 김종태)이 사망하였다. 이후 대구시민들의 평화적 시위가 경찰서 습격, 유치장 개방, 경찰 살해 등으로 전화되었다. 이에 미군정은 10월 2일 대구 지역에 계엄령을 선포하고 미군과 중앙의 경찰 병력을 동원하여 점거된 경찰서와 지서 등을 원상 복구하였다. 아울러, 시위대를 진압하고 시내의 질서를 회복하였으나, 대중의 시위는 성주·고령·영천·경산 등 경상북도의 각 지역으로 퍼져나갔다.

O리 방화 사건 |오라리 방화 사건, 연미마을 방화 사건| 그런데 협상 성립

으로부터 4일째인 5월 1일, 이른바 메이데이 당일 오전 열한 시, 수용소 텐트가 있는 O리에서 정체불명의 청년집단이 부락을 습격하여 방화하고, 다수의 사상자를 내는 사건이 일어났다. 5-12-7:348

▶1948년 5월 1일, 제주읍 오라리 연미마을(현 오라동)에서 우익 청년단원들이 일으킨 기습적 방화 사건을 가리킨다. 같은 해 4월 3일 무장대의 봉기를 시작으로 제주에는 대규모 유혈 사태가 일어났다. 이에 국방경비대 제9연대장 김익렬은 제주도 군정장관 맨스필드의 권유에 따라 무장대 측에 대화를 통한 평화 교섭을 제의한다. 무장대의 사령관 김달삼은 연대장 김익렬과 4월 28일 회담을 갖고 무력 투쟁 중지에 합의한다. 그런데 이 평화 교섭이 이루어지자마자 오라리 민가에 방화 사건이 발생한다. 경찰은 무장대에서 이탈한 주민에 가한 무장대 측의 보복성 방화로 공표했으나 국방경비대 제9연대에서 조사한 결과, 우익 청년단원들의 소행으로 밝혀졌다. 우익 청년들은 5월 1일 12시경에 연미마을에 들어와 허두경(40세), 강병일(39세), 박태형(39세), 강윤희(30세), 박전형(28세) 등 다섯 세대의 민가 12채에 차례로 불을 질렀다. 불에 탄 집의 주인들은 좌익 활동을 활발히 하던 주민이었다. 이에 민오름(현 오라동의 기생화산) 주변에 있던 무장대원 20여 명이 총과 죽창을 들고 내려와 이들을 추적했지만, 청년들은 이미 도주한 뒤였다. 연대장 김익렬은 미군정에 방화 사건의 실상을 보고하나, 미군은 이를 묵과하고 폭도들의 소행이라며 무장대 토벌을 위한 강경 진압을 지시한다. 5월 6일 제주에서 미군정 수뇌부가 참석한 가운데 긴급 대책회의가 열렸는데, 이 자리에서 무장대와의 협상을 주도한 연대장 김익렬은 문책을 받아 해임되고, 다음날 제9연대장은 박진경 중령으로 교체되었다. 결국 오라리 방화 사건으로 국방경비대와 무장대의 평화 교섭이 결렬되었고 유혈 충돌은 지속된다.

Y리 집단 총살 │ 북촌리 학살 사건 │ 부스럼영감과는 아무런 관계가 없는 일이었지만, 조천면 동쪽 끝에 위치한 Y리에서, 정오를 지나서부터 땅거미가 다가오는 저녁 무렵에 걸쳐 집단 총살이 이루어져 수백 명은 족히

될 마을 주민들이 죽었다고 했다. 수백 명? 5백 명? 학살이 한창 계속되는 이 섬에서조차 믿을 수 없는 숫자의 죽은 사람들에 관한 이야기였다. / 상세한 보고는 아니었지만, 소속 중대의 과잉 총살을 안 성내 주둔 제2대 대장이 지프를 몰고 Y리로 급히 달려가, 총살 중지명령을 내리고 다시 성내로 돌아온 뒤, 이야기는 순식간에 어디서부터랄 것도 없이 퍼졌던 것 같았다. 부엌이의 귀에도, 아직 전모가 확실하지 않은 학살사건의 이야기가 나름대로 들어가 있었다. 12-27-3:200~201

▶ 작품에서 '조천면 동쪽 끝에 위치한 Y리'는 집단 총살이 일어난 곳으로 서술된다. 이 사건은 조천면(현 제주시 조천읍) 동쪽 끝에 위치한 해안가 마을인 '북촌리'에서 발생한 대량 학살 사건을 연상시킨다. 1948년 11월 17일, 이승만(李承晩) 대통령은 제주에 계엄령을 선포한다. 제주의 계엄사령관으로 임명된 송요찬(宋堯讚)은 무장대뿐 아니라 비무장 민간인, 부녀자, 노약자들까지 가리지 않고 무차별적으로 사살시켰다. 계엄령 이전(10월 1일~11월 19일)에는 토벌 성과가 1,625명 사살, 1,383명 체포로 보고된 것에 비해 계엄령 이후(11월 20일~11월 27일)에는 576명 사살, 122명 체포로 집계되었다. 무차별 학살로 인해 도민들의 사체가 매장되거나 바다에 수장되는 경우가 더 많았기 때문이다. 이승만 정부는 12월 31일을 기점으로 제주의 계엄령을 철회했으나 제2연대장 함병선은 토벌대를 지휘하여 산간 지대를 공격한다. 1949년 1월 17일 아침, 제2연대 제3대대 일부 병력이 북촌국민학교 부근에서 무장대에 습격당해 군인 2명이 사망하는 일이 발생한다. 사실을 알게 된 북촌리 마을 주민은 군인의 주검을 싣고 대대 본부로 찾아갔으나, 이들 중 경찰 가족 1명을 제외하고 모두 총살되었다. 군인들은 북촌리를 방화하고 마을 주민을 북촌국민학교 운동장으로 소집한 후 무차별적 총격을 퍼부었다. 이날 자행된 학살로 북촌리 주민 400여 명이 희생당했으며 마을은 다섯 채의 집을 남기고 모두 소실(燒失)되었다.

검거선풍 | 1·22검거사건 | 산간벽지에 살지 않는 한, 제주도 사람이 이번

1월의 검거선풍(檢擧旋風)을 모를 리가 없었기 때문이다. 제주도의 경찰서와 지서가 체포된 사람들로 넘쳐 나서, 한때는 행정기관인 면사무소와 학교가 수용소로 사용되기도 했다. 1-2-3:201

▶1948년 1월 22일, 남조선노동당 북제주군 조천지부에서 공산주의자들이 비밀집회를 개최한다는 정보를 입수한 경찰이 현장을 급습하여 좌익 인사 106명을 검거한 사건이다. 경찰이 노획한 미군의 문건에 따르면, 제주 지역의 공산주의 정당(남조선노동당)은 3·1절 기념집회를 계기로 제주에서 폭동을 일으킬 것을 준비했다고 기록하였다. 또한 경찰은 그들이 경찰 간부와 고위 공무원들을 암살하고 경찰의 무기를 탈취하려는 계획을 세웠다며 압수 수색한 문건의 내용을 발표하였다. 당시 남로당 조천지부는 중앙당의 지령에 따라 5·10단독선거 반대시위의 일환으로 2·7폭동을 계획했으나, 좌익의 연락책으로 활동하다 전향한 김생민(金生珉)이 이 사실을 경찰에 밀고함으로써 남로당원 106명이 연행되었다. 같은 날 오전에 63명의 당원이 추가로 검거되었으며, 2·7폭동 계획을 추진하는 좌익의 회합이 계속되는 와중에 1월 26일까지 당원 총 221명이 연행되었다. 남로당 제주도당 책임자 안세훈(安世勳)을 비롯한 김류환(金壂煥), 김영(용)관(金龍寬), 이좌구(李佐九), 이덕구(李德九) 등 간부들도 검거되었다. 연행 도중에 김달삼과 조몽구(趙夢九)가 도주하였고, 연행된 좌익 세력은 3월 말에 석방되었다.

경방단　그는 또 경방단(警防團)의 임원으로서 '성전(聖戰) 완수', 친일파의 심부름꾼으로 선두에 선 경력이 있었다. 9-20-6:154~155

▶일본 제국주의가 효과적인 전시 동원 체제의 구축과 대중 통제를 위해 1939년 7월 3일, 부령 〈경방단 규칙〉에 의해 설립한 기관이다. 일제는 1937년 7월 중일전쟁을 도발하고 식민지 조선을 대륙 병참기지로 이용해 완벽한 전시체제를 갖추고자 다양한 조치를 취하였는데, 그 대표적인 것이 각종 통제기구의 설립 또는 정비였다. 이러한 조치의 하나로 1937년 11월 18일, 전시체제에 대비하여 〈방공법 조선시행령〉을 제정하고, 1939년

2월에는 조선총독부 경무국에 방호과(防護科)를 설치하였다. 그리고 이를 구체적으로 강화하고자 방호단·소방조·수방단 등을 통합하여 경방단을 조직하였다. 경방단은 도지사아 경찰서장이 지도·감독하에 평시와 전시를 불문하고 방공, 소화, 수방, 기타 경방에 대비하는 임무를 담당하였고, 경찰의 보조기관 역할까지 수행하였다. 1939년 말 경방단 수는 2,753개, 경방단원은 181,221명이었다.

고려독립청년당 "(…) 그리고 자카르타에서 겨우 1944년 12월 말에 혈서로 쓴 혈맹단 조직인 고려독립청년당을 결성하고 활동을 시작한 겁니다. 그러나 1월이 되면서 당원 세 사람이 일본인을 살해하는 반란 사건을 주도하기도 했고, 싱가포르행의 포로수송선 탈취 계획을 영국의 장교들과 세우기도 했지만, 그것이 탄로나 버려서 말입니다. 조직의 비밀이 일본군 헌병대에 포착되고 말았습니다. 반란을 일으킨 세 사람은 자결해 버렸고⋯⋯. 저는 조직에 참가하지 않았기 때문에 체포는 면했습니다만⋯⋯." 한대용은 담배에 불을 붙이더니 한 모금 깊게 들이마신 뒤, 눈을 감고 술 냄새 나는 커다란 한숨과 함께 연기를 토해 냈다. 2-12-1:178 ¶ "(…) 그 고려독립청년당의 존재를 알고 나서, 그 뒤 거기와 관계된 한 사람의 동지와 접촉을 시도하던 도중에 모두 체포되면서 조직이 해체되고 말았습니다. 그 조직은 결성되고 나서 3월 1일의, 전쟁이 끝나는 해의 3월 1일에 전원 체포될 때까지 2개월 밖에 버티지 못했어요⋯⋯. 선배님, 잠깐 실례하겠습니다." 5-12-1:177

▶ 1944년 12월 29일, 태평양전쟁의 전장이었던 인도네시아 자바(Java)섬에서 조선인 청년 10여 명이 결성한 항일운동 단체이다. 고려독립청년당 당원들은 모두 일본군 소속의 조선인 포로감시원들로, 일본군으로부터 차별 대우를 받던 이들은 필리핀과 미얀마의 독립 선포에 영향을 받아 이 단체를 결성했다. 주간에는 일본군으로 활동하며 비밀스러운 항일운동을 모의하였는데, 인도네시아 암바라와(Ambarawa)에서 1945년 1월 4일 의거를 일으켜 3일간의 전투로 일본인 12명을 사살하였다. 그 후 제2차

의거를 계획하였으나 발각되어 군사재판을 받고 옥고를 치렀다.

관동대지진 | 간토 대지진, 관동대학살 | "뭐니 뭐니 해도 무서운 건 지진이라는 놈이야. 조선에서는 지진을 경험한 적이 없었는데, 학생 시절에 일본에서 대지가 격렬하게 흔들리는 지진을 만났을 땐 이게 무슨 일인가했다구. 다이쇼(大正) 시대 말기에 관동대지진이 일어났을 때, 학살당한 우리 조선인들의 공포는 이루 말할 수 없었을 거야. 태어나서 처음으로, 그것도 망국의 백성이 제국주의의 본토에서 천지가 확 뒤집히는 지진을 당한데다가, 이번에는 조선인을 죽여라! 라는 상황이 되었으니, 이건 도저히 견딜 수 없는, 상상을 초월하는 일이 아니냐구. 이미 살아 있을 때부터 죽은 거나 마찬가지였을 거야. 지진에 비하면 천둥 벼락 따위는 아무것도 아니지. 지진은 천둥 번개에 비해 정말 멋지다고는 말할 수 없을 거야……." 7-17-8:412

▶1923년 9월 1일, 일본 시즈오카(靜岡), 야마나시(山梨) 등 관동(關東, 간토) 지방에서 대지진이 일어났다. 이 여파로 일본의 민중은 물론이거니와 식민지 국가의 민심도 크게 혼란스러웠다. 당시 국제 정세는 1919년 코민테른(Comintern)의 결성 이후 공산주의자들의 노동운동, 해방운동 등이 격화된 시기였다. 조선과 중국에서도 노동운동과 농민운동, 민족해방운동이 심화되었고, 일본은 이를 탄압하기 위한 책략을 세우고자 했다. 이런 가운데 관동대지진이 일어나자, 9월 2일 오후 6시를 기준으로 도쿄·가나가와현(神奈川縣)·사이타마현(埼玉縣)·지바현(千葉縣)에 비상 계엄령을 선포했다. 또한 각 경찰서와 경비대로 이 사건은 조선인의 폭동이라는 유언비어를 퍼뜨리도록 하는 통달을 내려 진상조사를 명령했다. 긴급 칙령으로 내려진 계엄령에 따라 군대와 경찰, 자경단(自警團)은 조선인과 일본인 사회주의자 등 6,661명을 무차별적으로 체포·사살했다. 9월 5일, 일본 계엄사령부는 〈조선 문제에 관한 협정서〉를 작성하여 관동대지진과 학살 사태를 조선인 폭동으로 왜곡·날조하고자 했다. 7일에는 치안유지령으로 〈과격사회운동취체법〉을 공포하여 사회주의 활동가들을 탄압하

는 명분을 세워 학살의 구실로 삼았다. 그 후 일본 정부는 군대와 관헌의 학살을 은폐하고자 그 책임을 자경단에게 전가하여 이 사건을 재판에 히부했다. 일부 자경단원은 형식상 재판에 히부되었으나 증거 불충분으로 모두 석방되었다.

관민 총파업 사건 | 제주3·10총파업 | "……그 후, 항의를 위한 관민 총파업 사건에 있어서는, 경찰의 책임자를 처벌하는 것이 아니라, 오히려 섬 출신 공무원들을 추방하고, 대신에 제주도의 특수한 실정에 어두운 서북인(서북청년회)을 그 후임으로 앉혀서 폭력과 고문 등, 참기 어려운 강압이 도민들을 짓눌러 왔다. (…)" 5-13-1:386

▶ 1947년, 3·1절 기념 제주도 대회에서 제주도민이 가두 행진 중 경찰부대가 발포한 총탄에 14명의 사상자(6명 사망, 8명 중상)가 발생하는 사건이 있었다. 이 기마대 발포 사건이 발단이 되어 제주도민은 대규모 관·민 총파업을 일으켰다. 3월 10일, 제주도청을 시작으로 학교·은행·우체국·조합·운수회사·미군 통역관까지 총파업에 돌입한다.

관부연락선 이럴 때마다 남승지는 자주 긴장 속에 떠오르는 기억, 일제 때의 관부연락선, 시모노세키 항과 부산항, 이곳 성내의 항구, 서울과 목포역 등지에서 일본인인지 조선인인지 알 수 없는 사복경찰과 헌병을 두려워했던 일들을 떠올렸다. 1-1-1:30 ¶"해방 전에는, 조선 독립운동가를 쫓아 조선인 고등경찰(특고)이 조선에서 일본까지, 한 달이고 두 달이고 뒤쫓아 다녔지. 재일조선인을 체포하기 위해서, 일본 '내지(內地)'의 특고가 조선까지 찾아왔어. 관부(關釜)연락선, 관여(關麗)연락선 등등으로, 바다 위의 체포극이 전개되기도 했지. 일본 경찰이 중국의 상해까지 조선인 운동가를 잡으러 가기도 하고……. 나도 오사카에서 체포되었을 때, 관부연락선으로 부산으로, 그리고 서울, 당시의 경성으로 연행되어 종로서에 수감되었지. (…)" 11-25-4:315

▶ 1905년부터 1945년까지 부산항과 시모노세키(下關)항 사이를 정기적으로 운항한 여객선이다. 러일전쟁이 종결된 후 경부선 철도가 부산에서

서울까지 연장되자, 이를 계기로 일본의 산요기선주식회사(山陽氣船株式
會社)는 일본의 산요선 철도와 한국의 경부선 철도를 연결하기 위한 선박
수송을 계획하고, 정기 여객선 운항을 추진하였다. 그 결과 1905년 9월에
부산과 시모노세키를 잇는 1,680톤급의 정기 여객선 이키마루(壹岐丸)가
시모노세키항에서 취항하였다. 이것이 일본과 한반도를 연결하는 첫 번
째 정기 연락선이었다. 이후 1945년 일본의 패전 직전에 미군의 공습으로
항로가 차단되면서 정기 여객선으로서의 생명이 중단될 때까지 관부연락
선은 한반도와 일본 열도를 잇는 대표적인 운송 기관의 역할을 하였다.
일본의 패전 직후에는 한때 한반도와 일본에서 귀환자들을 수송하는 선
박이 이 항로를 정기적으로 왕복하였다. 일제강점기 여객 수송과 해방
직후의 귀환자 수송을 합하면 총 3,000만 명 이상의 승객이 관부연락선을
이용하였다. 1965년 한국과 일본의 국교가 수립된 후 부산시와 시모노세
키시 사이에 정기 여객선 재개 움직임이 활발해졌다. 그 결과 1970년
6월 19일에는 관부 페리호가, 1983년 4월 27일에는 부관 페리호가 운항을
시작하였다.

광주학생사건 │ 광주학생 항일운동 │ 11월 3일의 광주학생사건 기념일 전
날 밤, 삐라를 붙이다 체포된 남승지는 12일째 되던 날 불기소처분으로
풀려났다. 1-1-4:98 ¶"(…) 광주학생사건에서도 고보(高普 : 고등보통학교)
학생, 지금의 중학생이 주력이었고 많은 소학교 학생들이 참가했지만,
이것은 결코 광주학생사건만의 일이 아닐세. (…)"3-7-6:378

▶1929년 11월 3일, 광주에서 시작된 학생들의 항일 투쟁은 사회·청년
단체들의 적극적인 참여 아래 전 민족적인 독립운동으로 전개됐고, 간도
와 일본을 비롯해 국외로도 확대됐다. 이것이 학생운동사상 기념비적인
사건으로 기록되는 광주학생운동으로, 3·1운동 이후 최대의 민족운동이
다. 같은 해 10월 30일, 나주역 인근에서 광주중학교의 일본인 학생 후쿠
다 슈조(福田修三)가 광주여고보의 조선인 여학생 박기옥(朴己玉)을 희롱
한 사건이 발단이 되었다. 박기옥의 사촌동생 박준채(朴準埰)가 이를 목격

한 후 후쿠다와 언쟁하고 있을 때 이를 말리던 나주역의 일본인 순사가 후쿠다를 비호하며 박준채의 뺨을 여러 차례 때렸다. 이 사건이 《광주일보》에 보도되었는데 조선인 학생을 가해자로 왜곡한 내용이었다. 이러한 왜곡 보도에 조선인 학생들의 불만이 분출되어 11월 3일 광주 시내에서 거리시위가 발발하였다. 광주고보와 광주농업학교를 비롯해 광주 지역 학생들은 일본 학생들과의 충돌 사건을 왜곡 보도한 광주일보사를 습격하고, 곳곳에서 일본 경찰 및 소방대와 충돌했다. 광주역과 우체국 앞 등에서는 일본인 학생들과 집단적으로 부딪치기도 했다. 한편, 이날은 일본 메이지(明治) 천황의 탄생을 축하하는 명치절(明治節)이었는데, 학생들은 〈기미가요〉 제창을 거부하고 "대한독립 만세"를 외치며 총궐기했다. 이후 학생운동은 전남 지역을 거쳐 전국으로 확산되었는데, 19일에는 목포에서, 27일에는 나주에서 학생시위가 벌어졌다. 12월에는 서울과 지방으로까지 학생운동이 확대되었다. 또한 일본에서는 도쿄의 조선유학생학우회와 재일본조선노동총동맹 등이 1929년 11월 말부터 거리시위와 비판연설회를 가졌고, 간도에서는 1930년 1~2월 은진중학교, 동흥학교, 신명여학교 등에서 학생시위가 벌어졌다.

교육칙어 │교육에 관한 칙어│ 졸업식을 앞두고 운동장 청소와 풀 뽑기 작업을 하고 있었는데, 특히 '교육칙어'와 '어진영(御眞影, 천황과 황후의 사진)'을 모신 '봉안전' 주위는 상급생들이 맡았다. 2-4-4:275

▶1890년 10월 30일, 일본 메이지 천황의 이름으로 발표한 일종의 교육헌장이다. 일본은 메이지 유신(1868년) 이후 근대화에 전력을 기울이면서도, 내부적으로는 천황제 중심의 군국주의 정치를 지향했다. 〈교육에 관한 칙어〉(일명 교육칙어)는 교육 부문에서의 이러한 의지를 표명한 것으로 일본의 식민지였던 우리나라의 교육 방향까지 결정했다. 내용은 봉건적인 권위 체제를 옹호하고 천황에 대한 절대적인 헌신을 강요하는 것으로, 천황 중심의 교육을 통해 천황에 충성하고 군국주의에 동조하는 충량(忠良)한 신민(臣民)을 기르는 데 목적이 있었다. 우리나라에서는 8·15광복

이후 1948년 〈교육법〉이 제정되고서야 실제적으로 〈교육에 관한 칙어〉가 폐지되었다.

교토 이총 | 교토 귀무덤, 조선인이총 | 공명을 세우기 위해 귀를 잘랐다 ……. 어디선가 들은 적이 있는 이야기가 아닌가. 이방근은 일본의 고도(古都) 교토(京都)에 이총(耳塚), 일명 코 무덤이 있다는 것을 알고 있었다. 일찍이 도요토미 히데요시(豊臣秀吉)의 두 차례에 걸친 조선 침략 때, 왜군이 조선인의 귀와 코를 잘라 가지고 간 뒤 묻어 쌓아 올린 무덤이다. 11-25-1:205

▶일본 교토시(京都市) 히가시야마구(東山區) 차야마치(茶屋町)에 있는 조선인의 귀와 코를 묻은 무덤으로, 일본의 국가 지정 사적 중 하나이다. 임진왜란 때 일본군이 전리품을 확인받기 위해 목 대신 베어 갔던 조선인 약 20,000명의 귀와 코를 묻은 무덤이다. 무덤 위에는 불교에서 말하는 만물의 구성요소인 지(地)·수(水)·화(火)·풍(風)·공(空)을 상징해서 쌓아 올린 고린토(五輪塔)라 불리는 석탑이 세워져 있고, 둘레는 돌로 둘러쳐져 있다. 높이는 약 7.2미터, 석탑의 높이는 약 9미터, 가로 폭은 약 49미터이다. 본래 이름은 코무덤(鼻塚)이었으나 하야시 라잔(林羅山)이 《도요토미 히데요시보(豊臣秀吉譜)》에서 코를 자른 것은 야만적이라며 귀무덤이라고 쓴 이래로 귀무덤으로 바뀌었다. 현재는 매년 10월에 위령제가 행해지고 있다.

국립서울대학교 법안 실시 반대 데모 | 국립서울대학교 종합화안 반대운동, 국대안 반대운동, 국대안 파동 | 이미 여름에 접어들면서 탄광과 자동차, 방적 공장에서 처우 개선을 요구하는 파업이 벌어졌고, 7월에는 국립서울대학교 법안 실시 반대 데모, 9월에는 부산 지구 철도노동자들의 파업을 계기로 전국의 모든 철도노동자가 동맹파업에 들어갔다. 그리고 투쟁은 노동자나 농민뿐만이 아니라 학생과 일반 시민까지 합세하여 230만 민중이 참가한 가운데 두 달 동안 계속되었다. 1-1-4:97

▶1946년 7월 13일, 미군정청 문화교육부가 〈국립서울대학교설립안〉(약

칭 국대안)을 공식적으로 발표하였다. 이 국대안은 경성대학교, 경성의학전문학교, 경성치과의학전문학교, 경성법학전문학교, 경성고등공업학교 등을 통합하여 국립대학교를 신설한다는 내용이었다. 8월 22일에는 〈국립서울대학교 설립에 관한 법령〉이 공포되어 국립서울대학교가 설립되었는데, 이 법령의 내용은 국대안의 수립 계획과 같이 경성대학을 중심으로 여러 관·공·사립 전문학교를 통합하여 국립 종합대학을 개설한다는 것이었다. 이에 따라 국립서울대학교는 9개 단과대학(문리과·공과·농과·법과·상과·사범·예술·의과·치과대학)과 1개 대학원으로 조직되었고, 초대 총장으로 미국 해군 대위 앤스테드(Harry B. Ansted)가 취임하였다. 그러나 설립 과정에서 기존 교수, 학생, 직원들의 격렬한 반대운동이 일어났다. 이 법안이 고등교육기관을 축소시킬 뿐 아니라 미국인을 총장과 행정 인사로 임용함으로써 대학 운영의 자치권과 고유성을 저해한다는 이유에서였다. 사태는 점점 악화되어 갔고, 11월 초부터는 서울의 다른 대학에서도 등록 거부 등 동정·동맹휴학에 들어가기 시작했다. 1947년 2월 3일에는 상과·법과·공과·문리과대학 등이 동맹휴학하였고, 그 뒤를 이어 서울여자의과대학·연희대학·한양대학·동국대학·국학대학 등도 동맹휴학에 들어갔으며, 차차 중등학교와 인천·개성·춘천·대구 등의 지방학교로까지 파급되었다. 당시 동맹휴학한 학교 수는 57개 학교, 인원은 약 40,000명에 달하였다. 이러한 반대시위와 동맹휴학을 감행한 격렬한 반대운동은 5월까지 지속되었다. 미군정 당국은 5월 말에 국대안에 관한 수정 법령을 공포함으로써 반대운동은 가라앉기 시작하였으며, 8월 14일에 국대안 반대운동은 일단락을 짓게 되었다.

국민회 "추천인이 돼 달라는 거야. 이승만 박사의 국민회(國民會) 소속으로 출마할 것 같은데 말이지." 1-2-5:248

▶ 1909년 2월, 미국에 사는 한국인들이 조직한 단체이다. 장인환(張仁煥)·전명운(田明雲) 의사가 대한제국의 친일외교관 스티븐스(Durham W. Stevens)를 사살한 것을 계기로, 샌프란시스코의 공립협회(共立協會)와 하와

이의 한인합성협회(韓人合成協會)가 통합되어 국민회를 조직했다. 1910년 대동보국회(大同保國會)를 흡수한 뒤 대한인국민회(大韓人國民會)로 이름을 고쳤다. 대한인국민회는 해외의 한인을 총망라한 단체를 구성하기 위해 한인이 살고 있는 지역마다 지방총회를 조직하고, 1912년 북아메리카·하와이·시베리아·만주 등 각 지방총회의 대표자회의를 소집했다. 이 단체는 미국 정부에 한인과 일본인의 대우를 구별해줄 것을 요청해 승인을 받아낸 바 있다. 이들은 국권피탈 전에 한국을 떠난 재미한인은 일본 정부와 관계가 없다고 밝히며, 일본의 한국 병합에 절대 반대의 뜻을 전했다. 기관지로 《신한민보》를 발간해 국내외에 배포했으며, 해방 때까지 해외 한민족의 독립운동을 주도했다.

국방경비대　｜국방군, 국군｜ "(…) 그러나 우리는 지금 군대 내에서의 활동은 뒷날을 위해 준비해야겠다고 새삼 생각하고 있어. 지금 만일 성내의 경찰이나 감찰청이 군대의 일부에 접수돼 있다고 한다면, 미군이 가만있지 않을 거야. 미 중앙군정청 통위부 아래에 국방경비대 사령부가 있기 때문에, 공동작전을 펼 가능성도 있어. 우리는 충분히 미국을 의식하고 있고, 그들과 직접 무력대결을 펼치는 것은 현 상황에서는 피해야 될 일이야……." 5-11-4:90 ¶ 군 대표와 게릴라 대표의 양자회담에 의한 4·28화평협상과 정전의 성립은 '아닌 밤중에 홍두깨'식으로 경찰에게는 큰 충격을 주었다. 정전 성립의 결과, 경찰의 게릴라 토벌대는 미군정청의 명령으로 출동이 중지되었고, 그들의 임무는 문지기처럼 경찰서 등의 경찰 소속 건물의 경비로 축소되었다. 섬의 치안 책임은 전적으로 국방경비대에 위임되었고, 권한이 크게 제한된 경찰 당국은 군의 지휘 아래에 들어가게 되었다. 6-15-4:357 ¶ 회합에 모인 게릴라 대원 중에는 소대장을 포함해서 두세 명의 국방군(구국방경비대) 출신으로, 4·3봉기 후에 무기를 지니고 의거 입산한 사람들도 있었다. 그들은 주를 향해 반론을 제기하지는 않았지만, 그들 국방군 출신자를 향한 그의 비판적인 말에 다소 불만스럽다는 표정을 감추지 않았다. 주가 마지막으로 덧붙인 군사교육과 정치교육의 결합을 강조하는 가운데, 그는 군 출신자에 대해 언급하면서, 국군 출신 동지들은 군사시식이나 기술은 뛰어나지만, 비 제국주의 지배하의 군대에서 반동사상교육을 받은 영향으로 혁명사상교육이 부족하다. 국방경비대 제9연대장 박경진을 살해한 현상일 중위처럼 반동 권력에 의해 사형을 선고받은 애국적, 혁명적 군 출신자도 있지만, 동지들은 좀 더 정치교육을 강화해서 인민에게 봉사하는 혁명사상으로 무장해야 한다…… 운운하는 말을 한바탕 했던 것이다. 8-19-9:479~480

▶ 1946년 1월 14일부터 1948년 9월 5일까지 미군정하에서 주로 국내 치안을 담당했던 육군의 전신이다. 8·15광복 후 남한에는 미군이 진주하여 군정을 실시했는데, 1945년 11월 13일 미군정 법령 제28호로 국방사령부를 설치하고, 그 산하에 경무국(警務局)과 군무국(軍務局)을 두었다. 그리고 미군정은 통일적인 군사기구를 조직하는 작업에 착수하여 1946년 1월 14일 미군 장교와 한국인 보좌관을 중심으로 남조선국방경비대(약칭 국방경비대)를 창설했다. 국방경비대 총사령부는 초기에 고급부관실·인사과·정보과·작전교육과·군수조달과로 조직되었으며, 이후 재무국과 의무국이 신설되었다. 5월 1일 국방경비사관학교를 창설하여 간부 육성체계도 확립했다. 6월 14일에는 국방부가 통위부로 개칭되면서 국방경비대도 조선경비대로, 국방경비대 총사령부는 조선경비대 총사령부로 개칭되었다. 12월 12일에는 종전의 계급호칭과 계급장도 새로 제정했다. 정부수립 이후 1948년 8월 16일 국방부 장관(초대 국방부 장관 이범석) 훈령 제1조에 의해 조선경비대는 '대한민국 국방군'으로 불리기 시작했고, 같은 해 8월 24일 한국 정부와 미국 정부 간에 〈군사안전잠정협정〉이 체결됨으로써 조선경비대에 대한 통수권의 이양과 더불어 9월 1일 조선경비대와 조선해안경비대는 국군에 편입되었다. 이에 따라 조선경비대는 육군으로 개편되었고, 11월 30일에 〈국군 조직법〉이 국회에서 인준되어 국방부 내에 참모총장과 참모차장을 두고 그 아래 육군 본부와 해군 본부가 설치되었다. 육군 총사령부로 명칭이 바뀐 조선경비대 총사령부는 다시

육군 본부로 재편되어 오늘날과 같은 체제를 갖추었다.

군정청 ｜미군정청, 재조선미육군사령부군정청｜ 성조기를 본 순간, 아니 버스가 성내에 들어섰을 때부터 그는 군정청에서 통역 일을 하고 있는 양준오를 의식하고 있었다. 1-1-1:41 ¶ 이방근은 양쪽으로 지붕이 날카롭게 하늘로 휘어진 조선식 가옥이 늘어선 길을 내려가 큰 길로 나왔다. 오른쪽으로 돌아가면, 일제강점기의 구조선총독부, 지금의 미 중앙군정청 앞으로 나가게 되는데, 그 웅장한 건물은 일찍이 일장기가, 지금은 이 나라의 국기가 아닌 성조기가 옥상에 펄럭이고 있는 곳이었다. 5-11-5:116 ¶ 6일 정오, 성내 서문교 밖에 있는 J중학교에서 딘 장관 이하 미 중앙군정청 최고수뇌, 그리고 제주 미군정청 장관 M대령, 한 제주지사, 김익구 제9연대장, 최 제주감찰청장 등이 모여 긴급대책회의를 열었다. 5-12-7:351

▶ 1945년 9월부터 1948년 8월 15일까지 남한에 설치된 미군의 군정청으로, 미군정청(United States Military Government in Korea, 美軍政廳)은 일제의 패전 직후 조선총독부 청사에 자리를 잡았다. 제2차 세계대전 종전 이후, 미·소 합의에 의해 한반도 분할 점령이 결정되었다. 이에 북위 38도선 이남에는 남한 점령군으로 선발된 미국 육군 제24군단이 진주하여 미군정을 설치하였다. 미군정의 기본적인 점령 목적은 일본군을 무장 해제하고, 소련의 독자적인 한반도 점령을 막기 위한 보루로 남한을 만든다는 것이었다. 이에 따라 미군정의 기본적인 정책은 현상 유지와 소련과 공산주의에 반대하는 성격을 띠고 전개되었다. 1948년 8월 15일, 대한민국 정부 수립과 함께 3년여에 걸친 미군정 통치는 막을 내렸다.

궁성요배 아버지는 일제강점기의 궁성요배(宮城遙拜)를 떠올린 건 아니겠지. 10-23-7:389

▶ 아침마다 천황이 사는 궁을 향해 절하는 것으로, 일제강점기에 일제가 한국인에게 강요한 의례 중 하나이다. 1937년 중일전쟁 이후 일본은 한국인을 일본이 수행하고 있는 전쟁에 보내기 위해 정신적으로 세뇌시키기 시작하였다. 강압적으로 전쟁터에 내보내는 것보다는 우리 민족성을

말살시키고 스스로 일본인이라고 생각하게 하여 자발적으로 참전하도록 하는 것이 효과적이기 때문이었다. 그래서 한국인과 일본인이 하나라는 '내선일체(內鮮一體)'의 일본 천황의 충성스러운 백성이 되가는 '황국신민화(皇國臣民化)'를 내세웠다. 이에 아침마다 천황이 사는 궁을 향해 절을 하는 궁성요배를 강요하였고 천황에게 충성을 맹세하는 내용의 〈황국신민서사(皇國臣民誓詞)〉를 암기하도록 하였다. 또한 이름을 일본식으로 개명(창씨개명)하도록 하였고 전국 각 면에 신사(神社)를 세워 참배하도록 하였다.

귀축미영 남승지의 주위에는 귀축미영(鬼畜美英) 격멸의 성전(聖戰) 완수를 외치는 일본인 학생과 교사뿐이었고, 사촌 형은 그저 묵묵히 일에만 열중하고 있었다. 2-3-7:171

▶ 귀축미영 또는 귀축영미(鬼畜英米)는 '악귀와 짐승 같은 미국과 영국'이라는 뜻이다. 이는 제2차 세계대전 당시 일본제국이 쓰던 선전 용어로, 서구 세력에 대한 적대감과 일본인의 우월감을 고취시키기 위해 사용했다. 일본제국은 영미 세력이 일본 민족의 말살을 원하기 때문에 전쟁이 필요하다고 하였다. 이 선전 용어는 많은 일본인들에게 영국과 미국에 대한 공포심을 심어주어 태평양전쟁 말기에 그들이 자살을 택하는 큰 원인이 되기도 했다.

김구 남한 단독정부 수립 반대성명 남북정치협상회의는 김구 등의 서한에 의한 제의를 북측이 수락함으로써 개최되게 된 것이었다. 김구는 이미 작년 12월, 단독으로 남한 단독정부 수립 반대성명을 발표한 바 있었다. 5-11-5:126

▶ 1947년 12월 22일, 김구(金九)는 남한의 단독 정부 수립에 반대하는 성명을 발표한다. 당시 정세를 살펴보면, 미·소공동위원회의 결렬 후 한반도의 국가 수립 안건이 국제연합(UN)으로 회부되어, 1947년 11월 14일 유엔의 감시하에 남북총선거를 실시하기로 결의하였다. 그러나 소련과 북한의 반대로 남한만의 총선거가 불가피해지자 김구는 논설 〈나의 소

원)에서 "완전 자주독립 노선만이 통일 정부 수립을 가능하게 한다."라
고 역설하며 통일 정부의 수립을 강력히 피력했다. 이어서 그가 남한의
단독 선거와 단독 정부 수립에 반대하며 다음과 같은 내용의 성명을 발표
한 것이다. "우리는 머지않아 내조(來朝)할 UN위원단을 충심으로 환영하
는 동시 그들로 하여금 우리에 대한 정당한 인식을 가지고 우리가 원하는
자주독립의 통일 정부를 수립하는 임무를 완수하도록 우리의 최선을 다
하여야 할 것이다. 우리가 원하는 바도 자주통일 정부요, 그들이 우리를
위하여 독립하여 주겠다는 정부도 남북을 통한 총선거에 의한 자주독립
의 통일 정부다. 그러므로 우리는 여하한 경우에든지 단독 정부는 절대
반대할 것이다. UN위원단의 임무는 남북총선거를 감시하는 데 있다. 이
감시는 외력의 간섭을 방지하는 것만이 아니라 내부의 여하한 간섭이라
도 방지할 것이다. / 그러므로 일반 동포는 절대로 자유의사에 의하여 투
표를 행할 수 있을 것이다. 우리가 국제적 귀빈을 맞이함에 있어 우리
민족의 통일적 의사를 표현하여야 할 것이니 국의(國議)와 민대(民代)의
합동에 있어 일시적 외부의 장해로써 완료하지 못하였을지라도 합동에
대한 결의는 의연히 유효한 것이다. / 그런데 일전에 수모(誰某)의 소위인
지 민대의 부서며 또 무슨 보조위원단 운운과 수백인의 명단까지 발표한
것을 보았다. 이것은 통일에 방해가 될 뿐 아니라 사전 사후에 본인으로
서는 주지한 바 없으니 이 현상 위에서는 여하한 책임도 본인은 질 수
없다."(〈김구, 단정 수립 반대 성명 발표〉, 《조선일보》, 1947.12.23.)

김구와 김규식의 반대 담화   톱기사 밑에는 이승만과 그 밖의 찬성 담화가
실려 있었고, 이승만과 함께 우익의 세 지도자로 불리는 전 중경(重慶) 대
한민국임시정부의 주석이었던 김구와 부주석이었던 김규식의 반대 담화
가 나와 있었다. 1-2-5:243

▶ 1948년 5월 10일, 대한민국에서 처음으로 국회의원 선거가 실시되었
다. 이에 앞서 1947년 9월 유엔 총회 제1차(정치) 위원회에 상정된 한국
문제는 1948년 3월 31일 이전에 유엔한국임시위원단의 감시로 남북한

총선거를 실시하자는 미국 측의 주장과, 1948년 초까지 먼저 한국에서 외국군을 동시 철수하자는 소련 측의 주장으로 날카롭게 대립하였다. 이후 11일 14일 총회 본회의에서 미국 측 안을 43 대 0(기권 6)이라는 압두적 다수결로 채택함으로써 모스크바협정이 규정한 5개년 신탁통치안이 국제 정치 무대에서 묵살되고, 한국 문제의 새로운 방향이 설정되었다. 이에 따라 한반도에서 총선거를 실시하기로 결정한 것이다. 유엔한국임시위원단에서 착수한 한반도 내 총선거에 미국은 당연하거니와 이승만(남조선대한국민대표 민주의원장)과 김성수(金性洙, 한국민주당 위원장)는 찬성 측이었고, 다른 한편에 김구와 김규식(金奎植) 등 반대 측이 있었다. 민족자주연맹 결성준비위원회의 위원장이었던 김규식은 "남에서만 총선거를 시행하여 정부가 수립되는 것을 용인한다면 유엔위원단이 국토 분할과 민족적 분열에 역사적 책임을 져야 한다."고 주장했다. 한편, 김구는 "미·소 양군이 철퇴하지 않고 있는 남북의 현 상태로서는 자유스러운 분위기를 가질 수 없고, 양군이 철퇴한 후에 남북 요인이 회담을 하여 선거준비를 한 후, 총선거를 실시하여 통일 정부를 수립해야 할 것이다."라는 내용의 담화문을 발표하였다.

김구의 대국민 성명문 발표 이미 지난 2월 10일, '3천만 동포에 읍소(泣訴)[읍고(泣告)]한다'에서 피를 토하는 듯한 우국충정의 주장을 발표하고, 남한의 단독정부 수립에 반대 성명을 냈던 김구의 담화. 1-2-5:243

▶ 1948년 2월 10일, 김구는 〈3천만 동포에게 읍고(泣告)함〉이라는 대국민 성명문을 발표한다. 그는 성명문을 통해 "나는 통일된 조국을 건설하려다가 38선을 베고 쓰러질지언정 일신의 구차한 안일(安逸)을 위하여 단독정부를 세우는 데는 협력하지 않겠다."며 비장한 심정을 토로하여 온 국민의 단결과 각성을 촉구했다. 선봉에서 독립운동을 이끈 지식인이었던 김구는 신탁통치 반대운동에도 적극 앞장섰으며, 〈나의 소원〉에서 "완전 자주독립 노선만이 통일 정부 수립을 가능하게 한다."라고 역설하였다. 그는 이 성명문에서 "통일하면 살고 분열하면 죽는 것은 고금의 철칙이나

자기의 생명을 연장하기 위하여 남북의 분열을 연장시키는 것은 전 민족을 죽음의 구덩이(死坑)에 넣는 극악·극흉의 위험한 일이다."라며 한반도의 분단과 분열을 조장하는 외세와 동조 세력에 강력히 대항하였다. 이후 김구는 5·10총선거(제헌국회의원 선거)를 거부할 계획으로 4월 19일에 평양을 방문하여 남북협상을 진행한다.

김옥균 암살 사건 이조 말기. 정부의 자객에 의해 상해에서 암살되어, 한국으로 이송된 개화파 김옥균의 사체가 한강변 양화진에서 다시 갈가리 찢겨, 능지처참의 극형에 처해진 것은 1894년. 12-종-6:362

▶ 1894년 3월 28일, 김옥균(金玉均)이 중국 상하이(上海)에서 홍종우(洪鍾宇)에게 피살당한 사건이다. 1885년 말 갑신정변(甲申政變, 1884년) 실패 후 일본으로 망명 중인 김옥균이 일본의 구자유당계(舊自由黨系) 불만 세력 및 일부 지도층과 결탁해 조선을 침공하려 한다는 소문이 돌았다. 조선 정부는 일본에 그의 송환을 요구하였으나 범죄인도협정의 부재와 망명 정치범의 송환 금지의 사유로 이를 거부당한다. 이에 정부는 1886년 5월 통리군국사무아문(統理軍國事務衙門)의 주사 지운영(池運永)을 일본에 보내 김옥균을 암살하려 한다. 그러나 이 계획은 사전에 발각되어 실패하였고, 이 일로 조선과 일본 간에 외교 분규가 발생한다. 일본은 지운영을 조선으로 돌려보내고, 1886년 8월 김옥균을 태평양의 오가사와라섬(小笠原島)으로 강제 추방했다. 김옥균은 이곳에서 약 2년간 유배 생활을 한 뒤 홋카이도(北海道)로 옮겨져 억류되었다. 그 후로도 일본의 감시와 통제를 받다가 1890년에 이르러서야 비로소 내지(內地) 귀환의 허가를 받아 도쿄로 들어올 수 있었다. 도쿄에서 곤궁한 생활을 하던 김옥균은 이일직(李逸稙)과 권재수(權在壽)의 계략에 빠져 홍종우와 함께 중국으로 건너갔다. 1894년 3월 27일, 상하이에 도착한 그는 다음날 미국 조계(租界) 안의 일본 여관 동화양행(東和洋行)에서 홍종우에게 암살당했다. 청나라는 김옥균의 시체와 홍종우를 조선 정부에 인도했고, 조선 정부는 김옥균의 시체를 서울 양화진(楊花津)에서 능지처참하여 전국에 효시했다. 이러한

소식을 접한 일본의 민간인과 언론기관들은 갑작스레 김씨우인회(金氏友人會)라는 단체들 소식해 도쿄의 혼간지(本願寺)에서 김옥균의 장례식을 거행히었다.

김일성 부대의 국외 항일 독립투쟁 "내가 왜 자넬 놀리겠는가. 벌써 10년 전 일제 때 이야기지만, 이른바 경성제국대학, 거기 법문학부 교수인 하야카와(早川)라는 어용학자가, 조선인은 8살 때 이미 사상가가 된다고 탄식한 일이 있다네. 그 말의 의미를 알겠나? (남승지는 고개를 끄덕였다.) 3·1독립운동이나 광주학생사건 같은 국내운동뿐만 아니라, 김일성 부대 등의 국외의 항일 독립투쟁에 애를 먹던 왜놈들의 심정을 토로하는 말일세. (…)"3-7-6:378

▶1926년, 김일성(金日成)은 중국 지린성(吉林省)에 설립한 화성의숙(樺成義塾)에 입학하였으나 민족주의적 성향 교육에 불만을 품고 공산주의에 관한 서적을 접하며 동료 학생들과 청년들을 모아 공산주의 운동 조직을 만든다. 제국주의를 타도하고 공산주의와 사회주의를 지향하며 자주독립을 이루겠다는 목적으로 무장 단체를 결성한 것이다. 그는 1929년에 항일활동으로 중국 당국에 체포되어 옥고를 치른 후 1931년 일본이 만주를 침략하자 중국공산당 조직과 연계하여 활동하기 시작한다. 코민테른의 선언에 따라 김일성 휘하의 조선공산당은 중국공산당으로 편입하였고, 1932년 4월 25일에 중국공산당 산하 조선인 부대를 만들어 100여 명의 군사 병력을 지휘한다. 이때부터 김일성 부대의 항일 독립투쟁이 시작되었다. 김일성은 1930년대에 만주 일대를 중심으로 항일 무장투쟁을 활발하게 전개하다가, 1939년 제2차 세계대전이 발발하고 일제가 만주를 병참기지로 삼아 약탈과 횡포가 극심해지자 1940년대에 소련의 하바롭스크(Khabarovsk)로 퇴각하게 된다.

남로당 국회 프락치 사건 지난 5월 중순에는, 다분히 정부가 날조한 남로당 국회 프락치 사건에 따라 반민특위 위원을 포함한 무소속 소장파 의원들이 체포되면서 약화되고 있던 반민특위는, 새로운 타격을 받고 사실상

해체로 이어졌다. 12-종-6:364

▶1949년 5월, 남조선노동당 프락치(fraktsiya, 비밀공작원)로 제헌국회에 진입하여 첩보 공작을 한 혐의로 소장파 국회의원 10여 명이 체포된 사건을 말한다. 당시 국회 부의장이던 김약수(金若水)를 비롯하여 진보적 소장파 의원들이 반민족 행위자의 처벌과 남북의 통일 국가 수립 문제에 소극적인 정부를 비판하며, 외국군(미국, 소련)의 완전 철수와 남북정치회의의 개최를 주장하였다. 미국 군사 고문단 설치에도 반대한 소장파 위원들은 이승만 정권과 대립하는 구도였다. 이들은 〈남북평화통일방안 7원칙〉을 제시하였고, 이와 달리 북진 통일을 주장한 제1공화국 정부는 이들이 남로당 공작원과 접촉하여 활동했다고 발표하며 13명의 국회의원을 검거한다. 현역 국회의원 이문원(李文源), 최태규(崔泰奎), 이구수(李龜洙), 황윤호(黃潤鎬), 김옥주(金沃周), 강욱중(姜旭中), 김병회(金秉會), 박윤원(朴允源), 노일환(盧鎰煥), 김약수, 서용길(徐容吉), 신성균(申性均), 배중혁(裵重赫)이 국가보안법 위반 혐의로 체포되었다. 7월 30일에 10명, 9월에 3명이 기소되었으며 11월 17일 첫 공판이 열렸다. 이들에게는 최하 3년부터 최고 10년까지의 실형이 선고되었으나, 2심 계류 중 한국전쟁이 일어나, 서대문형무소에 수감되어 있던 이들은 서울을 점령한 조선인민군의 정치범 석방으로 모두 풀려난다. 이 국회 프락치 사건으로 인해 소장파 의원들이 국회에서 제거되어 정부의 견제 기능은 물론 해방 후 반민족 행위자 처벌 안건도 무산되었다. 반민족행위특별조사위원회(反民族行爲特別調査委員會)가 해체되는 계기가 된 사건이다.

남북정치협상회의 │ 남북조선제정당사회단체대표자연석회의, 전조선제정당사회단체대표자연석회의, 남북협상 │ "(⋯) 이번 4월 19일부터 이북 평양에서 열리는 남북정치협상회의 참가를 놓고 서울 장안은 뒤숭숭하다구. 무엇보다 단독선거를 그만두라고 반대하고 있는 김구 선생과 김규식 선생이 평양으로 가는 걸 미군정청도 이승만 박사도 막을 방법이 없으니까⋯⋯. 국민들은 국론이 분열되는 선거를 원하지 않는다구. (⋯)" 5-11-4:100 ¶한편, 북한의 평양에서 4월 19일부터 열린 '남북조선 정당 사회단체 대표자 연석회의(남북협상회의)'는 예정을 넘겨 28일까지 계속되었고, 30일에 공동성명을 발표, 김구, 김규식 등의 남측 대표들은 5월 5일에 서울로 돌아왔던 것이다. 5-12-7:357

▶ 1948년 4월 19일부터 30일까지 평양에서 열린 전조선제정당사회단체 대표자연석회의와 남북조선제정당사회단체지도자협의회 등 일련의 정치 회담을 통칭한다. 제2차 세계대전 종식 후 한반도의 국가 수립 및 신탁 통치에 관한 문제를 두고 미·소공동위원회가 냉전으로 대립하자, 미국은 이 문제를 유엔으로 회부한다. 이에 따라 1948년 1월 9일, 유엔한국임시위원단이 한반도에 입국한다. 그러나 소련은 위원단의 북한 입국을 거절했으며, 북한 또한 미국의 주도로 실시하는 선거를 거부하였다. 남한만의 단독 정부 수립을 주장한 이승만과 그의 추종 세력인 한국민주당은 남한만의 단독 선거를 실시하여 정부를 수립한 후 점진적으로 통일을 이룩하자고 주장한다. 이와 달리, 김구와 김규식은 대한민국 임시정부의 법통(法統)을 계승한 자주적 정부 수립을 주장하면서 신탁통치를 강력 반대한다. 남한의 단독 정부 수립이 국토의 영구 분단과 동족상잔의 비극을 초래한다는 이유였다. 이로 인해 국론이 좌익과 우익 세력으로 양분되자 중도파 정치세력이 그 조정으로 남북지도자회담을 제안했다. 1948년 1월, 김구와 김규식이 미·소 양군의 철수와 총선(總選)을 통한 통일 정부의 수립이라는 원칙을 제안하고, 2월 16일에 북한의 김일성과 김두봉(金枓奉)에게 합의안을 전송했다. 북한의 답변은 남북 정당과 사회단체 대표자의 연석 회의를 주재하자는 것이었다. 이에 따라 4월 19일, 평양 모란봉극장에서 남북연석회의가 개최되었고, 남측 41개 단체와 북한 15개 단체의 대표자 695명이 참석하여 남북협상을 진행했다. 23일, 남북조선제정당사회단체 대표자연석회의가 종료되며 〈조선 정치정세에 대한 결정서〉와 격문 〈전조선 동포에게 격함〉, 그리고 〈미·소 양국에 보내는 전조선 정당·사회단체 연석회의 요청서〉가 발표된다. 이후 30일에 개최된 남북지도자협의회

를 거쳐 〈남북조선 제정당·사회단체 공동성명서〉를 합의서로 채택한다. 공동성명서에는 '외국 군대의 즉시 철수', '외국군 철수 후 내전 금지', '총선에 의한 통일 정부 수립', '단선단정의 반대와 불인정'이라는 4가지 원칙을 포함하였다.

남조선인민대표자대회 북조선에서는 8월 25일, 직접선거로 212명의 국회의원을 선출하는데, 공개적인 선거가 불가능한 남조선에서는 비합법적인 지하선거지도위원회가, 먼저 남쪽의 각 시, 군 단위로 지방 대표를 다섯 명에서 일곱 명씩 선출하고, 8월 21일 해주시에서 남조선인민대표자회의를 개최하여 남측 의석 360명의 국회의원을 선출한다고 하는, 2단계 간접선거의 방식을 취하게 되었다. 6-14-7:192 ¶ 그러나 석간에는 어제 22일의 평양방송이 대회 첫날에, 특히 제주도의 인민대표로서 인민항쟁을 지휘한 김성달이 토론을 위해 연단에 섰으며, 만장의 박수를 받았다는 방송을 했다고 보도했지만, 회의 목적이 '8·25최고인민회의(국회)대의원선거'에서 남측 대의원 360명을 선출(북측 212명)하기 위한 입후보자 추천 등에 있었으므로, 그 자리에서 제주도 봉기에 대한 구체적인 대책이 세워질 리가 없었다. 7-16-5:119

▶ 1948년 8월 21일부터 26일까지 황해도 해주에서 남측 최고인민회의 대의원선거를 논의하고자 개최한 회담이다. 앞서 4월에 전조선제정당사회단체대표자연석회의와 남북조선제정당사회단체지도자협의회를 거쳐 남측과 북측은 정치 협상을 진행한다. 이후 6월에 열린 제2차 전조선제정당사회단체지도자협의회에서 최고인민회의 대의원선거를 실시하기로 결의했다. 이에 따라 남한은 각 시·도별로 5~7명의 대표자를 선출하여 인민대표자대회를 개최하고, 8월 25일에는 전국의 대표자 가운데 대의원 360명을 선출했다. 인민대표 1,080명 중 1,020명이 참가하여, 북측 212명, 남측 360명의 최고인민회의 대의원이 선출되었다.

남한 단독선거반대 공동성명 | 7거두 공동성명 | 지난 3월 8일, 김구(한국독립당수, 대한민국 상해임시정부, 중경임시정부 주석), 김규식(민족자주연

맹 주석, 중경임시정부 부주석)이 북한의 김일성 앞으로 남북정치협상회의 개최를 위한 서한을 보내고, 또한 3월 12일에는 김구, 김규식, 김창숙, 조소앙, 홍명희, 조성환, 조완구의 7인의 연명으로 남한 단독선거반대 공동성명이 발표되었다. 5-11-5:126

▶ 남한만의 단독 선거 일정이 현실화되자 김구는 1948년 2월 10일, 남한만의 단선(單選)·단정(單政) 수립에 반대한다는 내용의 〈3천만 동포에게 읍고(泣告)함〉이라는 성명을 발표했다. 이어 3월 12일에는 김규식, 김창숙(金昌淑), 조소앙(趙素昂), 홍명희(洪命憙), 조성환(曺成煥), 조완구(趙琬九)와 〈7거두 공동성명(七巨頭共同聲明)〉을 발표하여 이전까지 적극적인 지지를 보냈던 이승만과 한국민주당 세력에 냉혹한 비판을 가했다. 이 7인의 공동성명은 조선의 분단을 고착화하는 남한만의 총선거에 불참을 한다는 내용을 담고 있다. "(…) 미·소 양국이 우리의 민족과 강토를 분할한 채 남북의 양 정부를 수립하는 날에는 세력 대항으로든지 치안유지로든지 양국 군대가 장기 주둔하게 될는지 모르고, 민생문제로 말할지라도 인민의 수입은 증가되지 못하고 부담은 대량으로 증가될 것이니 문제해결은 고사하고 다소 완화할 방도도 찾기 어려울 것이다. 남에서는 오직 하나 기대가 미국의 불화(弗貨) 원조뿐일 것인데, 원조도 우리가 중국에서 본 바와 같이, 또는 희랍(希臘)에서 들리는 바와 같이 기개 자본가나 모리배의 전단에 맡기게 되어서 이익은 기개인(幾個人)이 차지하고 책무는 일반 인민이 지게 될 것이다. 우리의 보는 바로는 남북의 분열 각립할 계획이 우리 민족에 백해 있고 일리(一利) 없다고 단정하지 않을 수 없다. 반쪽이나마 먼저 독립하고 그 다음에 반쪽마저 통일한다는 말은 일리가 있는 듯하되, 실상은 반쪽 독립과 나머지 반쪽 통일이 다 가능성이 없고 오직 동족상잔의 참화를 격성(激成)할 뿐일 것이다. 우리 문제가 국제적 연관성을 무시하고 해결될 것은 아니로되, 우리 민족적 견지는 불고하고 미·소의 견지를 추수하여 해결하려는 것은 본말과 주객이 전도된 부정당하고 부자연한 일이니 부정당부자연한 일은 영구 계속하는 법이 없다. (…) 우

리 몇 사람은 정치의 기변성(機變性) 운동의 굴신성(屈伸性) 기타 여러 가지 구실로 부득이한 채, 현 정세에 추수하는 것이 우리들 개인의 이익 됨을 모르지 아니하나, 개인의 이익을 도모하려고 민족의 참화를 촉진하는 것은 민족적 양심이 허락지 아니하며, 반쪽 강토에 중앙정부를 수립하려는 가능한 지역선거에는 참가하지 아니한다. 그리고 통일독립을 달성하기 위하여 여생을 바칠 것을 동포 앞에 굳게 맹서(盟誓)한다."(《한성일보》, 1948.03.13.)

내선일체 "(…) 이건 귀화한 경우만이 아니라, 인간의 심리가 원래 그런가 봐. 일제강점기에도 그랬으니까. 협화회 등에서 내선일체, 황국신민화 운동을 열심히 전개하던 자들은 일본인보다 훨씬 적극적으로 일본인이 되려고 했으니까. 엄연히 우리말이 있는데도 일체 사용하려 들지 않으니……, 너도 알고 있잖아(남승지는 고개를 끄덕였다). (…)" 3-6-3:73 ¶탁자에 쌓여 있던 몇 권의 낡은 잡지 속에 팸플릿 같은 것이 끼어 있었다. 가야마 미쓰로가 쓴 『내선일체수상록(內鮮一體隨想錄)』. 1941년, 「행자」와 동시대의 것이었다./ "내선일체란 조선인의 황민화를 말하는 것으로, 쌍방이 서로 다가서는 것을 의미하지 않는다. 무슨 일이 있어도 조선인 쪽에서 천황의 신민이 되자, 일본인이 되자, 하고 몰려가는 기백에 의해서만, 내선일체는 이루어지는 것이다. ……그러나 내선일체가 되는 것을 허락하거나 허락하지 않는 것은 천황 한 사람의 마음으로, 일본인이라고 해서 이렇다 저렇다 말할 성질의 것이 아니다. 게다가 내선일체, 즉 조선인은 일시동인(一視同仁), 내지인(內地人)과 다르지 않은, 폐하의 적자라는 것은, 황공하게도 메이지 대제(明治大帝)의 조칙에 따라 병호확호(炳乎確乎) 움직일 수 없는 천황의 뜻으로 되어 있다……./ 따라서 조선인 측에서 말하자면, 한결같이 자신을 황민화시켜 가면 된다……." 12-종-2:269
▶ 일제강점기이자 중일전쟁(1937년), 아시아·태평양전쟁(1941~1945년) 시기에 전쟁 협력을 강요하기 위해 실시된 식민지 정책이다. 1936년 조선총독부 총독이 된 미나미 지로(南次郎)는 일본에서의 국체명징(國體明徵)이

라는 슬로건을 조선에도 들여와서 조선인의 황국신민화를 도모하였다. 1937년 중일전쟁이 시작되자 조선총독부는 전시체제의 구축을 서둘렀고, 〈황국신민서사〉 제정, 조선 교육령 개정, 지원병 제도 실시를 추진하였다. 1938년 국민정신총동원연맹을 결성하여 황민화 정책을 강화하며 내선일체라는 슬로건을 내세웠다. 식민통치의 제도·경제·정신 등의 면에서 내지(일본)와 조선을 일체화한다는 것인데, 실제로는 조선인에게 일방적으로 일본인화를 요구하는 것이었다. 일본어 사용, 신사 참배, 일본 정신의 체득이 강요되었고, 전쟁 수행을 위한 봉사가 요구된 반면, 여러 측면에서의 차별은 해소되지 않았다. 이 시기에는 일본 거주 조선인에게도 협화회(協和會) 등을 통해 내선일체, 일본 정신이 강조되었다. 종래에는 일본인과 조선인의 대립을 완화하는 내선융화(內鮮融化)가 주창되었다가 1939년경부터 내선일체, 내지동화(內地同化)가 주장되면서 조선인의 일상생활 전반에 걸친 일본화가 강압적으로 이루어진 것이다.

대동청년단　민족청년단이나 대동청년단 같은 다른 반공단체도 한 수 접고 들어갈 수밖에 없는 '폭력단'이자 테러조직이었다. 2-4-2:223　¶ 서북청년회가 대동청년단 등과 합동해서 대한청년단이 된 지금도, 섬사람들은 예전대로 그들을 '서북'이라 부르고 있었다. 12-종-2:266

▶ 1947년에 결성되었던 청년운동 단체이다. 상하이(上海)임시정부의 광복군 총사령관을 지낸 지청천(池靑天)이 1945년 12월에 환국한 뒤 당시 모든 청년운동 단체들을 통합하여 대동단결을 이룩한다는 명분으로 조직하였다. 반공·단독 정부 수립을 꾀한 이승만 노선에 맞추어 활동하다가 1948년 정부 수립 이후 이승만의 명령에 의해 대한청년단(大韓靑年團)으로 통합·흡수되었다.

대본영　"(…) 대본영은 오키나와 다음의 결전장으로 제주도를 생각하고 있어서 말이죠, 제주도 전체를 요새화한 거지요. (…)" 3-6-5:118

▶ 태평양전쟁 때 일본 천황 직속의 군을 통솔하던 최고 지휘부이다. 대본영(大本營)은 1944년 7월에 최고전쟁지도회의(最高戰爭指導會議)로 이름

을 변경하였다.

대한독립촉성국민회 "제헌국회의원 총선거추진 시국대강연회, 남국민학
교 강당, 3월 30일 오후 여섯 시, 주최 대한독립촉성국민회 제주도지부
운운······"4-8-1:30

▶ 1946년 2월 8일, 민족주의 정당들이 조직한 정치단체이다. 조국의 완전
독립을 달성할 때까지 강력하면서도 영구적인 조직체를 만들 목적으로,
기존의 반탁(反託)운동 기관인 이승만 중심의 독립촉성중앙협의회와 김
구 중심의 신탁통치반대국민총동원중앙위원회가 통합하여 발족하였다.
범국민적인 반탁운동과 미·소공동위원회의 활동 반대, 좌익운동의 봉쇄
등이 행동 목표였으므로 좌익 진영에서 가장 두려워하는 우익 진영의 대
표적 정치단체였다. 1946년 6월 민족통일총본부로 개편되어 재발족하였
다. 총재 이승만, 부총재 김구·김규식, 고문에 권동진(權東鎭)·김창숙·함
태영(咸台永)·조만식(曺晩植)·오화영(吳華英), 그리고 회장에 오세창(吳世
昌)이 추대되었다.

대한민국 정부 수립 1948년 8월 15일, 대한민국 정부 수립. 역의 현관에서
쏟아져 나오는 이 많은 군중은 이틀 뒤로 다가온 8월 15일을 기해서, 이승
만 대통령 각하의 대한민국 정부 수립 식전에 참가하기 위해 전국 방방곡
곡에서 모여든 '민초'의 모습이 아니었다. 5-13-1:368 ¶ 벽에는 이승만 대통
령의 새로운 사진이 액자에 넣어 걸려 있는데 대한민국 정부 수립 때문이
겠지만, 미국 남조선점령군 사령관인 하지 중장의 사진은, 벽에서 사라져
있었다. '멸공보국', '결사멸공애국', '민족정기 고수', '매국노적구 타도'
등의 슬로건이 여전히 붙어 있었다. 그리고 새롭게 '대한민국 수립 만세',
'신성 대한민국 필사고수'가 늘어났고, 이전의 '5·10총선거 절대추진' 등
은 당연한 일이지만 내려져 있었다. 이방근은 문득 만일 5·10단선(단독선
거)이 전국적으로 실패해 대한민국 정부가 아직 수립되지 못하고, '서북'
들도 이 섬에서 철수했다면, '총선거절대추진' 등의 슬로건은 그대로 남아
있었겠지 하는 생각이 들었다. 8-18-6:141

▶ 1945년, 일본이 제2차 세계대전에서 패망하며 조선은 35년간의 식민통치에서 해방하였다. 국권을 회복하였음에도 불구하고 조선은 국제적 냉전 체제와 대립 구도에 의해 분단과 갈등의 국면에 접어든다. 해방 직후 북위 38도 선을 경계로 미국과 소련이 각각 남쪽과 북쪽을 분할하여 지배함으로써 국토와 민족, 이념이 양분되었다. 이후 한반도의 점령국인 미국과 소련 간 대립이 지속되면서 총선거 실시를 통한 통일 정부의 수립이 무산되었고, 남쪽과 북쪽은 분단되어 각각의 국가가 수립되었다. 분단이 확정되면서 38선 이남 지역은 유엔의 결의에 따라 1948년 5월 10일, 남한의 총선거를 실시하여 제헌의회 의원을 선출했다. 5월 31일에 최초로 개원한 제헌의회는 공화국의 헌법을 제정(7월 17일)하였고, 이에 근거한 새 정부의 수립을 선포(8월 15일)함으로써 3년간의 미군정이 종식되면서 대한민국 정부가 출범했다.

도도부현   일본 정부의 통달이라는 것은 1월 말, 일본 정부가 미점령군의 지령에 따라 '재일조선인 자제를 일본의 소·중학교에 취학시켜야 한다'고 각 도도부현(都道府縣) 앞으로 보낸 통지를 말한다. 2-5-4:410

▶ 일본의 전국 행정단위 체제이다. 메이지 정부는 왕정복고에 따른 중앙 집권 정책의 하나로 1871년 폐번치현(廢藩置縣)을 단행해 봉건적 지배 기반인 번(藩)을 폐지하고, 전국을 부(府)와 현(縣)으로 구분하여 각 부현에 국가가 임명한 관리를 파견했다. 이 조치에 따라 도쿄, 오사카(大阪), 교토의 3부와 302현이 탄생했고, 그 후 여러 차례 부현의 통폐합이 이루어져 1888년에 3부 43현 체제가 확립되었다. 1901년에는 홋카이도가 지방자치단체로 편입되었고, 1943년에 도쿄부가 도(都)로 바뀌면서 현재의 47개 도도부현 체제가 확정됐다.

독일 국회의사당 방화 사건   │ 제국 의사당 방화 사건 │ "(…) 이 동지도 알고 있는 정판사 위폐 사건 날조, 그건 나치스 히틀러의 국회의사당 방화 사건을 모방해 꾸민 일이라고들 합니다만, 공산당 본부가 있는 정판사 건물이 CIC(방첩부대) 요원이 지휘하는 경찰에 습격당해 당 간부들이 검

거되었습니다. (…)" 6-14-6:166~167

▶ 1933년 2월 27일, 독일 베를린의 국회의사당(Reichstag)이 불탄 사건이다. 당시 독일 정권의 집권층인 아돌프 히틀러(Adolf Hitler), 헤르만 괴링(Hermann Wilhelm Göring), 요제프 괴벨스(Paul Joseph Goebbels) 등 나치 세력은 화재 진압 후 현장 감식을 하여 네덜란드 출신의 유력 용의자를 검거했다. 용의자로 체포된 공산주의자 마리누스 반 데르 루베(Marinus van der Lubbe)는 자신의 단독 방화라고 주장했지만, 나치 집권층은 이 사건을 공산주의자들의 소행으로 발표했다. 히틀러는 비상사태를 선포하고 방화 사건의 용의 세력으로 약 4,000명에 이르는 공산주의자들을 무차별적으로 체포했다. 이 사건의 발단은 독일 대통령 파울 폰 힌덴부르크(Paul von Hindenburg)가 3월에 실시 예정인 대통령 선거를 두 달 앞두고 오스트리아 출신 히틀러를 총리로 지명하여 나치스(Nazis) 체제에 돌입한 것이었다. 히틀러와 나치 집권층은 이를 반대하는 공산당 세력의 방화 범행으로 몰아, 약 80명의 공산당 국회의원을 검거 및 추방했다.

동양척식주식회사 폭파 사건 3·1독립운동 직후 강우규 선생의 조선총독 사이토 마코토(齋藤實) 저격사건, 동척(동양척식주식회사) 폭파사건 등은 모든 것을 빼앗긴 우리의 민족정기와 민중적 폭력의 표현입니다. 11-25-8:436

▶ 1926년 12월 28일, 의열단(義烈團) 단원 나석주(羅錫疇)가 일제의 최대 수탈기관인 동양척식주식회사에 폭탄을 던진 사건이다. 그는 만주 북간도의 무관학교 출신으로, 1920년에 항일 비밀결사를 조직하여 독립운동가로 활약한다. 1926년에는 톈진(天津)에 근거지를 둔 의열단에 가입하고, 그해 7월 김창숙·유우근(柳佑瑾)·한봉근(韓鳳根)·이승춘(李承春) 등과 함께 동양척식주식회사를 폭파하기로 결의한다. 민족 지도자로 활동한 김창숙이 준 1,500원으로 나석주는 권총과 폭탄을 입수해 중국인 노동자 마중덕(馬中德)으로 변장한 뒤 12월 26일 인천에 도착했다. 이틀 후인 28일, 그는 경성의 조선식산은행에 폭탄 하나를 투척하고, 동양척식주식

회사로 이동하여 수위실의 조선부업협회원 다카기(高木吉江)를 권총으로 사살한 후 2층으로 올라가 사원 다케치(武智光)와 토지개량부 기술과장 이야다(綾田豊), 동치 석 오모리(人森四人郎) 등에게 총격하여 사실힌다. 동양척식주식회사에도 폭탄을 하나 투척하였으나 조선식산은행에서처럼 불발하였다.

동화정책　해방 후에 친일파 대부분이 조선 민족의 보전을 위해 '내선일체', '동화정책'의 친일을 한 것이라고(내선일체로 일본 황국신민에 동화되어 '민족의 보전'이 가능할 리가 없다) 강변하고 있지만, 유달현의 편지도 그 반증과도 같은 것일 게다. 12-27-1:111

▶ 식민지를 통치하는 제국주의 국가가 피식민지 국가의 원주민을 대상으로 고유한 언어, 문화, 관습 등을 말살하고 자국의 것에 강압적으로 동화(同化)시키는 정책을 의미한다. 조선을 지배한 일본의 식민지 정책은 크게 세 시기로 나눌 수 있다. 1910년 국권침탈 이후부터 1919년에 전개된 3·1운동 이전까지 실시한 무단통치기의 '우민정책(愚民政策)', 3·1운동 이후 1920년대부터 실시한 문화통치기의 '동화정책(同化政策)', 1930년대부터 8·15광복에 이르기까지 실시한 '황국신민화 정책(皇國臣民化政策)'이 그것이다. 일본은 3·1운동이 일어나자 제1차 세계대전 후 민족자결주의의 조류에 따라 '문화정치'라는 기만적인 동화정책을 실시한다. 문화정치는 조선(인) 민족의 문화를 말살하려는 의도로, 표면적으로는 민족의 입장을 반영하고 있으나 그 이면은 조선 민족의 사상과 이념을 말살하고 왜곡하는 정책이었다. 조선총독부 제3대 총독 사이토 마코토는 식민지 교육정책을 강요하면서 조선의 민족문화를 왜곡하는 한편 일제의 문화를 미화하여 이에 조선인을 사상적으로 동화시키고자 했다. '조선어 사용 금지', '일본어 사용 강요', '언론·출판의 허용', '집회·결사의 허용', '일본식 창씨개명 강요' 등은 조선인이 황국의 백성으로 일본인과 동질한 신분이 될 수 있다고 표방한 동화정책의 교묘한 사례들이었다.

러일전쟁　기미가요마루는 당시 제주도와 오사카를 잇는 정기선의 하나였다. 그 배가 사연이 많다는 것은 러일전쟁 때 노획한 제정 러시아의, 그것도 침몰당할 뻔한 군함이기 때문이었다. 2-5-4:394

▶1904년 2월 8일부터 1905년 9월 러·일 강화조약이 체결될 때까지 러시아와 일본이 한반도의 주도권을 쟁취하고자 일으킨 무력 충돌이다. 1894년 동학농민운동이 발발하자 조선 조정에서는 민란을 수습하고자 청나라에 구원 병력을 요청했다. 이에 청나라 병사가 주둔하자 이를 견제하려 일본 군력이 조선에 들어왔으며, 해상에 정박된 청나라 함대를 습격하여 전쟁을 일으켰다(청일전쟁). 청일전쟁에서 승리한 일본은 1895년 4월 17일, 시모노세키조약(下關條約, 청일강화조약)을 체결하여 '조선국이 완전한 자주독립국임'을 확인하고 요동 반도와 대만의 주권을 할양받는다. 그러나 요동 반도의 주권을 견제한 러시아가 프랑스·독일과 동맹하여 요동 반도를 청나라에 반환시키도록 한다(삼국간섭). 이후 러시아는 아관파천(俄館播遷)을 계기로 조선의 삼림 벌채권과 채광권 등을 얻고, 의화단(義和團) 사건을 빌미로 만주를 장악한다. 일본은 이러한 러시아의 기세에 대응하고자 영국과 동맹을 체결하여 조선과 청나라에 대한 이권을 각각 분배한다. 영·일 동맹을 맺은 일본은 청일전쟁 이후 1903년 8월, 러시아와 협상을 시도한다. 만주에서 러시아의 주도권을 인정해 주는 대신 한반도에서 일본의 주도권을 요구한 것이다. 러시아는 이를 거부하고 한반도의 북위 39도선을 경계로 북쪽은 러시아, 남쪽은 일본이 지배하는 '분할 통치안'을 제안했으나 결렬되었다. 일본은 1904년 2월 러시아와의 교섭을 중단하고, 뤼순항(旅順港)에 정박된 러시아의 함선을 기습 공격함으로써 러일전쟁을 일으켰다. 러일전쟁의 주요 무대는 만주와 요동 반도였다. 블라디보스토크(Vladivostok)는 러시아 제국이 사용할 수 있는 유일한 부동항이었고, 요동 반도 남쪽의 뤼순항 역시 선박의 이동이 연중 가능하였다. 이는 뤼순항이 러일전쟁의 주요 격전지가 된 요인이자, 양국이 요동 반도를 점령하고자 한 이유이다.

명동 공회당 연설회 해방되던 해 12월 29일, '모스크바 삼상회의 결정'—

신탁통치 운운하는 외신에 조국 독립의 기쁨으로 들떠 있던 민중은 크게 놀랐고, 남한 전체가 분노의 도가니로 늘끓으며 크게 요농졌다. 그런 와중에, 진닐 밤의 익공이 채 가시지 않은 다음날 30일, 좌익진영이 주최하는 연설회가 서울 명동 공회당에서 열렸다. 경제학자인 백남운(白南雲)도 연사의 한 사람이었다. 마지막으로 등장한 그는 민족의 자주독립을 호소하면서 그 비유로서 이 늑대 이야기를 꺼냈던 것이다. 2-3-3:84

▶ 1945년 12월 29일, 모스크바 삼상회의 결과가 《동아일보》를 통해 국내에 알려지자 조선의 좌·우파는 신탁통치안을 반대하였다. 이런 상황에서 좌익 진영은 12월 30일 오후 2시부터 서울 명동 공회당에서 대중연설회를 개최하였다. 한반도의 신탁통치를 반대하는 내용의 연설이 진행되었는데, 연사는 고준석(高峻石), 임화(林和), 백남운(白南雲) 세 사람이었다. 공회당에 모인 대중들은 연설회를 시작하기에 앞서 명동 거리를 돌며 '신탁통치 반대' 구호를 외치기도 하였다.

모스크바 3국 외상회의 　|모스크바 삼상회의| 　모스크바 3국 외상회의
(1945년 12월 말, 미국·영국·소련의 외상들이 모스크바에서 협의를 가진 뒤, 조선의 임시정부 수립을 위한 4개 항목을 결정했다)에 따라 이듬해 1월부터 서울에서 열린 미·소공동위원회가 5월에는 무기 연기되고, 미국을 등에 업은 우익세력과 좌익 및 민족진영의 충돌로 정세는 혼란을 거듭했다. 1-1-3:69~70

▶ 1945년 12월 16일부터 26일까지 소련의 모스크바에서 개최된 미국·영국·소련의 외무장관 회의이다. 이 회의에서 미국과 소련은 첨예한 대립이 있었으나 상호국의 협상을 통하여 같은 해 12월 27일에 4개 조(條)로 작성된 〈미·영·소 3국 외무장관 회의 보고서〉를 발표한다. 이 협의서의 세 번째 조인 '조선'에 관한 내용은 4개의 항(項)으로 쓰였는데, 이것이 〈조선 문제에 관한 4개항 결의서〉이다. 모스크바 3국 외무장관 회의 보고서에서는 조선의 정부 수립에 관해 다음과 같이 발표했다. "1. 조선을 독립국가로 재건설하며 그 나라를 민주주의적 원칙하에 발전시키는 조건

을 창조하고 가급적 속히 장구한 일본 통치의 참담한 결과를 청산하기 위하여 조선의 공업, 교통, 농업과 조선인민의 민족문화 발전에 필요한 모든 시책을 취할 조선 임시 민주주의 정부를 수립할 것이다. 2. 조선 임시정부 구성을 원조 및 적절한 방책의 초안 구체화를 위하여 남조선 미합중국 사령부, 북조선 소련 사령부의 대표자들로 공동위원회가 설치될 것이다. 제안서 준비에 대해 위원회는 조선의 민주주의 정당 및 사회 단체와 협의할 것이다. 위원회가 작성한 건의서는 공동위원회에 대표를 둔 두 정부의 최후 결정 이전에 미·영·소·중 정부의 참작을 위해 제출되겠다. 3. 조선 인민의 정치·경제·사회적 진보와 민주주의적 자치 발전 및 조선 독립국가 수립을 돕고 협력(신탁통치)하기 위한 방안을 만드는 것은 조선 임시 민주주의 정부 및 조선 민주주의 단체의 참여하에 공동위원회가 할 역할이겠다. 공동위원회의 제안은 최고 5년 기간의 4개국 신탁 통치 협약을 작성하는 데 대해 미·영·소·중 정부와 공동으로 참작할 수 있게 조선 임시정부와 협의 후 제출되겠다. 4. 남북 조선과 관련된 긴급한 제 문제 고려 및 남조선의 미합중국 사령부와 북조선의 소련 사령부 사이의 행정·경제 문제의 영원한 조화를 확립하는 조치를 구체화하고자 2주 이내에 미국과 소련 사령부 대표 회의가 소집될 것이다." 이상의 네 가지 조항 중 세 번째 사항은 신탁통치에 관한 내용으로, 한반도의 민주주의 실현과 자주 국가의 수립을 명분으로 향후 5년 동안 조선을 위탁통치할 것이라는 의미이다. 이 조항을 두고 신탁에 찬성·반대하는 세력 간의 충돌이 신탁통치 찬성/반대운동으로 이어지게 된다.

'모스크바 삼상회의 결정' 지지 시민대회　처음에는 반대를 표명했던 공산당 등 좌익세력이 태도를 급변해서 삼상회의의 결정을 받아들이겠다는 방침을 천명했다. 그리고 1월 3일, 50만 이상의 서울 시민을 동원하여 '모스크바 삼상회의 결정' 지지 시민대회를 열어 민중의 지지를 호소했다.

2-3-3:69

▶ 1946년 1월 3일, 서울운동장(구 경성운동장)에서 서울시 인민위원회가

개최한 민족통일 자주독립 시민대회이다. 이 대회는 1945년 12월 모스크바 3국(미국·영국·소련) 외상회의에서 조선에 대한 결정문이 발표되고, 신탁통치 반대운동(반탁운동)이 광범위하게 일어나던 시기에 조선공산당을 비롯한 좌파 정당의 주도로 개최되었다. 반탁운동이 지지를 받고 있던 상황이었으므로 이 대회도 신탁통치를 반대하는 대회가 될 것으로 예측하였으나 실상은 달랐다. 그런데 그전 1월 2일에 조선공산당은 성명을 통해 당원들이 검토한 결과, 삼상회의의 결정이 '조선을 위해 가장 정당한' 결정이며, 신탁통치는 '제국주의적 위임 통치'가 아니라 '우호적 원조와 협력 신탁'이라고 주장하였다. 대중매체의 발전이 미미했던 당시에 좌파의 이러한 노선이 대중에게 크게 전파되지 않았으나 시민대회에 참여한 서울 시민들은 점차 그들의 주장에 동조하였다.

문부성 더구나 작년 3월에는 같은 문부성 교육국장 통달을 통해 재일조선인이 그 자녀의 교육을 위해 조선인 학교를 설립하고, 각종의 학교로서 운영하는 것을 공인했었다는 사실이 있었다. 2-5-4:411

▶ 일본 행정 기관의 하나이다. 문부성(文部省)은 1871년에 신설되어 존속하다가 2001년 과학기술청(1956년 신설)과 함께 문부과학성으로 통합되었다.

미군 제주도 상륙 9월 28일, 드디어 미군이 몰려왔다. 제1진이 수송기로 성내 서쪽 근교에 있는 옛 일본군 비행장(지금은 미군용 비행장이자 캠프였다)에 상륙했다. 일부는 수송선으로 제주항에 상륙했지만, 최초의 상륙행진을 펼친 미군은 수십 명에 불과했다. 게다가 그들은 관덕정 광장에 정렬한 수십 명의 유지들을 거들떠보지도 않고 그냥 지나쳐 버렸다. 아니, 적의에 가득 찬 눈초리로 행진하는 그들의 태도는 마치 전쟁 중의 적국에 상륙한 군대나 다름없었다. 1-2-1:164

▶ 1945년 9월 28일, 미군은 조선이 해방된 직후 제주에 입도(入島)하였다. 곧이어 11월 9일에는 미군 제59군정 중대가 제주에 상륙하였다. 당시에는 수십 명에 불과하였으나, 미군은 제주의 인민위원회와 협력 관계를

유지하며 주둔하였다. 1946년 8월 1일, 미군정은 제주를 전라남도에서 분리해 별도의 자치 도(道)로 승격시킨다.

미·소공동위원회 삼상회의 결정의 구체적인 협의기관인 미소공동위원회도 미국 측이 반탁세력인 우파와 결탁함으로써 암초에 부딪쳐, 이듬해인 47년 5월 재개를 기점으로 완전히 결렬되기에 이르렀다. 2-3-3:70

▶1946년 1월 16일, 미국과 소련의 대표가 서울에서 조직한 위원회이다. 1945년 12월, 모스크바 삼상회의의 협정에 따라 한국의 신탁통치와 완전 독립 문제를 논의하고자 마련된 외상회의로, 1946년 3월 20일과 1947년 5월 21일 두 차례에 걸쳐 위원회를 열었으나 미국과 소련의 극심한 대립으로 큰 성과가 없었다. 1947년 10월, 미국이 한국 문제를 유엔에 상정함으로써 공동위원회가 자연적으로 해체되었다.

민보단 "(…) 아이구, 아이구, 어제도 민보단(民保團)이 와서 애국성금을 막 가져간 참인데. (…)"/ 민보단이란 5·10단독선거 '성공'을 위해 전국적으로 만들어진 향보단(鄕保團)이 모체였다. 선거 종료 후, 육지에서는 임무를 마치고 해산했지만, 단선이 실패한 제주도에서만은 존속되어, 이번 8월 중순, 경찰의 주선으로 도민을 게릴라로부터 떼어 놓으려는 목적하에 '지역주민에 의한 향토방위조직'인 민보단으로 조직, 개편되었다. 각 지서 단위로 지역의 55세 이하 청장년을[으로] 조직되었는데, 실태는 노인과 부녀자들로 채워져 있었다. 물론 이씨 집안에도 머리가 땅에 닿도록 조아리며 애국성금을 받으러 찾아왔다. 9-21-4:330

▶1948년 5·10총선거 때 조직되어 1950년까지 경찰의 하부·지원조직으로 활동한 단체이다. 5·10총선거를 앞두고, 경찰의 협조기관의 성격으로 조직된 향보단에서 기원하였다. 관할 지역 경찰서장이 단원을 실질적으로 인솔하였고, 민폐가 심했다. 1949년 10월경에는 민보단원이 40,000여 명이 되었는데, 단원들의 전횡과 폭력적 월권행위로 말미암아 여론의 악화에 직면하였다. 이에 1950년 4월 28일 이승만 대통령이 해산 의사를 밝혔고, 그해 5·30총선거 후인 7월 2일 해산 조처를 취했다. 하지만 실질적으

로는 대한청년단특무대(大韓靑年團特務隊)로 개편되어 이승만 정부 독재
정치의 전위(前衛) 역할을 계속했다.

밀항하다 |밀항, 밀항선, 밀항자, 밀항 루트| 사람들의 대화나 그 행동에서
밀항하여 떠나가는 고향에 대한 감상적인 분위기를 느낄 수 없다는 것이
이상했다. 밀항선을 탄 마당에 새삼스레 감상 따위에 젖어 있을 상황이
아니란 말인가. 실없는 수다는 안도감이 아니라, 새로운 불안에 직면한
또 다른 얼굴인지도 몰랐다. 게다가 제주도 사람들의 경우는 대부분이
일본에 연고자가 있으므로 이들을 도와줄 수 있을 것이다. 가령 남승지가
두 번 다시 돌아오지 않을 밀항자로서 섬을 떠난다고 해도 마찬가지인
것처럼. 2-5-2:352 ¶ 유달현은 어떻게 행동할 생각인가. 정세용과도 의논
하겠지. 그러나 길은 섬을 떠나는 것밖에 없을 터였다. 섬을 떠난다고는
해도, 앞으로 2, 3일 사이는 아니겠지만, 이방근이 서울에서 돌아올 때까
지, 앞으로 보름 간, 이곳에서 꼼짝 않고 있을 리는 없을 것이다. 북쪽
해안 일대라면 송래운의 선으로 밀항 루트를 봉쇄, 확인할 수 있겠지만,
남해안은 그물망이 엉성한 것 같았다. 시간을 들인다면, 결국은 경찰의
특별 허가로 부산행 화물선에 승선하는 방법도 있다. 부산에서는 일본행
밀항선이 얼마든지 있다. 쓰시마는 부산에서 바다 멀리에 있는 것 같지만,
섬의 모습을 바라볼 수 있는 거리에 있었다. 11-25-3:286 ¶ 밀항선의 선창
처럼 마루방의 공간에 웅크린 밀항자들은 입을 다문 채, 방을 채워 가는
바로 옆의 바다 소리에 젖어들어, 눈만 번쩍번쩍 빛나고 있었다. 제각기
사정을 품고 있는 그들은 동료 사이가 아니면 말도 하지 않았다. 악질적인
배신자는 태우지 않도록 사전에 신원 체크는 해 두었지만, 많은 '불법'
출국자에게는 가슴에 묻어 둔 비밀도 있고 치유하기 어려운 심신의 상처
도 있을 터였다. 드러내놓고 앞으로의 희망이나 기대를 남에게 이야기할
수 있는 자가 과연 몇 명이나 있을까. 본토에서 건너온 밀항자는 동란의
제주도와는 달리, 도피와 함께 면학으로 장래의 희망을 맡기는 자가 많았
지만(유원도 그러했다), 그것조차도 밀항이라는 위험을 무릅쓰고서야 겨

우 이룰 수 있는 것이었다. / 이 섬의 밀항자들에게 앞으로 풍파를 넘어 향하는 행선지에 희망이 있는 것은 아니었다. 있는 것은 미래에 대한 불안이었고, 지금 섬에서 탈출하는 것 자체가 희망이며 목숨을 부지하는 길이었다. 12-종-2:254~255

▶법적인 허가를 얻지 않은 채 몰래 배를 타고 외국에 들어가는 것을 이른다. 일제강점기부터 해방 이후 1960~1970년대까지 많은 사람들이 일본으로 밀항(密航)하였다. 일본에서 가까운 제주와 부산, 거제도 등은 밀항의 주요 거점이었는데, 처음에 밀항선(密航船)은 여러 명을 태우는 10톤 이하의 소형 목조선이 많았다. 그러다가 밀항자(密航者) 수가 늘어남에 따라 일본의 해상 경비가 강화되자 해산물 운반선이나 화물선에 밀실을 만들어 사람을 실어 나르는 경우가 증가하였다. 이뿐만 아니라 기미가요마루(君が代丸, 1923~1945년 제주~오사카 운항)나 관부연락선(1905~1945년 시모노세키~부산 운항)과 같은 정기 여객선의 바닥에 숨어 밀항하는 형태도 많아졌다. 밀항자는 일본의 관헌이나 경찰관에게 체포되면 재판에서 집행 유예를 선고받아 오무라(大村)수용소에 수용되었다가 한국으로 강제 송환되는 것이 통상적이었다. 밀항의 이유는 시대에 따라 구분되었다. 일제강점기에는 생계를 해결하기 위해서, 가족으로서 구직자와 동반하기 위해서, 이미 취업을 한 구직자의 초청에 응하기 위해서, 진학 또는 면학을 위해서, 일제의 징병과 징용을 피하기 위해서 등이었다. 해방 이후 한국전쟁기에 이르는 시기에는 극도의 생활난과 국가 폭력, 그리고 전쟁을 피하기 위해서 등이었다. 이 시기에는 일본에 있는 가족이나 친지를 찾아 떠나거나 이승만 정권의 탄압을 받던 자, 일반 피난민들, 그리고 국군이나 지역의 정치·경제적 권력자들의 밀항이 주를 이루었다. 특히, 제주인들은 1948년 4·3사건을 전후한 시기에 정치적 박해를 피해 밀항한 경우가 많았다. 1960~1970년대의 밀항은 구직이나 가족 찾기, 학업 등 개인적인 문제를 해결하기 위한 것이었다. 이러한 목적의 밀항은 한국에서 1989년 해외여행 자유화가 시행될 때까지 이어졌다. 한편, 그 루트를

보면 밀항은 한반도 남부나 제주 등지에서 해상을 거친 다음에 대개 지리적으로 가까운 규슈(九州), 주코쿠(中國), 후쿠오카(福岡), 야마구치(山口), 나가사키(長崎) 등의 지역과 오사카, 도쿄, 아이치(愛知), 가나가와(神奈川), 교토, 효고(兵庫) 등의 대도시로 이루어졌다.

반민족행위처벌법 국회 통과　아니, 간신히 국회를 통과했다는 반민족행위처벌법 안의 내용이, 우익, 친일파 잔당의 반대, 책략하에서, 예상은 하고 있었지만 엉성한 법이 된 것에 대한 분노가 가슴 속에 응어리져 있었던 것이다. 9-20-6:154

▶ 1948년 9월 22일, 일제강점기의 반민족 행위자들을 소급 입법하여 처벌할 수 있도록 공포한 특별법이다. 해방 후 과도정부 입법의원단은 1947년 7월 〈민족반역자·부일협력자·모리간상배에 관한 특별법〉을 제정하였으나 미군정청의 저지로 법률이 공포되지 못했다. 이후 1948년 3월 군정법령의 〈국회의원선거법〉에서 친일분자의 국회의원 선거권 및 피선거권을 제한하였는데, 이 선거법에 의해 선출된 제헌국회 의원이 〈헌법〉을 제정함으로써 해방 이전의 악질적 반민족 행위자를 처벌하는 특별법을 제정할 수 있게 되었다. 9월 7일, 친일파 청산을 위한 〈반민족행위처벌법〉이 국회를 통과했고, 이에 따라 10월 11일에는 반민족행위특별조사위원회(약칭 반민특위)를 조직하였다. 〈반민족행위처벌법〉은 친일 행위에 가담한 사람의 재산몰수, 공민권 정지, 심지어 사형까지도 조처할 수 있는 법률이었다. 그러나 친일에 가담한 공조 세력과 이승만 정부는 이에 반기를 들고 반민특위를 해체시키고자 정부 요인(要人) 암살 계획, 이른바 '국회 프락치 사건'을 일으켜 반민족 행위자의 처벌을 주장한 의원들을 구속시켰다. 반민특위가 본격적인 검거 활동에 착수했을 때 민족반역자 및 친일파로 선정된 사람은 7,000여 명이었으나, 1949년 9월에 〈반민족행위처벌법〉의 개정으로 반민특위와 특별재판부·검찰부가 해체된 후 680여 명만 조사를 받았다. 그중 재판에 회부되어 실형을 받은 사람은 12명(집행유예 5명, 실형 7명)에 불과했고, 18명이 공민권 정지 처분을 받았다.

반민족행위특별조사위원회 도대체, 누가 누굴 처벌하고 숙청한단 말야. '처벌'받아야 할 인간들이 이 나라의 실권을 모두 쥐고 있는데. 반민족행위특별조사위원회. 뭐? 서울만이 아니라, 각도에, 제주도에도 조사부가 설치돼, 으흠, 그리고 또 군(郡)에도 조사지부인지 뭔지가 설치된다고? 도대체가 말야. '처벌'받아야 할 쪽 인간이 게릴라인 공산주의자들과 싸우고 있는 이 동란의 와중에, 누가 조사위원이 된단 말야. 게릴라를 불러다가 공산주의자들을 조사위원으로 시키는 것이라면 얘긴 다르지만, 도대체가 말도 안 되는 소리를⋯⋯. 5-13-6:510

▶1948년 9월 29일, 〈반민족행위처벌법(약칭 반민법)〉을 집행하기 위해 해당 법 제8조와 제9조에 의거하여 제헌국회에 설치된 특별기관이다. 국회의원들의 추천으로 구성되었는데, 위원장 김상덕, 부위원장 김상돈(金相敦)과 8명의 위원, 그리고 효율적인 업무 수행을 위해 중앙사무국과 각도 조사부를 두었다. 또한 반민족 행위자에 대한 기소와 재판을 담당하기 위해 특별검찰부와 특별재판부도 설치했다. 이후 활동에 들어간 반민족행위특별조사위원회(反民族行爲特別調査委員會, 약칭 반민특위)는 약 3개월간 친일분자들의 행적을 추적해 〈반민법〉 해당자들에 대한 일람표까지 작성했다. 예비조사를 마친 반민특위는 1949년 1월 8일 박흥식(朴興植)의 검거를 시작으로 본격적인 활동에 들어가 최린(崔麟), 이종형(李鍾馨), 박중양(朴重陽), 방의석(方義錫), 노덕술(盧德述), 임창화(林昌化), 최남선(崔南善), 이광수(李光洙), 배정자(裵貞子), 김대우(金大羽) 등을 체포·검거했다. 이러한 반민특위의 활동은 여론과 국민 대다수의 뜨거운 지지와 찬사를 받았다. 그러나 1월 25일 서울시경찰국 수사과장 최난수(崔蘭洙)와 홍택희(洪宅熹), 노덕술, 박경림(朴京林) 등과 테러리스트 백민태(白民泰)의 반민특위 암살음모가 발표되었다. 또한 8월 7일 경찰이 반민특위청사를 둘러싸고 특경 대원을 강제로 연행한 사건이 발생했다. 이 사건은 서울시경찰국 사찰과장이던 최운하(崔雲霞)가 반민특위에 의해 구속된 데 대한 보복행위였다. 서울시경찰국장 김태선(金泰善)은 특경대(特

警隊)의 무장해제는 정부에서 지시된 것이었다고 해명했고, 반민특위 김 상덕 위원장은 국회에 법적인 해결을 요구했다. 이처럼 반민특위의 활동 은 행정부아 경찰간부, 그리고 친일 세력의 방해로 실질적이 성과를 거 두지 못하고, 특경대의 해체와 함께 그 기능이 거의 마비되어 유명무실 하게 되었다. 결국, 8월 22일 폐지안이 국회에서 통과됨으로써 반민특위 는 정식으로 폐지되었다. 9월 5일 반민특위 관계기관 연석회의에 보고된 〈반민법〉 공소시효 완료시까지의 반민특위 활동상황(총 취급건수 682건 가운데 재판종결건수 38건, 체형 12건 가운데 집행유예 5건)에서 알 수 있듯 이, 실제 체형을 받은 〈반민법〉 해당자는 7명에 불과했다. 더구나 이들도 이듬해 1950년 봄까지 재심청구 등으로 감형되거나 형집행정지 등으로 석방되어 친일파와 친일잔재 처리문제는 미제로 남게 되었다.

발틱함대 이그나티오·알간스키 백작호(伯爵號)가 본래 이름으로 발틱함대 소속의 작은 순시선이었다. 2-5-4:394

▶ 발트해에 있던 러시아의 유럽 공격 주력 함대이다. 러일전쟁 중이던 1904년 10월 로제스트벤스키(Rozhdestvensky) 사령관의 지휘로 리바우 (Libau) 군항을 출발하여 일본 원정길에 올랐다. 1905년 5월 동해에 도착 한 발틱함대(Baltic Fleet)는 쓰시마 해전에서 도고 헤이하치로(東鄕平八 郞) 사령관이 지휘하는 일본 연합함대에 섬멸당했다.

봉안전 참배 그 일은 졸업식 전날이었다. 수업이 끝난 오후였다. 졸업식을 앞두고 운동장 청소와 풀 뽑기 작업을 하고 있었는데, 특히 '교육칙어'와 '어진영(御眞影, 천황과 황후의 사진)'을 모신 '봉안전' 주위는 상급생들이 맡았다. (…) 무엇보다도 어린 이방근 같은 학생들이 매일 학교에서 참배 를 강요당하는 '봉안전' 주인은 일본의 현인신(現人神)인 이교신(異敎神) 이었고, 일장기 이상으로 일본인과 일본을 상징하는 것임에는 틀림없었 다. 2-4-4:275~276

▶ 일제강점기의 황국신민화 정책 중 하나로, 일본이 한국인에게 강요한 의례 중 하나이다. 일제는 학교마다 〈황국신민서사〉를 새겨 넣은 탑을

74

건립하고 교실마다 이 서사를 적은 액자를 걸어 놓았다. 또한 일장기와 천황·황후의 사진을 나란히 걸어 두었다. 아울러 아침마다 황궁이 있는 동쪽을 향해 절을 올리는 궁성요배와 천황·황후의 초상을 모신 봉안전(奉安殿) 참배를 의무화하였다. 1925년 일제는 아마테라스 오미카미(天照大神)와 메이지 천황을 제신으로 섬기는 조선신궁(朝鮮神宮)을 세워 조선인들에게 신사 참배를 강요함으로써 황민화(皇民化) 의식 교육을 한층 강화하였다.

북한 토지개혁 사업 "(…) 특히 식민지적 편파성이 있는 우리 남조선 같은 후진적 사회의 경제구조에서는 북한에서 이루어진 위대한 토지개혁 사업처럼 먼저 농민해방 사업을 달성시켜야만 돼. 그러기 위해서라도 미 제국주의자와 이승만 도당이 획책하는 남조선 단독선거의 음모를 분쇄하여 조국 통일혁명이라는 큰 위업을 서둘러 달성해야겠지……." 1-1-5:142

▶ 1946년 초, 북한은 북조선임시인민위원회(北朝鮮臨時人民委員會)를 결성하고 '민주개혁'이라는 이름으로 사유재산 제도를 사회주의 체제로 개혁하여 경제 발전을 위한 기초 계획을 추진하였다. 북한의 농민연맹은 지주의 토지를 몰수하여 고용된 노동자나 토지를 소유하지 않은 농민에게 무상으로 토지를 분배하고, 개인 지주에 대한 부채를 무효화하고자 하였다. 관개 시설과 산림 자원 또한 국유화할 것을 요구했는데, 이에 북조선임시인민위원회는 1946년 3월 5일 〈토지 개혁에 관한 법령〉을 공포하여 무상몰수·무상분배에 의한 토지개혁을 단행하였다. 분배된 토지는 매매는 물론 임대, 저당, 상속 등을 할 수 없었으며 사실상 소유권이 아닌 경작권을 분배한 셈이었다.

비국민 가와지마는 비국민(非國民)이라고 욕하면서 어린 소년을 죽도로 구타했다. 2-4-4:276

▶ 국민의 자격이 없는 자라는 뜻이다. 일본제국 시기에 이른바 '황국신민으로서 본분과 의무를 지키지 않는 사람'을 이르던 멸칭이다. 일본 내지인(본토인)은 물론, 일본제국의 식민지인에게까지 이러한 요구가 적용되었

기 때문에 조선과 대만, 만주국에서도 신민으로서 본분과 의무를 다하지 않으면 비국민으로 불렸다.

빌레못동굴 학살 사건　밤하늘에 솟아오르는 불길에 놀란 토벌대는, 애월 지서 관하의 경찰대, 한림, 귀덕 주둔의 군부대를 출동시켰다. 이것이 빌레못동굴 학살의 계기가 되었다./ 심야에 보성 마을에 도착한 토벌대 는 집합한 마을 주민을 앞에 두고 게릴라습격의 경위를 조사한 뒤, 가까 운 동굴의 소재를 알고 있는 자가 없는지 물었다. 한 사람이 옆의 불에 탄 어음리를 한라산 기슭 쪽으로 올라가면 빌레못이라는 동굴이 있다고 말했다. 아직 동이 트기 전이었지만, 토벌대는 바로 그 동굴로의 진격을 알리고, 마을의 민보단원 중에서 뽑은 길을 잘 아는 열 명을 첨병부대로 삼아, 경찰 한 사람을 거기에 배치하였다. 그 빌레못동굴에 게릴라의 아 지트가 있다고 짐작한 진격이었다. 눈보라 속을 첨병부대의 뒤에 군경 토벌대, 민보단원들이 따르며, 목적지 부근까지 올라왔을 때는 완전히 날이 밝아 있었다. 12-26-1:21~22

▶ 1949년 1월 16일, 제주의 빌레못굴(빌레못동굴)에서 토벌대가 벌인 학살 사건이다. 빌레못굴은 주 굴의 입구가 한 사람이 겨우 들어갈 정도로 좁 은 데다, 그 입구가 큰 바위로 가려져 있어서 은신처로 적합했다. 그러한 까닭에 제주4·3사건 당시 어음리 주민들은 물론이거니와 의귀리와 납읍 리 사람들도 이 굴로 피신하여 여러 달을 지냈다. 그러나 토벌대와 민보 단이 합동 수색 작전으로 이 굴을 발견하였고, 굴 내부에 진입한 후 주민 들을 회유하여 굴 밖으로 유인하였다. 토벌대는 비무장인 주민들이 굴 밖으로 나오자마자 학살을 자행했고, 서너 살 난 어린이들의 다리를 잡아 머리를 바위에 메쳐 죽였다는 사실이 현장에 있었던 민보단원들의 증언 으로 전해진다.

사라봉 강제 노역　……아—, 저기 사라봉이 보이는군. 난 저 사라봉 고개 를 넘을 때면 늘 생각이 난다오. 난 그때, 벌써 4, 5년 전 일이지만, 먼 길을 남녀노소 할 것 없이 마을 사람들 모두와 함께 사라봉까지 강제로 끌려왔었지. 찐 감자를 넣은 도시락 바구니와 호미를 들고 말이오. 사라봉의 잔디는 좋기로 유명했는데, 그 잔디를 사방 한 자 크기로 떠내는 일이었지. 물론 돈도 못 받고 호된 착취만 당했지. 누가 착취를 했냐고? 그야 물론 일본군이지 누구겠소. 지금은 미국 군대가 와 있지만, 그땐 왜놈 군대가 이 좁은 섬에 10만이나 있었다는 얘기요. 많기는 했어도 우린 얼마나 많았는지 정확한 숫자는 몰랐지만, 하여간 그놈들이 우리를 혹사시킨 거라오. 사라봉만 해도 하루에 수백 명의 사람들이 말이요, 음력 5, 6월이면 한창 바쁠 때인데, 제집 밭일이나 꼴 베기는 제쳐 두고 개미떼처럼 사라봉 기슭에 모여서는 하얀 뿌리가 잔뜩 붙은 잔디를 네모나게 떠냈다오. 뿌리가 수염처럼 잔뜩 붙어 있지 않으면 왜놈 감독에게 혼쭐이 났지. 한창 더운 초복 때는 나이 든 노인네들이랑 어린 아이들이 몇 명씩이나 쓰러졌다오. 1-서:17

▶ 제주에는 일제 말기에 일본 육군 제121사단 사령부, 제58군 사령부, 제108여단 사령부 등 일본군이 주둔할 때 세운 군사시설이 남아 있다. 100여 개의 진지(陣地)동굴, 비행기 격납고, 비행장 등은 군사적 요새를 목적으로 일제가 만든 시설들로, 그중 알뜨르비행장(서귀포시 대정읍), 정뜨르비행장 터(제주시 제주읍), 진드르비행장 터(제주시 조천읍) 등이 대표적이다. 당시 일본은 군사시설 구축을 위해 도내 청·장년을 비롯해 소년들까지 동원하였는데, 군인으로 차출된 사람 중 상당수가 군사시설 구축에 배치되어 강제 노역으로 혹사를 당했다. 사라봉의 진지동굴도 강제 노역으로 만들어진 수탈의 현장이었다.

사이토 마코토 저격 사건 |사이토 총독 암살미수 사건| 3·1독립운동 직후 강우규 선생의 조선총독 사이토 마코토(齋藤實) 저격사건, 동척(동양척식주식회사) 폭파사건 등은 모든 것을 빼앗긴 우리의 민족정기와 민중적 폭력의 표현입니다. 11-25-8:436

▶ 1919년 9월 2일, 블라디보스토크 신한촌(新韓村) 지역의 노인단(老人團) 단원인 강우규(姜宇奎)가 경성에서 새로 부임한 조선 총독 사이토 마코토

에게 폭탄을 던져 암살을 시도한 사건이다. 강우규는 함경남도 홍원(洪原)에서 사립학교와 교회를 개설하여 신학문을 전파하는 등 교육 계몽운동을 전개했다. 국권 상실 이후 그는 만주로 망명하여 50대 초로의 나이에도 불구하고 독립운동에 참여한다. 1919년 국내에서 3·1운동이 발발한 뒤 일제는 제2대 조선 총독 하세가와 요시미치(長谷川好道)를 교체하며 무단통치에서 문화통치로 그 정책을 변경하고자 한다. 조선의 식민지화를 견고히 하려는 일제의 이러한 책략을 파악한 강우규는 1919년 6월 14일 블라디보스토크를 출발하여 원산항에 도착한다. 원산에 체류한 그는 비밀결사 조직 조선독립청년단의 단원인 허형(許炯)과 결속하여 신임 총독에 대한 정보를 탐문한다. 8월 5일 서울에 도착하여 안국동에 머물다가, 8월 12일자 신문을 통해 신임 총독으로 사이토 마코토가 9월 2일자로 부임한다는 정보를 얻는다. 8월 28일 남대문 부근의 여인숙으로 거처를 옮긴 그는 사이토 총독의 암살을 계획한다. 9월 2일 오후 5시경, 강우규는 남대문역(1926년 이후 경성역으로 개칭)에 도착한 총독 일행을 향해 폭탄을 투척하였으나, 사이토 총독이 아니라 수행 경찰들과 일부 외국인을 포함한 37명의 사상자가 발생했다. 사이토 총독의 저격이 실패하자 2차 시도를 계획하던 강우규는 9월 17일에 가회동에서 체포된다.

서북청년회 1945년 8월 15일 해방을 맞은 후, 38선을 넘어 남으로 내려온 그들은 과거 지배층에 속해 있던 사람들이거나 그들과 봉건적 신분 관계를 맺고 있던 일족들이었고 새로운 사회체제에 반대하는 자들로, 철저한 반공 테러 단체인 '서북청년회'를 조직하여 이승만의 가장 충실한 앞잡이가 되어 있었다. 그들은 서울을 거점으로 삼아 특히 반미·반이승만 세력이 강한 이 섬을 폭력과 테러의 장으로 변모시켰다. '서북'이라면 울던 아이도 눈을 크게 뜨고 숨을 죽일 정도였다. 1-1-1:30~31 ¶ 1946년 12월에 서울에서 결성된 '서북청년회'의 횡포가 심해졌다. 반공 투쟁의 선봉, 반공투사, 멸공부대를 자처하고 행하는 그들의 테러와 폭력 행위가 경찰력을 업신여기며 무법화되는 것을 이방근은 지켜보았다. 1-2-7:299 ¶ '적성

지구(敵性地區)', '빨갱이 소굴'인 제주도에서 '공산당을 때려죽이는 것이
일'이라는 슬로건을 내걸고, 그것을 실행하고 있는 그들은, 조금이라도
수상하거나, 아니면 태도가 애매한 청년이나 열두세 살 소년들까지도 닥
치는 대로 잡아다 고문하고, 날조된 '빨갱이'라는 죄인을 만들었다. 사상
혐의를 씌워 '빨갱이'라는 딱지를 붙이기만 하면 '때려죽이는 일'도 거리
낄 것이 없었다. 체포된 사람들의 가족이 돈을 써서 자식이나 형제, 친척
을 구해 내게 되는데, 그러한 돈이 '서북'들의 부수입이 되었다. 죄인을
날조한 뒤에 '석방 사례'를 요구하거나 하는 것은 경찰도 다르지 않았다.
가족을 구하기 위해 '서북'의 요구를 거절하지 못하고 그들에게 딸을 시집
보내거나, 빈발하는 '서북'의 부녀자 폭행사건으로부터 딸을 지키기 위해
'서북'과의 정략결혼이 이루어졌는데, 오남주의 여동생이 그런 경우였다.
9-21-4:329

▶1946년 11월 30일, 서울에서 결성된 우익 청년단이다. 서북청년회(약칭
서청)는 출신 지역별로 조직되어 있던 월남 청년들이 좌익 공격에 적극
가담하는 한편 능률적인 체제를 갖추기 위해 설립한 단체이다. 서울
YMCA강당에서 대한혁신청년회, 북선(北鮮)청년회, 평안청년회, 함북청
년회, 황해회 청년부, 양호단 등 이북 각 지역 출신들로 구성된 여러 청년
단이 통합하여 서북청년회가 결성되었다. 이 단체는 이북에서 월남해 남
한에서 아무 연고도 없는 청년들을 적극적으로 포섭하여 합숙소에서 공
동생활을 하면서 공산주의에 대한 그들의 적대감을 활용해 좌익 공격에
앞장서게 했다. 예를 들어, 좌우 갈등이 심해지는 가운데 우익 정치인과
친일 기업가들에게서 자금을 받으면서 좌익 계열 단체의 사무실이나 신
문사에 대한 습격을 비롯해 좌익 계열 노동운동이 활발한 회사에 회원을
입사시켜 노동운동을 파괴했고, 남한 전역에서 대한독립촉성국민회 등
우익 계열 조직과 협조하면서 인민위원회를 비롯한 각 지역의 좌익 계열
조직들을 공격하는 데 주력했다. 특히, 제주도에서는 좌익 탄압의 큰 계
기가 된 1947년 3·1사건 이후 들어간 서청 회원들로 인해 민심이 악화되

어 남조선노동당이 봉기를 결심하게 되는 한 원인이 되었다. 또한 본격적인 초토화 작전이 진행되면서 경찰과 국방경비대 측의 요청으로 서청 회원들이 대거 경찰과 국방경비대에 입내해 토벌 작선에 송사했다. 1948년 5·10선거 때는 이승만을 무투표 당선시키기 위해 같은 선거구에서 출마하려던 최능진(崔能鎭)의 후보 등록을 방해하는 역할을 맡기도 했다. 이후 서청은 12월 19일에 조직된 대한청년단으로 통합되었으며, 1949년 10월 18일에 단체 등록이 취소·소멸되었다.

소년 고문치사 사건 현상일 중위의 처형 정보가 성내에 퍼지기 2, 3일 전, 성내에서 멀지 않은 제주읍의 동쪽 끝 마을인 삼양 경찰지서에서 소년 고문치사 사건이 있었다. 12살 소년이 '소요민(騷擾民)'으로 지서에 연행되어, 지서장인 경사와 순경 두 명에게 구타당해 그 다음날 사망한 사건이 있었다. 예상대로 이 사태를 우려한 검찰청은 감찰관을 파견하여 검시하는 한편, 고문에 협력한 순경 두 명을 체포하고, 일찌감치 도주한 지서장의 행방을 쫓고 있다……는 기사가 한라신문과 중앙 일간지에 실렸던 것이다. 9-21-2:267

▶1948년 9월 8일, 제주읍 삼양리 경찰지서에서 발생한 고문치사 사건이다. 같은 해 4월 5일, 미군정이 제주비상경비사령부를 설치한 이래로 제주의 무장대를 토벌·진압하고자 응원부대와 경찰 병력을 제주에 파견한다. 8월 20일 무렵에 응원 경찰 800명, 응원 경관대 800명, 경남 제7경관대가 제주에 입도하여 무장대는 물론 좌익계 인사와 가담 세력을 색출하는 검거 작전을 펼친다. 이 과정에서 주민과 연락책으로 활동하는 학생들이 검거되었다. 그들 가운데 삼양리에 거주하던 13세 소년이 경찰대에 검거되어 조사 과정에서 고문으로 치사당했다.

소학교 │국민학교│ 퇴학 처분을 당하고 삼 일간의 유치장 생활로 많이 어른스러워진 소년은 바로 아버지에 이끌려 바다를 건넜다. 목포에 있는 친척 집에 맡겨져서, 소학교를 다니게 되었던 것이다. 말하자면, 우리 나이로 열세 살짜리 소년이 일본 관헌에 의해 태어난 고향에서 추방당하게 된 것이었다. 2-4-4:277 ¶ 아버지는 애당초 소학교 학생인 아들에 대해, 반일의 '흉내'를 냈다고 해서, 뭔가 못마땅한 증오에 가까운 감정을 품고 있었던 것 같았다. 아버지가 아들을 보는 눈초리 등을 통해서도, 이방근은 어린 마음에 그와 같이 아로새겼다. 소학교의 봉안전 방뇨 사건으로 일본인 교무주임에게 죽도로 구타당하고, 소학교 학생임에도 불구하고 3일간 유치장에서 지낸 뒤 학교에서 추방, 전학을 위해 목포소학교로 아버지에게 끌려가는 도중 배 위에서도, 병원 치료까지 받은 아들에게 상처는 아프지 않느냐……는 말 한마디 없었던 아버지를, 이방근은 지금도 묘한 감정으로 떠올렸다. 10-23-7:378~379

▶1895년에 설치된 근대적 초등교육 기관이다. 갑오개혁 이후 근대적 교육제도를 도입하는 과정에서 1894년 지금의 서울 종로구 교동초등학교 자리에 최초의 관립소학교인 한성사범학교 부속소학교가 설립되었고 (1897년에 관립고등소학교가 됨), 1895년 8월 1일 〈소학교령〉이 시행되면서 한성에는 수하동소학교를 비롯한 8개의 관립소학교가 세워졌다. 각 도(道)에는 50여 개의 관찰부 소학교가 설립되었다. 1906년 8월 27일에 공포된 〈보통학교령〉에 의해 소학교의 명칭은 보통학교로 바뀌었다. 1926년 7월 1일 〈소학교령〉에 의해 보통학교와 소학교의 구분 없이 심상소학교(尋常小學校)라는 명칭으로 바뀌었으며, 수업연한도 6년으로 연장되었다. 1941년 3월 31일 〈국민학교령〉에 의해 학교 명칭이 국민학교로 변경되었다. 이는 '충량한 일본국의 신민(臣民), 곧 국민(國民)'을 만들려 했던 일제강점기의 일관된 초등교육 정책이 드러난 것이었다. 이 명칭은 8·15광복 이후에도 행정편의 등의 사유로 반세기 가까이 유지되어 오다가 1995년에 와서야 명칭 개명 논의를 거쳐 1996년 3월 1일부터 초등학교로 개칭하기에 이르렀다.

쇼와 "글쎄요, 몇 년이나 됐을까요, 고향이라기보다도 내 경우에는 소학교를 졸업하고 본토의 중학교에, 그 당시에 고등보통학교에 들어갔으니 말이죠, 조선을 떠난 것이 쇼와(昭和) 초기니까 벌써 20년이 돼 가는군요,

저도 이제 곧 마흔이니, 나이를 먹었다는 생각이 듭니다. (…)" 3-6-3:76

▶ 일본 히로히토(裕仁) 천황 시대의 연호이다. 쇼와 시대는 명목상 그의 재임 기간에 해당하는 1926년 12월 25일부터 1080년 1월 7일까지이다. 하지만 쇼와 원년(1926년)은 연말 7일 정도에 불과하기 때문에 쇼와 시대는 실질적으로 쇼와 2년(1927년)부터 64년(1989년)까지이다. 이 시대는 크게 1945년 이전과 이후의 시대로 구분할 수 있다. 1945년 이전의 쇼와 시대(1927~1945년)는 천황을 기축으로 하는 파시즘 시대(일본제국)이고, 일본제국이 해체된 1945년 이후의 쇼와 시대(1945~1989년)는 일본국 헌법과 미일안보조약을 기축으로 하는 냉전 시대(일본국)이다.

순사부장 오 경사(순사부장)가 지휘관다운 의연한 자세를 취하면서도 당황한 표정으로 이방근에게 인사를 했다. 1-2-3:195

▶ 일제강점기의 경찰관 계급의 하나이다. 순사의 위, 경부보(警部補)의 아래로 지금의 경사와 비슷하다.

습작하다 제4조 제1호는 '습작한 자', 제2호 '중추원부의장, 고문, 또는 참의였던 자', 제3호 '칙임관(勅任官)' 이상의 관리였던 자', 제4호 '밀정 행위로 독립운동을 방해한 자'…… 등이고, 문제의 제11호는 '종교, 사회, 문화, 경제 기타 각 부문에서 민족적인 정신과 신념을 배반하고 일본침략주의와 그 시책을 수행하는데 협력하기 위하여 악질적인 반민족적 언론, 저작과 기타 방법으로 지도한 자'로 되어 있었다. 12-종-1:224

▶ 작위를 물려받는다는 뜻이다. 일제는 1910년 한일병합조약(韓日併合條約) 강제 체결 직후 조선 귀족에게 공작, 후작, 백작, 자작, 남작 등 다섯 등급에 따라 작위를 수여하였다. 이들 귀족은 일제의 식민통치를 선전하고 정당화하는 데 적극 이용되다가 1947년 5월 2일 일본 황실령 제12호 〈황실령과 부속법령 폐지의 건〉으로 폐지됐다.

식민지 병탄 | 한일병탄, 한일병합, 경술국치, 국권피탈 | "(…) 침략자와의 싸움이 그렇습니다. 일본의 도요토미 히데요시(豊臣秀吉)에 대항하여 싸운 임진왜란이 그렇고, 조선 말기, 한말의 일본의 식민지 병탄, 조국의

멸망에 저항한 의병 투쟁도 그러하고, 또 4·3봉기도 그러한 성격을 지닌 싸움입니다……. 음, 그런데…….' 5-12-4:247

▶ 식민지 병탄은 1910년 8월 22일에 조인되어 8월 29일 발효된 대한제국과 일본제국 사이의 합병조약(合併條約)을 의미한다. 한일병합조약이라고도 불린다. 1904년 1월, 일제는 조선과 한일협정서를 강제 체결하여 조선의 재정권과 외교권을 박탈하였다. 1905년 7월, 미국과 가쓰라·테프트 밀약을, 8월 영국과 제2차 영·일동맹을 맺음으로써 일본은 대한제국에 대한 독점을 승인받게 된다. 11월, 일제는 고종 황제를 압박하여 제2차 한일협약(을사늑약)을 체결하고, 대한제국의 외교권을 완전 장악하여 조선 내 외국 공사관을 일제히 철수하도록 만들었다. 이어 일제가 고종 황제의 강제 해임과 조선 군대의 강제 해산으로 식민지화를 추진하자 의병을 주축으로 하는 항일운동이 전개된다. 그러나 1909년 9월, 일본의 남한 대토벌 작전으로 국내 의병 세력이 초토화되었고, 이후 일제의 국권침탈은 가속화되었다. 1910년 5월, 육군 대신인 데라우치 마사타케(寺內正毅)가 조선총독부 제3대 통감으로 임명되었다. 8월 16일, 데라우치 통감은 비밀리에 대한제국의 내각총리 이완용(李完用)을 포섭하여 8월 22일에 형식적인 회의를 거쳐 합병조약을 통과시켰다. 29일, 조약이 공포됨으로써 대한제국은 일본제국의 식민지가 되어 36년간의 국권피탈 시대로 접어든다.

신문학 운동　조선의 신문학운동의 선구자로서 수많은 문학작품을 남긴 이광수가, 반민특위의 공판정에 서게 된 것은 참으로 역사의 아이러니라고 적혀 있었다. 12-종-2:249

▶ 1920년에 김동인을 주축으로《창조(創造)》동인들이 실천한 신문학 운동을 말한다. 1908년 국내 최초의 월간지《소년(少年)》이 발간되며 최남선의 신체시 〈해에게서 소년에게〉가 발표되었고, 1917년 종합월간지《청춘(靑春)》에 이광수의 소설 〈어린 벗에게〉와 〈소년의 비애〉가 발표되면서 중세 문학 양식에서 벗어나게 되었다. 당시의 초기 신문학(계몽기 문학)

운동은 '① 언문일치, ② 문학에 대한 비유희적 태도, ③ 권선징악(勸善懲惡)을 초월한 현실의 묘사, ④ 현실적 관념·사고를 배제한 현실의 재현, ⑤ 근대사상의 묘사 반영' 등을 가치로 하였다. 그 뒤로 1919년 최초의 문예동인지《창조》가 발간되면서 계몽주의적 성격을 탈피하고 새로운 문예사조를 받아들임으로써 신문학 발전에 이바지했다. 이 시기의 문예운동은 '① 철저한 구어체(口語體) 문장을 확립할 것, ② 막연한 근대사상으로서가 아니라 자연주의 혹은 사실주의의 일정한 문예사조를 따를 것, ③ 시·소설·평론 등 문학 창작의 영역을 분명히 할 것, ④ 사상보다 표현의 가치를 중시할 것' 등을 주요 내용으로 하였다. 중세 문학의 내용이 주로 권선징악이나 우국(憂國), 충효(忠孝) 등으로 한정되어 있던 것과 달리, 신문학은 애국·독립사상 고무, 신교육·신문화 예찬 등을 주제로 하는 경우가 많았다. 신체시·신소설을 발표하며 새로운 형식을 탐구하는 작가들이 있었는데, 이광수가 대표적인 문인이었다.

신사 참배 "(…) 나도 다른 사람들과 마찬가지로 신사참배나 바다 저편을 바라보고 하는 '궁성요배'라는 것을 시키는 대로 따라 했었지. (…)" 5-13-6:519

▶ 신사(神社)에 방문하여 일본 왕실의 조상을 기리고 충성심을 다짐하는 국민의례의 하나이다. 신사 참배는 일제가 민족성 말살을 목적으로 조선인에게 강요한 것으로, 황국신민화 정책의 일환으로 시행되었다. 신사는 일본의 민간 종교인 신도(神道)의 사원으로 일본 왕실의 조상신이나 국가 공로자를 모셔놓은 사당이다. 일제는 한일병합 이후 〈신사사원규칙〉을 발표하며 경성에 조선신궁을 세우는 한편 각 지방에 신사를 세웠다. 신사 참배는 1910년대 국공립학교로부터 시작하여 1920년대 초 사립학교까지 그 대상을 확대하였는데, 1925년 조선신궁 진좌제(鎭座祭) 사건을 계기로 신사 참배 반대운동이 일어났다. 기독교계 학원인 숭실학교·숭의학교는 신사 참배를 거부하다 1938년 3월 31일 폐교되기도 하였다.

신탁통치 반대운동 반탁세력을 흡수한 이승만은 서울에서 미소공동위원회가 개최된 지 얼마 지나지 않은 1946년 4월, 방문지인 미국에서 남한만의 단독정부 수립을 표명한 관변 기구를 이미 출범시켜 놓고 있었다. 귀국 후인 6월에는 전라북도 정읍 유세에서 이승만은 단독정부 수립의 계획을 발표하는 한편, 신탁통치 반대운동을 대대적으로 전개했다. 그리고 사람들의 민족적인 감정에 교묘하게 불을 붙이면서 반탁운동을 자신이 수반이 될 남한 단독정부 수립을 위한 세력의 조직화로 이어 나갔다. 2-3-3:70
▶ 1945년 12월, 제2차 세계대전의 전후 문제와 한반도의 신탁통치 문제를 의제로 한 모스크바 삼상회의가 개최된다. 삼상회의 결과, 미국과 소련의 점령 협상에 따라 한국의 신탁통치가 결의되었다. 이 결과가 알려지자 신탁통치에 반대하여 일어난 국민운동으로, 1946년 남한에서는 찬탁과 반탁을 주장하는 좌익과 우익 세력 간에 극렬한 대립이 발생한다. 그해 1월, 신탁통치 반대 군중대회가 개최되었고, 이승만도 초기에 김구와 노선을 같이하여 반탁운동을 주도하였다. 임시정부 세력을 주축으로 한 김구는 신탁통치 반대운동을 '제2의 독립운동'으로 간주하고 국민총동원령을 발표한다. 이에 '신탁통치반대 국민총동원위원회'가 결성되어 한반도를 분단 통치하려는 미국과 소련의 야욕에 대항하는 거족적 운동을 전개했다. 김구와 임시정부 세력은 매우 강경한 반탁운동을 주동하였으며, 신탁통치에 찬성한 한국민주당의 송진우(宋鎭禹)를 암살하기도 한다.

아파트　잠시 걷자, 길은 약간 오르막이며 전방에 보이는 구릉 기슭의 언덕으로 이어져 있었다. 주위는 주택가이고, 그 한 모퉁이에 있는 명성아파트는 곧 찾을 수 있었다. 충정로 서쪽의 깊숙한 곳이었다./ 수목에 둘러싸인 작은 공원이 아이들의 소리와 움직임으로 채색되어 있었는데, 그 수목의 그림자 맞은편에 꽤 크고 산뜻한 양옥풍의 이층건물이 보였다. 비슷한 창문이 돌출창과 함께 몇 개나 숙소처럼 늘어선 것은, 그것이 개인 저택이 아니라 집합주택이라는 표시였다. 저것이 명성아파트라고 근방의 사람이 가르쳐 주었다. 10-22-6:167　¶"이제, 어디로 갈까?"/ "……"/ "같이 가도 돼?"/ "어디로?"/ 순간, 잘못 들었다고 생각할 정도로 쉰 목소리가 되었다./"충정로 아파트로."/"⋯⋯"/ 문난설은 가만히 이방근을 바라보며 갑작스런 갈증으로 목소리가 안 나오는지, 잠자코 고개를 끄덕였다. 그가 손을 뻗어 그녀의 손을 잡았다. 11 26 6:380 ¶"⋯⋯아파트?" 이방근은 가슴이 덜컥 울려오는 것을 들었다. 그는 좀 의외라는 듯이 말을 받았지만, 그녀의 목소리가 몸속에서 감미롭고 다정하게 녹아 물결치는 것을 느꼈다. "충정로의 명성아파트." 11-25-7:401

▶ 1930년대 이후 경성에는 아파트(apartment, 당시 표기는 아파트-멘트, 아파트 등 다양했음)가 대거 들어섰다. 이는 일본이 미국에서 들여온 근대 건축양식의 하나로서, 1937년 6월 5일자 《매일신보》의 보도에 따르면, 그 당시 경성의 아파트 수는 39곳에 이를 정도였다. 물론 아파트는 경성에 버금가던 인천, 대구, 부산, 평양과 같은 도시에서도 생겨나고 있었다. 경성에서 이들 아파트는 대체로 일본인이 거주하는 남촌(南村, 남산 아래 진고개(남산골) 일대로 현 예장동, 남산동, 필동, 명동, 충무로 등지)에 자리를 잡았다. 게다가 일부 살림집으로 쓰이는 경우를 제외하고, 아파트는 대부분 일본인을 위한 도시형 임대주택(독신아파트)으로 사용되고 있었다. 1940년대에 들어서면서 아파트 경영자들은 영업상 수익을 극대화하기 위해 이러한 아파트를 합숙소나 여관, 호텔로 변모시켰다. 특히, 1945년 해방 후에는 아파트가 여관이나 호텔로 전환되는 비율이 높아졌다. 근대식 공동주택인 아파트가 미군정의 군인과 민간인을 위한 숙소로 선호되었기 때문이었다. 작품에 등장하는 아파트는 일제강점기에 지어진 조선식산은행 독신자아파트와 유사하다. 이 아파트는 1940년 11월 30일에 죽첨정 3정목(현 충정로3가 일대) 189번지에 준공된 아파트인데, 연면적 383평으로 지하 1층, 지상 2층 규모였다고 한다.

야마토 사숙 │대화숙, 야마토주쿠│ 사상 전향자가 경성에 본부를 둔 조선임전보국단(朝鮮臨戰報國團)이라든가 야마토 사숙(大和塾) 등 황도정신을 선양하는 일본 사상단체에 관계하고, 조선총독부 기관지인 경성일보 등의 기자를 하거나, 그 외에도 다양한 활동을 하고 있었지만, 이방근은 일절 그러한 곳과는 거리를 두었다. 실성한 젊은 은자처럼 '두문불출', 집에 틀어박혀 일체 사람과의 교제를 끊고, 가끔 외출해서 지인을 만나도 그저 모르는 얼굴로 지나치며, 뭔가 중얼중얼 혼잣말을 중얼거리고 있었기 때문에, 이방근은 정신이상자라는 소문이 나돌았다. 9-20-7:184

▶ 대화숙(大和塾, 일본명 야마토주쿠(やまとじゅく))은 시국대응전선사상보국연맹(時局對應全鮮思想報國聯盟, 1938년 7월 24일에 조직된 친일 전향자단체)이 1941년 1월에 개편되어 만들어진 친일단체이다. 이 단체에서는 일본정신의 현양과 내선일체 강화, 전향자의 선도 보호 등을 주요 사업으로 삼고 전향자들을 입숙시켜 군대식 기율로 관리하면서 황국신민화 교육을 실시하였다. 이를 좀 더 구체적으로 살펴보면, 야마토주쿠에는 황도정신의 수련을 위한 도장과 일본어 강습을 위한 기관, 호전적인 미술 작품을 제작하는 미술제작소 등이 부설로 운영되었고, 전시의 물자 공급에 기여하기 위한 생산 시설도 설치되었다. 또한 전향자들을 강연회와 좌담회, 군가 부르기 행사 등에 동원하여 사상 교화를 통한 전쟁 지원 분위기의 조성에 이용했으며, 전향하지 않은 사상범은 감금하기도 했다. 이러한 야마토주쿠의 운영에 이어 일제는 1941년 2월에 〈조선사상범 예방구금령〉을 제정하여 재범이나 도주의 우려가 있는 사상범들을 예방구금소나 감옥에 가수용할 수 있었다.

여수·순천사건 | 여수·순천 봉기, 여순10·19사건, 여순반란사건 | 양준오의 말에 의하면, 어제 19일 밤, 여수항에서 LST로 제주도를 향해 출발하기 위해 대기 중이었던 여수 주둔 제14연대, 제1대대의 장병이 명령을 거부하여, 연대의 약 3천 명의 병사가 봉기했다는 것, 제1대대장 등 20명의 장교가 살해되고, 모든 경찰서, 관공서, 그 외 기관을 점령했고, 이른 아침까지 여수시를 완전 장악했다는 것이다. 게다가 철도를 접수한 반란군 2개 대대가 현재 열차에 분승하여 순천으로 진격하고 있다는 것이었다. 10-23-8:421~422

▶ 1948년 10월 19일, 전라남도 여수 주둔 국방경비대 제14연대가 남한만

의 단독 정부 수립에 반대하는 제주4·3사건의 진압 출동을 거부하면서 시작된 사건을 말한다. 당시 제14연대 소속 지창수(池昌洙) 상사, 김지회(金智會) 중위 등 좌익계 군인들은 제주도 출동을 거부하고 '조국통일, 동족상쟁 제주출동 반대' 등을 내걸고 봉기를 일으켰다. 이들은 곧 경찰서와 관공서 등 여수 시내를 장악하고 '제주도 출동거부병사 위원회'를 설치, 여수·순천을 비롯해 광양·곡성·구례·벌교·고흥 등 전라남도 동부 5개 지역을 장악했다. 이에 이승만 정부는 10월 21일 여수·순천 일대에 계엄령을 선포하고 토벌 작전을 전개하기 시작했다. 정부군은 미국 군사 고문단의 지휘 아래 동원 가능한 모든 군대를 이용하여 초토화 작전을 펼쳤다. 이 사건으로 2,000명이 넘는 많은 민간인들이 희생됐고, 여수·순천사건을 계기로 1948년 〈국가보안법〉이 제정되었다.

옥쇄하다 "……그렇습니까, 우리 일본군도 그때 한라산에 들어가 옥쇄(玉碎)할 예정이었지요, 한라산은 멋진 산이에요." 나카무라는 뒤뜰의 넓은 공간으로 시선을 던지며 말했다. 3-6-5:118 ¶ '철저항전'이 어떠한 것이고, 최후에 살아남을 장소는 어디에 있는가. 생각했던 것보다 사태가 무서운 기세로 파국으로 치닫고 있는 지금, 패배주의자 운운보다도, 게릴라 자체의 패배가 현실화되고 있고, 게릴라 투쟁의 계속론, 아니 계속 불가능하게 될 것이다. 옛 일본군식의 극단적인 옥쇄(玉碎)를 해서는 안 된다. 그러나 그렇다면, 어떻게 할 것인가. 항복인가……. 그것도 있을 수 없는 일이었다. 11-25-2:246~247

▶ 옥처럼 아름답게 부서진다는 뜻이다. 크고 올바른 일을 위해 명예를 지키며 깨끗이 죽는 것을 비유적으로 이르는 말이다. 중국의 《북제서(北齊書)》 권41, 〈원경안전(元景安傳)〉에 나오는 "대장부는 차라리 옥이 되어 가루가 될지언정, 기왓장이 되어 보전될 수는 없다(大丈夫寧可玉碎, 不能瓦全)."라는 문장에서 유래한다. 일본제국에서는 태평양전쟁의 전선에서 일본군 부대가 섬멸되었을 때 그것을 표현한 말로 대본영 발표 시 '옥쇄'가 사용되었다. 이를 통해 '전멸'이라는 단어가 일본 국민에게 주는 충격을

조금이나마 가볍게 하여 "옥과 같이 깨끗이 깨져 흩어졌다"고 각인시키려
는 것이었다. 또한 군부대에 효과적인 원군이나 보급을 하지 못한 채 결과
적으로 "죽게 내버려둔" 군 상층부가 책임론을 회피하려는 것이기도 했다.

요인 암살 계획 | 반민족행위특별조사위원회 및 정부요인 암살 음모 사건, 국
회의원 암살 음모 사건 | 사회에 커다란 충격을 준 노일배 일당에 의한
암살계획은, 반민법의 국회성립 과정에서 강경파 의원을 없애기 위해,
수도경찰청 간부 몇 명에 의해 경찰청 내에서 모의된 것이었다. 경찰의
직접행동으로 발각될 경우를 우려해, 단독범에 의한 암살로 일을 꾸민
그들은, 국내에서 그때까지 테러 행위가 드러나지 않은 중국에서 귀환한
테러리스트인 백(白) 아무개에게 협력을 구했다고 한다. 12-종-1:217

▶ 1948년 10월, 일제강점기 친일 행적의 주동자들이 반민족행위특별조사
위원회(약칭 반민특위)를 와해시키려 정부 요인을 암살하고자 계획한 사
건이다. 반민특위가 친일파와 민족반역자의 처벌을 위한 본격적인 활동
에 착수했을 때 7,000여 명이 검거 대상이었다. 그중 박흥식·이종형·노
덕술·최난수 등이 우선 처벌 대상자로 거론되었는데, 이들은 테러리스트
백민태(白民泰)에게 국회 요직 인사 중 암살 대상자 15명의 명단을 전했
다. 최난수에게 받은 암살 대상자는 김병로(金炳魯)·권승렬(權承烈)·신익
희(申翼熙)·유진산(柳珍山)·서순영(徐淳永)·김상덕·김상돈·이철승(李哲
承)·김두한(金斗漢)·서용길·서성달(徐成達)·오택관(吳澤寬)·최국진(崔國
鎭)·홍순옥(洪淳玉)·곽상훈(郭尙勳)이었다. 반민특위의 김상덕(위원장), 김
상돈(부위원장)과 특별검찰관·재판관이 포함된 것이었다. 당시 반민특위
의 활동으로 전 친일 활동가들이 다수 검거되자 백민태는 한국민주당
고위 간부 조헌영(趙憲泳)과 김준연(金俊淵)에게 암살 음모를 제보하고 검
찰에 자수하여 이 계획을 무산시켰다.

의전 일곱 살 연상의 형 용근이 성내의 소학교(국민학교)를 나와 본토의
중학교로 진학하고, 도쿄의 의전(醫專)에 입학하기 위해 조선을 떠난 것이
소화(昭和) 초기였다. 6-14-5:124

▶ 의학전문학교(醫學專門學校)를 줄여 이르는 말이다. 일본제국에서 의학을 가르치던 전문학교였다. 당시에 정식 의학교육은 제국대학에서 이뤄졌는데 이를 위해서는 소학교(6년), 구제(舊制)중학교(5년)와 구제고등학교(3년)에 제국대학 의학부(4년)까지 18년이라는 긴 시간이 걸렸다. 이 때문에 일본제국은 고등예비교육(구제고등학교)을 받지 않은 구제중학교 졸업생(혹은 4학년 이상 수료)을 선발해 4~5년 만에 임상의사로 양성하는 의학전문학교를 별도의 구제전문학교로 두었다.

이재수의 난　|신축민란, 제주교란| "(…) 그땐 관리들이 백성을 어찌나 괴롭히고 터무니없이 세금을 거둬가던지, 사람들이 모두 굶어죽을 지경이었지. 우리 생활이야 가난하긴 지금도 마찬가지지만, 그땐 제삿날이 돌아와도 1년에 쌀밥 한 번 조상님께 올릴 수가 없었어./ 대정촌(大靜村)에서 이재수란 장수가 나온 건 바로 이때였다구. 게다가 관리들은 법국(프랑스)놈들 하고 한패가 돼 가지고선 섬 사람들을 함부로 죽이고 훔치고…… 참으로 천주교도들은 몹쓸 짓을 많이 했었지……. 나보다는 홍 영감이나 윤 영감이 더 잘 알고 있을 테니 얘기를 천천히 들어 보면 알겠지만, 그래서 이재수는 관리들과 천주교도를 응징하려고 난을 일으켰던 거야. 물론 우리 아버지도 죽창을 들고 함께 싸웠고."2-5-1:330

▶ 이재수(李在守)의 난은 1901년 5월, 제주 대정군(大靜郡)에서 일어난 민중항쟁으로, 봉세관(捧稅官)의 부조리와 천주교도의 폐단에 대항한 민군의 봉기이다. 신축년(1901년)에 일어나 신축민란(辛丑民亂), 또는 제주교란(濟州敎亂)이라고도 한다. 한성에서 조세 관리직으로 파견된 강봉헌(姜鳳憲)은 제주 주민들에게 과도한 세금을 물리고 과거에 폐지했던 민포(民布)를 다시 징수하기에 이른다. 또한 관헌의 세금 수탈을 조장한 천주교 선교사들은 치외법권의 보호를 받으며 제주 안에서 절도와 살인 등으로 주민들에게 무차별적인 횡포뿐 아니라 토착 신앙에 대한 극단적인 배격까지 일삼았다. 한편, 대정군의 천주교도가 마을 유지를 습격·납치하여 포교당에서 고문 치사한 사건이 일어났다. 이러한 상황 가운데 5월 6일,

오대현(吳大鉉)과 강우백(姜遇伯)의 주도로 천주교도에 대한 성토민중대
회가 열려 천주교의 횡포와 탄압을 폭로하고 규탄하였다. 제주 민중과
천주교 선교사·교도 간의 갈등이 극심해지자 관노(官奴)였던 이재수가
천주교도들에 대한 무장봉기를 결행한다. 민군의 이재수는 서문으로, 오
대현과 강우백은 동(東)·서진(西鎭)으로 출격하여 28일과 29일 이틀 동안
300여 명의 천주교도들을 사살한다. 프랑스 선교사가 희생되자 조선에
프랑스 군함이 입도하여 민군에 대한 보복을 예고했으나 신임 제주목사
이재호(李在護)의 중재로 무마되었다. 이후 이재수는 스스로 민군 10,000여
명을 해산시키고 자수하였다. 한성으로 압송된 이재수는 재판에 회부되
어 10월 9일 한성감옥에서 교수형에 처해진다.

이토 히로부미 저격 사건 ······안중근 선생이 이토 히로부미(伊藤博文)를
쓰러뜨린 것도 총탄입니다. 11-25-8:436

▶1909년 10월 26일, 안중근(安重根)이 하얼빈(哈爾賓)역에서 이토 히로부
미를 저격한 사건이다. 의거 당일, 일본의 전 총리이자 제1대 조선 통감이
었던 이토 히로부미가 러시아의 재무상 블라디미르 코콥초프(Vladimir
Kokovtsov)와 회담을 하고자 하얼빈역에 왔다. 그는 오전 9시 15분경 하얼
빈역에 도착하여 객차 안에서 20분 정도 코콥초프와 대화를 한 후, 러시
아군 의장대의 명예 사령관으로서 수비병을 사열하고자 열차 밖으로 나
왔다. 이토 전 통감이 수행원의 안내를 받으며 일본인 환영 인파 쪽으로
이동하는 순간, 안중근은 그를 향해 권총을 발사한다. 세 발의 총알이
이토에게 명중되었고, 그가 이토가 아닐 경우를 대비하여 안중근이 쏜
여발의 총탄은 비서관 모리 다이지로(森泰二郎), 총영사 가와카미 도시히
코(川上俊彦), 남만주철도주식회사 이사 다나카 세이지로(田中淸次郎)도
관통했다. 총상을 입은 이토는 급히 러시아인과 일본인 의사에게 처치를
받았으나 오전 10시경에 사망한다. 그는 1905년 11월 17일 대한제국에
파견되어 을사늑약을 강제로 체결시킨 일제의 내각총리로, 1906년 3월
2일 조선총독부에 초대 통감으로 부임했던 인물이다.

인도네시아 독립 투쟁 "(…) 자바에서 인도네시아의 독립을 위한 게릴라 투쟁이 있었는데요, 그 게릴라를 말하는 줄 알았습니다……. 아니, 제가 거기에서 게릴라였던 건 아닙니다. 조선 청년 중에는 인도네시아의 독립 투쟁을 위한 게릴라가 되어 죽은 사람도 있지만 말입니다. 일본인 군인 중에도 현지에 남아 게릴라로 참가한 사람도 있습니다……. (…)" 5-12-1:174 ▶ 인도네시아는 17세기부터 네덜란드의 식민지였으나, 제2차 세계대전 중 일본군에 점령당한다. 일본이 패전하여 연합국에 항복하자 인도네시아는 네덜란드령 동인도에서 독립했음을 선언한다. 그러나 네덜란드는 이를 인정하지 않고 인도네시아의 소유권을 주장하면서 두 국가 간에 전쟁이 발발한다. 이 독립 전쟁으로 1945년부터 1949년까지 800,000명이 사망하는 비극이 일어났다. 협의의 인도네시아 전쟁은 1947년 7월 21일과 1948년 12월 19일 두 차례에 걸쳐 네덜란드 군대가 인도네시아에 침공하여 발생한 대규모 군사적 충돌을 의미한다. 일반적으로는, 인도네시아와 네덜란드 간의 무력 충돌뿐 아니라 네덜란드령 동인도에 주둔한 영국군과 인도네시아의 무장 조직 간 전쟁과 인도네시아 국내에서의 독립 투쟁까지 통칭하여 '인도네시아 독립 투쟁'이라 한다.

인민공화국 성립 | 조선민주주의인민공화국 수립 | 그리고 남쪽에 단독정부가 실제로 성립하자, 그에 대응하는 형태로 북조선에서도 8·25총선거, 인민공화국 성립의 전망과 같이, 두 개의 정부가 출현하는 단계에 이르자, 게릴라 측의 투쟁은 이승만 정부 반대, 인민공화국에 대한 지지로 그 정치적 성격이 바뀌어갔다. 8-18-1:8 ¶ 어쨌든 9월 9일을 기일로 하는 인민공화국의 정부 수립이 현실의 일정으로 부상되어 있었다. 미국의 강권에 의해 인민의 희생과 피로 만들어진 허구의 나라 대한민국이 아닌, 조선민주주의인민공화국! 남북총선거를 위한 지하투표를 지키기 위해 싸워 온 게릴라들에게는 이것이 자신들의 조국이었다. 바다 건너, 그리고 다시 38선 너머에 수립된 인민정부. ……그렇고말고, 최고인민회의 대의원의 숫자를 가지고 남쪽이 어쩌고…… 북쪽이 어쩌고 하는 문제는 아니

었다. 그 소대원들은 정치 교육이 부족한 거야. 나무만 보고 숲을 볼 줄
모르는 놈들이라구. 중대 본부에 문제가 있다. 북반부는 조선 혁명을 위
한 민주기지, 인민공화국 수립이야말로 통일 조국의 구현이고, 남반부에
서의 혁명 승리를 위한 담보다, 그렇지 않나! 그렇다 하더라도, 우리의
라디오가 필요하다……. 8-19-2:286

▶1945년 해방 후 '통일국가·자주국가 건설'이 외세의 압력(신탁통치)으로
무산되고, 남북정치협상회의가 완만하게 종결되지 못함에 따라, 1948년
9월 9일 북측 인민위원회를 주축으로 38도선 이북에 공산주의 국가가
수립되었다. 같은 해 8월 25일 최고인민대표자회의 총선거 실시로 북측
대의원 212명이 선출되었고, 9월 2일 평안남도 평양에서 제1차 최고인민
회의가 개최되었다. 9월 9일 북측은, 5·10총선거를 실시하여 제헌 국회
를 세운 남측에 대응하는, 조선민주주의인민공화국의 수립을 선포하고
김일성을 초대 수상으로 추대했다.

인민위원회　최상화의 당초 주장처럼 연미복 차림으로 환영을 했더라면
조금이나마 시선을 끌었을지도 모르겠지만, 그 사실이 최 판사에게 미묘
한 영향을 준 것만은 확실했다. 머지않아 좌익에 대한 미군의 탄압이 시
작되자 그는 인민위원회 부위원장을 그만두고 위원회의 일에서 일체 손
을 뗐다. 1-2-1:165 ¶당시는 아직 해방 직후라서 인민위원회가 건재했다.
인민위원회의 입김이 닿은 자를 경찰에도 임용할 수 있던 시절이라, 그
청년은 유치장에도 가지 않고 일이 마무리되었지만, 그의 이야기를 들은
이방근은 내심 그에게 공감을 느끼고 있었다. 1-2-4:218

▶1945년 해방 직후 전국적으로 조직된 민간 자치기구이다. 1945년 9월
6일, 조선건국준비위원회(朝鮮建國準備委員會)가 조선인민공화국으로 개
편됨에 따라 11월까지 각지의 건국준비위원회 지방 조직들과 각종의 자
생적 조직들이 전환되어 인민위원회(人民委員會)가 조직되었다. 초기 조
선건국준비위원회 시기에는 대체로 친일파를 제외한 양심적인 사람들이
사상과 관계없이 이 조직에서 활동하였지만, 인민공화국으로 개편되면

서 좌익 성향을 가진 사람들이 주도권을 장악하는 경우가 많았다. 이들 인민위원회는 전국의 각 지방마다 대부분 조직되었으며, 지방에서 신임을 얻고 있는 인사들이 인민위원회 간부로 추대되어 좌우익 사상을 막론하고 다양한 계급계층을 포괄하였다. 그러나 미군과 소련군이 한반도에 진주한 이후 인민위원회는 존립 기반을 상실하거나 본래의 조직 성격을 잃고서 변질되어 갔다. 남한 지역에서는 미군정이 인민위원회를 공산주의 계열의 조직망으로 인식하고 이를 대체할 세력으로 과거 일제 식민지 시대에 활동했던 군·경찰·관료들을 대거 등용함으로써 상대적으로 인민위원회의 활동이 축소되었다. 북한 지역에서는 소련 군정이 인민위원회를 합법화하고 간접적인 지원을 제공함으로써 북한 정권 창설의 기반으로 삼았다.

일본공산당　게다가 조련의 활동가 대부분이 일본공산당에 가입하고 있었으므로 어쩌면 그 역시 가입했는지도 모른다. 2-5-3:370 ¶ 남승지도 알고 있는 일이었지만, 패전 직후인 10월, 석방된 공산주의자들을 형무소까지 몇 대나 되는 트럭이 줄지어 마중을 간 것도, 그리고 성대한 출옥동지환영 대회를 도쿄와 오사카, 그리고 교토 등지에서 조직한 것도 조선인들이었다. 더 나아가 일본공산당 재건에 재정적인 뒷받침을 해 준 것도 재일조선인이었다./ 오랜 옥중생활을 견뎌온 공산주의자는 조선인이나 일본인을 불문하고 자유와 해방의 전사로 존경받는 대상이 되었다. 그런 그들이 몸담고 있는 조직이 일본에서는 바로 일본공산당이었다. 사람들은 과거의 비참한 식민지 민족으로서의 체험을 통해, 일본 혁명을 지원하는 것이 곧 조선 혁명을 지원하는 것과 연결된다고 생각했다. 그리고 많은 조선인 당원을 거느린 일본공산당은 재일조선인들에게 있어 일종의 권위이기도 했다. 강몽구가 도쿄행을 결심한 것은 그러한 '당'의 권위를 이용하는 것이기도 했다. 2-5-8:503

▶ 1922년 7월 15일, 공산주의를 이념으로 하여 결성된 일본의 진보주의 정당이다. 1924년부터 해산과 재건을 반복하다가 제2차 세계대전 후 1945년

10월 10일 도쿠다 규이치(德田球一), 시가 요시오(志賀義雄) 등의 간부가 출옥하고 창당인 중 한 명이었던 노사카 산조(野坂參三)도 중국에서 귀국하여 당이 재건됨으로써 비로소 합법 정당이 되었다.

일시동인　전쟁 말기, 조선인에게도 천황 폐하가 '일시동인(一視同仁)'의 은덕을 베푼다면서 만 19세 이하로 낮추어 징병 의무를 부과했고, 남승지도 전쟁이 끝나던 해 봄에 징병검사를 받았다. 2-5-4:394

▶ 멀고 가까움에 관계없이 친하게 대해 준다는 뜻이다. 성인(聖人)이 누구나 평등하게 똑같이 사랑함을 이르는 말이다. 중국 한유(韓愈)의 〈원인(原人)〉에 나오는 "하늘은 해·달·별의 주인이고, 땅은 풀·나무·산·강의 주인이며, 사람은 오랑캐와 새와 짐승의 주인이다. 주인이면서 난폭하면 주인의 도리를 잃게 된다. 그러므로 성인은 하나로 보고 똑같이 사랑하고, 가까운 것을 돈독히 하고 먼 것도 거두어들인다(天者, 日月星辰之主也; 地者, 草木山川之主也; 人者, 夷狄禽獸之主也. 主而暴之, 不得其爲主之道矣. 是故聖人一視而同仁, 篤近而擧遠)."라는 문장에서 유래한다. 일제는 조선 통치를 정당화하기 위해 일본 천황이 일본인이나 조선인이나 모두 예쁘게 여긴다는, 일시동인이라는 동화주의를 내세웠다.

일억총력전 운동　｜일억총진군, 총동원론｜ "(…) 그는 법과(法科)를 나온 남동생과 소학교 동창입니다만, 내선일체, 일억(一億)총력전 운동의 열성분자로 경시청에서 표창을 받은 적이 있습니다. (…)" 3-6-3:83

▶ 일본은 제1차 세계대전을 관망하며 미국과 유럽 국가를 상대로 승리할 전략을 모색하였는데, 당시 결정된 것이 '총력전'이었다. 총력전은 국가가 동원할 수 있는 모든 인적·물적 자원과 정치적·경제적 지원을 투입하여 전쟁에 임한다는 전략이다. 일억 명의 전사가 한 사람의 마음처럼 전쟁에 임하라는 뜻으로, '일억일심(一億一心) 총력전'이라 하였다. 이에 1명 대 1,000명이 싸우는 전시(戰時)가 되더라도 죽을 때까지 싸운다는 '진예(眞銳)', 일본과 조선, 대만 등의 전 인구가 함께 죽자는 '일억옥쇄(一億玉碎)', 천황폐하 만세를 외치며 돌격하는 병사는 스스로 살아 있는 신이

된다는 '마코토(誠·眞·實)'와 '마고코로(眞心)' 등의 사상이 각광받았다. 일본은 제2차 세계대전 당시 총력전을 펼쳐 미국과 태평양전쟁을 벌이다 패망한다.

임진왜란　4·3 이전에 가끔 찾아오는 이방근에게 노인이 중얼거리던 시. 이조 중기 도요토미 히데요시(豊臣秀吉)가 침공한 임진왜란 때 승병 5천을 이끌고 왜병과 싸운 의병장, 서산대사(西山大師)의 시라고 했다. 12-종-6:369

▶ 1592년(선조 25년) 5월 23일부터 1598년(선조 31년) 12월 16일까지 지속된 조선과 명나라 대 일본 간의 전쟁이다. 일본의 조선 침공은 두 차례 일어났는데 각각 임진왜란(壬辰倭亂)과 정유재란(丁酉再亂)이라 칭하기도 하나, 통상적으로 임진왜란은 두 전쟁을 통칭한다. 이는 16세기 조선 사회를 비롯한 동아시아의 국제 정세를 변혁한 대규모 전쟁이었다. 일본의 도요토미 히데요시는 중세 봉건적 전국시대(戰國時代)를 통일하여 혼란을 수습하고, 지배력 강화 및 신흥 세력 견제를 목적으로 대륙 침략을 계획한다. 도요토미 히데요시는 1592년 4월 14일에 15만 원정군(700여 척의 군함을 끌고 옴)을 파견하여 부산포를 침략한다. 부산과 한양, 평양이 함락되었으나 전라 좌수사 이순신(李舜臣)은 한산대첩과 부산해전으로 일본군의 보급로를 차단하고, 조정에서는 명나라에 군력을 요청하여 평양을 수복하게 된다. 명나라의 심유경(沈惟敬)과 일본의 도요토미 히데요시는 강화회담(講和會談)을 열었으나 협상은 결렬된다. 이에 따라 일본의 14만 대군이 2차 침공을 한다. 조선은 명나라와 연합하여 일본군에 대항하였는데, 이때 이순신은 명량대첩으로 방어에 전력을 다한다. 결국 일본은 '조선 정복·대륙 진출'의 목적을 달성하지 못했다. 그럼에도 열도라는 지형적 고립을 깨뜨리고 동아시아 대륙으로 진출하고자 한 야욕을 표출할 수 있었다. 오랜 전시 상황으로 봉건 제후의 세력이 약화되자 일본에는 도쿠가와 이에야스(德川家康)가 세운 무가 정권인 에도 막부(江戸幕府)가 들어섰다. 전후 조선은 정치·경제·사회·문화적으로 황폐화되어 경제적 궁핍과 사회적 혼란기를 겪게 된다. 특히 문화재의 소실과 약탈, 조선인의

강제 노역과 매매 등으로 사회 전반에 걸쳐 상흔을 입는다.

재일본조선노동총동맹 ㅣ조선노총ㅣ "(…) 김 동지도 아시겠지만, 일제강점기 재일조선인의 공산주의 운동과 노동운동이, 으음, 저는 조선노총(朝鮮勞總)……, 그러니까, 재일본조선노동총동맹에서 운동을 했습니다만, 1931년 재일조선인 조직의 해체 이후, 재일조선인 운동이 일본의 혁명에, 일본의 노동운동에 흡수된 과거가 있었습니다. (…)" 3-6-1:25

▶ 1925년 2월 22일, 일본에서 백무(白武)·안광천(安光泉)·이여성(李如星)·김상철(金相哲) 등이 결성한 노동단체이다. 사회주의 운동 단체의 성격을 띠고, 경제 투쟁뿐만 아니라 반일운동 등의 활동을 하였다. 1927년에는 재일조선인의 약 15퍼센트에 이르는 30,000명의 조합원이 속해 있었으며, 당시 일본 노동조합연맹이었던 '일본노동조합평의회'와도 교류를 하였다. 1929년 이후 조직을 해체하여 '일본노동조합전국협의회'에 합류할 것을 주장하는 김두용(金斗鎔)·김호영(金浩永) 등과 이에 반대한 이성백(李成百) 등의 논쟁이 진행되다가, 1929년 12월 해소를 결정하고 일본노동조합전국협의회(약칭 전협)로 합류하였다. 이후 1930년 1월에 김두용·김호영을 중심으로 전협 내에 조선인위원회를 조직하고,《조선노동자》라는 기관지를 간행하였다.

재일조선인연맹 ㅣ재일본조선인연맹, 조련ㅣ "조련(재일조선인연맹) 조직을 말합니다. ……아시다시피 조련 활동가 대부분은 일본공산당 당원입니다만, 그 조련 조직의 어떤 기관을 말합니다." 2-5-4:408

▶ 재일본조선인연맹(약칭 조련)을 달리 이르는 말로, 1945년 일본에서 결성된 재일한인의 전국 조직이다. 해방 직후 일본 각지에서는 재일한인의 귀국, 생활, 민족교육 문제 등을 해결하려는 목적으로 여러 단체들이 결성되었다. 이를 전국적으로 통합하고자 1945년 10월 15~16일에 재일본조선인연맹 중앙총본부결성대회가 열렸다. 제1회 중앙위원회에서 결정된 임원으로는 위원장 윤근(尹槿), 부위원장 김정홍(金正洪)·김민화(金民化), 총무부장 신홍식(申鴻湜), 재무부장 박용성(朴龍成), 정보부장 김두용, 외무

부장 이병석(李秉晢), 문화부장 이상요(李相堯) 등이었다. 조련은 결성 과정에서 좌익 세력이 주도권을 잡게 되어 1946년 2월에 서울에서 결성된 조선민주주의민족전선(朝鮮民主主義民族戰線, 약칭 민전)의 노선을 따르게 되었다. 이로 인해 조련에서 탈퇴한 우익 세력은 10월 3일에 재일본조선인거류민단(在日本朝鮮人居留民團)을 결성하였다. 한편, 1948년 이후 연합군 최고사령부(GHQ)와 일본 정부의 공산주의 탄압이 강화되면서 조련과도 대립이 심해져 '북한 국기게양 사건', '한신 교육투쟁' 등이 일어났다. 1949년 9월 8일에 연합군 최고사령부는 조련을 〈단체 등 규정령〉에 의거하여 "폭력주의적 단체"로 규정하고 해산을 명령했다. 조련의 구성원은 해산 시 약 366,000명이었다.

재일조선인 운동 강몽구가 상경한 목적은 한마디로 말해 고의천을 만나기 위해서였다. 일본공산당 최고 간부의 한 사람으로, 재일조선인 운동을 지도하는 전문부를 담당하고 있는 고의천을 만나려면 조련 본부가 아니라 요요기(代々木)에 있는 일본공산당 본부로 직접 가야 한다. 강몽구가 조련 본부에 들른 것은 도쿄 역에 내린 김에 인사도 하고 이곳을 일본공산당 본부로 다시 연락을 취하는 중계지로 삼아야 했기 때문이다. 3-6-1:17

▶ 1905년 을사늑약 이후 생계를 위해 '밀항'하거나 강제 노역으로 '연행'되어 일본으로 건너간 조선인들은 1945년 해방 무렵 약 200만 명에 달했다. 일제강점기 재일조선인들은 재일본조선노동총동맹(약칭 조선노총)을 조직하였고, 해방 후 재일본조선인연맹(약칭 조련)을 결성하여 일본공산당과 연대하였다. 일제강점기 재일조선인 운동은 한반도의 해방과 일본의 민주화를 기치로 하였다. 1928년 코민테른에서의 공표 원칙에 따라 재일조선인 단체는 일본노동조합전국협의회(약칭 전협)에 흡수된다. 전협은 조선노총의 재일조선인 노동자와 연대하여 프롤레타리아 혁명운동과 일본 혁명운동을 전개한다. 전협의 행동 강령에는 "조선·대만·만주 기타 식민지 노동자에 대한 특수한 압박의 절대 반대와 노동조합 조직 및 활동의 자유 획득을 위한 투쟁"이 적시되었다. 또한 "조선·대만·만주

의 식민지 노동조합과 공동위원회의 설립 및 완전한 독립을 위한 투쟁"도
제시하였다. 재일조선인들의 운동은 반일(反日) 독립운동이라는 민족적
특성과 함께 노동자 운동이라는 계급적 투쟁의 성격을 복합적으로 갖고
있었다. 재일조선인 운동은 조선노총과 전협 등 노동조합 조직 내 결속을
기반으로, 일본 제국주의의 반대와 조선의 해방, 계급의 해방을 주창하며
민족적·계급적 투쟁으로 이어갔다.

적산가옥 최상화의 집은 북국민학교 앞에서 동쪽으로 곧장 뻗어 있는 북신
작로라고 불리는 거리에 면한, 전쟁 전에 일본인 관리가 살고 있던 단층짜
리 적산가옥이었다. 4-10-1:381

▶ 일본이 제2차 세계대전에서 패해 한반도에서 철수하면서 정부에 귀속
되었다가 일반에 불하된 일본인 소유의 주택이다. 적산(敵産)은 적의 재산
이라는 의미를 갖고 있으며, 적산가옥은 패망한 일인(日人) 소유의 재산
중 주택을 지칭한다. 1945년 8월 15일 이후 한반도의 38선 이남을 통치한
미군정청은 〈패전국 소속 재산의 동결 및 이전 제한의 건〉(1945년 9월 25일
제정)과 〈조선 내 일인 재산의 권리 귀속에 관한 건〉(1945년 12월 6일 제정)
에 의거해 남한 내 모든 일인 소유재산을 인수하였다. 동시에 미군정청은
11월 12일 신조선회사(1946년 2월 21일 신한공사로 개칭)를 설립하여 동양
척식주식회사 소유의 재산과 토지 등을 인수하였는데, 이 회사는 1948년
3월 22일 '중앙토지행정처'로 개칭되었다. 1948년 8월 15일에 대한민국
정부가 수립된 후 1949년 12월 19일 법률 제74호로 〈귀속재산처리법〉이
제정되고, 1950년 3월에 시행령이 공포되면서 1956년 9월까지 207,842건
의 귀속재산이 처리되고 8,000여 건만 남을 정도로 적산 불하는 빠르게
진행되었다. 한편, 미군정기부터 적산 불하가 사회적으로 이슈가 되었다.
적산가옥의 불법 점유로 인한 분쟁이 끊임없이 이어졌고, 각 경찰서에는
관재청(管財廳)이나 각 시도 적산관리처의 의뢰에 따라 불법 점유 문제를
담당하는 순경들이 배치되기도 했다. 적산가옥 중에서 주목할 만한 것으
로 DH하우스가 있다. 디펜던트하우스(Dependent House)로 불린 이 주택

들은 장충동, 신당동, 약수동, 청파동, 후암동 등에 위치한 군정청의 관사를 의미했지만, 일제강점기 일인 회사의 중역들이 살았던 대지 200~500평에 건평이 100평이 넘는 호화주택들이 많았기 때문에 DH하우스는 호화주택의 대명사가 되었다. 1950년 4월 24일에 발족한 관재청은 귀속재산 처리가 완료됨에 따라 1956년 12월 31일 법률 제427호에 의해 7년 만에 해체되었다.

적산관리청 | 적산관리처 | "(…) 통제물자라고 해서 일본군과 재벌 등이 가지고 있던 은닉물자를 해방 후에 미군이 접수했고, 그걸 적산(敵産)관리청이 관리하고 있었어요. (…)" 2-5-7:482 ¶ "(…) 전쟁 중에 일본군이 동남아시아 일대에서 탈취해 온 생고무가 통제물자라고 해서 일본군이나 재벌이 은닉하고 있던 것을, 패전으로 미군이 접수한 뒤, 이것을 미군정하에서 적산관리처의 관리 아래 두었죠. (…)" 6-14-1:21

▶ 8·15광복 후 미군정이 구 일본국·일본인 소유의 재산을 한국인에게 이전·처리하기 위하여 둔 기관이다. 해방 당시 국내에 있던 일본의 모든 공유·사유재산은 미군정에 의해 '적산'으로 규정되어 미군정청의 '귀속재산'으로 접수되었다. 미군정청은 귀속재산의 관리를 위해 군정청 내에 중앙관리처(中央管理處)를 두고, 각 도에는 지방관재처(地方管財處)를 설치하였다. 특히, 일제강점기의 동양척식주식회사 소유재산을 비롯하여 막대한 토지재산을 관리하기 위해서 1946년 미군정청 직속으로 신한공사(新韓公社)라는 특별기관을 설치하기도 하였다. 귀속재산 가운데 일부 소규모 사업체와 귀속농지는 미군정청에 의해 불하되기 시작했으며, 나머지는 1948년 8월 15일 이후 한국 정부로 이관되었다가, 1949년 12월에 제정·공포된 〈귀속재산처리법〉을 토대로 1958년까지 대부분 민간인에게 불하되었다.

전차 | 노면전차 | 아홉 시 10분전에 임박해있었다. 곧 이방근은 자리에서 일어나 그 방을 나왔다. 3, 4분만 걸어도 종로의 전차 정류장이 나왔다. 그는 일행인 듯한 남녀가 서 있을 뿐인 정류장에서 담배를 피우며 전차를

기다렸다. 여기로 올 때 역방향에서 오는 택시를 타고 우회를 한 것도 있을지도 모르는 만일의 미행을 의식한 행동이었지만, 지금도 담배를 피우면서 넌지시 주변의 기척을 살피고 있었다. 이윽고 동체를 흔들며 달려온 전차를 탄 이방근은 두 번째 역인 종로 1가 화신백화점 앞에서 내려 집으로 걸어갔다. 5-11·5:131 ¶ 몇 사람을 남기고 고 의원에서 구 도의회의원 한성규와 그 일행, 신문기자인 윤봉, 그리고 이방근과 숙부 이건수가 먼저 나왔는데, 한성규는 택시를 탔고, 세 사람은 시커멓게 그늘져 계속되는 형무소의 콘크리트 벽을 따라 전찻길을 한동안 걸었다. 형무소 앞 정류장에 서서 전조등을 켜고 다가온 시발(始發)의 서울역 방면 전차를 탔다. 도중의 충무로1가 교차로에서 하차해서, 종로 방면 전차로 갈아타면 되었다. 7-16·2:34 ¶ 아침 아홉 시를 넘어, 이방근은 문난설보다 한발 앞서 남의 눈에 띄지 않게 아파트를 나와, 노면전차의 정류장이 있는 서대문 우체국 쪽으로 걸었다. 도중에 그녀가 쫓아오지 않는다면, 우체국 앞에서 기다린다. 11-25·6:385

▶ 서울의 전차는 1899년부터 1968년까지 서울 시내에서 운행하던 노면전차(路面電車)를 이른다. 첫 전찻길은 대한제국 황실이 설립한 한성전기회사(漢城電氣會社, 1904년 소유권이 미국인의 한미전기회사(韓美電氣會社)로, 1909년 일본의 일한와사전기주식회사(日韓瓦斯電氣株式會社)로 넘어감)에서 1898년 9월 15일에 착공하였고, 12월 25일에는 서대문에서 청량리(홍릉)까지 완공하였다. 이듬해 5월 4일(음력 4월 초파일)에 이 구간(홍릉선, 서대문~홍릉)의 전차 개통식이 열렸다. 이러한 전차 노선은 대한제국 시기를 거쳐 일제강점기까지 지속적으로 부설되었다. 개통된 노선은 용산선(1899.12.20. 종로~용산), 의주로선(1900.7.6. 서대문정거장~남대문정거장, 2~3년 후 운행 중단), 마포선(1907. 마포~서대문~종로), 신용산선(1910. 7.20. 종로~신용산), 황금정(黃金町, 현 을지로)선(1912.12.6. 숭례문~광희문), 본정선(1915.8.18. 종로4정목(현 종로4가)~본정(本町, 현 충무로)), 광화문선(1917.5.26. 종로~광화문), 안국동선(1923.8.25. 종로~안국동), 통의동

선(1923.10.3. 광화문~영추문), 태평통(太平通, 현 태평로)선(1928.11.1. 종로~숭례문) 등에 이른다. 전차 궤도의 복선과 연장도 이루어졌는데, 복선은 청량리(1934년), 미포(1935년), 왕십리(1937년), 연장은 노량진(1936년), 돈암(1941년) 순이었다. 부산과 평양에도 가설되고 노선이 확대되면서 전차는 도시에서 가장 중요한 시내 교통수단이 되어갔다. 그러나 8·15광복후 자동차의 보급으로 버스가 중요한 시내 교통수단이 되면서 도로 한가운데를 지나는 전차는 오히려 급증하는 교통 수요에 장애가 되는 것으로 여겨졌다. 이에 전차는 서울에서 1969년 철거되었다.

정판사 위폐 사건 │ 조선정판사 위조지폐 사건, 조선정판사 사건 │ "(…) 이 동지도 알고 있는 정판사 위폐 사건 날조, 그건 나치스 히틀러의 국회의사당 방화 사건을 모방해 꾸민 일이라고들 합니다만, 공산당 본부가 있는 정판사 건물이 CIC(방첩부대) 요원이 지휘하는 경찰에 습격당해 당 간부들이 검거되었습니다. 지하의 인쇄공장에서 인쇄되고 있던 당중앙 기관지 '해방일보'가 강제 폐간되고, 건물은 미군정청에 접수되고 말았는데, 재작년 5월 18일의 일입니다. (…)"6-14-6:166~167

▶ 1946년 5월, 조선공산당이 자금을 충당할 목적으로 위조지폐를 제작했다가 미군정 공보부(公報部)에 적발된 범죄 사건이다. 조선공산당 중앙위원회의 기관지 발행처인 해방일보사(解放日報社)의 사장 권오직(權五稷)과 은행 직원이자 당원인 이관술(李觀述), 조선정판사(朝鮮精版社)의 사장 박낙종(朴洛鍾)과 부사장 송언필(宋彦弼) 등이 공모하여 1945년 10월부터 1946년 2월까지 6회에 걸쳐 총 1,200만 원 상당의 위조지폐를 발행한 것이 발단이었다. 조선정판사는 근택인쇄소(近澤印刷所)가 1945년 9월 19일 박낙종의 사장 취임과 동시에 개칭한 인쇄소로, 근택빌딩 1층에 사무실을 두고 별도의 인쇄공장을 소유하고 있었다. 그런데 이곳은 조선은행권뿐만 아니라 조선공산당의 각종 출판물을 인쇄하는 곳이었다. 해방일보사는 조선정판사가 입주해 있던 근택빌딩의 3층에 있었고, 박낙종 사장 취임일과 같은 날에 《해방일보》를 창간했다. 10월, 박낙종은 조선공산당

에 입당했는데, 당의 총무부장 겸 재정부장인 이관술과 운영 자금을 충당하기 위한 계획을 도모한다. 그들은 조선정판사의 평판기술과장인 김창선(金昌善)에게 조선은행권 평판을 절취하여 위조지폐를 제작케 한다. 1946년 들어 미·소공동위원회가 한반도의 신탁통치 사안으로 갈등을 빚자 미군정은 좌익 세력을 예의주시한다. 이런 시기에 위조지폐를 제작·유통하는 과정에서 미군정의 수도경찰에게 발각된다. 5월 4일, 뚝섬에서의 검거를 시작으로 5월 8일, 본정경찰서와 제1관구경찰청의 기습으로 30여 명의 관계자가 검거되기에 이른다. 해방일보사 사장 권오직은 도주하여 이북으로 건너갔고 조선공산당 당원 이관술은 무기징역을 선고받았으나 대전형무소에서 총살당했다. 이 사건을 계기로 《해방일보》는 무기한 정간 조치되다 결국 폐간되었다. 미군정 당국은 남한의 공산주의 세력을 강경하게 탄압하였는데, 조선공산당은 이를 날조 사건이라 주장하며 미국을 반동 세력으로 규정하여 두 세력 간 갈등이 고조된다.

제2차 남북정치협상회의 │ 제2차 남북제정당사회단체지도자협의회, 제2차 남북조선제정당사회단체대표자연석회의│ 5·10단독선거 강행(단선이 실패한 제주도에서는 6월 하순에 재선거가 예정되어 있었지만, 이것도 무기한 연기되었다)이라는 사태에 대응해서, 6월 29일부터 7월 5일에 걸쳐서, 다시 평양에서 열린 남북정치협상회의에서는 남쪽만의 단독선거 결과로 수립된 이승만 단독정부를 부인하고, 남북통일총선거를 실시하여 최고인민회의(국회)를 창설한다고 결정했다. 6-14·7:191~192

▶ 1948년 6월 29일부터 7월 5일까지 평양에서 개최된 제2차 남북제정당사회단체지도자협의회는 남한에서 5·10선거가 강행되고 대한민국 정부 수립이 일정에 오른 조건에서 4월 남북정치협상회의에 참가했던 정당 사회단체 지도자들을 중심으로 그 대책을 마련하기 위해 소집된 정치 회담이다. 6월 29일 개최된 예비회의에는 북측에서 16명, 남측에서 17명 등 모두 33인의 인사가 참여했다. 이 회의에서 김두봉은 의제로서 연석회의 본회의 의사 일정, 회의 보고자 문제, 회의 개회 일자 문제 등을 제기하

였으며, 남한 단독 선거와 조선의 통일 대책 문제, 본회의 보고자 문제 등 두 가지가 의제로 결정되어 논의되었다. 뒤이어 본회의는 7월 2일부터 5일까지 개최되었는데, 이 회의에서 김일성은 보고를 통해 새롭게 '전변된 정세'에 대응하여 더 '결정적인 구국대책'으로서 '전조선적인 최고정권기관'을 수립할 것과 〈조선민주주의인민공화국임시헌법〉을 시행할 것을 제기했다. 이에 대한 토론을 거쳐 선거에 기초하여 '조선최고인민회의'를 창설하고 남북 대표자들로 '조선중앙정부'를 수립할 것을 결정했다. 이에 따라 북한에서는 8월 25일 북한 측 대의원 선거가 진행되었으며 남한 측 대의원은 이중 선거의 방식으로 대의원을 선출하여 북한 최고 정권기관인 최고인민회의를 소집하게 되었다. 이 회의의 구성과 결정에 대해, 김구, 김규식 등 남측 우익 세력은 이 회의가 4월 연석회의에 비해 극소수의 인사들만이 참여하였고, 또 그 결정 내용이 1차 연석회의의 합의와 배치되는 것이라고 비판하였으며, 따라서 북한 정권 역시 단독 정부임을 천명하였다.

제2차 세계대전 "강 선생님 말씀에 나온 서북청년회라는, '서북'인가요, 그 테러 단체 말인데요, 식민지 상태에서 독립한 신생국에 왜 그런 단체가 생겨나는 건지. 히틀러가 나타난 제2차 세계대전 중이라면 몰라도, 비참한 전쟁이 끝나고 평화를 회복한 세상에 왜 그런 인간집단이 생기는 것인지. (⋯)" 3-6-3:62 ¶ 제2차 대전 후 도쿄, 뉘른베르크 전범재판이 심리를 마쳤고, 중국에서는 국민당과 공산당 쌍방의 지배지역에 걸친 친일분자와 매국노에 대한 한간(漢奸)재판, 프랑스에서도 독일 협력분자들에 대한 사형판결만 2천 명 이상의 재판이 끝났고, 해방으로부터 3년이 지난, 이미 시기를 놓친 감은 있지만, 어쨌든 국회입법으로 여기까지 도달한 강행군이었다. 12-종-1:216

▶ 1939년부터 1945년까지 유럽, 아시아, 북아프리카, 태평양 등지에서 벌어진 세계 규모의 전쟁이다. 제1차 세계대전의 패전국인 독일은 1939년 8월 23일 소련과 〈불가침조약〉을 체결하는데, 여기에는 각국이 폴란드를

동서로 분할 점령할 것이라는 비밀조항이 포함되었다. 9월 1일 독일은 폴란드를 기습 침공하여 점령했고, 영국은 독일을 견제하고자 최후통첩을 보냈으나 무시당한다. 1940년 4월 독일이 덴마크와 노르웨이를 침략하자 영국과 프랑스는 독일에 반격을 한다. 그러나 6월 프랑스 파리가 독일군에 점령당하고, 소련까지 침공당한다. 그러자 소련은 독일군의 진지를 봉쇄하기 시작하여, 스탈린그라드(Stalingrad, 현 볼고그라드(Volgograd))에서 소련군의 반격을 받은 독일군이 모스크바 부근에서 퇴각한다. 이 사이 영국은 독일의 주요 도시들을 공략하였고, 미국은 독일의 동맹국인 일본의 주요 도시들을 공습하면서 국제전에 돌입한다. 1944년 8월 25일 연합군은 파리를 탈환하여 샤를 드골(Charles de Gaulle) 장군을 주축으로 한 프랑스 임시정부를 수립한다. 소련군은 연합군 전선의 동부에서 독일군과 대항하며 부다페스트를 점령하고, 1945년 4월 22일 독일 베를린을 점령한다. 마침내 5월 7일 독일은 무조건 항복한다. 한편, 미국은 태평양 전쟁에서의 승세(勝勢)를 이어 1945년 3월 9일 일본의 도쿄를 공습하고, 8월 6일과 9일에는 각각 히로시마(廣島)와 나가사키(長崎)에 원자 폭탄을 투하한다. 마침내 15일, 일본의 무조건 항복으로 세계대전이 종전된다.

제주 근해 괴선박 출현 정부 측이 이번에 토벌을 재개하게 된 이유는, 최근 제주 근해에서 괴선박의 출현, 7월 말 한림경찰지서장 부부 살해 사건, 입북한 게릴라 사령관 김성달이 해주에서 열린 남조선인민대표자 회의에서 제주도 인민항쟁을 보고한 사실 등, 객관적인 정세 변화에 토대를 둔 것이라 했다. 8-19-2:296

▶ 이 사건을 보도하는 기사가 여럿 있으나(1948년 10월 13일자 《대동신문》·《민국신문》·《호남신문》·《현대일보》·《평화일보》 등), 제주 해안의 괴선박 출현을 최초로 보도한 자료는 같은 해 7월 11일자 미군의 보고서이다. 이 보고서는 "붉은 깃발을 단 북한 선박 1척이 제주도 부근에서 해안경비선에 의해 나포됐다"고 했으나, 이틀 후 13일에 미군 측은 "나포한 선박은 놋쇠를 시장에 팔기 위해 가던 중"이라고 해명하여 정정 보고했다. 괴선박

출현설이 미군의 오인으로 인한 해프닝으로 일단락되었으나, 8월 17일자 미군의 긴급 보고서에 다시금 제주 근해에 괴선박이 출몰했다는 정보가 수록된다. 발견 당일 새벽에 제주 해안을 순찰 중이던 해안경비대 경비선 '광주'가 500톤급에 달하는 '소련 선박'을 발견했다는 내용의 〈CIC(방첩대) 긴급보고〉를 발표한 것이다. "8월 17일 새벽 4시 제주도 해안을 벗어나 순찰하던 해안경비대 경비선 '광주'는 500톤급 소련 선박을 발견했다. 그 소련 선박은 정지명령을 받았으나 이를 무시한 채 갑판에 설치된 기관 총으로 경비선을 향해 발사했다. 보고된 피해나 사상자는 없다." 이러한 보고를 시작으로 소련 선박의 제주 해안 출몰설이 그치지 않았다.

제주도사건대책위원회 구성 "(…) 일전에 김구 선생님 계열의 한국독립당 과 민주독립당 등 20여 정당 사회단체가 모여서 제주도사건대책위원회 를 구성해서 성명서를 발표했었다. 진상조사단을 현지에 파견하기로 돼 있었는데, 이미 제주도로의 도항이 불안해지고 있어. (…)" 5-13-1:384 ¶ 서 울 이외의 부산, 광주, 대전 등 각지에 거주하는 제주도 출신자가 총궐기 하여, 평화적 해결을 위한 진정운동을 추진해 왔다. 사건의 평화적 해결 을 위한 청원을 미점령군 사령관 하지 중장, 딘 군정청 장관, 미군정청 통위(국방)부, 경무부, 각 정당 사회단체와 신문사에 대해서 추진해 왔고, 지난 달 말에는 한국독립당, 민주독립당과 그 밖의 20여 정당 사회단체가 합동으로 제주도사건 대책위를 구성하여 성명서를 발표하고, 진상조사 단을 현지에 파견했지만, 목포에서 도항을 저지당해 실현시키지 못했다. 7-16-1:21

▶ 1948년 4월 5일에 개최한 '5·10총선거촉진 대강연회'에서 경부무장 조 병옥(趙炳玉)의 연설로 제주의 무장봉기 사건이 서울 전역으로 전파되기 시작했다. 총선거 실시 후 5월 18일에 소집된 애국단체연합회 대표자 회 의에서 제주의 사태를 해결하기 위한 대책위원회 수립을 안건으로 채택 하였다. 대한독립촉성국민회의 회의실에서 5·10총선거 축하대회를 계획 하는 자리였다. 이에 대한 기사는 다음과 같다. "(…) 오후 2시부터 독촉국

민회 회의실에서 애국단체연합회 대표자 약 80명이 참석하여 선거축하대회 개최에 관하여 토의했는데 회의결과로 1. 선거축하대회를 변경하여 국회가 소집되는 전일 인정전에서 조위 국회의원 중앙선거위원 각 정당 대표자급 미군정 고관 등 다수 인사를 초청하여 선거 축하연을 열기로 결정. 2. 선거추진위원회를 발전적 해소하고 중앙정부 수립 추진위원회를 설치하기로 함. 3. 민대의 선거대책위원회를 해체함 4. 제주도의 긴박한 사태를 수습하기 위하여 제주도사건 대책위원회를 설치함 등의 안건을 결정하였다."(《경향신문》, 1948. 05. 20.)

제주 무장봉기 ｜제주4·3봉기, 제주4·3사건｜ "(…) 이방근 동무, 우리는 지금 애국이냐 매국이냐의 기로에 서 있다네. 이 섬에서 제국주의 침략세력과 그들의 앞잡이인 '서북' 놈들을 몰아내기 위해 우리는 무장봉기를 일으킨다네. 당 조직의 결정일세. (…)" 1-2-2:181 ¶ 인민봉기의 시위. 일제 봉기가 실현되고 있는 이 시각에, 성내는 경찰마저 깊은 잠에 곯아떨어져 있었다. 이제 성내 습격이 불발로 끝난 것은 확실했지만, 지금 분명히 제주도 무장봉기는 예정대로 4월 3일 오전 두 시에 실현되었던 것이다. 이미 각 부락에서는 총성이 울리고, 게릴라전이 시작되고 있었다. 이방근은 발길을 돌렸다. 한밤중에 밖에 나와, 이렇게 봉화를 본 것은 기쁨이었다. 이방근은 집을 향해 걸어가면서, 상상도 하지 못했던 어떤 감동에 몸을 떨었다. 4-9-4:318 ¶ "(…) 여기서 언급할 필요도 없겠지만, 작년 3·1독립운동기념일의 데모대에 대한 미군의 사살 사건. 또한 모든 도민을 적으로 돌린 관헌 측의 거듭된 탄압이 4·3봉기에 이르는 계기가 되었다는 건 경찰 수뇌나 도경의 전신인 제주감찰청장조차 인정하고 있는 일이야. 3·1데모 사건 후에 '빨갱이' 사냥의 특공대로서 섬에 들어온 '서북'과 본토 출신 경찰들의 횡포. 제주도민은 모두 '빨갱이'다, '정어리도 물고기인가, 제주 새끼도 인간인가……' '서북'들에 의한 약탈, 강간, 살인……. 음, 일제 지배하에서조차, 이런 터무니없는 일은 없지 않았던가. 제주도민은 버러지인가. 이런 일들만으로도 '폭동'이나 봉기는 일어날 만해서 일어난 거라구. 그리고 남조선만의 5·10단독선거, 조국 분단에 반대하는 전국적인 투쟁 속에서 제주도의 무장봉기. 제주에서의 5·10단독선거 실시의 실패······. 자위, 스스로이 생존을 위한 봉기였으니, 그길 빈 부징하지 않아. (···)" 10-23-2:248 ¶ 경찰은 권력을 되찾기 위한 기사회생의 대책이 필요했다. 게다가 화평협상의 실시에 따라 4·3사건 발생의 원인, '서북'과 경찰의 도민에 대한 테러, 살육 행위 등등의 죄상이 밝혀짐에 따라 일어날 책임을 두려워한 경찰은, 화평협상 그 자체를 파괴하고 경찰 측의 주장대로 '공산분자의 폭동'으로서 게릴라와의 교전을 재개시키는 것으로 토벌전을 이어갈 계략을 취했다. 그 계략은 우선 정체불명의 청년집단이 5월 1일, 성내 외곽 서남쪽의 O리 습격방화사건이 되어 나타났다. 11-25-1:220

▶ 1945년 해방 직후 제주는 60,000여 명에 달하는 귀환 인구의 실업난, 생필품 부족, 콜레라의 창궐, 극심한 흉년 등으로 어려운 상황이었다. 또한 미군정 실시 이후 미곡 정책의 실패와 군정 관리의 모리(謀利) 행위, 일제 경찰의 군정 경찰로의 변신 등 혼란한 사회 문제가 대두되었다. 더욱이 1947년 3월 1일, 3·1절 기념 제주도 대회에 참가했던 제주도민들이 시가행진을 할 당시 경찰이 구경하던 군중들에게 총을 발사함으로써 민간인 8명이 다치고 6명이 숨지는 사건이 발생했다. 3·1절 발포 사건은 어지러운 민심을 더욱 악화시켰고 이에 도민들은 경찰 측 발포에 항의하는 3·10총파업을 단행한다. 미군정은 총파업 사태의 수습 과정에서 경찰의 발포보다 남조선노동당의 선동에 비중을 두고 주동자를 검거한다. 이 과정에서 약 1년간 2,500명의 제주도민이 구금됐고, 1948년 3월에는 일선 경찰지서에서 3건의 고문치사 사건도 발생했다. 이러한 상황에서 남로당 제주도당은 조직의 수호와 방어의 수단이자 남한만의 5·10단독선거를 반대하는 구국투쟁을 명분으로 무장봉기를 결행한다. 4월 3일 새벽 2시, 한라산 중턱의 오름마다 봉화가 타오르며 무장봉기의 신호탄이 올랐다. 350여 명의 무장대가 도내의 12개 경찰지서와 우익 단체의 요인들을 공격하면서 무장봉기가 시작되었다. 이들은 경찰과 서북청년회의 무

자비한 탄압 중지, 남한의 단독 선거 및 단독 정부 수립 반대, 통일 정부 수립 촉구 등을 구호로 내걸었다. 5월 10일의 남한 단독 선거에서 제주도는 투표자 과반수 미달로 무효 처리되었고, 다음 달 23일에 재선거를 실시하려는 미군정의 시도도 수포로 돌아갔다. 이 과정에서 5월 20일 국방경비대원 41명이 탈영하여 무장대에 가담하였고, 6월 18일 국방경비대 연대장이 부하 대원에게 암살당하는 사건도 발생하였다. 이후 8월 15일 남한에 대한민국이 수립되고, 다음 달 9일 북한에 공산주의 정권이 수립되었다. 이승만 정부는 그해 10월 11일 제주도 경비사령부를 설치하고 본토의 군 병력을 증파하였고, 11월 17일 제주도에 계엄령을 선포하였다. 이에 앞서 중산간 지대를 통행하는 자는 폭도배로 간주하여 총살하겠다는 포고문이 발표되었고, 중산간 마을에 대대적 진압 작전이 실시되었다. 1949년 5월 10일 재선거가 성공적으로 치러진 데 이어 6월 7일, 무장대 사령관 이덕구가 사살됨으로써 무장대는 사실상 궤멸되었다. 그러나 이듬해 한국전쟁이 발발하면서 보도연맹(保導聯盟) 가입자와 요시찰자 그리고 입산자 가족 등이 대거 예비 검속되어 죽임을 당하였고, 전국 각지의 형무소에 수감되었던 제주4·3사건 관련자들도 즉결 처분되었다. 1954년 9월 21일 한라산 금족령이 전면 해제됨으로써 4·3사건은 7년 7개월 만에 막을 내렸다.

제주지방 비상경비사령부　|제주비상경비사령부|　양준오는 10분쯤, 담배를 한두 대 피울 시간밖에는 소파에 앉아 있지 않았지만, 정보 하나를 제공하고 돌아갔다. 오늘 4월 5일, '폭도' 진압을 위한 제주지방 비상경비사령부가 설치될 예정이라는 것이었다. 아직 공식적으로 발표되지는 않았지만, 본토로부터 진압부대의 파견이 결정되었고, 서울의 미 중앙군정청 경무부에서는 그 총지휘관으로 경찰전문학교장인 김 모 경무관을 임명하여 진압 임무를 부여했다. 증원진압부대는 각도 경찰국으로부터 천 7백 명의 경관을 선발 편성하여, 4월 10일 제주도에 상륙시킬 예정. 이러한 조치는, 제주도 출신 경찰은 게릴라들과 지연 혈연 등으로 얽혀 있어

토벌작전에는 적합하지 않다, 즉 믿을 수 없다는 판단에 근거를 둔 것이었다. 4-10-4:448~449

▶ 1948년 제주4·3사건 초기에 미군정은 이 사태를 경찰이 담당할 치안 문제로 파악하였다. 이에 따라 4월 5일, 전남 경찰 약 100명을 응원대로 급파하고 제주경찰청 내에 제주비상경비사령부(사령관 김정호)를 설치하였으며, 제주도 도령(道令)을 공포하여 제주의 해상 교통을 차단하고 미군 함정을 동원하여 해안을 봉쇄하였다. 8일에는 제주비상경비사령관이 무장대에 대한 소탕전을 전개한다는 포고문을 발표하였고 10일에는 국립 경찰전문학교의 간부 후보생 100명을 제주에 파견하여 경찰력을 강화하였다. 그러나 사태의 원인에 대한 근본적 대책을 마련하지 않고 응원 경찰과 우익 청년단의 힘으로 진압한다는 방침은 도민들의 큰 반발을 사게 되어 오히려 사태를 악화시켰다. 17일 경찰력만으로 사태를 해결하는 데 한계를 느낀 미군정은 국방경비대 제9연대에 경찰과 협조하여 진압 작전에 참가하도록 명령하였고, 18일에는 본격적인 진압 작전에 앞서 무장대 지휘부와 교섭하도록 지시하였다. 28일에 국방경비대 제9연대장 김익렬 중령과 무장대 총책 김달삼이 평화 협상을 진행하여 72시간 안에 전투를 완전히 중지할 것 등을 합의하였으나 5월 1일에 우익 청년단체가 일으킨 '오라리 방화 사건'으로 협상이 파기되었다. 오라리 방화 사건 이틀 후인 3일 미군정은 국방경비대에 무장대를 총공격하도록 명령하였고, 이로부터 경찰 중심의 진압 작전은 국방경비대로 넘어가게 되었다.

제주해녀사건 |해녀항쟁, 제주잠녀항쟁| 시대가 그랬었다고 해도 3·1독립운동이나 제주해녀사건(1931년 봄, 어획물 판매의 부당한 제한에 항의한 해녀들에 대한 경찰의 검거를 계기로 일어난 대규모 해녀들의 반일봉기) 등등, 제주도에는 민족 독립의 반일 투사, 혁명가가 다수 있었지만, 하필이면 이 이씨 집안은 친일을 한 일가였던가. 10-23-5:316

▶ 1931년, 해녀 조합의 횡포에 항의하여 제주 해녀들이 벌인 항일운동의 하나이다. 1920년 4월, 일제의 징집과 수탈로부터 해녀들의 권익을 보호

하고자 제주도해녀어업조합을 조직했다. 그러나 해녀어업조합이 관제(官
制)로 운영되면서 조합의 횡포가 날로 심해져 갔고 해산물의 매입 가격을
지나치게 싸게 매기는 일까지 발생했다. 성산리(현 서귀포시 성산읍)와 하
도리(현 제주시 구좌읍) 일대에서 해녀들이 채취한 전복과 감태가 헐값에
매입되어 일본인 상인에게 팔린 일을 계기로, 1931년 12월 20일 하도리
해녀들은 해녀어업조합의 문제를 고발하고 협상안을 마련하고자 회의를
소집했다. 이후 1932년 1월 7일, 하도리 해녀 300여 명이 세화리 시장에
모여 제주읍까지 가두행진을 거행한다. 도중에 구좌면(현 구좌읍)에서 만
난 면장과 협의하여 조합의 문제를 도청에 회부하고 해산물의 정상가
매입을 약속받는다. 12일, 제주도지사 겸 조합장으로 부임한 다구치 데이
키(田口禎熹)는 시위 중인 해녀들과 만나 요구사항의 수용을 약속했으나,
이를 위반하고 해녀들을 검거하기에 이른다. 23일부터 27일까지 34명의
해녀 주동자를 연행했으며, 이 과정에서 시위를 주도한 김옥련(金玉蓮)·
부덕량(夫德良)·부춘화(夫春花)가 검거되어 6개월간 투옥되었다. 이로써
해녀들의 시위는 일제에 의해 진압되고 말았다.

제헌국회 의원총선거 |5·10총선거| "(…) 그러기 위해서는 먼저, 제1회
제헌국회 의원총선거를 민족의 독립과 운명을 걸고 강력히 추진하여, 성
공시키지 않으면 안 됩니다. 우리나라 역사상 최초의 신성한 총선거를
반대하는 놈들은 매국노 이외에 아무것도 아닙니다. (…)" 4-8-1:28 ¶ 투표
일을 내일로 앞둔 9일 오후 저녁때가 다 돼서야 양준오가 찾아왔다. 일요
일이었다. 아침부터 우익 청년단의 투표를 호소하는 고함 소리가 계속되
었다. 그리고 할 말이 없어지자, 중앙지에 매일같이 커다란 활자의 슬로
건이 반복되어 나왔다. '기권은 숭고한 권리의 포기', '귀중한 내일에의
한 표, 애국심의 결과', '귀중한 한 표가 국가의 기초', 그리고 '남북통일은
5·10총선거로부터', '5·10총선거는 남북통일의 시작'……. 5-12-7:360~361
▶ 1948년 5월 10일, 대한민국 제헌국회를 구성하기 위하여 실시된 국회의
원 총선거이다. 1947년 8월 12일 미·소공동위원회가 결렬되자 한반도의

자주 국가 설립에 관한 안건이 유엔으로 회부되었다. 11월 14일 유엔 총회 본회의에서, 유엔한국임시위원단의 감시 아래 남북총선거를 실시하기로 결의하고, 9개국(오스트레일리아, 캐나다, 중화민국, 엘살바도르, 프랑스, 인도, 필리핀, 시리아, 우크라이나 등이었으나 우크라이나는 불참)의 대표로 구성된 유엔한국임시위원단을 발족시켰다. 이 위원단은 1948년 1월 12일 서울 덕수궁에서 첫 회합을 가지고 임무에 착수하였다. 그러나 24일 소련 군정 당국이 이 임시위원단의 북한 지역 입경을 거절함에 따라 북한 지역에서의 기능 수행이 불가능하게 되었다. 유엔 소총회는 이와 같은 상황을 보고받고 2월 26일 위원단이 한국 내의 가능한 활동 지역에서 선거를 실시하게 하는 결의안을 채택하였다. 이에 따라 유엔한국임시위원단은 5월 10일 접근할 수 없었던 북한 지역의 선거를 유보한 채 남한 지역만의 선거를 실시하도록 하여, 전체 의석 200석 중 제주의 2개 구를 제외하고 198개 구에 198명의 제헌의원이 선출되었다. 31일에는 선거위원회의 소집에 의하여 한국 헌정사상 최초로 제헌의회가 개원되었고, 국회의장에 이승만, 부의장에 신익희를 선출하였다.

조계 지역 "(…) 어쨌든 아버지는 내 일에는 일절 간섭하지 않게 돼 있어. 말하자면 여기는 조계(租界)지역 같은 곳이라네. 신경 쓰지 말게." 3-7-7:420
▶ 19세기부터 제2차 세계대전 때까지 중국과 한국의 개항도시에 있었던 외국인 거주 지역이다. 중국에서는 영국, 미국, 일본 등 8개국이 중국을 침략하는 근거지로 삼았던 곳으로 행정권과 경찰권을 거류민의 국가가 행사하는 치외법권(治外法權) 구역이었다. 아편전쟁(1840년)으로 영국이 중국의 상하이에 조계를 설정한 것을 시작으로, 서구 열강에 의해 일본·한국에 차례로 설정되었다. 특히, 일본은 1876년 강화도조약을 빌미로 우리나라의 부산·원산·인천을 차례로 개항시키고 다음 해 1월 30일 부산항조계조약(釜山港租界條約)을 조인하여 최초로 조계를 설정하였다. 한일병합 이후 일제가 1912년 11월 일본 전관조계(專管租界)의 철폐와 일본인 거류민단의 해체를 결정하였고, 다음 해 4월 21일 각국 총영사(總領事)와 총독

부 외사국장(外事局長)이 한국 주재 외국인 공동조계 폐지에 관한 의정서 (議定書)에 조인했다. 이후 각국의 공동조계 및 청국 전관조계가 모두 폐지되었고 부(府)의 관할 행정구역으로 편입되었다.

조선건국준비위원회 여운형의 연설　다음날인 16일 낮, 서울 시민은 앞을 다투어 서울역으로 향했다. 건국준비위원회 여운형의 연설회장인 H중학교 교정에 모여든 5천여 명의 군중도, 어디로부턴가 '소련군 입성'이라는 소식이 전해지자마자, 환성을 올리며 모두 일어나, 연설 도중에 급히 만든 '해방의 소련군 오다!'라는 플래카드와 태극기, 적기(赤旗)를 손에 들고 서울역으로 향했다. 5-13-1:373

▶1945년 8월 초 태평양전쟁에서 일본의 패배가 유력해지자 당시 조선총독 아베 노부유키(阿部信行)는 일본의 항복 후 조선 내 일본인들의 안전을 보장받고자 정무총감 엔도 류사쿠(遠藤隆作)를 앞세워 조선의 지도자와 협상을 도모했다. 이에 조선의 민족 지도자 가운데 조선건국동맹(朝鮮建國同盟)의 수장 여운형(呂運亨)과 협력관계를 맺고자 했다. 여운형은 8월 15일 오전 8시, 엔도 정무총감과 만나 조선총독부의 요구사항을 수용하며 협상을 타결했다. 조선의 국내 치안유지를 보장받는 대신 일본인들의 본국 귀환을 보장한다는 것으로, "① 정치·경제범의 즉시 석방, ② 3개월간의 식량 보급, ③ 치안유지와 건국사업에 대한 간섭 배제, ④ 학생훈련과 청년조직에 대한 간섭 배제, ⑤ 노동자와 농민을 건국사업에 조직, 동원하는 것에 대한 간섭 배제 등"이 그 내용이었다. 결국 패전으로 일본이 항복하자, 여운형은 조선건국준비위원회를 발족시켰으며, 16일 오후 1시, 서울의 휘문중학교 교정에서 엔도 정무총감과의 회담 경과를 보고하는 연설회를 개최했다.

조선공산당 재건 경성콤그룹　| 경성콩[콤]그룹, 경성 코뮤니스트 그룹 |

1936년(쇼와11), 조선사상범보호관찰령. 조선사상범예방구금령, 쇼와 16년. 국내 민족 독립운동의 전향, 좌절에 병행하여, 쇼와14년에 재건된 조선공산주의자 그룹(경성콩[콤]그룹)도 쇼와15년부터 16년의 3차에 걸친

검거로 거의 괴멸되었다. 9-20-7:183~184

▶ 1939년에서 1941년까지 경성부(京城府)를 중심으로 활동한 공산주의 비밀조직이다. 이들은 박현영(朴憲永)을 주축으로 하여, 1937년 중일전쟁 이후의 반제(反帝)민족통일 전선을 결성하고 조선공산당을 재건할 목적으로 결성되었다. 경성콤그룹은 조선공산당(1925년 4월 17일 조직, 1928년 12월 해체)을 계승한다는 의미에서 연유한 명칭으로, 이관술·이순금(李順今)·김삼룡(金三龍)·이현상(李鉉相)·장순명(張順明)·권우성(權又成) 등이 가담하였다. 이들은 노동·농민조합을 조직하고 당세포준비회지구의 열성자대회를 개최하여 당중앙 건설을 계획하였는데 이 조직의 인민전선부에 김태준(金台俊)·이현상·정태식(鄭泰植) 등이 배치되어 과거 활동가를 포섭하고 지형 지도를 입수하는 등 무력 태세를 준비하였다. 그러다 태창직물주식회사 조직원들의 검거를 계기로 시작된 제1차 검거(1940년)와 학생조직에 대한 제2차 검거(1941년) 등으로 인해 와해되었다. 이들의 활동은 해방 이후 조선공산당이 재건(1945년 9월 11일)될 수 있는 토대가 되었으며, 급격한 권력의 공백기에 좌익 세력을 등장시킴은 물론 국내 운동가의 최후의 집결 역할을 하였다.

조선사상범 보호관찰령　1936년(쇼와11), 조선사상범보호관찰령. 조선사상범예방구금령, 쇼와 16년. 국내 민족 독립운동의 전향, 좌절에 병행하여, 쇼와14년에 재건된 조선공산주의자 그룹(경성콩[콤]그룹)도 쇼와15년부터 16년의 3차에 걸친 검거로 거의 괴멸되었다. 9-20-7:183~184

▶ 1936년 12월 12일, 중일전쟁을 준비 중이던 일본이 조선인의 사상 통제와 탄압을 위해 공포한 법령이다. 이 법령은 범죄자의 재범 방지를 위한 '보호관찰'이란 명목으로 〈치안유지법〉 위반자를 감시·통제하기 위해 제정되었다. 조선 제령 제16호로 공포되었으며, 〈조선사상범 보호관찰령〉에 따라 '조선사상범 보호관찰소'와 그 산하에 '조선사상범 보호관찰심사회'를 조직했다. 심사회의 위원들은 집행유예, 기소유예, 형집행완료 및 가출옥 대상자를 선별하여 일체의 사상을 탄압하고 활동을 감시하는 역할

을 했다. 징역형을 선고받은 사상범의 경우에는 형기 만료 후 출소를 했음
에도 거주 및 접촉·통신의 제약을 받았다. 보호관찰을 수행하는 보호사로
는 주로 일본인이 위촉되었다.

조선사상범 예방구금령　1936년(쇼와11), 조선사상범보호관찰령. 조선사
상범예방구금령, 쇼와 16년. 국내 민족 독립운동의 전향, 좌절에 병행하
여, 쇼와14년에 재건된 조선공산주의자 그룹(경성콩[콤]그룹)도 쇼와15년
부터 16년의 3차에 걸친 검거로 거의 괴멸되었다. 9-20-7:183~184

▶ 1941년 2월 12일, 일본이 '보호관찰'하는 조선인을 상시에 자의적으로
체포할 수 있도록 공포한 법령이다. 일본은 3·1운동 이후 문화정치를 표
방하며 유화정책을 폈지만 그 이면에서는 사상과 이념의 탄압정책을 시행
했다. '조선정보위원회'를 창설하여 독립운동가들의 정보를 수집하고, 이
들의 사상 전향을 통해 전쟁의 동원 병력으로 배치하고자 한 것이다. 이에
반일·저항·독립운동으로 수감 생활을 하다 출옥한 조선인들을 감시하고
자 1936년에 공포한 〈조선사상범 보호관찰령〉은 재범 우려를 명목으로
사상범을 감시·통제하는 법이었다. 그러나 임의적으로 체포할 수 있는
효력이 없자, 일본은 이를 보완하여 사상범을 언제든 체포하여 구금할
수 있는 법령을 제정했다. 당시 일본은 중일전쟁 이후 제국주의 국가들
간의 제2차 세계대전 발발로 전시체제에 당면했고, 이에 침략 전쟁의
병력으로 조선인을 동원하고자 했다.

조선의용군　"군사훈련은 중국의 팔로군, 조선의용군 출신자들이 담당하
고, 중국식 유격전을 개시했다." 5-12-7:336

▶ 일제강점기 때 만주에서 활동하던 독립군 부대이다. 1938년 10월 10일
우한(武漢)에서 조직된 조선의용대(朝鮮義勇隊)의 일부 부대가 옌안(延安)
지역으로 이동하였다. 이 조직은 중국공산당 산하 팔로군(八路軍)의 지원
을 받아 항일무장투쟁을 전개하였는데 점차 한인들의 세력이 커지자
1942년 7월에 조선의용대를 조선의용군(朝鮮義勇軍)으로 개편하였다. 조
선의용군은 제2차 세계대전 중인 1945년 8월 9일 소련의 대일 참전 무렵

소련군과 함께 입국할 준비를 하였으나 일본이 패전으로 항복하자 화북(華北)과 만주에서 팔로군과 협동관계를 유지하며 재류 동포의 생명과 재산을 보호하는 활동을 했다. 같은 해 10월 조에는 국내 입국을 위한 선발대 1,500명이 신의주에 도착했으나 무장해제되어 만주 안동현(安東縣)으로 후퇴했다. 그중 일부가 북한의 신민당(新民黨) 창당에 합류했으나 대부분 입국하지 못하고 중국 동북지방에서 동북민주연군(東北民主聯軍)에 흡수되었다.

조선인민당 그래도 사람들은 좌익의 영향력이 압도적이었기 때문에, 서서히 공산당과 인민당(나중에 신민당과 3당 합동하여 남조선노동당이 된다)의 주장을 받아들이는 방향으로 기울어 갔다. 2-3-3:69 ¶ 창문이 많은 목조의, 이전에는 공산당과 합당하여 남로당이 되기 전 조선인민당의 본부였던 건물로, 이방근은 서울에 머물던 무렵에 몇 번인가 온 적이 있었다. 6-14-2:44

▶ 1945년 11월 12일, 여운형이 주도적으로 결성하였던 중도좌파 계열의 정치정당이다. 여운형은 해방 직후 그의 직계 세력인 조선건국동맹을 주축으로, 고려국민동맹(高麗國民同盟)·인민동지회(人民同志會)·일오회(一五會) 등 군소정파를 규합하여 조선인민당(朝鮮人民黨)을 창당하였다. 조선인민당은 창당과 더불어 민족통일전선 문제, 충칭(重慶)의 대한민국임시정부에 대한 태도 등에서 조선공산당과 동일 보조를 취했으며 1946년 제1차 미·소공동위원회의 결렬 이후 좌우합작운동에서 좌파를 대표하기도 했다. 이 정당은 1946년 11월 남조선신민당·조선공산당과 합당, 남조선노동당으로 통합되었다.

조선임전보국단 사상 전향자가 경성에 본부를 둔 조선임전보국단(朝鮮臨戰報國團)이라든가 야마토 사숙(大和塾) 등 황도(皇道)정신을 선양하는 일본 사상단체에 관계하고, 조선총독부 기관지인 경성일보 등의 기자를 하거나, 그 외에도 다양한 활동을 하고 있었지만, 이방근은 일절 그러한 곳과는 거리를 두었다. 9-20-7:184

▶1941년 10월 22일, '전쟁에 대한 임전태세를 확립하여 보국하자'는 뜻으로 서울에서 조직되어 일본의 황민화 정책에 앞장선 친일단체이다. 윤치호(尹致昊)를 중심으로 한 흥아보국단(興亞報國團)과 김동환(金東煥)을 중심으로 한 임전대책협의회(臨戰對策協議會)를 통합하여 1941년에 조선임전보국단을 결성하였다. 이들은 전국에 지부 조직을 만들어 공출과 헌금 등을 통해 시국운동과 전쟁협력운동을 전개하였다. 이후 1942년 11월 국민총력조선연맹(國民總力朝鮮聯盟)이 조직을 개편하자 조선임전보국단은 거기에 합류하면서 해체되었다.

조선총독부 해방에 들떠 있던 조선인들을 향해서 조선총독부는 아베 노부유키(阿部信行) 총독의 명령에 복종할 것을 강요했는데, 이번에는 미국이 군정을 선포하고 이승만을 자국에서 불러들였다. 그리고 서서히 8월 15일 이후 숨어 지내던 일제 협력자들, 즉 민족주의자들과 좌익진영의 민족통일전선 단체인 '민전(民主主義民族戰線)' 등이 '민족반역자'로 규정한 친일파들의 부활을 시도했다. 그뿐만이 아니었다. 1-1-1:699 ¶ 이방근은 양쪽으로 지붕이 날카롭게 하늘로 휘어진 조선식 가옥이 늘어선 길을 내려가 큰 길로 나왔다. 오른쪽으로 돌아가면, 일제강점기의 구조선총독부, 지금의 미 중앙군정청 앞으로 나가게 되는데, 그 웅장한 건물은 일찍이 일장기가, 지금은 이 나라의 국기가 아닌 성조기가 옥상에 펄럭이고 있는 곳이었다. 5-11-5:116 ¶ "(…) 미국은 조선총독부의 통치기구를 그대로 계승하고, 친일파도 몽땅 그 용기에 넣어 군정을 실시했습니다. 그 밑에서 비호를 받은 패거리가 토대가 되어 대한민국이 만들어진 거 아닙니까. 이것은 사실로서 우리들의 눈에 보이는 겁니다." 12-27-1:131

▶ 일제강점기(1910~1945년)에 우리나라를 지배한 일제 최고의 식민통치 기구이다. 초기에 조선총독부(朝鮮總督府)는 일제가 대한제국의 내정에 관섭하던 기구인 통감부(統監府, 1906. 2.~1910. 8.)를 계승하면서 기존의 대한제국 소속 관청을 축소·흡수해 급격한 변화를 피하는 과도적인 성격을 띠었다. 그러나 기관 통폐합 시에는 주로 치안에 초점을 맞췄다. 신설

된 총독부는 총독관방(總督官房) 외에 총무부·내무부·탁지부(度支部)·농상공부·사법부의 5부를 구성하여 각 부의 장을 장관이라 하고, 각 부에 국을 두어 칙임(勅任) 국장을 배속히였다. 부속기관으로는 취조국(取調局), 철도국, 통신국, 임시토지조사국, 전매국(專賣局), 인쇄국을 구성하였다. 하지만 압도적으로 많은 직원이 사법과 치안 등을 위한 탄압 기구에 배치되었다. 일제 육해군 대장 출신인 총독의 지휘 아래 있던 총독부는 무단통치조직으로서 전체주의적으로 우리 민족을 탄압하고 경제적으로 수탈했으며, 민족문화의 말살과 동화정책을 펼쳤다. 이와 더불어, 식민지 관료제를 우리 사회에 이식함으로써 관료 우위의 권위주의 사회가 고착되게 하고 사회의 자율성을 억압하는 문화가 조성되게 하는 폐단을 남겼다.

족청 | 조선민족청년단 | 과거의 히틀러 청소년단처럼 푸른 제복의 무리는 '족청(族靑, 조선민족청년단)'이었다. 사열종대로 3, 40명이 군가 사이에, 추진하라, 제헌국회의원 총선거를! 조국의 역사에 영광을! 이라는둥, 아직 선거운동이 시작되지도 않았는데 구호를 외치며 시내로 몰려 나갔다. 서울에 본부를 두고 군대식 훈련소를 갖춘 '민족지상(至上)' '국가지상'의 우익단체였지만, 폭력지상주의를 취하지 않는 점이 '서북'이나 '대동청년단(大同靑年團)'과는 달랐다. 4-8-1:9~10

▶ 조선민족청년단(朝鮮民族靑年團)을 줄여 이르는 말이다. 1946년 10월 서울에서 이범석(李範奭)이 미군정의 전면적인 후원을 받아 조직한 우익 청년단이다. 비정치, 비군사, 비종파를 내세우며 청년들에 대한 훈련에 치중해 100만 명이 넘는 청년들을 거느렸다. 사상적으로는 민족지상, 국가지상을 내걸어 강한 민족주의 성향을 보이는 한편 좌익 출신들을 적극적으로 포섭하기도 했다. 이범석의 정치활동의 기반이 되었으나 1949년에 이승만의 지시로 해산되어 대한청년단에 흡수되었다. 그 뒤에도 '족청계'라는 형태로 남아 자유당(自由黨) 창당 과정에서 큰 역할을 했다.

주재소 게릴라는 경찰지서나 주재소만이 아니라, 각지의 선거사무소, 투표소를 습격하여 선거인명부, 투표용지, 투표함 등을 탈취, 소각하였으

며, 나아가 선거위원회, 입후보자의 자택, 경찰 토벌대 주둔지, 서북청년
회 숙소, 대동청년단 간부의 자택 등을 습격했다. 5-12-7:355~356

▶ 일제강점기부터 8·15광복 때까지 한반도 전역에 존속했던 경찰의 최일
선 기관이다. 1910년 일제의 조선총독부령에 의거하여 전국 각지에 설치
되었다. 주로 말단 순사들이 공무를 보았는데 그들은 주재소(駐在所)가
속한 각지의 장터나 민가 등을 순찰하면서 반일사상을 갖고 독립운동이
나 항일운동 등을 하는 이들을 감시하고 체포하는 임무를 수행하였다.
주재소 소장은 경찰서장의 임명하에 지역의 행정과 치안을 담당하는 총
지휘자로서 순사들을 명령할 수 있는 권한을 가졌다. 1945년 8·15광복이
되고 9월에 조선총독부가 해체되면서 주재소는 그해에 창설된 대한민국
경찰의 기관인 지서(支署)로 통합되었다.

중산간 지역 초토화 작전   해안선에서 5킬로미터 이상의 중산간부를 무인
지대로 하는 토벌대의 초토화 작전으로 마을이 불타버려, 해안 부락의
친척에게 몸을 의탁했지만, 게릴라의 동조자로서 방해물 취급을 받은 피
난민들은 살육의 공포에서 벗어나 산으로 들어온 것이었다. 12-26-1:7 ¶
중산간 부락의 대부분은 게릴라 토벌작전에 의해 초토화되고, 주민 대부
분이 산속으로 피난해 있었는데, 초토화된 폐촌의 수, 해안지대로의 피난
민의 수 등으로부터, 입산한 피난민이 일만 수천을 넘는다고 추산한 토벌
대 사령부는 그들의 하산 선무 공작을 하기 시작했다. 12-27-3:195

▶ 제주 무장봉기를 조기에 진압하기 위해 정부는 1948년 11월 17일, 제주
에 계엄령을 선포하고, 국방경비대 제9연대장 송요찬의 지휘로 제주의
해안선으로부터 5킬로미터 이상 들어간 지역을 적성(敵性) 지역으로 간
주하였다. 그리고 이 범위에 포함된 중산간 마을을 모두 불태우고 주민들
을 해안 마을로 소개(疏開)하는 초토화 작전을 감행했다. 이로 인하여 삶
의 터전을 잃은 중산간 마을 주민 약 20,000명이 산으로 들어가 무장대의
일원이 되었다. 진압 군경은 가족 중에 한 명이라도 없는 경우에 도피자
가족으로 분류하여 부모와 형제자매를 대신 죽이는 이른바 '대살(代殺)'을

자행하기도 하였는데, 재판 절차도 없이 주민들을 집단으로 사살하기도 하였다. 1949년 3월 제주도지구 전투사령부가 설치되면서 진압과 함께 선무 작전이 병행되었으며, 귀순하면 용서한다는 사면 정책에 따라 많은 주민이 하산하였다.

중추원 | 조선총독부중추원 | "(…) 일제 때 후작인지 백작인지 작위를 받은 자와 중추원(조선총독부의 어용 자문기관) 참의 등을 지낸 자들 중에는 몇 개씩이나 되는 훈장과 '교육칙어'를 애지중지 모시면서, 때때로 꺼내 절을 하고 있다는 정보도 신문사에 들어오고 있는데, 그렇다면 일본 천황의 사진까지 걸어 놓고 있을지도 모르지. (…)" 5-13-6:521

▶ 1910년, 일제강점기 식민통치의 정당화, 친일파 관료의 육성·보호와 이를 조선인들에게 선전하기 위해 〈조선총독부중추원관제〉(칙령 제355호, 1910.09.30.)에 의해 설치한 조선총독부의 자문기관이다. 본래는 대한제국 시기의 고종 때 내각의 자문을 맡은 기관이었으나 한일병합 후 성격이 변질되었다. 의장 1명, 부의장 1명, 고문 15명을 포함해 약 80명의 구성원이 있었고, 《조선반도사》의 편찬을 위한 자료 수집이 주요 업무였다. 이 편찬사업에는 을사5적 중 하나인 이완용 등이 조사위원으로 임명되어 한일병합에 대한 정당성을 설파하기도 했다. 일제는 조선인들에게 조선시대에 있었던 기관을 병합 이후에도 유지한다는 인상을 심어주는 동시에 조선 통치를 더욱 수월하게 하기 위해 친일파를 양성하는 기관으로 중추원을 이용했다.

지원병 제도 실시 | 육군 특별 지원병 제도 | "이광수의 얘기를 하자면, 제가 일본에 있을 때, 그러니까 일본이 패전하기 바로 전 해였어요. 조선에 지원병제도를 실시한 후에 징병령이 내린 해입니다. 이광수 등의 식민지 문학자가 일본에 와서, 도쿄나 오사카 그 외의 지역에서 재일조선인 학생들의 학도 출진 격려, 지원병 응모 같은 캠페인 유세를 하고 다녔습니다. (…)" 9-20-6:176

▶ 1938년, 전시 상황이던 일본이 조선 사람들을 전쟁에 동원하고자 시행

한 제도이다. 1937년에 중일전쟁을 일으킨 일본은 전쟁이 장기화됨에 따라 병력 수급과 군수물자의 부족으로 전세의 불리함을 느꼈다. 이에 일본은 병력난을 해결하기 위해 조선인을 군력으로 모집하고자 했다. 1938년 1월, 〈조선육군특별지원령〉을 공포하여 소학교 졸업 이상의 학력을 갖춘 만 17세 이상 조선인을 지원병으로 모집했다. 침략 전쟁에 동원된 조선인들에게는 〈황국신민서사〉의 암송을 강요하여 전투력 제고를 꾀하기도 하였다.

참의 "……일제강점기 판관 이상의 경찰관, 헌병, 헌병보, 또는 고등경찰의 직에 있던 자, 밀정으로 일한 자, 중추원 참의 기타, 그 요직에 있던 자, 고등관 3등 이상, 또는 훈7등 이상의 수훈자"는 피선거권을 박탈한다고 돼 있었다. 따라서 이러한 반민족분자, 친일파는 신정부의 의자에 앉을 수 없을 터였지만, 실제로 뚜껑을 열어 보면 그렇지가 않았다. 7-16-1:9 ▶ 일제강점기의 조선총독부 자문기관인 중추원에 속한 관직이다. 중추원 설립(1910년) 당시에는 찬의(贊議)와 부찬의(副贊議)로 관직이 구분되어 있었으나 사이토 마코토 총독 부임 이후 찬의·부찬의가 통합되어 참의(參議)로 개칭되었다. 참의에 임명된 자들은 일제 식민통치에 대한 협력은 물론이거니와 그 통치행위를 정당화하고 선전하는 데 앞장을 섰다.

창씨개명 "종로경찰서로 끌려간 건 소화 14년입니다. 태평양전쟁이 소화 16년이고, 그 전년에 병보석으로 형무소를 나왔으니까, 소화 14년 봄의 일입니다. 서력으로는 1939년, 창씨개명의 해, 민족 멸망에 박차를 가하는 '역사적'인 해입니다만. 벌써 9년 전의 일, 햇수로 벌써 10년입니다." 5-13-3:429 ¶ 그때는 이미 다른 여자와 헤어진 아버지와 지금의 계모와 관계를 맺고 있었고, 어머니는 아내라는 자리만 허울 좋게 남아 있을 때였다. ……리모토 호콘(李元芳根). 형무소에 있을 때인 1939년(쇼와14), 창씨개명령으로 리모토라는, 분명히 본래는 '이(李)'라는 것이 틀림은 없었지만, 호주인 아버지의 신고로 친척 일동과 함께 새로운 일본식 성이 되어 있었다. 9-20-7:183

▶ 조선총독부에서 민족말살정책의 일환으로 조선인들의 성과 이름을 일본식으로 바꾸게 했는데, '일본식 성명 강요'라고도 한다. 1939년 11월 10일, 제령 제19호와 제20호를 통해 일제는 창씨개명의 방침을 발표했고, 이는 1940년 2월 11일을 기하여 시행되었다. 조선총독부는 기존의 관습적 성명과 더불어 일본식 씨명(氏名)을 등재하고 일상생활에서 일본식 이름을 쓸 것을 강요했다. 한국식 성명을 일본식 시메이(氏名)로 바꾼 것이므로 창씨(創氏), 즉 '씨'를 창제하는 일이 된다. 또한 개명(改名)이란 말에서 확인되듯, 이름도 변경하도록 했다. 다만, 창씨가 의무인 반면에 개명은 선택적이었다.

천황귀일 해방 직전까지 '천황귀일(天皇歸一)', '황국신민(皇國臣民)', '내선일체(內鮮一體)' 따위를 외치던 기괴한 조선 놈이, 해방 후에는 공산당원으로 탈바꿈하여 위세 좋게 날뛰는 모습을 차가운 눈으로 바라보고 있었다. 4-9-3:278

▶ 여러 갈래로 나뉘거나 갈린 것이 천황을 중심으로 하나로 합쳐짐을 뜻한다. 일제 말기 일본을 중심으로 한 대동아공영권 건설의 이념적 강령이었다.

총선거촉진 대강연회 "5일, 시(市) 공관에서 개최된 총선거촉진대강연회 석상에서 있었던 조 경무부장의 연설에 의하면, 4일 제주도에서는 총선거 반대를 위한 좌익분자들의 파괴 행위가 있었고, 그 파괴 상황은 경찰관서 습격이 11개소, 경찰관 사망 네 명, 일반청년 사상 여덟 명, 경찰지서 습격이 5개소나 있었다고 한다." 5-11-3:56

▶ 1948년 4월 5일, 서울 시공관(市公館)에서 5·10총선거촉진 대강연회가 개최되었다. 이 자리에서 경무부장 조병옥은 "제주에서 좌익분자들의 파괴행동이 있었고 11개 경찰관서가 습격당해 경찰관 4명 사망 등 피해가 있었다"는 내용으로 연설한다. 경무부장 조병옥의 연설을 계기로 서울 전역에 제주의 무장봉기 발발이 알려졌으며, 그 내용은 4월 7일자 일부 신문에 다음과 같이 보도되었다. "지난 4월 3일 이래 제주도에서는 1947년

3·1사건 이상의 불상사가 발생되어서 치안이 극도로 괴란되었다. 공산
계열의 파괴적 반민족적 분자들의 지도 아래 총기 수류탄 그 외 흉기를
가진 무뢰배들이 성군작당하여 경찰관서 기타 관공서의 습격, 경찰 관리
와 그 가족의 살해, 선량한 동포 살해, 방화, 폭행과 약탈 등의 천인공노
할 만행들을 마음대로 하여 동포들의 생명과 재산을 위구에 빠트리고
있을 뿐만 아니라 총선거 등록 실시 사무를 정돈 상태에 빠트리고 있는데
인적 물적 손해는 다음과 같다. 경찰관서습격 11개소, 테러 11건, 경찰관
피습 2건, 경찰관 사망 4명·부상 7명·행방불명 3명, 경찰관 가족 사망
1명, 관공리 사망 1명·부상 2명, 양민 사망 8명·부상 30명, 전화선 절단
4개소, 방화 경찰관서 3개소·양민가옥 6개소, 도로 교량 파괴 9개소."
(《경향신문》, 1948.04.07.) 이는 제주4·3사건이 공산주의 계열의 반민족
분자들의 폭동이자 반란이라는 오인(誤認)의 기폭제가 되었다.

최고인민회의　방송은 9월 2일부터 시작된 최고인민회의에 관한 보도였고,
3일은 휴회, 어제 4일에 개최된 두 번째 회의에 관한 어젯밤 방송을 간단
하게 반복하고 있었다. 인민회의 의장, 부의장의 선출, 조선민주주의인민
공화국 헌법위원회 40명의 구성과 그 헌법 초안의 심의를 가결. 대의원자
격심사위원회의 자격심사 결과보고가 있었고, 대의원 572명 중 결석 몇
명…… 등, 그리고 정당, 사회단체별로는 북로당(북조선노동당) 102명, 남
로당 55명…… 그 밖의, 방송 내용이 제법 잘 들렸다. 8-19-2:285

▶1948년 8월 21일부터 26일까지 남조선인민대표자대회가 진행되어 25일
에 최고인민회의 남한 측 대의원선거가 실시되었다. 같은 날 북한 측
최고인민회의 대의원선거도 치러졌다. 이후 9월 2일, 평안남도 평양에서
제1차 최고인민회의를 열어 헌법을 제정하고 9일, 조선민주주의인민공화
국(북한의 정식명칭)의 수립을 선포했다. 이로써 최고인민회의 대의원이
던 김일성이 초대 수상으로, 박헌영·홍명희·김책(金策)이 부수상으로 추
대되었다. 제주4·3사건 당시 인민해방군 사령관이자 남조선노동당 제주
도위원회의 조직부장이던 김달삼은 남조선인민대표자대회에 제주 대표

로 참석했다.

치안유지법　아마 치안유지법 실형 판결의 형기상 예방구금이었거나, 아니면 처음부터 미결수였는지도 모르지만, 7, 8년을 형무소에서 지내고, 심한 폐결핵으로 보석이 된 일이나, 그가 전향자 같다는 것이 자신과 닮아 있다고 이방근은 생각했다. 6-14-1:9

▶ 1925년, 일제가 반정부·반체제 운동을 억압하기 위해 제정한 것으로, 무정부주의·공산주의 운동을 비롯한 일체의 사회운동을 조직하거나 선전하는 자에게 중벌을 가하도록 한 사회운동 취체법이다. 1923년 관동대지진 직후 공포되었던 〈치안유지법〉을 기본으로 하여 1925년 제정한 이 법은 식민지 조선에도 그대로 적용되어, 일제의 식민지 지배에 저항하는 민족해방운동을 탄압하는 데 적극 활용되며 1945년까지 유지되었다.

칙임관　제4조 제1호는 '습작한 자', 제2호 '중추원 부의장, 고문, 또는 참의였던 자', 제3호 '칙임관(勅任官)' 이상의 관리였던 자', 제4호 '밀정 행위로 독립운동을 방해한 자'…… 등이고, 문제의 제11호는 '종교, 사회, 문화, 경제 기타 각 부문에서 민족적인 정신과 신념을 배반하고 일본침략주의와 그 시책을 수행하는 데 협력하기 위하여 악질적인 반민족적 언론, 저작과 기타 방법으로 지도한 자'로 되어 있었다. 12-종-1:224

▶ 일제강점기 관료 계급의 하나이다. 천황이 칙서로 임명하였는데, 고등관 1·2등인 조선총독부의 각 국장과 도지사가 이에 해당되었다.

친일파군상　이방근의 수중에 몇 개월인가 전에 출판되었던 『친일파군상』이라는, 중앙단위의 친일, 전쟁추진단체 조직, 단체적 공동행동의 내용, 그리고 황국신민화정책, 전쟁협력추진의 주요 멤버에 대한 기록이 있다. 12-종-1:224

▶ 1948년 9월, 민족정경문화연구소에서 펴낸 책이다. 반민족행위특별조사위원회가 반민족 행위자 일람표를 작성할 때 참고했을 만큼 당시 사회적으로 영향력이 있던 인물들의 친일 행위를 자세하게 기록해 놓았다. 그 조사 대상과 시기는 1937년 7월부터 1945년 8월 15일까지 9년간 "일본

을 위해 물질적·정신적 공헌자, 또는 위협에 피동되어 협력적 행동을 한 자"로 한정하였다. 이들을 몇 개의 분야로 나누어 각 개인에 대해 인물 평과 친일 행적(연월일·종별, 건명, 연제·적요), 원문 발췌 순으로 기록하고 있다.

카이로 선언 「최근의 1년은?」이라든가, 조선의 역사, 지리, 그리고 각국의 정세에 대한 개관, 내외일지, 기타 카이로선언을 비롯한 여러 자료들이 풍부하게 실려 있었다. 2-3-3:61

▶ 제2차 세계대전 중이던 1943년 11월 22일부터 26일까지 이집트의 수도, 카이로(Cairo)에서 미국·영국·중국이 만나 일본에 대한 군사 행동과 전후 처리 문제를 논의하는 회담이 개최되었다. 이 회담에서 맺은 협약이 12월 1일, '카이로 선언'으로 발표되었다. 그 주요 내용은 ① 미국·영국·중국 3국은 일본에 대해 가차 없는 압력을 가한다. ② 3국은 일본의 침략을 저지·응징하나 영토 확장의 의사는 없다. ③ 제1차 세계대전 이후 일본이 얻은 태평양 제도의 박탈, 만주·타이완 등의 중국에 대한 반환, 일체의 점령 지역으로부터 일본을 몰아내는 것 등이다. 또한 한국에 대한 특별 조항을 넣어 "한국민이 노예 상태에 놓여 있음을 유의하여 앞으로 한국을 자유 독립 국가로 할 것을 결의한다."라고 명시해 한국의 독립이 처음으로 국제적인 보장을 받았다.

코민테른의 결정 일본공산당에 대한 재일조선인 대부분의 의식 속에는 '공산당'이라는 것만으로 국경을 초월한 이미지가 강하게 뿌리박고 있었다. 적어도 식민지 시대부터 조선의 독립과 해방 투쟁을 벌였고, '무산계급'의 후원자이자 동료라는 의식이었다. 그것은 또한 코민테른의 결정(제6회, 1928년)에 따른 일국일당주의의 원칙하에서, 재일조선인 공산주의자들이 스스로 조직을 해체하고 일본공산당에 입당한 사정과도 관계가 있었다. 그리고 코민테른이 제2차 세계대전 중에 해산되었음에도 전쟁이 끝나자 그때까지의 기정사실을 이어받은 형태로 재일조선인과 중국인들이 다시 일본공산당원이 되었던 것이다. 2-5-8:502

▶코민테른은 러시아 공산당을 창설한 레닌(Vladimir Ilich Lenin)의 주도로 1919년에 모스크바에서 창립된 국제적 규모의 공산주의 조직이다. 이는 제1차 세계대전 이후 분열된 세계 각국의 공산당들의 연합 단체로, '제3인터내셔널(The Third International)'이라고도 한다. 1928년 12월, 코민테른에서 '일국 일당의 원칙'을 제시한다. 이로 인해 만주 지역의 조선인 공산주의자들은 1930년 4월 조선공산당 만주총국을 해체하고 중국공산당에 가입하게 된다. 재일조선인 공산주의자들도 이러한 까닭에 일본공산당에 입당하게 된다.

태평양전쟁   목탁영감은 해방되기 수년 전부터, 그러니까 이방근이 보석으로 출감한 태평양전쟁 한 해 전부터 산천단 절 옆의 동굴에 살고 있었다. 2-4-3:257 ¶태평양전쟁 말기에 제주도는 오키나와 다음의 결전장으로서 중요한 요새로 변해 있었다. 2-5-8:499

▶제2차 세계대전의 전역(戰域) 중 하나인 태평양과 동아시아에서 벌어진 전쟁을 가리킨다. 일본은 제2차 세계대전 중 동아시아에 있는 유럽 식민지를 강탈하여 태평양의 지배세력이 되고자 하였다. 태평양전쟁은 일본이 1941년 12월 7일과 8일에 하와이 진주만에 있는 미국 해군 기지를 기습적으로 공격하면서 시작되었다. 이에 미국은 12월 8일, 일본에 선전포고를 한 후 일본 영토를 침공하였다. 초반에는 일본이 우세하였으나 미드웨이 해전(Battle of Midway)에서 미국이 승리하며 대세가 기울었다. 1945년 미국은 오키나와섬(沖繩島)을 점령했으며, 도쿄에 야간 공습을 시작하며 일본의 대도시를 폭격하였다. 미국이 히로시마(8월 6일)와 나가사키(8월 9일)에 각각 원자폭탄을 투하한 데다 만주와 한반도를 거쳐 진격해 온 러시아의 공격으로, 일본은 8월 15일 항복을 선언한다. 일본의 무조건 항복 문서는 1945년 9월 2일에 조인되었으며, 전쟁 이후 일본이 점령한 한반도를 비롯하여 여러 식민지 국가들이 독립하게 된다.

특공대   │특별공격대│ "(…) 나는 전쟁터에는 가지 않았지만, 해방 전 일본에서 학도병으로 소집된 적이 있소. 나는 일본의 특공대가 생각나오.

특공대에게 어떤 의미가 있었는가……. 특공대에는 조선 출신자도 있었소. 그들은 일본의 천황을 위해서 비행기와 함께 미국 군함으로 돌격했던 것 아니오. (…)" 11-24-4:103

▶ 제2차 세계대전 당시, 폭탄이 장착된 비행기·잠수정을 직접 조종하여 연합군의 함정, 폭격기 등에 돌격하는 작전을 펼친 일본군 특공대를 가리킨다. 태평양전쟁이 한창이던 시기에 일본은 군력이 부족해지자 20세 내외 남성 자원병을 모집하여 동원 군력으로 충당했다. 자폭 공격 방식의 전투 부대를 편성하면서 특별공격대(特別攻擊隊)가 조직되었다. 1944년 8월 20일 미군이 일본의 야하타(八幡)를 공습하자 일본은 미군 폭격기 B-29의 동체를 비행기로 타격하여 공중 폭발을 일으켜 격추되게 했다. 이후 10월 20일 일본군 제1항공함대 사령관 오니시 다키지로(大西瀧次郎)가 전투기 26대를 '특공대'라는 자살부대로 편성함으로써 특공대가 창설되었다. 오니시 사령관은 '신이 일으키는 바람과 같은 공격대'라는 의미로 이를 '신풍(神風) 특공대'로 칭하였는데, 일본인과 미군의 발음대로 '가미카제'로 굳어졌다. 같은 날이던 10월 20일 미군이 필리핀에 상륙하자, 25일 가미카제 특공대가 미군 기동함대에 돌격하여 호위항공모함 세인트 로(St. Lo)를 격침했다.

특별고등경찰 | 특고, 특고경찰제도 | 게다가 북한에서 월남한 특별고등경찰(特高) 관계자와 총독부 고위관리를 지낸 민족반역자들이 여기에 합류했다. 1-1-3:69 ¶ 종로경찰서에서의 일본인과 조선인 '특고'들에 의한 고문……. 일본인 이상으로 횡포한 조선인 고등경찰(특고)의 고문은, 같은 조선인에 대한 민족적 공포에서 기인되는데, 그들이 그 공포로부터 벗어나는 길은 정신의 황폐를 초월하는 오로지 폭력밖에 없었다. ……그들이 해방 후에도 이 '나라'의 경찰로 그대로 남아 있다. '서북' 중앙총본부 사무국장 고영상은 과거의 조선인 특고인 다카키(高木) 경부보이고, 그의 무서운 이름은 조선 전국에 알려져, 도쿄에 유학 중인 조선인 학생들 사이에서조차 공포의 대상으로 알려져 있었다……. 9-20-7:179~180

▶1911년부터 1945년까지 일제가 정치운동이나 사상운동을 단속하기 위하여 둔 비밀경찰이다. 창설 당시에는 공산주의자를 주요 사찰 대상으로 삼았지만, 점차 대상을 확대하여 전 사회적으로 사찰을 진행하였다. 특고(特高)는 특별고등경찰을 줄여 이르는 말이다.

파리 코뮌 어젯밤 양준오는 잠들기 직전 잠자리에서, 만약 확실한 승산이 있을 경우에만 싸움에 응한다면, 세계사를 만드는 건 매우 편안한 일일 것이다……라고, 마르크스가 파리코뮌에 즈음하여 친구에게 보낸 편지에 썼던 구절을 이야기했다. 10-23-4:297

▶1871년 프랑스·프로이센 전쟁에서 프랑스가 패배하고 나폴레옹 일가의 제2제정이 몰락하는 시기에 파리에서 일어난 민중 봉기이다. 1789년 프랑스 혁명 후 나폴레옹 3세가 제2공화국의 대통령으로 당선되었다. 당시 독일의 통일을 지지하던 프로이센과 대립 구도가 형성되면서, 프랑스는 1870년 7월 19일 선전포고를 시작으로 프로이센과 전쟁을 일으켰다. 그러나 독일의 지원을 받은 프로이센은 승리하였고, 1871년 1월 28일 프랑스의 항복을 끝으로 제2제정은 몰락하였다. 2월, 전후 평화조약을 위해 소집한 프랑스의 국민의회에 왕당파 의원들이 다수 참석하였고, 이들은 프로이센에 유리한 조약을 체결하며 왕정의 복고를 계획하였다. 게다가 임시정부의 아돌프 티에르(Adolphe Thiers)가 파리의 질서유지를 위해 이후 국민방위군을 무장 해제시키려고 하자 민중은 이에 저항하며 봉기를 일으켰다. 이후 3월 26일 시(市) 수비대 중앙위원회가 선거를 실시하여 혁명파를 중심으로 한 '파리 코뮌(Paris Commune)' 정부를 수립하였다. 파리 코뮌은 72일간 존속하며 민주개혁을 시도하였으나 정부군의 진압으로 종료되었다.

팔로군 "군사훈련은 중국의 팔로군, 조선의용군 출신자들이 담당하고, 중국식 유격전을 개시했다." 5-12-7:336

▶항일 전쟁 중에 화북에서 활약한 중국공산당의 주력군이다. 팔로군(八路軍)은 제2차 국공합작(國共合作) 후에 국민혁명군 제8로군으로 개칭하

고 신사군(新四軍)과 함께 항일전의 최전선을 담당하였다. 1947년에 인민해방군(人民解放軍)으로 다시 명칭을 바꾸었다.

포츠담 선언 "나는 포츠담선언 후에 소위로 급조된 장교입니다. 학도병이었으니까, 대단한 것도 아니지요. 고참 하사관들이 깔보았으니까요. 군대의 종전처리라고는 해도, 그건 사령부가 하는 일이라 나는 잘 모르고…… (…)" 3-6-4:113

▶ 1945년 7월 26일, 미국·영국·중국·소련이 독일의 포츠담(Potsdam)에서 회담(7월 17일~8월 2일)을 통해 발표한 공동선언이다. 이 회담에서 일본의 항복 권고와 제2차 세계대전 이후 일본에 대한 처리 문제가 논의되었고, 이 내용을 토대로 '포츠담 선언'이 공포되었다. 미국의 대통령 트루먼(Harry S. Truman), 영국의 수상 처칠(Winston L. S. Churchill), 중국의 총통 장제스(蔣介石)가 회담에 참여하여 선언에 서명하였고, 소련공산당 서기장 스탈린(Joseph Stalin)도 소련이 얄타(Yalta) 회담에 따라 대일 선전 포고를 하게 되어 이 선언에 서명했다. 회담의 주요 의제는 패전국 독일의 통치 방침, 패전국 오스트리아의 점령 방침, 해방국 폴란드의 국경 설정, 패전국의 배상금 문제 및 일본의 전후 방침 등이었다. 포츠담 선언은 총 13개의 항목으로 되어 있으며, 이 가운데 제1~5항, 제13항은 일본군의 무조건 항복과 국제적 사죄에 관한 규정이다.

학도병 해방 이후에 잔뜩 취한 한 남자가 대낮에 일본도를 휘두르며(그는 학도병으로 일본군에 소집되었다가 막 돌아온 참이었다) 이 왜놈의 종자들! 하고 고함을 치면서 벚나무 가지를 자르고 줄기마저 베어 버리려는 것을 사람들이 달려들어 겨우 말린 적이 있었다. 1-2-4:217

▶ 학도지원병(學徒志願兵)을 줄여 이르는 말이다. 일제는 태평양전쟁이 위기의 국면에 접어들자 '전시교육'이라 하여 학생을 각종 노역에 동원시켰다. 1943년 10월 20일에는 이른바 〈조선인학도육군특별지원병제도〉를 공포하며 고등·전문학교 이상 재학 중인 법문계(法文系) 학생에 대한 병역 유예까지 철폐하였다. 조선총독부는 이러한 학도지원병제가 자의에 의한

지원이라 하였으나 해당 학교에 갖은 수법으로 독려하도록 강요하였다. 이에 조선인 학병 해당자들은 전쟁의 광기에 날뛰던 일제 당국에 여러 형태로 저항하였다. 이와 같은 거부 운동은 전국에 걸쳐 일어났다. 그러나 강제로 입대한 조선인 학병들은 일본군에 입대하고도 기회만 있으면 탈출하였고, 특히 중국에서는 충칭(重慶)임시정부가 이끄는 광복군을 찾아 대일 투쟁을 전개하였다.

한신 조선인 교육 사건 | 4·28한신교육투쟁, 한신교육투쟁, 조선인학교 폐쇄 반대 데모 | "(…) 일본에서도 지난 4월에 한신(阪神) 조선인교육 사건 등이 있어서, 조선인 학교의 폐쇄나 조선인 단체의 해산과 같은 야만적인 탄압이, 그야말로 일본 경찰의 무장탄압이 지금도 전국적으로 이루어지고 있고, 재일조선인은 해방 후 3년이 채 못 돼서 큰 곤경에 처하고 말았지만요. ……음, 안 그런가요. 이쪽에서도 신문에 크게 보도되어 국민 여론이 격노하고 있는 것을 2, 3일 전에도 들었습니다. 나는 이래 봬도 오사카부청 앞까지 조선인 학교 폐쇄 반대 데모 행진에 참가한 사람입니다. 우리는 소방차의 살수를 맞고 날아가면서 눈앞에서 한 소년의, 열네 살 소년이 경찰에 사살되는 것을 이 두 눈으로 목격했어요." 6-14-1:25~26 ¶ 4·28한신(阪神)교육 투쟁에 대해서는 본국에서도 큰 분노와 함께 보도되었다고 들었습니다만, 오빠도 알고 있겠지요? 고베와 오사카에서는 2천 명에 가까운 동포들과 함께 싸운 일본인들이 체포되었습니다. 4월 23일 아침, 오사카에서는 민족학교의 폐쇄 명령에 분노한 동포들이 각 방면으로부터 오사카 부청(府廳) 앞 오테마에(大手前) 공원에 모여(알고 계시겠지만, 오사카 성 해자 앞 공원이에요), 반대 항의 대회를 열었습니다. 6-15-1:265~266

▶ 1948년 3월과 4월, 연합군 최고사령부(GHQ)와 일본 정부의 조선인학교 폐쇄령에 대항하여 오사카부(大阪府)와 효고현(兵庫縣) 등지에서 전개된 재일조선인의 민족교육운동이다. 일제강점기 일본으로 건너간 재일조선인에게는 황국신민화 정책에 따라 해방 이전까지 조선어 교육이 금지되

었다. 일본의 제2차 세계대전 패전으로 조선이 해방을 맞이하자 재일조
선인들은 일본 각지에 강습소(국어강습소)를 세워 조선어 교육을 실시했
다. 그 후 국어강습소는 조선인학교로 개편되었으며, 이러한 학교가 전국
에 500여 개, 학생 수는 60,000여 명에 이르렀다. 연합군 최고사령부는
1947년 10월 재일조선인의 학교도 일본 문부성의 지시를 받도록 일본
정부에 지시하였다. 1948년 1월 24일, 문부성 국장은 각 도도부현 지사에
게 〈조선인 설립 학교의 취급에 대해서〉라는 통달을 내려 조선인학교에
재직하는 교사의 적격 여부를 심사하도록 했다. 문부성의 지침은 "재일조
선인 자제는 법적 기준에 합당한 학교에 취학할 것"과 "교사는 일본 정부
의 기준에 합당한 사람을 임용할 것"이라는 내용을 포함하여, 〈학교교육
법〉에 의거하여 일본어를 사용한 교육 실시와 일본인 건물을 대관한 조선
인학교의 철수, 조선어 학습의 과외 허용 등이었다. 27일, 재일본조선인
연맹은 중앙위원회를 개최하여 〈조선학교 폐쇄령〉에 반대한다는 입장을
표명한다. 3월 24일, 일본은 앞서 문부성에서 통첩한 지침을 위반할 시
재일조선인 학교를 강제 폐교 조치한다는 명령을 내린다. 이에 따라 야먀
구치현(山口縣, 3월 31일), 오카야마현(岡山縣, 4월 8일), 효고현(4월 10일),
오사카부(4월 12일), 도쿄도(東京都, 4월 15일) 등 일본 전역에 조선인학교
폐쇄 조치 명령이 떨어졌다. 문부성은 조선인 학생을 일본인 학교로 편입
시키고자 했다. 오사카부와 효고현은 이에 근거해 조선인학교의 폐쇄를
명령하게 되자 앞서의 통고문으로 재일본조선인총연합회(在日本朝鮮人總
聯合會, 약칭 조선총련) 계열 재일조선인 민족 학교의 자유로운 설치가
허용되지 않도록 하면서, 조선 민족 학교를 폐쇄하도록 유도하였다. 그리
고 조선총련 계열 재일조선인 자녀에게 일본 교육을 의무적으로 수용하
도록 하는 동화 교육을 강요하였다. 이에 대하여 1948년 3월과 4월에
걸쳐 재일조선인은 전국적으로 저항운동을 전개하였다. 반대투쟁이 최
초로 일어난 곳은 지사가 3월 31일까지 학교를 폐쇄한다고 통고를 했던
야마구치현이었다. 이후 4월에 들어서는 히로시마, 오카야마, 효고, 오

사카 등지에서 투쟁이 진전되었다. 많은 희생을 치른 한신교육투쟁의 결과, 5월 3일 조선인교육대책위원회 책임자와 일본 정부 간에 "〈교육기본법〉과 〈학교교육법〉을 따른다", "사립학교의 자주성 범위 내에서 조선인의 독자적인 교육을 행하는 것을 전제로 사립학교로서의 인가를 신청한다"는 각서가 교환되어 이듬해 1949년의 탄압 때까지 조선인학교는 지켜졌다. 그러나 1949년 10월 다시 학교 폐쇄 명령이 내려져 전국 대부분의 조선인학교가 폐쇄되었다.

해방 | 광복 | "내일 모레가 8월 15일인가요. 8·15, 해방된 지 3년, 이렇게 많은 자기 민족의 유혈과 시체를 초석으로 삼으면서 무슨 정부 수립이고 건국 축전입니까. 아니지요, 원래 괴뢰정권이라는 게 그런 식으로 만들어집니다. 해방이고 나발이고, 패전국인 일본과 독일에서 진행되고 있는 전후 민주주의 같은 것은 이 나라와는 관계없는 일입니다. 무엇보다 자력으로 독립과 해방을 달성한 것이 아닙니다. (…)" 5-13-1:388 ¶ 지금 시각은 거대한 어둠의 무지개 모양의 포물선을 넘어, 빌어먹을 8·15. 광복(光復), 빛을 되찾아, 빛을 우리에게. 시적이기까지 한 애달픈 말이다, 이것은. 잠깐 동안의 광복, 그리고 3년, 광복의 태양빛은 영화관의 간판그림이 되었다……. 우울하여 어느새 슬픔이 마음을 적시고 있었다. 5-13-6:511~512 ¶ 8·15 당시에는 그저 해방과 독립의 빛에 눈이 멀어 있었지만, 자력으로 달성한 조국의 광복은 아니었다. 그 결과가 해방 후 3년이 지난 오늘날까지 '남'에서는 친일파 지배의 토대, 참으로 불가사의하고 추악한, 악취를 풍기는 기성사실을(이것이 36년간의 식민 지배를 벗어나 성립된 신생 독립국이다) 쌓아 올리고 말았다. 이것을 적어도 해방 직후로 돌릴 수는 없는 걸까. 9-20-7:185

▶ 1945년 8월 15일, 조선이 일제의 식민통치로부터 벗어나 국권(國權)을 되찾았다. 제2차 세계대전 중이던 1945년 8월 6일, 미국이 일본의 나가사키와 히로시마에 원자폭탄을 투하하였고, 9일 소련이 얄타 협정에 의거하여 일본과 싸우고자 태평양전쟁에 참전한다. 이로 인해 일본군은 급속

히 무너졌고, 15일 마침내 쇼와 천황의 무조건 항복으로 세계대전이 종전
된다. 세계대전의 종결로 제국주의 국가들의 아시아·아프리카·라틴아메
리카 식민지 영토가 복권(復權)되었다.

해방 1주년 기념식(광주)　재작년 8월 15일, 광주에서 열린 해방 1주년 기념
식에 참가한 화순 탄광 노동자에 대한 미군의 탄압과 학살, 사망자 3백여
명. 9월, 노동자들의 항의 총파업. 1-1-4:97

▶ 1946년 8월 15일, 광주 시내의 주요 정당 간부들이 '해방 1주년 기념식'
을 개최하였다. 처음에는 좌우 세력이 모두 기념식 계획에 협조하며 순조
롭게 진행되었으나, 좌익이 행사를 관할하려 한다는 우익의 주장을 계기
로 7월 20일에 열기로 한 연합 회의가 무산되었다. 결국 우익과 좌익은
기념식을 따로 개최하였다. 당시 광주에서 해방 1주년 기념식이 열린다는
소식에, 화순 탄광 노동자들이 '너릿재'를 넘어 광주에 가고자 하였으나
미군은 노동자들을 습격하여 학살하였다. 사망자와 부상자가 500여 명에
달하는 큰 피해였고, 이 사건은 조선노동조합전국평의회의 9월 총파업에
도화선이 되었다.

해방일보　"(…) 지하의 인쇄공장에서 인쇄되고 있던 당중앙 기관지 '해방일
보'가 강제 폐간되고, 건물은 미군정청에 접수되고 말았는데, 재작년 5월
18일의 일입니다. (…)" 6-14-6:167

▶ 8·15광복 후 조선공산당 중앙위원회 기관지로 발간된 일간신문이다.
1945년 9월 19일 창간했으며, 타블로이드판 2면으로 발행되었다. 해방
직후 조직을 정비한 조선공산당은 선전선동을 위한 신문 발간의 필요성을
느껴《해방일보》를 발행했다. 좌익 성격의 이 신문은 일반적인 뉴스보다
는 주로 이승만과 한국민주당 등의 우익 세력에 대한 비난을 위해 대부분
의 지면을 할애했다. 1946년 5월 18일《해방일보》의 인쇄소인 조선정판사
에서 위조지폐가 인쇄되었다는 혐의로 건물이 폐쇄되면서 발행정지 처분
을 당했고 이후 폐간되었다. 《해방일보》의 폐간은 이후 미군정이 좌익계
언론의 활동을 본격적으로 규제하는 분기점이 되었다.

해상봉쇄 오늘 15일부터 제주도는 외지와의 해상교통이 완전히 차단되어 연락선도 멈춘다. 상당히 험악한 분위기다. 그러나 일반인은 탈 수 없지만 최물선이 수시로 입출항을 하기 때문에 공무 관계자나 특별한 증명이 있는 자는 그것을 이용할 수 있다. (…) 이방근은 전화를 끊었다. 음, 드디어 해상봉쇄란 말이군, 그러나 예상하고 있었던 일이다…… 5-11-5:132

▶1948년, 제주4·3사건이 발발하자 미군정은 이 사태를 치안의 문제로 파악하여 제주에 경찰 병력을 투입했다. 4월 5일 전라남도의 경찰 100여 명을 제주에 응원부대로 입도시켰으며, 제주경찰감찰청 산하에 제주비상경비사령부를 설치했다. 미군정은 제주 사태의 진압과 도민의 학살 과정에 군사적으로 개입하는데, 제주도령을 공포하여 제주의 해상 교통을 차단하기도 한다. 또한 4월 12일에는 미군 구축함인 크레이그(Craig)호를 제주에 급파하여 해안 일대를 봉쇄했다.

향보단 민보단이란 5·10단독선거 '성공'을 위해 전국적으로 만들어진 향보단(鄕保團)이 모체였다. 선거 종료 후, 육지에서는 임무를 마치고 해산했지만, 단선이 실패한 제주도에서만은 존속되어, 이번 8월 중순, 경찰의 주선으로 도민을 게릴라로부터 떼어 놓으려는 목적하에 '지역 주민에 의한 향토방위조직'인 민보단으로 조직, 개편되었다. 9-21-4:330

▶1948년 서울에서 조직되었던 우익 청년단체이다. 1948년 5·10총선거의 평화적 실시라는 목적하에 경무부장 조병옥의 지시로 조직되었다. 1948년 2월 26일 유엔 소총회에서 유엔선거감시단의 감시가능지역 선거 실시를 제안한 미국 측 제안이 결의·채택됨으로써 결정된 5·10총선거를 앞두고 남한만의 단독 선거에 대하여 김구·김규식 계열은 이를 반대하고 5·10총선거 불참 태도를 선언하였으며, 좌익 계열은 파괴와 소요 행동을 날로 격화시켰다. 전국의 국립 경찰만으로는 13,000여 개소에 이르는 투표소의 경비가 불안하다는 이유로 당시 과도정부하에서 이 단체가 조직되었다. 즉, 전국 각지의 우익 청년단원을 중심으로 좌익 계열의 파괴와 소요를 방지하여 5·10총선거를 무사히 시행하는 것이 그 조직 목적이었

다. 5·10총선거가 끝난 뒤 5월 25일 향보단은 경무부장 조병옥의 명령으로 해산되었다.

현인신 무엇보다도 어린 이방근 같은 학생들이 매일 학교에서 참배를 강요당하는 '봉안전' 주인은 일본의 현인신(現人神)인 이교신(異敎神)이었고, 일장기 이상으로 일본인과 일본을 상징하는 것임에는 틀림없었다. 2-4-4:275~276

▶ 인간의 모습으로 세상에 나타난 신을 뜻한다. 고래로 일본에서는 천황을 신성해서 침범할 수 없는 신도(神道)의 현인신이자 신앙의 대상으로 여겼다. 특히, 메이지 신정부는 천황을 절대적 권위가 부여된 현인신으로 설정하고 제국헌법에 명문화하기에 이르렀다. 이후 이것은 국민을 제국주의적 활동에 동원하는 근거로 활용되었고, 제국주의 침략을 정당화하고 식민지를 지배하는 데 사용되면서 일본제국주의의 핵심 논리로 자리 잡았다. 이러한 현인신 담론은 1930년대를 거쳐 1940년대에도 패망 전까지 활발하게 유통되었다.

협화회 그것은 과거에 재일조선인의 황국신민화 단체인 협화회(協和會)의 지역반장을 하거나 열성분자였던 자가 일제 패전 후에 180도로 전환하여 활동가가 되었다는 사실에 대한 청년다운 결벽주의 때문이라 할 수 있었다. 2-5-8:510

▶ 1923년 관동대지진 이후 재일조선인의 통제와 억압, 황국신민화를 추진하기 위해 일본 전국에서 조직된 일제 협력 단체이다. 1920년대 조선인 도항 인구가 증가하면서 사회 문제도 증대되었다. 재일조선인의 실업 문제, 인권 유린 문제 등이 일본 내에서 사회 문제가 되면서 대책을 강구할 필요성이 대두되었다. 관동대지진 발생 이후에는 재일조선인 사회의 여론이 크게 동요되었다. 조선인 학살을 은폐하고 융화를 내세우면서 특별고등경찰 내선계는 명목상 조선인을 구제하기 위한 조직 결성에 나섰다. 1924년 오사카부 내선협화회(內鮮協和會), 1925년 가나가와현 내선협회, 효고현 내선협회가 결성되었다. 내선협화회와 내선협회 등의 조직들은

조선인의 보도(補導), 감시, 동화를 주요 사업으로 하였지만 재일조선인들의 낮은 호응으로 인해 유명무실한 단체가 되었다. 1931년 만주 사변을 계기로 다시 조선인 통제의 필요성이 고조되었다. 1934년 각의(閣議)에서는 〈조선인 이주 대책의 건〉을 결의하였고, 재일조선인 대책에 새로운 전기가 되었다. 이후 오사카부 내의 각 경찰서 단위로 조선인의 통제와 황국신민화를 위한 조직이 설립되고 오사카부 '내선융화사업조사회'가 결성되었다. 1936년 내무성은 지방 장관에게 협화 사업의 실시 요지를 통달하였고, 재일조선인 인구가 많은 8개 부현에 예산이 배당되었다. 각 부현 경찰이 중심이 되어 내선협화회, 내선협회 등의 조직이 전국적으로 만들어졌다. 1939년 전국적으로 만들어진 조직들은 협화회라는 명칭으로 통일되었고, 중앙협화회(中央協和會)가 총괄하였다. 일제강점기 말경인 1944년 11월 중앙협화회가 중앙흥생회(中央興生會)로 개칭하였다. 하지만 중앙흥생회 조직 상부에 특별고등경찰이 자리하는 것은 변함없었다. 1945년 일본의 패전으로 10월 4일 특별고등경찰은 폐지되고, 흥생회 또한 해체되었다.

황국신민화 교육 | 황국신민화 정책| 학교에서 철저하게 황국신민화의 교육을 받고 황국신민화 운동의 선두에 선 아버지를 가진 유원이, 그러나 한편으로는 국민학생 때 봉안전 방뇨 사건을 일으킨 오빠를 둠으로써, '일본 국민'으로서는 난처한 입장에 처하면서도, 마침내 반일 사상을 마음속에 품기에 이르렀던 것이다. 5-13-6:503~504

▶1930년대 일제가 전시체제로 들어서면서 조선인을 일본 천황의 충성스런 백성으로 만듦으로써 침략 전쟁에 이기고자 실시한 정책이다. 1931년 6월에 조선 총독으로 부임한 우가키 가즈시게(宇垣一成)는 내선융화를 내세웠고, 1936년 6월에 후임으로 부임한 미나미 지로는 이를 계승하여 조선인을 황국신민으로 삼겠다는 고도의 민족말살정책을 강행한다. 이에 따라 1937년 내선일체, 국체명징(國體明徵), 인고단련(忍苦鍛鍊)이라는 3대 강령을 가장 적절하게 표현한 〈황국신민서사〉를 만들어 조선인에게 외우

게 했다. 이어 1941년 일제는 황국신민화 교육의 수단으로 조선의 학교 명칭과 교과과정을 일본 학교와 동일하게 개편하였고, 조선어와 조선 문자의 사용을 금지했다. 또한 조선어학과를 폐지하고 조선의 한국사 대신 일본사를 교육했다. 교내에 봉안전을 설치하고 일장기를 게양하는 것을 비롯하여 〈교육칙어〉 암기, 〈기미가요〉 제창, 궁성요배, 신사 참배 등도 강요했다. 조선인 학생의 가정에는 경찰과 헌병을 배치하여 조선어 사용을 엄격히 통제했으며, 이를 위반할 경우 패찰을 걸어 엄벌했다.

2

인물

색인

142

인물 관계도

이태수 가

이태수 중심

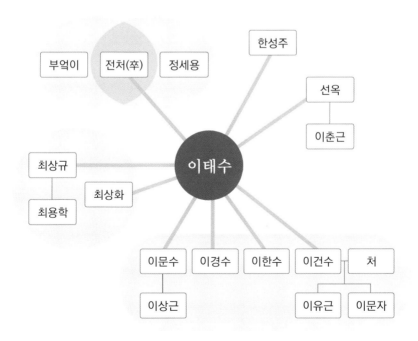

이방근 중심

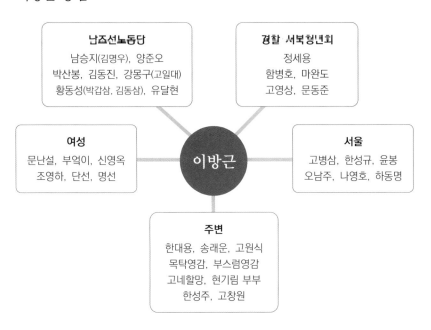

남조선노동당
남승지(김명우), 양준오
박산봉, 김동진, 강몽구(고일대)
황동성(박갑삼, 김동삼), 유달현

경찰 서북청년회
정세용
함병호, 마완도
고영상, 문동준

여성
문난설, 부엌이, 신영옥
조영하, 단선, 명선

이방근

서울
고병삼, 한성규, 윤봉
오남주, 나영호, 하동명

주변
한대용, 송래운, 고원식
목탁영감, 부스럼영감
고네할망, 현기림 부부
한성주, 고창원

남승지 중심

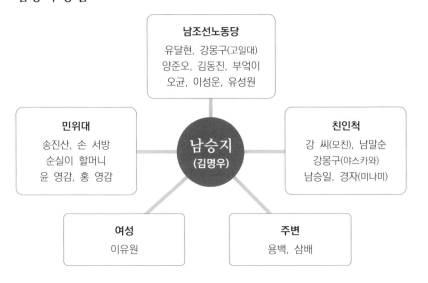

남조선노동당
유달현, 강몽구(고일대)
양준오, 김동진, 부엌이
오균, 이성운, 유성원

민위대
송진산, 손 서방
순실이 할머니
윤 영감, 홍 영감

남승지
(김명우)

친인척
강 씨(모친), 남말순
강몽구(야스카와)
남승일, 경자(미나미)

여성
이유원

주변
용백, 삼배

남조선노동당

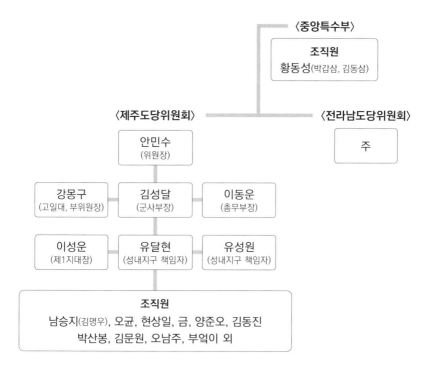

〈중앙특수부〉

조직원
황동성(박갑삼, 김동삼)

〈제주도당위원회〉 〈전라남도당위원회〉

안민수
(위원장)

주

강몽구
(고일대, 부위원장)

김성달
(군사부장)

이동운
(총무부장)

이성운
(제1지대장)

유달현
(성내지구 책임자)

유성원
(성내지구 책임자)

조직원
남승지(김명우), 오균, 현상일, 금, 양준오, 김동진
박산봉, 김문원, 오남주, 부엌이 외

서북청년회

〈중앙총본부〉 〈제주지부〉

고영상
(사무국장)

함병호
(회장)

문동준
(부사무국장)

마완도
(부회장)

이봉수
(수하)

양대선 외

국방경비대(국방군)

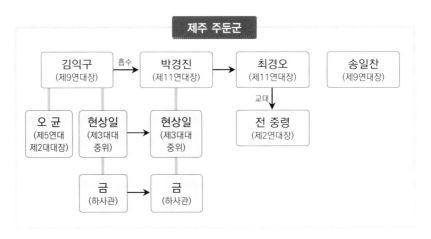

제주 주둔군

| 김익구 (제9연대장) | 흡수 → | 박경진 (제11연대장) | → | 최경오 (제11연대장) | 송일찬 (제9연대장) |

오 균 (제5연대 제2대대장) 현상일 (제3대대 중위) → 현상일 (제3대대 중위)

교대 → 전 중령 (제2연대장)

금 (하사관) → 금 (하사관)

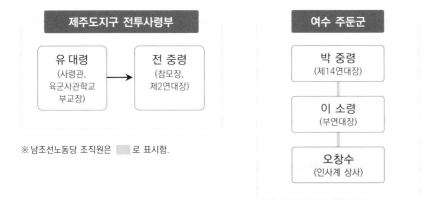

제주도지구 전투사령부

유 대령 (사령관, 육군사관학교 부교장) → 전 중령 (참모장, 제2연대장)

여수 주둔군

박 중령 (제14연대장)

이 소령 (부연대장)

오창수 (인사계 상사)

※ 남조선노동당 조직원은 ▨▨ 로 표시함.

군·경

제주도 경비사령부

송일찬 (사령관, 제9연대장)

148

경찰

제주지방 비상경비사령부

김 모 경무관*
(총지휘관, 경찰전문학교장)

※ 인물 표제어가 아닌 경우 *로 표시함.

제주 경찰

제주경찰서장*

정세용(경무과 계장)

고 경위

오 경사(순사부장)

안 순경(보안계)

재일조선인

친인척
강 씨, 남말순
남승일
경자(미나미)

재일조선인연맹
유대희, 허 의장
문달길(다쓰키치)

사업가
고달준, 윤동수
정준암(미야모토)
한종만

강몽구
(야스카와)
남승지

우상배

윤상길

일본공산당
고의천, 김우재
구로다(김흑전)
김종춘, 방하룡

이용근(하타나카 요시오)
김태구(마쓰야마 다이큐)
임(하야시)
행자(사치코)

가와시마(川島) 이방근의 소학생 시절 일본인 교사. 이방근이 소학교 5학년생이었을 당시 교무주임이자 검도 선생이다. 졸업식 전날 봉안전에 소변을 본 사건을 일으킨 이방근에게 비국민이리고 욕을 하며 죽도로 구다 했던 인물이다. 그는 이방근의 하의를 발가벗긴 채 일본도를 들이대며 성기를 잘라버리겠다고 협박했다. 2-4-4:276, 5-11-4:80

강(姜) 제주 한라신문사 영업부 직원. 이방근의 하숙집으로 《한라신문》을 배달해주는 중년 사내로, 이방근에게 서북청년회가 신문사에 매일같이 드나들고 있음을 귀띔해 준다. 9-21-2:271~272

강몽구 남조선노동당 제주도당 부위원장이자 조직부장(40세). 키는 작지만 어깨가 벌어진 다부진 체격에 심한 안짱다리이며 등에는 살점이 움푹 파인 숱한 고문의 흉터가 남아 있다. 강몽구는 남승지의 외가 쪽 육촌형으로, 남승지 어머니는 강몽구의 고모이다. 그의 처가는 제주 봉조촌에 있으며, 예순을 넘긴 노부부와 강몽구의 처남 부부가 함께 살고 있다. 그의 아내는 순실이 할머니와 사촌지간이다. 강몽구는 남로당의 주요 간부로 활동하며 고일대(高日大)라는 변명(變名)을 사용하는 한편, 일본에서는 '야스카와(康川)'로 불린다. 그는 무장봉기를 위한 자금과 무기를 지원받고자 남승지와 함께 일본을 왕래하며 재일조선인 실업가들을 만난다. 강몽구는 재일본조선노동총동맹에 참가한 이력이 있었는데 당 조직 활동을 하던 중 제주 전역에서 일어난 검거선풍으로 체포되어 제주경찰서에 투옥되었을 때에 이방근을 만났다. 3·1절 특사로 출감한 강몽구는 이방근을 남로당원으로 포섭하고자 공작하며, 이방근·이유원 남매를 한라산 중산간지대의 아지트인 해방구에 데려가기도 한다. 그는 무장투쟁이 한창이던 시기에 남조선인민대표자회의에 참석하고자 북측으로 건너간 제주도당 위원장 안민수를 대신하여 남로당을 책임진다. 군경 측 토벌대의 한라산 포위 작전, 초토화 작전 등에 맞서 투쟁방침을 정비하고 장기화된 혁명에 적극적으로 가담하지만 혹독한 투쟁의 과정에서 그의 정기(精氣)는 쇠약해지고 만다. 그 와중에도 그는 정세용을 처단하기 위한 체포 작전에 성공

하여 아지트에서 정세용을 사문한다. 게릴라 조직이 와해될 무렵에도 강
몽구는 이방근이 고안한 일본행 밀항선 탈출 계획에 동조하지 않고, 오히
려 지리산으로 게릴라 집단을 탈출시킬 것을 제안하는 등 조직원으로서
무장투쟁에 끝까지 참여한다. 1-1-2:63, 1-1-4:114, 1-2-3:200~210, 1-2-7:285~300,
2-3-7:163, 2-5-1:316, 2-5-3:365~378, 2-5-4:396~415, 2-5-5:426~436, 3-6-1:9~29, 3-6-2:
32~41, 3-6-2:56~57, 3-6-4:87~99, 3-7-3:294~320, 4-8-2:38~55, 4-8-3:73~92, 4-8-5:122,
5-11-4:83, 5-12-5:277, 6-14-6:164, 8-19-3:329, 8-19-9:486~490, 9-21-1:239, 10-23-5:317,
10-23-7:367~375, 12-26-1:10, 12-26-3:74~87, 12-종-4:303~305, 12-종-5:331

강삼구 제주우체국 우편배달부(33세). 햇볕에 그을린 까만 얼굴에 작지만
민첩해 보이는 체구이다. 강삼구는 한대용의 집에 세를 들어 살고 있는데
그 집에서 부친의 제사를 지낸다. 강삼구의 여동생은 간호사이며 이유원
과 소학교 동창이다. 그는 이방근에게 입산한 김동진의 편지를 비밀스레
전달해준다. 4-10-4:449~452, 4-10-5:478, 5-12-1:173, 5-12-3:229

강 씨 남승지의 어머니(50대). 일본 오사카 이카이노(猪飼野)에서 딸 남말
순과 살고 있는 제주 출신 재일조선인이다. 강 씨는 아들 남승지가 제주를
떠나 일본으로 유학을 간 뒤 3~4년이 지나 남말순을 데리고 고베(神戸)로
건너갔다. 강몽구는 강 씨의 사촌오빠의 아들로, 강 씨에게 조카이다. 그
리고 나이가 대여섯 살밖에 차이 나지 않는 남승일은 강 씨와 사돈 관계인
데 그녀와 남말순이 일본으로 건너왔을 당시 고베에 집을 마련해주었다.
남에게 신세 지는 것을 싫어하는 꼿꼿한 성품의 강 씨는 오사카로 이사하
여 조선시장에서 삯바느질로 생계를 잇고 있다. 그녀는 해방 후 조선으로
홀로 귀국한 남승지와 일본에서 3년 만에야 재회하고 급박한 일정 가운데
제주로 귀환하려는 그를 걱정한다. 그러다 결국 보약과 도시락을 챙겨주
며 집 앞 골목길에서 눈물로 아들을 전송한다. 1-1-1:40, 1-1-2:47~48, 1-1-3:66,
2-5-4:405, 2-5-5:426~441, 2-5-6:442~456, 3-6-5:139~145, 3-6-6:147~154, 3-6-7:169~194,
3-6-8:197~215

경자 남승일의 아내. 일본 고베에서 남승일과 함께 사는 여자로, 피부가

약간 검고 애교를 띤 얼굴에 시원스런 성격이다. 일본식 이름은 미나미(南)이다. 경자는 20년 전 제주를 떠나 일본에 온 남승일의 두 번째 아내인데, 그를 만나기 전에는 조선인 음식점에서 일을 했다. 소학교 시절 일본으로 건너온 남승지를 돌봐주었던 그녀는 고베를 방문한 강몽구와 남승지를 정성스레 대접하고 전송한다. 2-5-4:388, 2-5-4:396~400, 2-5-4:406~418, 2-5-6:449, 2-5-7:479~480, 2-5-7:496~497, 3-6-1:8

고(高) 경위 제주경찰서 소속 경위. 제주경찰서장과 경찰 토벌대장 김(金)의 지시로 게릴라의 귀순 공작을 방해하는 특별 임무를 맡은 인물이다. O리 방화 사건이 발생한 날로 이틀 후인 5월 3일 고 경위의 일행이 게릴라 측 하산자를 포로수용소로 인솔하는 미군 병사와 국방경비대 병사들을 기습한다. 그들은 현장에서 붙잡혀 연행되었는데, 제주 미군정청에서 고 경위를 심문한 결과 게릴라가 아닌 경찰 신분임이 밝혀진다. 그러나 경찰 토벌대장 김(金)은 고 경위의 자백을 끝까지 부인하며 경찰 측의 작전이 아닌, 게릴라 측 위장경찰대의 공격이라고 일관한다. 이후 경찰서로 강제 인계된 고 경위는 다음날 취조 중에 자살한 것으로 알려지나, 실은 인수된 당일 제주경찰서 취조실에서 경무계장 정세용에게 총살당한 것이었다. 11-25-1:221~229, 11-25-8:416~417, 11-25-8:430~439, 12-27-1:134~135

고네할망 이방근의 이웃집 노부인. 태어난 마을이 고내리(高內里)라서 '고네할망'으로 불린다. 체구가 작고 허리가 굽었다. 어느 날 외출한 선옥이 혼절한 채로 집에 실려 오자 고네할망은 이태수 집에 들러 살풀이굿을 권한다. 한데 굿판에서 이방근과의 관계가 탄로나 부엌이가 쫓겨나게 되자 이태수 집을 왕래하며 이씨 집안의 가사를 돕는다. 출산을 앞둔 선옥이 관음사에 불공을 드리러 갈 때에 동행하기도 한다. 고네할망은 영화관에서 영사기사로 일하는 아들 부부와 함께 손자를 돌보며 살고 있는데, 4·3무장봉기가 고조된 10월 24일 게릴라 측이 토벌대에 전하는 선전포고용 삐라가 도내에 배포되자 그녀의 아들은 다음날 25일 경찰의 일제검거망에 체포된다. 그는 이태수와 이방근의 석방 공작으로 구류된 지 11일

만에 풀려난다. 고내리에 사는 고네할망의 육친은 국방경비대 제9연대장 송일찬의 초토화 작전 당시 희생된다. 5-11-1:8~28, 5-11-3:58~59, 5-12-2:187~192, 5-12-3:215, 7-17-4:310~332, 8-18-4:92~94, 9-21-1:242~243, 11-24-7:188~190, 11-25-1:208, 12-26-3:70

고달준 │고 사장│ 동해고무주식회사 사장(50세). 일본 오사카에 거주하는 재일조선인이다. 적당한 살집에 키는 중간 정도이며 까무잡잡한 얼굴에 온후한 신사의 인상을 풍기는 외모이다. 동해고무는 일본을 왕래하며 공작 활동을 펼치는 강몽구의 오사카 아지트이다. 고달준은 우상배에게 생고무를 사들이거나 동해고무에서 생산한 장화를 조달하는 등 후원자 같은 역할을 한다. 그는 제주에서 계획 중인 무장봉기를 지지하며 강몽구를 적극적으로 조력하는데, 강몽구가 필요로 하는 물품을 직접 구해주거나 그가 모금한 자금과 물자를 맡아주기도 한다. 2-5-4:433~434, 2-5-8:511, 3-6-1:7, 3-6-1:12, 3-6-8:207~210, 3-6-8:219~220, 6-14-1:17~21

고바야시 아야코(小林綾子) 동해고무주식회사 사무원. 2-5-6:464

고병삼 서울 고병삼의원 원장. 제주 출신의 내과의사로, 서대문형무소 부근 현저동에 거주하며 내과의원을 운영하고 있다. 몸집이 크며, 제주 성내의 외과의사 고원식의 친척이다. 재경동향회에서 좌장 역할을 맡은 고병삼은 제주에서 일어난 무장봉기와 탄압의 실상 등에 이어 현재까지의 제주도 사건 해결을 위한 대책과 동향을 간략히 설명한다. 그는 한국독립당, 민주독립당과 20여 정당·사회단체가 제주도사건대책위원회를 구성하여 진상규명조사단을 제주도에 파견했으나 입도를 제지당하고 정부에 평화적 해결을 위한 재경동향회원들의 청원서를 송부했음에도 묵묵부답인 상황에 대해 통분한다. 7-16-1:18~33, 10-22-6:163

고 씨 부인 제주 신촌리의 노부인. 남을 잘 보살피고 매사를 원만히 수습하여 신촌리 사람들에게 인망을 산 인물이다. 그녀는 토벌대의 탄압이 심해지자 수십 명의 마을 부녀자들과 함께 신촌리 경찰지서에 몰려가, 산으로 식량을 나르는 일을 하는 등 자신이 주도하여 게릴라 부대에 협력한 사실

을 자수한다. 11-25-2:248~249

고영상(高永相) 서북청년회 중앙총본부 사무국장(34세, 또는 35세). 서북청년회의 최고 지도가 중 한 사람이다. 혈색 좋은 둥근 얼굴에 직당히 기와 몸집을 가졌으나 나이에 비해 머리숱이 상당히 적고 이마가 넓어져 있다. 고영상은 도쿄 소재의 사립대학 전문부 법과를 졸업한 후 귀국하여 종로경찰서 고등경찰계에서 형사로 근무했다. 다카키(高木)라는 일본식 이름을 쓰던 그는 일본인 경부 다루야마(樽山) 아래서 경부보(警部補)로 2년간 재직하며 항일 독립운동 지하조직의 적발과 검거에 선두로 활약했다. 그는 조선인 사상범 적발에 유능하여 조선은 물론이거니와 도쿄의 유학생들 사이에서도 악명을 떨쳤다. 이에 조선인 출신 경찰로는 이례적이라 할 만큼 단기간에 순사부장으로 승진했다. 이후 북한의 원산경찰서에 배치되었다. 해방 직후 그는 아내와 열한 살짜리 아들을 북에 두고 단신으로 38선을 넘어 월남하였다. 지방 산촌에서 은신 생활을 하다가 1946년 12월에 서북청년회가 결성되자, 공산주의자 적발에 유능했던 과거 이력을 발판으로 월남한 지 1년이 채 되지 않아 경찰에 돌아왔다. 특히, 수도경찰청의 장택상에게 인정받아 서울의 공안경찰로 복귀했는데 반공(反共)을 기치로 한 서북청년회의 고위 간부로 등장하게 된다. 고영상은 상경한 이방근을 서북청년회의 간부 숙소로 불러 애국사업에 협력해 달라는 간접적인 협박과 갈취 의사를 드러낸다. 문난설의 육촌오빠 문동준은 그의 친구이다. 5-11-6:136~157, 7-16-7:176~177, 7-16-7:189, 8-18-2:51, 10-22-3:81, 11-25-8:433~437

고원식 제주 고외과의원 원장. 중키에 마른 체격이며, 술을 매우 좋아하여 술이 없을 때에는 약용 알코올을 조합하여 마실 정도이다. 낡은 백의(白衣)에서 약용 알코올 냄새를 풍기고 다닐 정도로 독특한 술꾼이자 구김살 없고 편벽하지 않은 성격의 소유자이다. 고원식은 일본 도쿄에서 병원을 개업한 이용근의 과거 동료이며 이태수 집안과는 친밀한 관계이다. 그의 아들은 유달현이 담임을 맡고 있는 학급의 학생이고, 그의 처남은 남국민학교에 근무한다. 고원식은 카바레 신세기에서 이방근과 시비가 붙어 얻어맞은 서북청년회 사내 둘이 전치 1개월치 진단서를 끊어달라는 요구를 완강하게 거부하며 일주일치 진단서만 작성해 준다. 그는 성내에 위치한 자신의 병원을 강몽구에게 임시 거처로 내어주기도 하며 남조선노동당에 조력한다. 1-2-1:162, 1-2-4:228~229, 2-4-2:235~236, 2-4-3:242~256, 2-4-4:262~273, 4-8-1:7~9, 5-12-4:240, 7-16-1:19

고원식의 처남 제주남국민학교 직원. 카바레 신세기에서 이방근에게 얻어 맞고 온 서북청년회 소속원들에게 고원식이 전치 일주일치 진단서를 써준 것이 발단이 되어 일종의 보복을 당하는 인물이다. 서북청년회는 남국민 학교 직원 회의에서 고원식의 처남이 학교가 주관하는 5·10총선거추진사 업 협력에 반대하는 발언을 했다며 그 부부의 집에 찾아가 폭행을 일삼는 다. 강압적인 가택수색 도중 장롱과 벽 틈새에 있던 구일본군 보병의 단검 이 발견되어 고원식의 처남은 서북청년회 사무실에 끌려가게 된다. 고원 식은 서북청년회에 애국자금 30,000원을 기부하는 대가로 처남을 구출한 다. 4-8-1:7~8, 4-8-1:29~31

고의천 일본공산당 최고 간부. 도쿄의 요요기(代々木)에 소재한 일본공산 당 본부에서 재일조선인 운동을 지도하는 전문부 담당 재일조선인이다. 큰 키에 짧게 깎은 머리카락이 희끗한 백발과 섞여 있으며 콧날이 곧고 귀공자 같은 외모이다. 고의천은 노동자 출신 투사로 오랜 옥중생활을 한 후에도 전향을 하지 않아 재일조선인들 사이에서 존경과 지지를 받고 있다. 그는 무장봉기를 준비하는 강몽구와 남승지에게 오사카와 고베, 도쿄 지역의 사업가들로부터 자금을 지원받을 수 있도록 조력하며 그들에 게 재일조선인 한종만과 이용근을 소개해준다. 3-6-1:17~27, 3-6-2:38~56

고일대(高日大) → 강몽구 1-2-7:295, 2-3-4:88, 2-3-8:188, 3-7-3:297, 5-11-4:83, 5-12-3:239, 8-18-9:239, 10-23-7:373, 10-23-7:386

고창원 제주 창원양복점 주인(40대). 이방근 집안의 단골집인 창원양복점 을 운영하면서 남조선노동당과도 관계하고 있는 인물이다. 4·28평화협 정이 결렬되고 제주에서의 5·10선거가 파행되자 남로당은 토벌대 측에 단독 정부의 수립을 타도하고 무장용 총을 버리라는 내용의 삐라 살포를 계획한다. 이러한 당 조직의 지시를 전달받은 고창원은 성내지구 책임자 유성원가 한라신문시 편집깅 김문원에게 이 삭선을 전달하고, 삐라 인쇄 작전을 거부하는 김문원을 설득하기도 한다. 단골손님인 이방근과 친분이 있으며, 일본 밀항을 앞둔 성내지구 여성동맹 부위원장 신영옥에게 전별금을 대신하여 옷값을 받지 않는다. 11-25-3:284~286

구로다(黑田) 일본공산당 간부 겸 중앙위원 후보. 도쿄의 요요기 부근에 거주하는 재일조선인이다. 구로다의 본명은 김흑전(金黑田)인데, 일본 국적을 취득한 인물이다. 그는 평소 이용근에게 진료를 받고 있으며 이용근에게 고의천을 소개해 주었다. 3-6-3:78

구로카와(玄川) → 현기림 9-20-8:229

권(權) 위원장 남조선노동당 읍당 조직 위원장. 양준오, 유성원을 비롯한 성내의 세포조직원들과 아지트 동굴에서 함께 생활하는 인물이다. 권 위원장은 이방근이 게릴라를 일본행 밀항선으로 탈출시키려 한다는 항간의 소식을 들은 후, 그와 접선하고자 성내의 연락원인 식모 부엌이에게 연락을 취하려는 남승지의 생각에 동조한다. 12-26-3:93~95

금강 주지 한라산 관음사의 주지 스님. 세속적인 파계승으로, 목포보살과 함께 관음사를 관할하고 있다. 금강 주지는 한 달에 채 며칠도 관음사에 머물지 않고 성내와 각 지역 포교당 등을 돌며 곳곳에 축첩(畜妾)을 한다는 소문이 있다. 선대의 관음사 승려들과 달리 상당히 세속적이어서 항간에 관음사가 금강 주지의 대에서 망한다는 소문까지 돌 정도이다. 한데 절이 망해도 동요하지 않을 만큼 재산과 지위를 갖고 있다. 그는 관음사를 게릴라 부대에 회합의 장소로 내어주는 대신 그에 상응하는 대가를 받는다. 6-15-2:312~313, 6-15-3:316~319, 6-15-3:329, 8-19-1:258, 8-19-1:262, 8-19-1:266, 12-26-3:74

금(琴) 하사관 국방경비대 제9연대(11연대) 하사관. 현상일과 공모하여 제11연대장 박경진을 암살하는 인물이다. 재판 후 사형선고를 받은 금 하사관은 죽음에 임박해서도 주눅이 들지 않았다. 재판 당시 신(申) 소령이 그의 변호를 맡았다. 7-16-3:77, 7-16-4:96, 7-16-5:117

기누코(絹子) 문달길의 일본인 아내. 남편보다 체격이 좋아 소를 닮은 인상이지만 제법 예쁜 얼굴의 외모이다. 그녀는 자신의 집에 방문한 강몽구와 남승지에게 식사와 잠자리를 정성껏 준비해 준다. 2-5-3:368~371, 2-5-3:381, 2-5-3:384

김노상 목포경찰서장. 혈색이 좋은 얼굴에 가느다랗고 빈틈없는 매서운 눈매를 가졌고 풍풍한 체형이다. 김노상은 목포항 주변을 거닐던 문난설, 이방근, 나영호, 오남주를 우연히 발견하고, 총경(總警) 신분으로 도항증명서를 발급받은 문난설에게 점심식사를 제안하지만 이내 거절당한다. 그는 다음날 문난설 일행이 묵고 있는 여관에 직접 찾아가 경감이라는 계급이 적힌 자신의 명함을 건네는가 하면, 중앙 도경찰부의 하달이라며 제주 입항을 위한 경비정 승선과 식사에 응하기를 권한다. 이처럼 김노상은 문난설에게 극진히 대접하고자 하지만 모두 거절당하고 만다. 7-17-2:259, 7-17-3:280~285

김달준 → 유달현(柳達鉉) 11-25-4:312, 12-27-1:122

김동삼 → 황동성(黃東成) 6-14-1:27, 6-14-3:81, 7-17-6:359

김동진 남조선노동당 조직원. 장대같이 훤칠한 외모에 타고난 듯한 선량한 태도가 몸에 배어 있다. 김동진은《한라신문》기자로 활동하며 용담리에 거주한다. 그는 남승지처럼 P전문학교 경제과 출신으로, 서울 거주 시절부터 친구인 남승지에게 이유원과 조영하를 소개해주기도 한다. 문학에 흥미를 느껴 소설을 쓰던 문학청년으로서 재경(在京) 제주 출신 학우회의 기관지《학광(學光)》에 단편소설〈해변의 발자국 소리〉를 발표하기도 한다. 이 작품의 내용을 일부 개작하고 제목을〈도망〉으로 바꿔 중앙 문예지《문예세계(文藝世界)》에 수록하는 등 세 편 이상의 창작소설을 인쇄물로 발표한다. 4·3무장봉기가 발발할 무렵, 그는 한라신문사에서 무장봉기를 호소하는 내용의 삐라를 비밀리에 인쇄한 후 모습을 감추었다가 게릴라 부대에 합류한다. 평소 비정치적인 작품을 쓰던 김동진의 입산 소식은 주변인들을 당혹하게 한다. 한편 이방근은 입산하여 행방불명이 된 그가 일본에 밀항된 깃처럼 꾸미고, 행방불명이 된 아들로 인해 경찰서에 체포된 김동진의 부친을 이면공작으로 석방시킨다. 게릴라 부대의 제3 지대(애월, 한림, 대정, 안덕, 중문지구)에 소속된 김동진은 대원들의 정치교육을 담당하다 조직의 붕괴로 방황하던 중 귀순을 종용하는 토벌대에 순응하고 포로수용소에 들어간다. 1-1-2:49~65, 1-1-3:76~90, 1-1-5:131~140, 2-4-2: 230~234, 2-4-3:253~255, 3-7-1:241~246, 4-9-3:241, 4-10-1:380, 4-10-3:442~444, 4-10-4: 451~456, 4-10-5:478~480, 5-12-5:292~293, 5-12-6:302~303, 6-15-1:286, 6-15-2:302~304, 6-15-5:387~388, 11-24-1:16, 12-종-6:351

김명우(金明宇) → 남승지(南承之) 1-1-2:50, 1-1-5:133~137, 2-5-1:316, 3-7-6:375, 4-9-1:207, 6-15-1:264, 6-15-2:294, 6-15-2:301, 6-15-7:450, 8-19-7:429~430, 11-24-1:19, 11-24-7: 198~199, 12-26-3:68~69, 12-27-2:165

김문원 남조선노동당 조직원. 살갗이 희고 체구가 작으며 유리로 만들어진 우유병 바닥을 도려낸 듯한 높은 도수의 안경을 쓰고 다닌다. 김문원은 《한라신문》 편집장으로 일한다. 미혼인 그는 삼대독자인데 서귀포에 연로한 부모님이 거주하고 있다. 그는 홍대효의 권유대로 높은 도수의 근시 안경을 씀으로써 인공 근시가 되어 일제강점기에 학도병 동원을 면제받는다. 시력이 좋지 않은 데다 왼쪽 귀까지 잘 들리지 않아 행동이 굼뜬 편이지만 마음은 여린 시인의 기질을 갖고 있다. 그는 해방 전 일본의 식민지가 된 조선의 슬픔을 청산과부의 슬픔에 빗댄 해방의 시를 쓴 적이 있다. 4·3무장봉기가 발발한 지 6개월이 지났을 무렵, 김문원은 남로당의 지시에 따라 군경을 대상으로 한 선전포고용 삐라 3,000장을 한라신문사에서 인쇄한 후 성내 탈출을 계획하지만 신문사를 습격한 서북청년회에 체포되어 제주도 경비사령부로 이관된다. 국방경비대 제9연대장 송일찬에게 심문을 당하던 중 그는 군홧발에 얼굴을 차이고 안구가 터져 그 자리에서 실명한다. 김문원은 송일찬의 명령에 따라 한라신문사의 공무부장, 부원

過

과 함께 삼성혈 남쪽의 광양(廣壤)에서 사살당한다. 10-23-4:302~304, 11-24-1:25, 11-24-2:60~64, 11-24-4:101~117, 11-24-5:144, 11-24-6:149~167, 11-24-7:184~199

김성달 남조선노동당 인민유격대 지도부 군사부장. 무장투쟁을 강경하게 주장하여 4·3무장봉기를 결행하는 인물이다. 김성달은 일본 유학 시절 태평양전쟁에 학도병으로 징집된 일본군 소위 출신으로, 교토부(京都府) F육군예비사관학교에서 소위로 임관하였다. 그는 국방경비대 제9연대장 김익구와 이 학교의 동기동창이며, 한성주와는 학도병이 되기 전부터 알고 지내온 사이기도 하다. 그의 장인은 일제강점기의 비전향 출옥 투사로, 현재 입북해 있는 남로당의 주요 간부이다. 실제 역사에서 그의 장인은 남로당 부위원장 강문석(姜文錫, 1906~1955)이었고, 미군정은 그를 사실상 남로당의 지도자로 인식했다. 김성달은 이러한 장인의 존재를 등에 업고 극단적인 혁명주의를 일삼는 경향이 있었다. 그는 늘 혁명적 언사를 입에서 떼지 않는 청년으로, 조직적 능력은 있으나 뒷수습을 하지 않는 무책임한 지도자의 면모를 보인다. 무장봉기 이후 김성달은 게릴라 측 대표로 국방경비대 측 김익구와 회담(1948년 4월 28일)을 갖고 잠정적으로 교전을 중단했으나 O리 방화 사건으로 3일 만에 평화 교섭이 와해되었다. 토벌대의 탄압이 심해지는 와중에 해주에서 열리는 남조선인민대표자회의(1948년 8월 21일)에 참석하고자 제주도당 위원장 안민수 등 조직의 간부들과 제주를 탈출한다. 이후 그가 배에 무기를 싣고 제주로 돌아왔다는 소문이 퍼지나 미군정의 조작으로 밝혀진다. 4-8-5:122, 5-12-5:279, 5-12-7:335~344, 6-15-7:426, 7-16-5:119, 8-18-1:8~11, 9-21-7:410~418, 10-23-4:295~311, 10-23-5:318, 10-23-7:375

김우재 일본공산당 간부(37세, 또는 38세). 일본공산당에서 고의천의 수하로 활동하는 재일조선인이다. 김우재는 일본공산당 본부에 찾아온 강몽구와 남승지에게 반미·반정부 투쟁을 전개하려는 제주의 정세에 경의를 표하지만 무장투쟁에 대해서는 반대한다는 입장을 밝힌다. 3-6-1:18~27

김익구 국방경비대 제9연대 연대장(27세). 본토로부터 부임한 소령으로,

남조선노동당 게릴라 부대의 하산을 촉구하며 군경 측과의 평화 교섭을 주도하는 인물이다. 김익구는 일본 유학 도중 학도병으로 징집되었고, 포츠담 신인 당시 교토부 ㅏ육 ㄴ예비사관학교에서 소위로 임관하였다. 후에 4·3무장봉기 시 게릴라 측 군사부장을 맡게 된 김성달은 이 학교의 동기동창이다. 해방 후 김익구는 육군사관학교를 졸업하고 장교가 되었다. 5·10선거를 앞둔 미군정은 제주의 게릴라 부대를 진압하는 초토화 작전을 국방경비대에 하달하는데, 부임한 지 약 4개월밖에 되지 않은 연대장 김익구는 이를 거부하고 게릴라 측 대표 김성달과 회담(1948년 4월 28일)을 하여 잠정적 휴전 협정을 이루고자 했다. 그는 게릴라 측을 비롯한 군경 간의 삼자 회담을 계획했으나 경찰 측의 거절과 미군정의 반대로 경찰 측을 제외한 채 평화 교섭을 추진한다. 가족과 상사들에게 유서까지 남겨두었던 김익구는 교섭 당일에 게릴라 본부가 있는 대정면 K리의 국민학교에서 게릴라 사령관 김성달과 만나 일체의 전투 행위 중지, 즉시 무장해제, 범법자 명부의 제출과 즉시 자수를 내용으로 한 세 가지 협상조건을 제시한다. 양측의 즉결 회담으로 무장충돌이 일단락되었으나 3일 후 O리 방화 사건이 일어나 다시 무장투쟁이 발생하고 협상은 결렬된다. 이때 하산한 게릴라를 인솔하려던 미군 병력과 군인들이 피해를 입게 되자 4·28평화협정을 주도한 김익구는 본토로 좌천된다. 그가 해임된 후 제11연대를 비롯한 본토의 증원 군력이 제주에 파견되었다.
5-12-2:197~199, 5-12-7:335~347, 5-12-7:351~358, 9-21-1:264, 12-27-1:133

김종춘　일본공산당 중앙 선전부장. 일본공산당에서 간부로 활동하는 재일 조선인이다. 김종춘의 아내는 우상배의 여동생이며 서울 현저동에서 살고 있다. 그는 우상배의 매제이지만 매형인 그보다 나이가 많다. 얼굴이 갸름한 미남형이며 여성 동맹원과 부적절한 관계가 소문이 날 정도로 여자관계가 좋지 않다. 그는 일제강점기 때 충북 청주형무소에 투옥돼 있다가 8·15광복을 맞은 비전향자이다. 2-5-6:464~465, 3-6-1:13, 6-14-1:21~28

김태구　일본 춘천장 주인. 도쿄의 우에노(上野)에서 아내와 함께 여관을

운영하는 재일조선인이다. 일본식 이름은 마쓰야마 다이큐(松山泰久)이
다. 김태구는 강몽구의 소학교 2년 후배이며, 둥근 얼굴에 이마가 다소
벗겨져 있어 그보다 나이가 어린데도 연장자로 보인다. 무장투쟁의 자금
모금 공작을 위해 일본에 건너온 강몽구와 남승지를 깍듯하게 대접하고
전송한다. 3-6-2:46, 3-6-4:95

김태구의 처 김태구의 일본인 아내. 유산으로 물려받은 여관 춘천장을 김
태구와 함께 운영한다. 몸집이 크고 얼굴이 긴 말상의 외모이나 싹싹한
성격이다. 자금모금 공작을 위해 방문한 강몽구와 남승지를 정성스레 대
접한다. 3-6-2:47, 3-6-4:95

김호일 남조선노동당 조직원. 몹시 마른 체구의 인물로, 한림에 거주하고
있는 유달현의 친척이다. 제주에서 인민공화국의 수립을 위한 지하 선거
운동을 하다 체포되어 경찰서 유치장에 열흘 이상 수감되었다. 김호일은
남승지가 제주읍사무소 적기(赤旗)계양 사건의 혐의자로 유치장에 들어
갔을 때 만나게 되는 청년이다. 그는 남승지가 전해준 적기계양 소식에
'혁명이다!'를 연호한다. 6-15-8:455~457

김 훈장 김동진의 부친(50대 후반). 예순이 다 된 노인임에도 키가 크고
풍채가 늠름하며 콧수염을 기른 채 외출할 때마다 중절모를 쓰고 다닌다.
그는 조선 후기에 향교를 나와 '향교훈장'으로 불린다. 일제강점기부터
민족주의자로 알려져 있는 한학자이며 서당 선생이기도 했다. 지금은 외
아들 김동진을 공부시키느라 팔고 남은 전답을 부치며 아내와 함께 여생
을 보내고 있다. 훈학을 한 사람으로서 젊은 사람들에게 이야기하는 것을
좋아한다. 김동진이 무장봉기와 관련된 삐라 인쇄 사건 이후 행방불명이
되자, 김동진의 부친은 용담리 자택에서 체포·연행되었으나 이방근의
도움으로 풀려난다. 4-10-3:439~442, 5-11-3:65~76, 5-12-1:169, 6-15-1:288, 11-24-2:62

김흑전(金黑田) → 구로다(黑田) 3-6-3:78

나영호 서울 국제통신사 기자(32세, 또는 33세). 고문 후유증으로 왼쪽 팔
이 불구가 되었고, 신문사 기자로 재직하며 신예 작가로서 소설을 쓴다.

나영호는 도쿄 유학 시절 형무소에 수감된 적이 있는데 전향 후 집행유예로 출소했다. 이후 그는 전향자 조직인 제국갱신회에 가입하여 표면적으로는 전향자로서 생활했으나 서울로 귀국한 후 민족주의 집단과 접촉하며 수감 생활을 재차 반복했다. 남대문경찰서에 투옥되었을 때 감옥의 지하실에서 고문을 받던 중 왼쪽 팔이 마비되었고, 1943년 7월부터 1945년 8월까지 2년 남짓 서대문형무소에 투옥되었다가 8·15광복 때 석방되었다. 이방근과 윤봉은 나영호의 도쿄 유학 시절 동료이다. 이방근은 나영호가 친일 청산을 주제로 한 작품을 쓰지 않는 것에 불만을 가지며, 윤봉은 작품의 발표 지면을 확보하고자 어용문학 단체에 출입하는 나영호를 타락분자라고 평가한다. 나영호는 국제신문사의 문난설을 이방근에게 소개해주고, 무장봉기가 일어난 제주에 그녀와 동행하여 전 도지사 한지사와 도청 직원, 읍장과 인터뷰를 하고 돌아간다. 그러나 당초 계획과 달리 《국제신문》 창간호(10월 1일자)에 〈제주도 게릴라 회견기〉는 싣지 못하고 반민족행위특별조사위원회와 관련된 기사를 대신 연재한다. 그는 우익 문학단체인 문인협회에서 활동하지만 이승만 정부의 수립에 만세를 부르지도 조국 분단의 현실을 결코 인정하지도 않는다. 나영호는 문난설을 연모하며 사랑에 집착하지만 이방근과의 결혼을 생각하는 문난설의 언질에 그녀에 대한 마음을 정리한다. 5-13-1:377~394, 5-13-2:395~422, 6-14-7:181~186, 6-14-7:193~197, 6-14-9:243~257, 7-16-2:35~39, 7-17-1:222~244, 7-17-2: 247~271, 7-17-4:321~323, 8-18-3:59, 8-18-3:66~67, 8-18-4:98~107, 8-18-7:172~180, 8-19- 3:319~321, 10-22-1:8~14, 10-22-5:116~139, 10-22-6:150~170, 10-22-7:171~199, 10-23-3: 261, 11-25-7:388, 11-25-7:408~412, 11-25-8:421~430, 11-25-8:440, 11-25-8:444

나카무라 히로시(中村博)　전 일본군 장교. 오사카 사카이(堺) 남쪽 변두리의 농촌 출신이고 둥근 얼굴형에 자상한 웃음을 띤 인상이다. 나카무라 히로시는 학도병으로 출전하여 포츠담 선언 이후 소위로 급조된 장교였다. 그는 1945년 초에 편성된 제92사단 후쿠오카연대(제292연대) 소속의 제38군으로 제주에 파견을 갔다가 제2차 세계대전이 끝난 후 11월에 미군의 수송선(LST) 편으로 일본에 귀환했다. 그 후 1년간 공허한 상태로 지내던 그는 윤동수의 주선으로 오사카 이마미야(今宮)에 있는 조선인 소유의 고무공장에서 보일러를 때는 일을 한 적이 있다. 나카무라는 윤동수의 소개로 고베에서 찾아온 강몽구와 남승지에게 자신이 제주에 주둔했을 당시 소속된 대대에서 약 500명분의 무기를 애월면 인근에 은닉했다는 사실을 알려준다. 그는 한라산 서쪽에 위치한 N산과 B산 주변의 약도를 그려주는가 하면, 그들과 직접 동행하여 제주에 다시 가보길 희망하기도 한다. 2-5-8:500, 3-6-4:88~90, 3-6-4:106~115, 3-6-5:116~133

나카무라 히로시의 부친   나카무라 히로시의 아버지. 오사카 사카이 남쪽 변두리의 농촌 마을에서 아들 부부와 농사를 지으며 살고 있다. 50대 후반이나 예순 살 정도로 보이며 대머리에 정정한 체격을 가진 노인으로, 나카무라 히로시를 찾아온 강몽구와 남승지가 처음으로 만나는 인물이다. 그는 강몽구 일행을 따라 제주에 가고 싶어 하는 아들을 반대한다. 3-6-4:106~107, 3-6-5:125

나카무라 히로시의 처   나카무라 히로시의 아내. 남편과 닮은 둥근 얼굴형에다 건강해 보이는 여인으로, 전체적으로 귀여운 인상이다. 그녀는 강몽구와 남승지를 따라 돌연 제주에 가고 싶다는 남편의 발언에 크게 동요하지 않고, 줄곧 눈을 깜박이며 남편의 이야기를 유심히 들어준다. 3-6-4:111, 3-6-5:126, 3-6-5:131

남말순   남승지의 여동생(21세). 일본 오사카 이카이노에서 어머니 강 씨와 살고 있는 제주 출신 재일조선인이다. 어릴 때부터 그림 그리기를 좋아했고 제주도 아동그림 전람회에서 입상한 적이 있다. 해방 전 남말순은 유학 중인 오빠 남승지가 있는 일본 고베에 어머니와 함께 건너갔다. 사촌오빠 남승일의 갑피공장에서 근무했는데 야간에는 3년제 실천(實踐)고등여학교를 다니며 수학했다. 오사카로 이사한 후 재일조선인연맹 분회 사무소에서 활동하며 재일조선인 청년과 부녀자들에게 조선어를 가르친다. 그녀는 무장봉기를 위한 자금모금 공작을 벌이고자 강몽구와 함께 일본에 건너온 남승지에게 하늘색 스웨터를 손수 지어준다. 1-1-2:47, 2-5-5:427~441, 2-5-6:444~456, 3-6-5:139~146, 3-6-7:169~194, 3-6-8:195~218

남승일 남승지의 고모 아들인 사촌형(40내 중반). 일본 고베에서 고무 공장을 경영하는 고무공업조합 이사로, 제주 출신 재일조선인이다. 아내 경자, 식모 할머니와 함께 살았으나 현재는 식모 할머니 대신 행자와 셋이 살고 있다. 남승일은 사돈 관계인 강몽구보다 나이가 많고 이마가 넓게 벗겨졌으며 퉁퉁하게 살이 쪄 윤기가 도는 인상이다. 그는 20년 전에 고향을 떠나 일본에 정착했는데, 집안의 장손임에도 아직 자식이 없다. 남승일의 본처(本妻)는 그가 일본으로 건너가는 바람에 별거를 시작했다. 나중에 남편을 따라 일본에 왔으나 그 후에도 계속 별거 생활을 이어갔고, 집안 제사 때가 아니면 남편이 사는 곳에 오지 않는다. 남승일은 사촌 동생 남승지를 소학교 시절부터 돌봐주었으며, 후에 일본으로 건너온 강씨 일가를 보필해 주기도 한다. 태평양전쟁 후 남승일은 운동화 갑피공장을 확장하여 갑피뿐 아니라 생산의 전 공정을 맡아 고무장화를 제작하는 사업을 하고 있다. 그는 무장봉기를 위한 자금모금 공작을 위해 일본에 온 강몽구와 남승지에게 자금 400,000엔을 지원한다. 2-3-7:163, 2-3-7:168, 2-5-4:388~415, 2-5-5:418~423, 3-6-1:7~8, 3-6-4:95~99, 3-6-7:168~194

남승지(南承之) 남조선노동당 조직부 지하조직원(24세). 제법 야윈 체격에 가벼운 근시가 있지만 햇볕에 탄 까만 얼굴이 굳건한 인상을 주는 외모이다. 남로당 제주도당 성내지구의 연락책을 맡고 있으며 변명은 김명우(金明宇)이다. 남승지는 소학교 3학년 무렵 사촌형 남승일과 제주에서 일본으로 건너가 고베에서 유학 생활을 했다. 그는 학도병 징병검사에서 병종(丙種)으로 불합격 판정을 받아 군수공장에서 노역을 했으며 당시 오사카에 살던 양준오를 만나 반일 감정과 항일 사상 등의 영향을 받았다. 8·15 광복 이후 남승지는 어머니 강 씨와 여동생 남말순을 일본에 두고 단신으로 조국에 돌아와 서울의 P전문학교 경제과에 입학했다가 국문과로 전과한다. 그 학교 재학 시절 친구 김동진에게 이유원과 조영하를 소개받는데, 이방근의 집에서 다시 만난 이유원을 흠모하기도 한다. 그는 그 학교에서 학생자치회 활동을 하던 중 광주학생사건 기념일 전야에 삐라를 살포하다 검거되어 종로경찰서에서 혹독한 고문을 치른 후 불기소처분으로 풀려난 적이 있다. 1947년 봄에 학교를 중퇴한 그는 고향 제주로 내려와 사라봉 부근 S부락의 고모 댁에 기거하며 S리 N중학교의 영어교사로 일했다. 이때에 남로당에 입당했다. 남승지는 양준오의 소개로 만난 이방근을 조직원으로 끌어들이고자 공작하며 이방근·이유원 남매를 지하조직의 아지트인 해방구로 안내하기도 한다. 무장봉기 직전에는 재일제주인 실업가들에게 자금과 물자를 조달받고자 강몽구와 함께 일본을 방문한다. 그는 오사카 이카이노에 살고 있는 어머니 강 씨와 여동생 남말순을 약 3년 만에 다시 만나게 되는데, 남승일로부터 결혼을 강요받고 일본에 남을 기회가 있었으나 자금모금 공작을 수행한 후 제주로 복귀한다. 4·3무장봉기가 발발한 후 강몽구의 처가가 있는 봉조촌으로 거처를 옮기고 조직의 아지트가 있는 한라산 중산간 지대와 성내를 오가며 게릴라로 활동한다. 남승지는 박산봉의 트럭을 타고 이유원과 제주 동쪽의 Y리에 다녀오는 일도 있었지만 그녀가 일본으로 유학을 가버려 헤어지게 된다. 그녀가 손수 짜서 선물로 준 벽돌색 스웨터를 입은 채 그는 토벌대의 강경한 탄압에 맞선다. 그러면서 성내와 아지트를 오가던 중 남승지는 성내 읍사무소에서 일어난 적기계양 사건의 용의자로 현장에서 검거되어 누명을 쓴 채 유치장에 수감되었는데 양준오의 신원보증으로 풀려난다. 이후 그는 토벌대의 초토화 작전 당시 생포되어 관음사가 불탄 자리 위 임시 막사에 연행되었다. 성내의 수용소로 이동되던 중 부엌이에게 목격된 남승지는 서북청년회 제주지부장 함병호를 찾아간 이방근의 공작으로 풀려나게 된다. 마침내 그는 이유원의 일본 거주지 주소를 받아든 채 이방근이 한대용과 송래운 편에 마련한 밀항선을 타고 일본으로 건너간다.

1-서:13~21, 1-1-1:26~42, 1-1-2:47~51, 1-1-3:66~80, 1-1-4:97~103, 1-1-5:125~142, 1-2-7:290~291, 2-3-1:30~32, 2-3-5:115~117, 2-3-7:167~172, 2-5-4:385~409, 2-5-5:425~435,

3-6-2:33~37, 3-6-5:121, 3-7-6:373~398, 4-8-4:115~121, 4-9-3:239~247, 4-10-4:462~475, 5-12-5:277, 5-12-6:318~334, 6-15-1:263~288, 6-15-2:290~314, 6-15-3:317~343, 6-15-7: 431~451, 6-15-8:454~478, 7-16-8:207~208, 8-19-1:251~269, 8-19-2:284~301, 8-19-3:309~ 329, 8-19-6:387~411, 8-19-8:442~467, 9-21-2:279~285, 11-24-1:20~29, 11-24-2:36~64, 11-24-3:69~89, 11-24-5:137~141, 11-24-6:161~171, 12-26-1:10~20, 12-26-1:29~36, 12-27-2:152~170, 12-종-4:298~316, 12-종-6:340~354

남승지의 고모 남승지 아버지의 여동생(40대 후반). 제주 S촌에 거주하고 있는 남승지의 친척이다. 체구는 작지만 다부지고 기가 센 여자이다. 평소 남편을 옴짝달싹 못하게 하는데 자기 입으로도 남자로 태어났으면 좋았을 것이라 말할 정도다. 집안일에 빈틈이 없고, 농사일을 하며 늙은 시부모를 봉양하며 지낸다. 외동딸은 시집을 보냈고 두 아들은 일본에 있다. 외아들인 조카 남승지를 무척 아끼고 사랑하던 그녀는 남승지가 어렸을 때부터 자기 집으로 불러 함께 지내도록 한다. 소학교 3학년 때 일본으로 건너가는 남승지와 아들 남승일을 배웅하며 부두에서 통곡하기도 한다. 해방 후 서울에서 제주로 내려온 남승지는 게릴라가 되기 전까지 S촌의 고모 댁에 기거했다. 1-1-2:47, 1-2-6:258, 1-2-6:267~272, 1-2-7:293, 2-3-7:167~170, 4-10-4:472~473

남승지의 고모부 남승지의 고모부. S촌에 거주하고 있는 남승지의 친척이다. 듬직한 체구에 콧수염이 길게 나 있으며 평소 과묵하고 무뚝뚝한 성격이다. 생활력이 강한 아내와 농사를 지으며 늙은 부모를 봉양한다. 1-2-6:267, 2-3-7:169, 5-12-4:242

다루야마(樽山) 서울 종로경찰서 고등경찰계 경부. 일제강점기 당시 경부보였던 고영상과 함께 종로경찰서에서 유능하다고 소문이 났던 일본인 경찰이다. 다루야마는 당시 조선에서 조선인 사상범 검거로 악명을 떨치던 자들 중 한 명이었다. 5-11-3:78, 5-11-6:148~149

다쓰키치(達吉) → 문달길(文達吉) 2-5-3:366~368

다카키(高木) → 고영상(高永相) 5-11-6:147~150, 6-14-6:157, 7-16-7:176, 8-18-2:51,

9-20-7:180

단선 제주 명선관의 기생(24세, 또는 25세). 마담 명선이 이방근에게 소개한 기생으로, 다소 작은 몸집의 미인이나 사팔뜨기이다. 천하고 백치 같은 인상을 풍기며 웃을 때에는 인형처럼 약간 고개를 기울이는 버릇이 있다. 이방근의 술시중을 들며 함께 잠을 자기도 하지만 육체적 교합은 이루지 못한다. 그래도 그를 연모한다. 어느 날에는 이방근에게 판소리 〈춘향가〉 의 한 대목을 불러주기도 한다. 4·3무장봉기가 발발한 후 성내가 경찰과 서북청년회의 탄압으로 혼란스러워지자 그녀는 일종의 공포증에 빠져 명선과 함께 제주를 떠나 부산으로 가기로 한다. 단선은 이방근이 작별의 인사로 악수를 청하자 그의 품에 안겨 흐느껴 운다. 2-3-2:58, 2-3-3:59~61, 2-3-3:72~85, 2-3-4:95, 2-4-3:249, 3-7-2:281~292, 5-12-4:240~241, 5-12-4:259, 5-12-6:310~ 311, 10-23-5:334~336, 11-25-3:290~291, 12-종-1:237~238, 12-종-2:250, 12-종-4:295~296

마쓰야마 다이큐(松山泰久) → 김태구 3-6-2:46

마완도 서북청년회 제주지부 부회장(30세). 굵은 목과 떡 벌어진 어깨에 비해 궁색해 보이는 인상이다. 이방근 어머니의 제삿날 정세용과 동행하 였는데 앞가슴에 권총을 찬 채 제단 앞에서 배례를 하는 인물이다. 마완 도는 일제강점기 때 함흥경찰서에서 고등경찰계 형사를 지냈고 해방 후 에는 제주로 내려와 서북청년회 서귀포지구에 속해 있었다. 지금은 제주 지부의 부회장을 맡고 있다. 2-4-2:214~223, 3-7-3:299~300, 5-11-6:151, 8-18-6: 138~140, 10-23-5:323

명선(明仙) 제주 명선관의 주인(30대 후반). 살결이 희고 통통한 체구이며 나이보다도 훨씬 젊어 보이는 인상이다. 성내에서 기녀가 있는 술집을 운영하지만 예전에는 첩(妾)으로 지냈다. 명선은 이방근과 하룻밤 정사 를 나누기도 한다. 잔혹한 짓을 일삼는 경찰과 토벌대의 명선관 출입이 잦아지자 그녀는 술집을 정리하고 전에 살았던 부산으로 단선과 함께 떠나기로 한다. 명선은 전별금을 전해주는 이방근과 작별하며 눈물을 흘 린다. 2-3-2:59~60, 3-7-2:279~281, 5-12-6:310, 9-20-5:146~148, 9-21-5:363, 10-23-5:334~

목탁영감　한라산 산천단의 절벽 동굴에 사는 노인. 돌처럼 단단한 두상의 벗겨진 머리에다 작은 체구에 달마대사를 여상시키는 커다란 눈과 주먹코가 인상적인 노인으로, 굵고 쉰 목소리를 낸다. 해방되기 수년 전(1940년)부터 산천단 절 옆의 동굴에 살면서 목탁을 두드리곤 하여 '목탁영감'으로 불린다. 목탁영감은 산천단 부락과 포교당이 있는 절에서 변소를 푸거나 허드렛일을 하며 먹을거리를 시주받아 살고 있다. 그가 성내로 나오는 일은 몇 년에 한 번 있을 정도로 드문데 성내 사람들은 그의 볼품없는 행색을 보고 더러운 거지 취급을 한다. 반면, 산천단 마을 사람들에게 그는 일을 잘하고 마음씨 좋은 노인으로 귀한 대접을 받는다. 문학청년 김동진은 목탁영감에게 막연한 동경심을 갖고 있고, 이방근은 목탁영감과 같은 존재가 되고 싶다며 그를 존경한다. 이방근은 목탁영감이 자연인으로서 진정한 깨달음을 얻은 분이라 칭송하며 산천단을 종종 찾아간다. 그런데 4·3무장봉기가 발발한 후 토벌대와 게릴라 사이에 치열한 공방전이 일어나자 목탁영감은 게릴라에 협력하며 자취를 감춘다. 이방근은 산천단의 동굴 앞에서 스스로 목숨을 끊을 때 그가 읊어준 서산대사의 시한 대목을 떠올린다. 1-1-2:51~53, 2-4-3:238~258, 2-4-4:280~284, 3-7-5:357~372, 3-7-6:378, 8-19-1:261~262, 12-종-6:369

목포보살　한라산 관음사의 관리인(40대 중반). 목포 출신의 여인으로, 관음사에 거주하며 주지를 대신해 절을 관리한다. 목포에서 여관을 운영한 적이 있으며 상당한 재력가로 알려져 토벌대의 관음사 기습 작전 당시에도 체포되지 않고 바로 풀려났다. 목포보살은 관음사와 성내를 자주 오가는데 성내에서 익명으로 여관을 운영한다는 소문이 있다. 그녀는 관음사 노화상의 유언에 따라 용백의 양부모가 되었지만 그의 출생 배경을 함부로 발설하거나 험악한 표정으로 회초리를 들고 그에게 무차별적인 폭력을 가하기도 한다. 용백이 관음사를 기습한 토벌대에 끌려가 한 달 이상 포로수용소에 수감되었을 때에도 면회를 가지 않는다. 목포보살은 게릴라 부대에 회합의 장소로 관음사를 내어주는 한편, 그에 상응하는 대가를 받는다. 6-15-2:312~313, 6-15-3:316, 6-15-3:320, 6-15-3:324~326, 6-15-3:329, 6-15-3:333, 8-19-1:258~275, 8-19-2:276~277, 8-19-9:491, 12-26-3:74, 12-종-5:335

문(文) 남조선노동당 조직원.《한라신문》의 총무부 직원으로 일한다. 김동진만큼 키가 크고 훤칠하지만 멍해 보이는 인상이다. 문(文)은 사무를 맡아 보면서 신문배달과 잡역까지 두루 담당한다. 4-10-2:418

문난설(文蘭雪) 서울 국제통신사 회장의 양녀(30세). 피부가 하얗고 몸매가 날씬하며 짙은 향수를 풍기는 세련된 미인형이다. 평안남도 평양 출신의 여인으로, 국제통신사 서운제 회장의 수양딸이다. 서운제 회장은 부친의 친구이며, 문난설은 국제통신사의 일에 관여하고 있다. 아버지 문준원은 평안남도 식산부장을 역임했는데 해방 무렵 가옥과 토지 등의 재산을 몰수당한 뒤 행방불명이 되었고 어머니와 형제들도 뿔뿔이 흩어져 생사를 모른다. 문난설은 여자전문학교 영문과를 졸업하고 강제적인 결혼을 했으나 6개월 정도의 결혼 생활에 실패한다. 해방 후 그녀는 서울의 M동에 아버지가 사 놓은 적산가옥을 물려받아 서북청년회에 숙소로 임대하고 있다. 상경한 이방근은 서북청년회 중앙총본부에 체포된 황동성의 참고인 신분으로 서북청년회 숙소에 방문했을 때 문난설과 처음 만나게 된다. 그는 아름답고 교양 있어 보이는 그녀의 첫인상을 잊지 못하고 있었는데 이건수와 들른 식당 근처에서 재회하게 된다. 그때 문난설과 동행한 나영호는 이방근에게 그녀를 소개해주었고 이방근은 그녀에 대한 호감을 키워간다. 4·3무장봉기가 발발한 후 문난설은 나영호, 오남주와 함께 이방근을 따라 제주에 방문한다. 그녀는 이방근의 집에 머물며 밤마다 그와 밀회를 나눈다. 그러던 때 이방근의 재가를 논하는 문중 회의가 열리고, 결혼을 회피하려는 이방근을 위해 약혼녀 행세를 해주기도 한다. 문난설은 제주의 이방근과 통화를 주고받으며 애정을 키워간다. 서울로 올라온 이방근은 나영호와 문난설의 충정로 아파트에서 그녀를 두고 다투기도 하나 육체적 불구자인 나영호가 그녀에 대한 생각을 접으면서 그러한 관계는 정리된다. 문난설은 제주로 귀환하는 이방근을 서울역에서 배웅하며 운다. 그녀는 산천단 인근에서 자살을 하는 이방근이 유일하게 떠올리는 여인으로 남는다. 5-11-6:146, 5-13-1:394~395, 5-13-2:403~405, 5-13-5:473~477, 6-14-6:147~160, 6-14-9:232~257, 7-16-2:34~46, 7-16-6:159~167, 7-16-7:168~193, 7-16-8:194~216, 7-17-1:227~244, 7-17-2:246~264, 7-17-3:277~298, 7-17-4:301~324, 7-17-5:340~352, 7-17-6:358~360, 7-17-8:416, 8-18-3:79~83, 8-18-5:117~132, 8-18-7:170~172, 8-18-7:184~187, 8-18-8:204~209, 8-19-3:323~324, 9-20-1:13, 10-22-2:51~56, 10-22-3:57~75, 10-22-3:77~82, 10-22-5:123~139, 10-22-7:171~177, 11-25-6:371~373, 11-25-6:376~385, 11-25-7:400~415, 12-종-1:229~230, 12-종-1:238, 12-종-1:241, 12-종-3:290~292, 12-종-6:370

문달길(文達吉)　재일조선인연맹 단원(35세, 또는 36세). 일본 야마구치현(山口縣) H시에서 구두 수선집을 운영하는 재일조선인이다. 일본식 이름은 다쓰키치(達吉)이다. 작지만 다부진 체격을 가졌고 그의 왼쪽 얼굴에는 관자놀이부터 볼까지 7~8센티미터의 긴 흉터가 있으며 오른쪽 새끼손가락은 상실되었다. 문달길은 재일조선인연맹의 단원으로 활약하는 거물급이다. 그는 밀항선을 타고 일본에 막 도착한 강몽구와 남승지를 시모노세키의 집에서 하룻밤 묵고 가도록 대접한다. 2-5-3:366~371, 2-5-3:380~382

문동준　서북청년회 중앙총본부 부사무국장(31세). 적당히 살이 찐 보통 키에 얼굴이 거무스름하며 커다랗고 밝은 눈동자가 인상적인 평범한 외모이다. 평안남도 평양 출신의 인물로, 문난설의 육촌 오빠이자 서북청년회의 고위 간부이다. 문동준은 도쿄 유학 중 평양에 돌아와 있을 때 단재(丹齋) 신채호(申采浩)의 《조선상고사(朝鮮上古史)》를 소지하고 있다 발각되어 평양형무소에 6개월간 수감된 적이 있었다. 당시 조선총독부 고위 관리직에 있던 문준원(문난설의 아버지)의 신원 보증으로 보석 출소하였는데, 그는 해방 후 문준원에게 서울 중구 M동의 예전 일본인 주택가에 있는 적산가옥의 매매를 주선해 주기도 한다. 문준원이 매입한 적산가옥은 그가 행방불명이 되자 문난설의 소유가 되고, 이 저택은 서북청년회의 간부 숙소로 사용된다. 어느 날 문난설은 상경한 이방근을 동반하여 종로의 한양정

2층에서 문동준과 저녁 식사를 한다. 그는 이방근과 결혼 의사가 있는 문난설을 반대하지는 않지만, '서북과 제주는 상극'이라고 한다. 더불어, 문난설의 양부(養父)이자 국제통신사 회장인 서운제의 대리 역할을 자처하며 민족주의자로서 서 회장을 존경하고 있다고 한다. 문동준은 서북청년회의 부사무국장을 맡고 있으면서도 자신은 이승만파가 아니라 자칭 순수민족파라고 피력한다. 또한 용공적인 태도의 김구와 민중적 성격을 잃고 폭력적으로 변질된 서북청년회를 비판하기도 한다. 이에 이방근은 우파적 성향에 안주하지 않고 자신의 뚜렷한 입장을 갖고 있는 그에게 어딘가 서북답지 않음을 느낀다. 문동준은 이방근에게 정세용과 일가친척 관계임을 재차 확인하며 자살한 것으로 알려진 제주경찰서 고 경위를 살해한 진범이 정세용이라는 사실을 알려준다. 11-25-7:404, 11-25-8:417~420, 11-25-8:425~443

문 아무개 남조선노동당 인민유격대 조직원. 게릴라 부대와 토벌대 간의 격렬한 전투 중 체포된 인물이다. 문 아무개는 K리에 주둔하고 있던 토벌대에 살해당한 후 성내에 효수되었다. 거물로 추정되던 그는 사살되기 전까지 신분을 일절 밝히지 않았는데 그 시신이 자신의 아이에게 목격되면서 일가족의 신원이 드러나고 말았다. 다음날 그의 아내와 부모는 처형당했고 두 어린아이만 살아남았다. 12-27-1:107

문준원 문난설의 아버지. 평안남도 평양 출신의 인물인데, 친일분자로 해방 후 처벌 대상자가 되어 재산을 몰수당하고 행방불명이 되었다. 문준원은 일제강점기에 조선총독부 식산국의 상공과장과 식산부장을 역임하며 북조선 평안남도의 농·상·공업을 관할했다. 그러던 중 그는 만주에서 무장 독립운동을 했던 서운제의 과거를 알면서도 자신의 전답과 집을 담보로 그에게 은행 융자를 주선하여 과수원을 매수하게 한다. 예전 도쿄 유학 시절에 문준원은 대학 동창생 현(玄) 씨의 소개를 받아 서운제와 만나 알게 된 사이였다. 그 뒤 문준원은 서운제가 총독부 농림국으로부터 작물의 경성 출하를 허가받도록 조력한다. 해방 후 그는 서울에 있는 조카 문동준의 알선으로 중구 M동의 일본인 주택을 매입한다. 그러나 친일 행적 유력자로 처벌 대상자가 되자 잠적하고, 그의 아내와 아들은 평안북 도 신의주로 강제 이주되다 그 무렵 우파 정당에 속해 있던 서운제가 북측에 문준원에 대한 신원 요청을 하지만 회신을 받지 못한다. 11-25-7:404~406, 11-25-8:436

미나미(南) → 경자 2-5-7:485, 3-6-6:161

미야모토(宮本) → 정준암(鄭俊巖) 2-5-8:519

미요(美代) 일본 유곽의 창녀. 남승지보다 두세 살 연상이며, 하얗고 동그 란 얼굴에다 콧방울 옆에 새까만 점이 있다. 해방이 되던 해에 남승지와 하룻밤을 보낸 일본인 여자이다. 우상배의 손에 이끌려온 남승지는 11월 의 어느 날 그녀와 처음으로 정사를 나눈다. 3-6-6:164~165, 11-24-5:119~120

박 나카무라 히로시의 조선인 친구. 일본 스이타(吹田)에 살고 있는 독실한 기독교인이다. 조선이 그리워서 다시 한 번 제주에 가보고 싶다는 나카무 라의 말을 오해하여 격분한 적이 있다. 3-6-4:112

박갑삼 → 황동성(黃東成) 4-8-2:58~65, 4-9-2:235~238, 4-9-4:286~304, 5-11-5:123~133, 5-12-3:212, 5-13-7:553~556, 6-14-1:26~28, 6-14-2:58, 6-14-6:153~154, 6-14-6:168~173

박경진 국방경비대 제11연대 연대장. 김익구 전 연대장의 본토 발령 후 부임한 중령으로, 구일본군 학도병 출신이다. 수원 제11연대에서 대대장 으로 복무하다가 해방 당시 제주 주둔 일본군 부대에 파견된 이력이 있어 제주의 지세를 잘 알고 있다는 이유로 제주에 오게 된 인물이다. 무장 게릴라 측과 평화 협상을 주도한 김익구가 본토로 축출된 후 제11연대장 으로 부임한 박경진은 5·10선거를 앞두고 제주의 정세를 바꾸고자 마을을 불태우는 등 강경한 게릴라 소탕 작전을 감행한다. 그는 1948년 6월 중순 부임한 지 한 달여 만에 대령으로 진급했으나 옥류정에서 열린 취임축하 연이 끝난 심야에 현상일 중위와 정보관, 위생병 일행에게 총살당한다. 5-13-4:462, 5-13-4:468~469, 7-16-3:67, 7-16-3:76~78, 8-18-1:7, 9-21-1:264, 10-23-4:297, 12-27-1:132~133

박 동무 서울 P전문학교 경제과 학생. 비쩍 마른 체구에 얼굴이 작고 장발
머리이다. 김동진과 남승지의 동문으로, 제주 출신 동향학우회의 회원이
다. 박 동무는 기관지《학광(學光)》에 실린 김동진의 단편소설 〈해변의
발자국 소리〉를 읽고 퇴폐적이며 부르주아 사상에 깃든 작품이라고 비판
한다. 그는 김동진에게 조선의 정치적 현실과 혁명의 방향성을 암시하는
작품을 써야 한다며 혁명시인 유진오(俞鎭午)의 글과 같은 작품을 발표해
야 한다고 지적한다. 1-1-3:76~81, 1-1-3:90

박산봉 남조선노동당 조직원. 까무잡잡하고 다부진 체격, 크고 억센 노동
자의 손에 무뚝뚝한 얼굴이다. 이태수가 경영하는 남해자동차에서 화물
부의 트럭 운전수로 일하며, 서문길 근처의 하숙집에 살고 있다. 유부녀
인 어머니와 한마을에 살던 아버지 사이에서 사생아로 태어난 박산봉은
자신의 출생 비밀을 알고 방황하다 열여섯 살 때 트럭 운전수의 조수가
된다. 그 후 남해자동차 트럭 운전수로 일하던 중 서귀포의 신작로에서
졸음운전을 하다 전봇대를 들이받는 사고를 낸 적이 있는데, 당시 경찰서
에 벌금을 내고 직원인 그를 데리러 온 이방근과 처음 만났다. 이후 박산
봉은 부잣집 방탕아라는 평판의 이방근을 경외한다. 어느 날 이방근은
유달현의 집에서 나오는 박산봉을 목격하고 당원인지 추궁하는데 그는
자신의 신분을 부인한다. 그러나 결국 이방근을 찾아가 자신이 남로당원
임을 시인한다. 또한 이방근의 지시에 따라, 무장대에 복귀하려는 남승지
를 트럭에 태우고 성 밖 Y리까지 배웅하기도 한다. 유달현과 정세용을
예의주시하던 박산봉은 이방근에게 일본행 밀항선에 탔던 유달현의 죽음
에 대해 듣고 분개하며 그가 내통한 정세용을 직접 처단할 각오로 입산을
계획한다. 그러나 당 조직의 불허에 크게 실망한 그는 이방근이 정세용을
직접 총살했다는 정보를 접하고 이방근에게 감탄하는 한편 공포를 느낀
다. 박산봉은 성내에서 독자적으로 활동하는데, 대한청년단 제주지부장
함병호(전 서북청년회 제주지부장)에게 수류탄을 투척하여 폭사시킨다. 그
는 현장에서 함병호를 호위하던 서북청년회 소속원의 총에 맞아 사망한

다. 1-1-5:140~142, 2-3-2:39~53, 2-3-4:106~114, 3-7-2:274~278, 4-10-3:424~438, 6-14-7:196, 6-15-2:294~299, 6-15-4:363~370, 6-15-5:371~398, 6-15-6:401~422, 7-17-6:354, 8-18-1:14~29, 8-19-8:443~453, 11-25-3:274~278, 12-종-5:319, 12-종-6:358~360

박 중령 국방경비대 제14연대 연대장. 여수 봉기가 발발했을 당시 제14연대 소속 군인이다. 박 중령은 당국으로부터 비밀 출동명령을 받고 장교식당에서 환송회를 연 뒤 제주로 출항하고자 여수항으로 이동하였는데, 그 사이 봉기가 일어난다. 11-24-1:8~9

방(方) 씨 문난설의 전 남편. 서울 중구 남대문로에 소재한 해동은행의 대출 담당 은행원이다. 금융조합 연합회의 감사를 맡고 있던 방 씨의 아버지와 조선총독부의 상공과장 문준원 간에 혼담이 오가 그는 문난설과 결혼하게 된다. 이 둘은 강제하다시피 맺어진 부부 사이로 6개월 정도 결혼생활을 유지했다. 문난설은 밤낮으로 금전 계산에 몰두하는 융통성 없는 남편의 모습에 질색했다고 한다. 11-25-7:404

방하룡 일본공산당 중앙 재정부 당원. 일본공산당에서 활동하는 재일조선인이다. 방하룡은 여색에 빠진 사람으로 평판이 난 인물이다. 강몽구와 남승지는 자금모금 공작을 위해 일본의 동해고무주식회사를 방문했을 때 우상배로부터 일본공산당의 김종춘과 방하룡이 모두 여자를 밝히는 사람이라고 전해 듣는다. 동해고무주식회사 사장 고달준은 강몽구에게 방하룡과 함께 여관에 묵었던 적이 있는데 그가 여관의 하녀와 비밀 정사를 나눌 정도로 여색을 밝혔다고 말해 이를 엿들은 남승지에게 충격을 주기도 한다. 2-5-6:464~465, 3-6-1:12~13

백(白) 동무 남조선노동당 인민유격대 조직원(19세). 게릴라 부대에서 백동무로 불린다. 토벌대가 벌인 빌레못동굴 학살 사건 당시에 살아남은 홍 아무개와 동갑내기 육촌지간이다. 백 동무는 예전에 홍 아무개와 빌레못동굴 근처의 바리오름 중턱에 있는 어느 굴에 갔던 적이 있었다. 토벌대의 탄압으로 빌레못동굴에 은신했던 피난민들이 모두 희생되자, 그는 인근에 생존자가 남아 있을지도 모른다는 생각으로 그 굴에 갔다가 유일

하게 살아남은 홍 아무개를 발견한다. 12-26-1:23~24

백(白) 중령 국방경비대 제5여단 소속 중령. 제주의 실정을 파악하고자 제5여단장의 대리 격으로 광주에서 파견을 온 군인이다. 제5여단은 1948년 4월 29일에 창설되어 전라남도 광주에 배치되는데 같은 해 8월부터 제주에 주둔하던 제9연대를 광주 제5여단 소속으로 개편한다. 백 중령은 1948년 9월 초순에 제주를 방문하여 제주의 실상을 기사로 공표한다. '제주 사태가 어느 정도 수습되었기 때문에, 군은 완화책을 지향할 것이며 도민들의 민심을 수습하고자 군의 의무반이 농촌에서 활동한 결과 현저한 성과가 있었다'는 내용이다. 9-21-2:268

백(白) 회장 하역회사 부두왕국 회장. 제주 부두에서 선적·하역을 독점 관리하는 서북청년회의 일원인데, 사실상 지부 사무소와 별개의 조직 활동을 하며 물류 하역업의 실권을 장악하고 있는 인물이다. 백 회장은 함병호보다 나이가 많은 선배 격이다. 그의 수하 중 한 사람은 옥류정에서 유달현에게 구둣발을 내밀어 시비를 걸었다가 그와 동행한 이방근에게 구타를 당한다. 8-18-2:52~55, 8-18-6:142, 9-21-4:335, 10-23-4:306

변상구 전 제주읍사무소 서기이자 조흥통조림공장 사무장. 조흥통조림공장 사장 최상규를 따라 제주도청에 자주 출입하는 인물이다. 구두쇠로 유명하고 보자기 꾸러미를 겨드랑이에 끼던 버릇이 남아 있다. 일제강점기에 행정기관의 하급 관리로 근무했는데 경방단(警防團)의 임원으로서 성전완수(聖戰完遂)를 외치며 친일파의 심부름꾼 노릇을 했다. 제국신민 행세를 하며 기세등등한 자태로 지내던 변상구는 일제가 패망하자마자 읍내의 청년들에게 산지 언덕 위 신사를 불태운 자리로 끌려가 몰매를 맞은 적이 있다. 심지어 본토로 쫓겨난 적도 있다. 그는 이방근과 한대용의 북국민학교 선배로 그들과 면식이 있는 정도였는데 우연히 옥류정에서 서로 만났을 때 한대용의 창이형무소 복무 이력을 비난하여 시비가 붙는다. 이때 한대용은 변상구의 해방 전 친일 행적을 들추며 그와 격론을 벌이는데 이방근의 제지로 말다툼이 무마된다. 8-19-7:431, 9-20-6:152~165

부(夫) 선주　밀항선 알선 조직의 조직원. 송래운과 함께 밀항선 알선 조직에서 배편과 밀무역을 관할하는 인물로, 제주 조천리에서 아내와 함께 살고 있다. 부 선주는 태평양전쟁 전에 근해 화물선의 승조원으로 일했는데 현재는 송래운의 밀항선 알선 조직에서 선주를 맡고 있다. 송래운의 지시에 따라 밀항자 명단을 관리하며 자신의 배로 제주 사람들을 밀항시켜 섬 탈출을 돕는다. 12-종-2:252~253, 12-종-2:260~266, 12-종-4:293, 12-종-4:297, 12-종-5:329~331, 12-종-6:365

부스럼영감　이방근 집안의 전 하인(60세 전후). 태어날 때부터 한쪽 다리가 짧은 절름발이며 현무암처럼 울퉁불퉁한 거칠고 추한 얼굴이다. 축 처진 눈꺼풀에 탁하고 작은 눈을 가졌는데, 튀어나온 앞니를 드러내며 '이히히' 하고 웃는 특징이 있다. 종기의 고름을 빨아 환자를 치료해준 대가로 얻어먹고 지낸다 하여 '부스럼영감'이라 불린다. 부스럼영감은 종종 목탁영감이 사는 산천단 인근의 동굴에 들렀다 가기도 한다. 그는 1947년 이른 봄, 본토를 여행하던 이방근이 집에 데려온 노인으로, 이방근의 집에서 하인 노릇을 하며 지냈다. 부스럼영감은 이방근의 대퇴부에 생긴 종기에서 입술과 이빨로 고름을 빨아내는가 하면, 장작 패기와 버스 차고의 잡역도 거든히 해냈으나 변소 밑에서 자신을 엿보았다는 선옥의 오해를 사 집에서 쫓겨난다. 그녀는 부스럼영감을 늙은 당나귀라 부르며 혐오한다. 그는 거리를 떠돌며 부랑자 생활을 하다 이방근을 만나 용돈을 받거나 집에 따라가 밥을 얻어먹기도 한다. 어느 날 부엌이는 관덕정 광장에서 게릴라의 머리를 짊어지고 시체의 신원을 확인하며 다니는 부스럼영감을 목격한다. 그는 경찰에 고용되어 맨발로 돌아다니며 그 일을 하고 있었는데 시체의 머리에는 빨간 동백꽃이 꽂혀 있었다. 1-2-1:152~155, 1-2-4:224~230, 2-4-3:245~246, 4-8-4:98~100, 4-9-1:202~205, 4-10-1:378, 5-11-1:7~11, 5-12-4:267, 11-24-1:30, 11-25-3:277~278, 12-27-3:199~201, 12-27-3:210~211, 12-종-6:355

부엌이　이방근 집안의 식모(40대 초반). 게릴라 부대의 연락원으로, 부엌에서 일하는 여자라는 의미의 '부엌이'라 불린다. 평소 말수가 적고 표정

변화가 거의 없으며 체구가 튼실하여 장작 패기 따위의 남자들이 하는 일도 척척 해낸다. 부엌이는 이유원이 소학교 3학년이던 무렵에 이방근 어머니의 지인 소개로 이태수 집안에 들어왔다. 15세에 결혼을 했으나 두 아이가 모두 사산되었고, 세 살 연상의 남편은 결혼한 지 10년 정도가 지나 요절했다. 홀몸이 된 그녀는 이태수 가에서 십이삼 년간 식모살이를 한다. 부엌이는 이방근에게 원초적인 생명의 냄새와 열기가 강렬하게 느껴지는 여인으로, 종종 이방근과 육체적 관계를 나눈다. 이 둘의 관계를 눈치 챈 선옥은 부엌이에게 부스럼영감과 추잡한 짓을 했다고 모함하여 내쫓으려 하지만 그녀는 아무 일도 없었다는 듯이 집안일을 돌본다. 그러나 선옥을 위해 벌인 굿판에서 죽은 이방근의 어머니와 접신한 무당이 이방근과 부엌이 간에 육체관계를 나눈 사실을 폭로하자 부엌이는 이유원이 목포에서 데려온 고양이와 함께 자신의 고향 마을로 돌아간다. 그녀는 선옥이 임신을 하자 그동안 식모로 일한 고네할망을 대신하여 이씨 집안으로 복귀한다. 그사이 부엌이는 게릴라 측의 연락원이 되어 있었는데 이방근은 그녀에게 느끼던 원초적 냄새가 사라졌음을 인식한다. 이태수 집을 성내의 남로당 측 비밀 아지트로 삼은 그녀는 헛간에 남승지를 은신시키기도 하고 유성원에게 받은 성내 배포용 삐라를 남승지에게 전달하기도 한다. 또한 부엌이는 해안부락을 중심으로 한 토벌대의 전략촌 만들기에 이씨 집안 대표로 노역 공출에 참가하기도 한다. 그러는 한편, 임신한 선옥과 관음사에 남아출산 기원 불공을 드리러 가거나 이방근에게 부스럼영감과 박산봉, 남승지 등의 생사여부를 알려주는 등 자신의 일에 충실함으로 일관한다. 1-2-2:171~175, 1-2-7:280~285, 2-4-3:248~249, 3-7-1: 254~257, 3-7-8:430~431, 3-8-5:148~150, 4-8-6:178~181, 4-9-4:304~309, 4-9-6:352~353, 4-10-4:444~445, 5-11-1:21~28, 5-11-2:33~52, 5-11-6:139~140, 5-12-1:168~171, 5-12-2: 188~195, 5-12-3:234~239, 5-12-4:263~272, 5-12-5:299, 5-13-7:533, 7-17-6:354, 8-18-7:164~ 167, 8-18-8:193~198, 8-19-2:299~301, 8-19-3:327, 9-21-2:275, 9-21-2:283~291, 9-21-3:301~ 302, 9-21-4:344~350, 9-21-5:351~355, 9-21-5:375, 10-23-5:320, 11-24-2:63~64, 11-24-3:

65~71, 11-24-3:83~85, 11-24-4:90~91, 11-24-4:106~108, 11-24-5:132~133, 11-24-6:155~
156, 11-24-7:193, 11-25-1:204, 11-25-1:208, 12-26-3:65~71, 12-27-1:104, 12-27-2:154~155,
12-27-3:100~201, 12-27-3:210~211, 12-종-6:340~341, 12-종-6:352, 12-종-6:357~358

사치코(幸子) → 행자 2-5-7:495, 2-5-8:504~505, 3-6-8:207

산천단 주지 제주 산천단 포교당의 주지 스님(30대). 산천단 절벽의 작은
암자에서 지내는 젊은 학승이다. 산천단 주지는 해방 전 서울에서 불교
관련 전문학교를 나왔다. 그는 절의 허드렛일을 도와주는 목탁영감을 데
리고 있다. 3-7-5:360~361, 8-19-1:261, 8-19-1:266~267, 12-종-5:338

삼배 제주 오름 중턱의 움막에 사는 소년(15세, 또는 16세). 길쭉한 얼굴에
광대뼈가 튀어나올 정도로 깡마른 상태이다. 흙빛 얼굴에 멍한 눈빛을
띤 채 비죽 웃고 다닌다. 중산간 지대의 움푹 꺼진 땅속에서 모친과 노숙
을 하는 인물이다. 남승지는 게릴라 부대의 아지트를 옮기던 중 우연히
이 소년을 만나는데, 소년은 맨손으로 땅을 파내어 찌그러진 알루미늄
용기에 흙덩이를 채우는가 하면, 굶주린 어머니의 입에 그 흙을 넣다가
뺨을 얻어맞기도 한다. 남승지는 소년에게 여동생 남말순이 떠준 자신의
청색 스웨터를 건네준다. 12-26-1:35, 12-26-2:40~41, 12-26-2:43~44

서운제 ｜서 회장｜ 서울 국제통신사 회장이자 여당계 무소속 국회의원.
문난설의 양부로, 3·1독립운동 이후 만주로 넘어가 김좌진 총사령관의
신민부에서 무장 독립운동을 했다. 신민부가 해체되자 귀국하여 민족주
의와 사회주의 노선을 통합한 신간회에서 활동했다. 1931년 신간회가 해
체된 후 민족주의운동그룹 사건에 연루되어 2년간 수감 생활을 하다 마치
고 고향인 강원도 춘천으로 돌아가 요양을 했다. 당시 후배 격인 현(玄)
씨의 소개로 문준원을 만나게 되는데 그의 알선으로 과수농장을 경영하
며 재력을 축적하였고 이후 상경하여 우파 정당에 가입했다. 해방 후 서
운제는 친일행적 유력자로서 행방불명이 된 문준원의 신원 조회를 북측
에 요청하지만 회신을 받지 못한다. 이후 그는 친구의 딸 문난설을 돌본
다. 일제강점기부터 반일파 성향의 민족주의자였던 그는 정계에서 〈반민

족행위처벌법〉의 입법을 적극 찬성한다. 국회에서 미군 철수안을 표결할 당시 병결로 불참했는데, 공개적으로 반대표를 던질 수 없어 불참한 것이 었다. 여당계 무소속 국회의원이 된 서운제는 해방 전부터 알고 지내온 황동성과 국제통신사를 경영하며 새로운 신문의 발간을 계획한다. 문난설과 결혼 의사가 있는 이방근을 만나기로 하지만 감기 몸살로 인해 그들과의 만남을 성사시키지 못한다. 6-14-6:153~155, 6-14-6:167, 7-17-6:358~359, 9-20-1:13, 9-21-6:381, 10-22-1:12, 10-22-5:120, 11-25-7:391~392, 11-25-7:400~406, 11-25-8:432~434

선옥(仙玉) 이태수의 후처(40대 초반). 기생 출신 후처이자 이방근·이유원 남매의 계모이다. 미인상의 외모지만 자주 곁눈질을 하는 등 의식적인 눈초리를 보이는 습관이 있다. 선옥은 이태수의 잦은 축첩으로 간장병을 얻은 이방근의 친모와 사실상 별거 생활을 하던 도중에 이태수가 만난 여자로, 이방근 친모의 소상(小祥)이 지나자마자 이태수 집안에 들어온 인물이다. 이태수와 스무 살 정도 나이 차가 나며, 의붓아들 이방근과는 채 열 살도 나이 차가 나지 않아 반말도 아니며 존댓말도 아닌 서울말에 가까운 중간 말투로 대한다. 의붓딸 이유원은 선옥을 '아주머니'라고 부른다. 선옥은 이태수의 의중대로 이방근에게 재혼을 권유하기도 한다. 그녀는 이방근과 부엌이 사이의 미묘한 낌새를 눈치채고 있었는데, 어느 날 의자매의 집에 갔다가 혼절하여 자리에 눕게 되자 이웃집 고네할망의 권유로 무당굿을 벌인다. 굿판의 무당이 이방근의 친모와 접신하여 부엌이가 이방근과 육체관계를 나누고 있다고 발설하는 바람에 부엌이는 이씨 집안에서 쫓겨난다. 이후 선옥은 이태수의 아이를 임신하는데, 이유원은 헛구역질을 할 정도로 거부감을 느꼈으나 결국 선옥에게 '선옥 어머니'라 부르기 시작한다. 선옥의 임신을 계기로 부엌이는 이태수 집에 복귀하는 한편, 선옥은 이씨 가문의 대를 이어 자신의 입지를 확고히 하고자 아들 출산을 소망한다. 토벌사령부의 허가를 받아 관음사에 올라 남아출산 기원 불공을 드릴 정도로 정성을 들인 끝에 4·3무장봉기가 일어난

179

지 한 해가 지난 4월 5일 이른 아침, 아들(이춘근)을 순산한다. 1-2-1:153, 1-2-2:171~172, 1-2-4:223~227, 1-2-4:233, 1-2-5:235~239, 2-3-1:15~19, 2-4-5:289~290, 3-7-4:341~342, 4-8-4:100, 4-9-2:211, 4-9-2:215~221, 4-9-4:304~307, 4-10-1:373~377, 5-11-1:7~12, 5-11-1:14~15, 5-11-1:20~21, 5-11-1:24~27, 5-11-3:58, 5-12-2:187~189, 5-12-2:194, 6-14-4:99, 6-14-4:114~117, 6-14-5:125, 7-17-6:371~377, 8-18-7:164~165, 8-19-6:399~403, 9-20-1:7, 9-20-2:37~38, 9-20-2:52~57, 9-21-1:242, 9-21-5:357~360, 10-23-6:357~361, 12-26-3:65, 12-26-3:70, 12-종-5:335~336, 12-종-6:339~340

성 서방 제주 축항 근처에 사는 술주정뱅이. 서른을 넘긴 지 오래되었음에도 결혼을 못한 노총각이다. 마음씨 좋고 재미있는 성격으로, 늘 장가를 가고 싶다고 노래하다시피 했다. 선술집에서 서북청년회 사내들에게 얻어맞은 성 서방은 다음날 분함을 삭히지 못하고 술에 취한 채 배를 타고 바다에 나갔다가 파도에 휩쓸려 죽었다는 소문이 있다. 1-1-4:110~111

손(孫) 서방 민위대 서동지구 분대장이자 신기료장수(26세, 또는 27세). 몸집은 작지만 까무잡잡하고 야무진 얼굴이다. 제주 Y리에서 신발 수선점을 운영하며 철야로 죽창을 제작한다. 나무를 조각하거나 일용품을 만드는 등 손재주가 뛰어나고 가장 예리한 죽창을 만드는 명인으로 소문이 나 있다. 손 서방은 본토 남단의 시골 출신으로 소학교조차 다니지 못했는데, 자신보다 두세 살 어린 남승지에게 이것저것 배우기도 한다. 그는 자신의 손재주로 주변인들의 환심을 사서 마을 사람들과 친근하게 지낸다. 한편, 제주도민에게 무장봉기를 호소하는 내용의 삐라를 전달받고자 남승지가 있는 성내로 향하던 길에 그는 K리의 용천탕에서 세수를 하던 경찰을 급습해 권총을 빼앗는 돌발행동을 하기도 한다. 이에 경찰대가 K리에 출동하여 권총 탈취 용의자를 색출하는 소동이 일어난다. 또한, 그는 인민공화국의 지하 총선거 투표(1948년 8월 25일)를 알리는 삐라를 뿌리다 검거되어 Y리 옆 마을의 경찰지서에 3일 정도 감금되었는데 고문을 당하던 중 용변 실수를 하여 '똥새기'라는 별명을 얻고 지서에서 쫓겨난 적도 있다. 2-5-1:315~331, 2-5-2:340, 4-9-1:185~197, 4-9-1:248~253, 5-12-5:277~

278, 6-15-7:446~448, 8-19-9:469~474, 8-19-9:484~485

송래운 | 송 선주 | 밀항선 알선 조직의 우두머리(40대 중반). 바닷바람에
단련된 구릿빛 피부에 다부진 체격이며 쉰 듯한 목소리에 평소 말수가
적은 편이다. 송래운은 제주의 밀항·밀수를 도맡아 관리하는 실권자로,
사라봉 기슭 아래 산지 언덕의 변두리에 거주한다. 그는 이방근의 단골
고깃간 사장의 사촌형으로 강몽구와는 오래전부터 알고 지내온 사이다.
4·3무장봉기 직전 일본을 왕래하는 강몽구와 남승지에게 밀항선을 마련
해주는가 하면 이방근에게 소개받은 한대용의 밀수업을 조력하며 물건들
을 관리해주기도 한다. 또한 밀항자 명단에 김달준(유달현)이 있다는 사실
을 알려주기도 한다. 그는 제주도민들을 배로 구출하겠다는 이방근의 계
획에 동의하지만 게릴라 조직 관계자의 비난과 상륙 이후 일본에서 살아
가야 할 사람들의 현실적인 문제를 고려하여 그의 계획을 거절한다. 그러
다 그는 현실적으로 무장 투쟁이 그다지 전망이 없다고 보게 되고, 결국
이방근을 조력하여 밀무역선을 통해 주민들과 게릴라들을 섬 밖으로 탈출
시키는 데 몰두한다. 2-5-2:348~349, 9-20-7:204~206, 9-21-1:237~238, 10-23-7:367~
374, 11-24-7:174, 11-25-4:306, 12-27-1:105~107, 12-27-3:190, 12-종-2:251~260, 12-종-4:
298, 12-종-5:329~331

송 씨[1] 선술집 겸 정육점 주인. 애꾸눈에다 절름발이며 험악한 인상을 풍
긴다. 제주 성내의 동문교 근처에서 고깃간 겸 식당을 운영하고 있다.
송 씨는 이태수 집에 고기를 대는 단골집 주인이다. 그의 식당에 이방근
은 새끼회를 먹으러 종종 들른다. 그는 이방근의 부탁을 받고 사촌형 송
래운에게 밀항자 명단을 확인해주는가 하면 둘 간의 만남을 주선하기도
한다. 2-3-4:90~95, 4-9-6:341~346, 9-20-7:202~206, 9-21-2:269~271, 10-23-4:305~307,
10-23-6:338~339

송 씨[2] 선옥의 의자매. 선옥의 언니뻘 되는 중년 여성이다. 송 씨의 딸
결혼식 하루 전날, 선옥은 송 씨의 집에서 두통과 가슴 통증을 호소하다
경련을 일으키고 쓰러진다. 송 씨는 도립병원에서 진정제를 맞고 집으로

돌아가는 선옥 일행을 따라 이태수의 집에 동행한다. 그녀는 병원의 현관 앞에서 갑작스레 만난 부스럼영감이 선옥을 놀라게 하는 바람에 동생의 혼이 나간 것이라고 가족들에게 설명한다. 5-11-1:7~9

송일찬 국방경비대 제9연대 연대장. 제주 모슬포에 주둔하고 있는 경비사 령부 소속 군인으로, 군경 측에 무차별적 발포 중지를 호소하는 삐라를 인쇄하여 체포된 김문원(한라신문사 편집장)을 심문한 후 그를 처형시킨 인물이다. 송일찬은 게릴라 토벌 작전의 하나로, 위장한 인민군을 조천지 구에 상륙시킨 후 게릴라 부대의 조직원을 유인하는 미끼 작전을 계획한 다. 이러한 작전을 경찰 측에 직접 전화로 알리고자 한 그는 우연히 한 하사관이 이 계획을 남조선노동당에 보고하는 통화를 엿듣게 되고, 이를 계기로 군대 내부에서 활동하는 세포조직원 80여 명을 체포한다. 송일찬 은 여수·순천사건이 발발한 이후 게릴라 토벌을 위한 '동기토벌대작전', '토끼사냥작전' 등을 실시하여 제주 전역을 초토화하는 무차별적 학살을 강행한다. 11-24-6:165~166, 11-24-7:192, 11-25-1:207, 12-26-1:26

송진산 |송 한방의| 한의사(50대). 제주 서동에서 송한의원을 운영하고 있다. 혈색이 좋고 네모진 얼굴이 두 사람분의 얼굴 면적과 비슷하다고 하여 '도장배기'라는 별명으로 불린다. 항상 술기운을 풍기는 벌건 얼굴 이지만 온화한 인품의 소유자로 마을 청년들의 부탁을 잘 들어준다. 남승 지가 손 서방에게 받은 권총을 강몽구에게 전해주고자 잠시 보관을 부탁 한 사람도 송진산이다. 그는 대나무 숲에 인접한 자신의 집 뒷마당 헛간 을 민위대에 죽창 제조장으로 제공해준다. 조천면 동쪽 끝에 위치한 Y리 에서 토벌대에 의해 수백 명의 주민들이 대거 총살되었을 때 그와 그의 가족은 처형장이던 밭으로 끌려가 모두 희생된다. 2-5-1:320, 2-5-1:331~333, 4-9-1:191, 12-종-1:243~244

순실이 할머니 민위대 대원(50세). 남승지의 하숙집 주인으로, 죽창 제작 을 돕는 인물이다. 순실이 할머니는 남승지의 어머니와 동년배인데 아들 은 무장 게릴라이고 손자는 국민학교에 다닌다. 그녀는 강몽구의 처와 사촌지간이자 남승지와 사돈지간이다. 2-5-1:316~319, 2-5-1:324, 2-5-1:328~335, 2-5-2:339~340

신(申) 동무　남조선노동당 인민유격대 조직원. 국방경비대 소속 신 소령의 남동생이자 입산한 오남주의 친구이다. 신 동무는 남측 대표자 중 한 사람으로서 해주에서 열리는 남조선인민대표자대회(1948년 8월 21일)에 참석하는 인물이다. 7-16-3:77, 7-16-5:117

신(申) 선생　전 서당 훈장. 제주 서당에서 아이들을 상대로 한문을 가르치던 선생이었다. 신 선생은 술을 매우 좋아하여 생활이 빈곤했는데, 술은 주(酒)니까 마시고, 안주는 안 주니까 안 먹는다고 농담하고는 했다. 그는 일제강점기에 일본 경관이 된 대여섯 살 아래 남동생과 평생 교류를 끊은 채 살다가 세상을 떠났다. 10-23-7:379~380

신(申) 선장　밀항선의 선장(30대 후반). 중키에 다부진 체격이다. 배의 선장과 기관장을 겸하는 인물로, 선원, 화주와 동반하여 일본을 왕래한다. 신 선장은 강몽구와 남승지의 일본 밀입국을 돕는가 하면 제주를 탈출하는 유달현이 승선한 배를 몰기도 한다. 그는 갑판에서 처형당한 유달현에게 묵도하며 예우를 갖춘다. 3-6-4:88~89, 3-6-8:226~234, 11-25-5:338, 11-25-6:360, 11-25-6:362~363

신(申) 소령　국방경비대 관선 변호인. 박경진 암살 사건 피의자의 관선 변호를 맡은 인물이다. 신 소령은 군사재판에서 피고인들의 범행 동기가 동포에 대한 깊은 사랑과 정의감에서 비롯한 것이라 주장하며 현상일과 금 하사관 등을 변호한다. 그의 동생은 해주에서 열린 남조선인민대표자대회에 참석한 남조선노동당원이다. 7-16-3:77, 7-16-5:117

신(申) 씨 청년　이유원의 친구. 긴 다박수염에 다소 불만이 있는 인상이다. 한약방 집 아들로, 작년(1947년)에 대학을 중퇴하고 제주에 내려와 있다. 그는 친우 모임에서 이유원에게 클래식 연주를 부탁한다. 3-7-8:438~439

신영옥　남조선노동당 성내지구 여성동맹 부위원장(26세, 또는 27세). 쌍꺼풀이 진 큰 눈이 동남아시아계 여인을 닮은 상당히 미인형 외모이다. 남로당 성내지구에서 여성동맹 간부로 활동하다 자취를 감춘 후 입산한 인물이다. 신영옥은 현기림 아내의 사촌오빠의 딸로, 이방근이 하숙을 하기 6개월 전까지 현기림 부부의 집에서 살았다. 한 번 결혼한 적이 있는 그녀는 해방 직후 방탕한 타락분자라고 비난받는 이방근을 조직원으로 포섭해야 한다는, 이른바 포섭파였다. 반면, 당시 미군정청의 통역사 양준오는 미국의 앞잡이라며 백안시했다. 신영옥은 게릴라로 활동하다 하산하여 현기림의 집에 은신하는데 광대뼈가 도드라질 정도로 초췌하고 야윈 상태였다. 현기림 부부의 보살핌으로 회복을 하던 그녀는 게릴라 활동에 대한 자수를 고민하기도 하나, 이방근의 도움으로 그 생각을 접고 일본행 밀항을 결심한다. 한편, 한대용의 배편으로 이방근과 부산까지 동행하던 신영옥은 양준오의 입산 소식과 한 배에서 조우한 도망자 유달현에 놀라기도 한다. 극심한 뱃멀미에 시달리며 부산에 도착한 그녀는 이유원과 함께 일본 오사카로 건너가 현기림의 딸 부부가 운영하는 조선요리점에서 일하며 머물기로 한다. 11-25-1:234, 11-25-2:235~257, 11-25-3:266~274, 11-25-3:285, 11-25-3:291~294, 11-25-4:295, 11-25-4:297~301, 11-25-4:303~305, 11-25-4:308~311, 11-25-5:330~332, 11-25-6:354~357

안민수 남조선노동당 제주도당 위원장. 4·3무장봉기가 발발한 후 해주에서 열리는 남조선인민대표자회의(1948년 8월 21일)에 참석하고자 무장대 사령관 김성달 일행과 제주를 떠나는 인물이다. 안민수는 온후한 성품을 가진 자로 평가받지만 그가 북측으로 건너간 때는 무장투쟁이 한창인 시기였다. 이방근은 안민수와 면식이 있는 사이지만 애당초 그에게 위원장으로서 소임과 역할을 기대하지 않는다. 도당 위원장의 공석은 제주도당 부위원장 강몽구가 대행하게 된다. 8-18-1:8~9, 8-19-1:252, 10-23-2:243, 10-23-3:274, 10-23-5:317

안 순경 제주경찰서 보안계 경찰. 오남주가 행방불명되자 이방근을 찾아간 두 명의 보안계 경찰 중 한 사람이다. 도항증명서의 출도기한이 임박한 오남주가 자택에 돌아오지 않자 이방근의 하숙집으로 찾아가 참고인 출석

을 부탁한다. 9-21-4:332~333

안(安) 읍장　제주읍장. 동문교 외곽에 거주하고 있으며, 독실한 성품 덕에 사람들에게 높은 신망을 받는 인물이다. 안 읍장은 도쿄에서 전문부 법과를 졸업하고 본토의 군청 등에서 봉직하다 해방 직후까지 경찰직에 있었다. 그는 유치장 간수로 지내면서 조선인 정치범의 편의를 몰래 봐주기도 하였는데 악질적인 행적이 없었으므로 미군정 시기 제주경찰서장이 될 수 있었다. 오래전부터 이태수와 막역하게 지내온 사이기도 하다. 안 읍장은 게릴라의 무장투쟁에 찬성하는 입장은 아니지만 본토의 군경이 관장하는 제주의 요인들 가운데 몇 안 되는 도민파이다. 10-23-1:220~222

야나기자와 다쓰겐(柳澤達鉉)　→ 유달현(柳達鉉) 3-6-3:83, 9-20-6:172

야스카와(康川)　→ 강몽구 2-5-3:366

양대선　오정애의 남편(30대 초반). 서북청년회 출신의 토벌대 하사관으로, 제주 여자 오정애와 결혼한 인물이다. 왼쪽 눈동자가 없는 애꾸눈인데 그 눈에는 실로 꿰맨 듯한 상처가 남아 있다. 양대선은 오동주(첫째)가 공비수모자(共匪首謀者)로 입산했다며 그의 집을 찾았을 때 오정애(셋째)를 처음 만나 일종의 정략결혼을 한다. 자신보다 예닐곱 살 어린 오남주(둘째)에게 형님이라고 부르지 않으며 서울에서 내려와 있는 그의 제주 생활을 예의주시한다. 양대선은 결국 게릴라가 된 오남주에게 살해당한다. 9-20-4:103~106, 9-20-4:119, 9-20-5:122, 9-21-2:271, 12-27-2:140~142, 12-종-3:282

양준오　남조선노동당 성내지구 비밀조직원(27세). 깡마른 체격에 각진 턱과 움푹 팬 삼각형 눈이 도드라진 외모이다. 미군정청 통역사로 일하다가 제주도지사 비서 겸 도청 경리과장으로 이직한 후 남로당의 비밀당원이 된다. 제주에서 사생아로 태어난 양준오는 소학교를 마치고 어머니와 일본으로 건너가 신문 배달을 하며 오사카의 야간 중학교를 다녔다. 그 당시 독서그룹 사건으로 오사카부청의 지하 유치장에 수감된 적이 있었는데 그때 이방근과 처음 만났다. 당시 양준오는 조선인 중학생 독서회 회원이었고 이방근은 민족주의 그룹의 일원으로 오사카에 갔다가 체포된 것이었다. 그는 고향 선배이자 항일 독립운동에 가담하고 있는 이방근에게 감화를 받아 이후 그를 따르며 존경한다. 한편, 양준오는 공립단과 대한 고등상하부에 다닐 때 하도병 징집을 피하고가 하도병 동원령이 실시되기 전에 3학년을 중퇴한 이력이 있다. 그가 고등상하부에 입학했을 무렵, 지인을 통해 알게 된 남승지는 그의 후배 격인데 친구처럼 막역한 사이로 지낸다. 본래 반일 사상을 가진 민족주의자로서 민족적 차별과 치욕에서 벗어나고자 했던 양준오는 해방 직후 제주로 돌아와 이방근에게 남승지를 소개해준다. 1947년에 미군정청의 통역사로 재직하다 도청 재무국으로 자리를 옮기는데, 제주지사가 양준오의 미군정청 보고서 번역문 중 "(제주는) 1인치의 땅도 소홀히 할 수 없다."라는 문장을 보고 감탄하여 그를 1948년 4월 1일자로 경리과장직에 임명한다. 양준오는 무력 투쟁에 비관적이었으나 4·28평화교섭 도중에도 군경에 의해 무차별적인 방화와 주민 학살이 자행되는 것을 보며 이방근의 반대에도 불구하고 비밀당원이 된다. 그는 이방근에게 도청과 미군정청의 정보, 게릴라 측의 입장을 전달하는가 하면, 국방경비대 소속의 남로당원 오균을 소개해주기도 한다. 그러다 제주지사의 경질 뒤 본토 출신의 지사가 부임하자 지사실 소속에서 해임되어 기밀정보의 확보가 어려워진다. 양준오는 남로당의 결정에 따라 입산을 하는데 지리멸렬한 게릴라 조직의 상태를 보고 매우 실망하는 한편, 남승지로부터 이방근의 게릴라 탈출 계획을 전해 듣고는 그를 조직의 와해자라며 비판하기도 한다. 그 후 양준오는 조직의 투쟁방침을 비판하고 아지트를 탈출하려다 사살된다. 1-1-1:40~41, 1-1-4:120, 1-2-1:149~152, 1-2-2:183~193, 1-2-3:194~198, 1-2-3:211~216, 1-2-6:251~276, 2-3-4:104~107, 2-3-5:119~133, 2-3-5:163~172, 2-5-4:395, 2-5-5:424, 2-5-6:457~461, 2-5-6:467, 3-7-1:242, 4-9-1:198, 4-9-1:205~207, 4-9-3:270~278, 4-10-1:367~368, 4-10-4:461~474, 4-10-5:475~488, 5-11-3:65~79, 5-12-2:192~209, 5-12-3:210~211, 5-12-3:213~229, 5-12-6:307~334, 5-12-7:345~346, 5-12-7:350~351, 5-12-7:360~362, 6-14-1:14~16, 6-15-1:263~264, 6-15-1:279~285, 6-15-2:306~307, 6-15-4:344~363, 6-15-6:419~420, 6-15-7:449~

452, 6-15-8:457~470, 7-17-7:319~326, 7-17-8:418~435, 7-17-9:436~461, 8-18-1:9~12, 8-19-
1:235, 8-19-3:302~329, 8-19-4:331~347, 9-20-6:150~151, 9-20-6:165~178, 9-20-7:179,
9-20-7:185~186, 9-20-7:194~206, 9-20-8:230, 9-21-1:261~265, 9-21-3:297~309, 9-21-3:323,
10-23-1:203~204, 10-23-1:226~230, 10-23-2:231~258, 10-23-3:259~287, 10-23-4:288~298,
10-23-6:339~344, 10-23-8:421~422, 11-24-1:32~35, 11-24-2:36~62, 12-26-3:92~95, 12-종-2:
257~259, 12-종-6:349~350, 12-종-6:366

오 경사   제주경찰서 순사부장. 신세기에서 서북청년회 상해 사건이 일어
났을 때 현장에 출동한 경찰이다. 오 경사는 그곳에서 이방근을 체포해
오는데, 경찰서 유치장에서 하룻밤을 묵어야 한다며 난처한 기색으로 그
를 대한다. 그 후 이방근을 경무계장 정세용에게 인계해 주기도 한다.
1-2-3:195~199, 1-2-3:211~212

오균 |오 소령, 오 대대장| 국방경비대 제5연대 제2대대 대대장이자 남조
선노동당 조직원(26세, 또는 27세). 부산에서 제주로 파견된 국방경비대
소속 군인이자 국방경비대 내부의 남로당원이다. 중간 키의 적당한 몸집
에 둥근 얼굴과 튀어나온 듯 크고 자상한 눈, 단단하게 보이는 코, 두툼한
입술과 까무잡잡한 살갗을 지녔다. 오균은 이방근과 같은 도쿄 A대학의
경제과에 재학하던 중 학도병으로 징집되어 장교가 되었다. 4·3무장봉기
가 발발한 후 제주로 오게 된 그는 게릴라 토벌을 위한 경찰의 출동 요청을
묵살하거나 군대와 게릴라 간 휴전 협정을 주도한다. 4·28평화협정이
결렬되고 제11연대장 박경진이 암살되자, 오균은 제2대대장을 사임한 후
포로수용소장을 자원하여 잠입 작전을 펼친다. 그는 토벌대가 연행해 온
사람들 속에서 게릴라 용의자를 선별해 석방하고 피난민의 수용을 계속하
는 일종의 이적 행위를 해온다. 그러다 국방경비대 제9연대장 송일찬이
군대 내부의 세포조직원을 색출할 때 결국 어느 부관과 함께 체포된다.
5-11-4:88, 5-12-4:244~245, 5-12-7:337~338, 5-13-4:469, 6-15-1:278~279, 6-15-1:284~286,
6-15-2:300~314, 6-15-3:336, 7-16-3:68, 9-21-2:266, 11-24-7:192, 11-25-2:248

오남주 |오 동무| 서울 S대 건축과 학생(24세, 또는 25세). 이유원의 재경

(在京) 학우로, 제주 한림 출신이다. 오남주는 종로경찰서에 구금되었다 풀려나는 이유원을 맞이하고자 이건수의 집에 방문한 날, 이방근에게 제주의 무장봉기 사태를 전해 듣는다. 그는 이방근을 따로 찾아가 여동생 오정애가 서북청년회 출신 토벌대원 양대선과 결혼했고, 자신은 어머니와 여동생의 경야(經夜)를 지냈다고 고백한다. 그러더니 제주를 '오욕의 땅'이자 '서북에 강간당한 땅'이라 분개하며 이방근에게 제주 입도를 부탁한다. 이에 오남주는 문난설의 도움으로 도항증명서를 발급받지만, 목포에서 출항한 배에서 뛰어내려 입도를 보류한다. 그 후 우연히 제주로 가는 이유원과 이건수 일행을 만나 고향에 당도한다. 그는 제주에 내려와 있는 동안 양대선의 감시를 받았는데 도항증명서의 유효기간이 만료(1948년 9월 25일)될 때까지 행방불명이 된다. 오남주는 양대선을 향한 살의를 품고 게릴라가 되기로 하고 입산한다. 결국 양대선을 살해한 그는 바리오름 근처에 은신한 채 게릴라 형제의 모친이라는 혐의로 총살당하는 어머니를 멀리서 지켜본다. 5-13-3:433~434, 5-13-3:448, 5-13-3:452, 5-13-4:454~456, 5-13-4:460~466, 5-13-4:469, 6-14-8:224, 7-16-3:61~85, 7-16-4:86~112, 7-16-5:113~120, 7-16-5:129, 7-16-8:199, 7-16-8:202, 7-16-8:214, 7-17-1:219~220, 7-17-1:224, 7-17-1:226~237, 7-17-2:246~250, 7-17-2:255~258, 7-17-3:296~297, 7-17-4:298~303, 8-18-7:165, 8-18-7:171~180, 9-20-2:44~50, 9-20-3:64~74, 9-20-3:88, 9-20-4:92~120, 9-20-5:121~123, 9-21-4:331~334, 9-21-6:377, 12-26-2:49~54, 12-27-2:140~142

오남주의 모친   오남주의 어머니. 오동주·오남주·오정애의 모친으로, 제주 모슬포에서 혼자 살고 있다. 토벌대원 양대선이 외동딸 오정애와 정략결혼을 함으로써 서북청년회 출신의 사위를 두게 된 인물이다. 게릴라로 입산한 오동주와 오남주 형제를 추적하는 경찰에 체포되어 바리오름 인근 암벽에서 군경에 총살당한다. 8-18-8:198, 9-20-2:47~50, 9-21-6:389, 9-21-6:392~393, 12-26-2:49~50

오동주   오남주의 형. 국민학교 교사이며 모슬포에 살고 있었다. 토벌대장 박경진의 중산간 지대 초토화 작전으로 마을 일대가 전소되자 마을 사람들과 함께 산으로 도피한다. 당국에서는 오동주의 입산 경위를 파악하고 그를 공비수모자로 수배한다. 그의 모친과 여동생 오정애, 친척들은 공비 가족으로 체포된다. 7-16-3:67, 7-16-3:69, 9-20-2:47, 9-20-4:105, 9-21-4:338

오이(大井)　장석주의 소학생 시절 일본인 교사. 장석주가 소학교 5학년생 이었을 당시 담임교사이다. 체형이 뚱뚱하여 학생들 사이에서 뚱보라는 의미의 '뚱딴지' 또는 '똥단지'로 불렸다. 이 교사는 늘 손에 계심봉(戒心棒)을 들고 다니며 학생들에게 제재를 가했고 창가 시간에는 오로지 군가만 가르쳤다. 5-13-6:507~509

오정애　오남주의 여동생(21세). 토벌대원 양대선과 결혼한 인물로, 모친과 모슬포에서 살다가 출가했다. 모슬포 인근 중산간 마을이 불에 타자 오빠 오동주는 피난민들과 함께 산속으로 도피했는데, 당국에서는 오남주 일 가를 공비가족으로 체포하고자 했다. 당시 오정애 모녀를 잡으러 온 토벌 대원 중 양대선은 첫눈에 반한 오정애에게 결혼을 요구하는데, 그녀는 모친과 일가친척을 살리고자 정략결혼을 한다. 그 후 오정애는 결국 집 마당의 복숭아나무에 목을 매어 자살한다. 7-16-3:68~70, 7-16-5:129, 9-20-2: 47~50, 9-20-5:103~106, 12-26-2:49

오창수　국방경비대 제14연대 인사계 상사. 여수 봉기를 주동한 군인이다. 오창수는 동족상잔의 비극을 일으킨 제주의 경찰과 국가권력에 대항하고 자 여수에 주둔하던 병력을 지휘하여 연대 본부와 여수 일대로 진격한다. 그가 연대장으로서 이끈 반란군의 인원은 대략 2,300명이었다. 11-24-1:8~9

용백(龍白)　한라산 관음사의 공양주(23세, 또는 24세). 키가 큰 편이고, 눈 이 튀어나왔으며 입까지 길게 늘어진 코에 입매가 두툼하다. 아직 스물서 너 살임에도 흰머리가 많이 나 있다. 관음사에서 허드렛일을 하는 청년으 로, 중산간 지대의 게릴라 부대에 조력하는 인물이다. 용백은 오사카 조 선인 부락에 살던 모친이 어느 절에서 겁탈을 당한 뒤 낳은 아이였다. 벙어리인 그녀는 어린 아들을 자기 고향의 한라산 절에 맡기고 일본으로 돌아가 연락을 끊는다. 어린 시절에 용백은 '개똥이'로 불리다가 하얗고 긴 수염을 지닌 어느 노화상이 그에게 비범한 면모가 있다고 하여 붙여준 '용백'이라는 이름을 갖게 되었다. 그는 아둔한 천성 탓에 목포보살로부터 몹시 하대를 당해왔으나 부처님 공양을 천직으로 알고 절을 떠나지 않는다. 한데 해방 전에는 일본 홋카이도로 끌려가 강제 노동을 한 적이 있다. 남승지는 S리 고모 댁에 살던 당시 중학교 동료교사와 한라산을 등반하다 관음사에 들렀을 때 목포보살에게 맞고 있는 용백을 발견한다. 그는 관음사에서 장작을 패거나 노파들의 공양을 도와주고 있었다. 무장 봉기가 발발한 후로 게릴라 토벌 작전이 이루어졌을 때 용백은 무장대가 자주 출몰하는 그 절에 살고 있다는 연유로 토벌대에 잡혀가게 된다. 그는 포로수용소에 갇혀 있다가 포로수용소장 오균과 접선한 남승지의 공작으로 풀려난다. 이후 중산간 지대의 아지트에 식량을 조달하는 일 등으로 게릴라 부대에 협력한다. 6-15-2:308~314, 6-15-3:316~329, 6-15-3:335, 6-15-3: 341, 8-19-1:258~269, 8-19-2:276, 8-19-2:279~282, 8-19-4:348, 12-26-3:66~70, 12-26-3:87, 12-종-5:335

우상배　전 남조선노동당 통신사(40세). 다소 숱이 적은 머리칼, 넓은 이마와 거무죽죽한 둥근 얼굴에 우울한 눈망울과 작은 입매를 가졌다. 남로당을 탈퇴한 후 일본을 오가며 고무장화 판매업을 하고 있다. 서울 현저동의 고병삼 내과의원에서 기숙하고 있는데 같은 동네에 여동생이 거주한다. 일본공산당 중앙 선전부장 김종춘은 우상배의 매제이다. 우상배는 일찍이 일본 오사카로 건너가 그곳에서 중학교를 다녔다. 양준오와 오사카 시절부터 알고 지내온 사이다. 그는 일본 공산주의 단체와 인민 전선의 조직에서 활동했는데 조선인학교 폐쇄 반대 운동에 참가했다가 사상범으로 체포된 적이 있다. 우상배는 7년간 형무소에 있었는데 일본의 패전 직전 해에 결핵으로 석방된다. 편협한 면모가 있으나 정직하고 타협을 몰랐던 우상배는 해방 후 제주로 돌아오자 태도가 돌변하여 남로당을 탈퇴한다. 조직에서 이탈한 그는 주정뱅이가 되어 늘 만취해 있다시피 하는데, 취하면 막소주잔을 탁자에 내리치며 소리를 지르는 술버릇이 있다. 우상배는 강몽구를 원칙주의자이자 혁명의 투사로 인정하는 반면에 강몽구는 그를 변절자라며 경멸한다. 2-5-6:463~466, 2-5-7:467~479, 2-5-8:507~508, 2-5-8:510~511, 3-6-6:160~161, 3-6-6:164, 3-6-6:166~167, 6-14-1:7~35, 6-14-3:81, 7-16-1:18, 7-16-3:62, 7-16-6:140~141, 7-16-6:152~154, 7-17-6:359, 7-17-9:448~449, 8-18-4: 103~105, 11-24-5:119

원 씨 ┃원 서방┃ 남승지의 유치장 동기. 남승지가 적기게양 사건으로 투옥되었을 때 유치장에 있던 무리 중 한 사람이다. 체구가 작고 곱슬머리이다. 도둑질을 한 죄로 체포된 원 씨는 유치장에 오래 있었음에도 혁명을 하다 투옥된 다른 수감자들에게 멸시를 받으며 변기통 옆자리로 쫓겨 신참 취급을 당한다. 하지만 그는 자신이 도둑이라는 사실에 비굴해하지 않는다. 6-15-7:439~440

월향 제주 옥류정의 기생. 본토에서 건너온 여인으로, 손님 접대에 연륜이 깊은 인물이다. 본래 옥류정은 이방근이 자주 들르던 성내의 요정이었으나 부친 이태수의 방문이 잦아지자 그는 한동안 발길을 끊는다. 4-10-2: 412~413, 8-18-2:36~38, 8-18-2:55~56

유달현(柳達鉉) 남조선노동당 성내지구 책임자(33세). 날카롭고 가느다란 눈매에다 젊은 나이에도 머리가 제법 벗겨져 있어 숱이 많지 않다. 유달현은 제주 성내의 O중학교 3학년 주임교사로서 교원생활을 하며 이도리의 사촌형 집에서 살고 있다. 그의 아내는 해방 직후 급성폐렴으로 사망했고, 제주읍사무소 계장인 사촌형에게는 아내와 중학생 딸이 있다. 유달현은 줄곧 최상규의 막내아들의 담임을 맡아 그와 친분이 있으며 고원식의 아들과 정세용의 처조카를 본토 소재 고등학교에 진학시켰다. 그는 도쿄에서 유학하다 해방 후 좌익이 되어 서울로 귀국했고 당시 재경동향회 학우회에서 고문으로 일했다. 일제강점기에 야나기자와 다쓰겐(柳澤達鉉)이라는 일본식 이름을 사용했는데, 내선일체와 일억총력전 운동의 열성분자로 경시청에서 표창을 받은 적이 있다. 그런 그가 일본의 패전 후 갑작스레 공산주의자로 변모하여 남로당의 성내지구 책임자가 된 것이다. 소학교 동창인 이방근은 시류에 편승한 유달현을 경멸하다시피 하는데, 그는 이방근에게 남조선 혁명을 위한 인민유격대의 4월 무장봉기 계획을 알려주며 이방근을 당원으로 포섭하고자 한다. 또한 유달현은 이방근에게 서울의 비밀당원 황동성(박갑삼, 김동삼)을 소개해주는가 하면, 자신이 이방근을 소파에서 일으켜 동굴로부터 나오게 한 산파라며 자부한다. 한편, 그는 정세용의 스파이로서 그에게 성내 조직의 기밀을 전달하고 제주경찰서에 유사체포가 되었다 풀려나기도 한다. 하지만 결국 박산봉에게 정세용과 내통하는 모습이 발각되어 조직에서 퇴출된다. 유달현은 무장투쟁이 한창인 무렵, '김달준'이란 가명으로 비밀리에 밀항선에 승선하나 선내에서 이방근과 신영옥을 맞닥뜨린다. 그는 토벌대의 추격을 피해 일본으로 도항하는 배 안의 청년들에게 붙잡혀 갑판 위 마스트에 묶여 죽임을 당한다. 1-1-2:48, 1-1-2:62, 1-1-3:85~88, 1-1-4:94~95, 1-1-4:104~120, 1-1-5:131~145, 1-2-3:209~210, 2-3-2:36, 2-4-3:253~256, 2-4-4:260~273, 3-6-2:52, 3-6-3:83, 3-7-1:247~267, 3-7-2:268~270, 3-7-3:318~320, 3-7-7:404~410, 4-8-2:32~49, 4-8-2:58~65, 4-8-5:125~144, 4-9-2:225, 4-9-3:239~246, 4-9-4:295~301, 4-10-1:372, 4-10-5:489~493, 4-10-6:501~526, 5-11-2:52~55, 5-12-3:210~214, 5-12-7:360, 6-15-1:273~276, 6-15-5:385~397, 6-15-7:443, 6-15-8:456~478, 7-17-9:451~461, 8-18-1:20~30, 8-18-2:31~56, 9-20-3:79~85, 9-20-5:122~123, 9-20-6:168~173, 9-21-2:269~271, 9-21-6:393~403, 9-21-7:404~423, 10-23-3:279~280, 11-24-6:144~146, 11-24-6:150~153, 11-25-1:218~219, 11-25-3:274~289, 11-25-4:296~327, 11-25-5:326~353, 11-25-6:357~368, 12-27-1:99~104, 12-27-1:116~125, 12-27-3:175~176, 12-종-4:304

유(俞) 대령 육군사관학교 부교장이자 제주도지구 전투사령부 사령관. 1949년 3월 신성모 국방장관의 지휘하에 제주 현지에 전투사령부가 설치되자 게릴라 섬멸 작전을 위해 본토에서 초대 사령관으로 파견된 인물이다. 게릴라 진압에 임했던 유 대령은 1계급 승진 후 서울로 복귀하여 멸공의 영웅으로 성대한 환영을 받는다. 12-종-5:324, 12-종-6:360

유대희 │유 위원장│ 재일조선인연맹 위원장(50세). 일본 오사카의 후세

역(布施驛) 부근에 살고 있는 재일조선인이다. 풍채가 좋고 가르마를 탄
머리에 포마드를 바른 양복 차림의 신사이다. 유대희는 재일조선인연맹
의 후세지부장을 맡았다가 본부로 진출했다. 제주 무장봉기를 앞두고 자
금모금 공작을 위해 자신을 찾아온 강몽구와 남승지에게 조직 차원에서는
도움을 줄 수 없다며 후배 격인 합동철공소 사장 정준암을 소개해준다.
2-5-8:502, 2-5-8:520, 2-5-8:524

유성원　남조선노동당 성내지구 책임자(27세, 또는 28세). 정세용과 내통한
혐의로 남로당에서 퇴출된 유달현의 후임이다. 살갗이 희고, 온화하고
자상한 인상을 풍긴다. 유성원은 성내 여자중학교의 교사이다. 그는 일본
에서 유학 생활을 하다 학도병으로 징집되었고 유학을 마친 후 귀국하여
교육과 계몽을 목표로 한 문화 활동에 종사했다. 한동안 목포에서 교원생
활을 하다 제주 성내로 돌아왔는데 해방 후 조직원으로서 활동한다. 그는
유달현이 일본으로 밀항을 떠난 뒤 성내지구 20여 개소의 세포조직 책임
자가 된다. 유성원은 군경을 대상으로 한 선전포고용 삐라를 인쇄하고자
김문원(한라신문사 편집장)과 접촉하는데 하달된 지시를 거부하던 그를
설득하여 삐라를 살포하는 데 성공한다. 6-15-1:273~274, 6-15-8:473, 8-19-2:295~
298, 11-24-1:15, 11-24-1:22~28, 11-24-3:89, 11-24-4:91, 11-24-4:99~105, 11-24-5:132~133,
11-24-5:144, 12-26-3:92~93

윤동수(尹東壽)　생고무 수입업자. 일본 고베에 살고 있는 제주 출신 재일조
선인이다. 윤동수는 오래전부터 생고무를 수입하는 일을 해왔는데, 사업
상 가끔 남한을 방문하지만 제주에는 오랫동안 가보지 못했다. 무장봉기
를 준비한다는 강몽구와 남승지에게 100,000엔의 자금을 지원하고 해방
직전까지 제주에 주둔했던 일본인 장교 나카무라 히로시를 소개해준다.
2-5-7:483~484, 2-5-7:498, 2-5-8:500~503, 3-6-4:95, 3-6-4:107, 3-6-4:110, 3-6-5:117

윤봉　서울 한성일보사 사회부 기자(35세, 또는 36세). 재경동향회에 참석하
여 제주 사태를 해결하기 위한 진상조사단을 현지에 파견하고 국민 여론
에 호소할 것을 주장하는 인물이다. 이방근보다 2년 정도 선배로, 도쿄

유학생 모임에서 이방근과 만났다. 윤봉은 법학과 출신인데도 일제강점기에 고등문관 시험에 응하지 않았다. 조선총독부의 일본어 기관지인 《경성일보》에서 3개월 징도 기사 생활을 했는데, 해방 우 그는 민속 반역 행위를 한 적이 있다며 스스로 반성하며 후회한다. 또한 형무소 생활을 한 적이 없는 자신의 이력에 일종의 열등감을 느끼며 사회부 기자로서 〈반민족행위처벌법〉에 관심을 집중한다. 윤봉은 도쿄 유학 시절의 동료인 나영호에게 어용문학 단체에 출입하고 여자 문제가 있을 뿐만 아니라 일제강점기에 경험했다는 형무소 생활의 이유가 불투명하다며 타락분자라고 비판하기도 한다. 그는 제주도 사건을 취재하고자 진상규명조사단과 함께 제주 입도를 시도하지만 목포항에서 제지당하고 만다. 7-16-1:20~33, 7-16-2:34~39, 7-17-1:239~242, 7-17-3:297, 7-17-4:299~300, 7-17-6:360, 8-18-7:176~177, 10-23-4:308

윤상길 전 제주 N리 중학교 교사. 도일한 제주인으로, 남승지의 중학교 재직 시절 동료교사이다. 윤상길의 아내는 재일조선인연맹 위원장 유대희와 사촌지간이다. 윤상길은 남승지가 학교에 신입교사로 부임했을 때 살뜰히 챙겨준 동료였는데 교원노동조합에 가담한 사상범으로 당국의 사찰을 받았다. 그러던 중 노모와 부친의 간청을 받아들여 제주를 떠나 일본으로 건너가게 된다. 그는 비(非)당원인데도 도당의 위조 신임장을 만들어 남조선노동당의 결정으로 일본에 오게 되었다고 거짓말을 한다. 1-1-1:26, 1-1-2:57, 2-3-7:168, 2-5-8:513~516, 3-6-1:12, 3-6-8:207

윤(尹) 씨 청년 이유원의 친구. 술집 아들로, 현재는 서울의 사범대학에 재학 중이다. 그는 친우 모임에서 "이방근은 영웅입니다"라고 외칠 정도로 그를 찬양한다. 3-7-8:435~436

윤 영감 민위대 대원. 남승지, 손 서방, 순실이 할머니와 함께 죽창을 만드는 인물이다. 2-5-1:317, 2-5-1:328~332

윤(尹) 이장 제주 조천면 Y리 이장(50대). Y리에 거주하는 이문수 일가의 생사를 성내의 이태수 집에 알려주는 인물이다. 윤 이장은 이씨 문중의 어른 이문수가 이태수 집에 찾아올 때 동행한 사람으로, 이방근과도 안면이 있다. 4·3무장봉기가 발발한 후 토벌대가 Y리 주민 소탕 작전을 실시하던 당일, 그는 마을 사람들을 학교 운동장에 동원하고 인근 K리 경찰지서장 주임과 함께 공무원, 군인의 가족을 선별하는 역할을 했다. 마을 사람들의 집단 총살 장면을 목격한 그는 현장의 뒷수습을 자처한다. 때마침 이상근을 데려오고자 K리에 갔던 이방근은 두 눈이 새빨갛게 충혈이 된 채 초췌해진 얼굴의 윤 이장과 마주친다. 12-27-3:204~210

윤 중대장 남조선노동당 인민유격대(노루중대) 중대장(25세, 또는 26세). 얼굴도 몸집도 단단하고 각이 진 체형이지만 목소리가 소년처럼 앳되다. 관음사 부근에 남로당 제주도당 본부와 함께 주둔해 있던 노루중대를 이끄는 인물이다. 윤 중대장은 노루중대의 거점을 빗게오름으로 옮긴 뒤 그곳의 지형을 이용해 토벌대를 타격할 작전을 세우고, 불과 총 일곱 자루로 게릴라 부대의 대승리를 이끈다. 12-26-1:26~36, 12-26-2:40~47

이건수 서울 건국일보사 업무부장(50대 중후반). 이태수의 사촌동생으로, 배가 두둑하게 나와 있고 커다란 통방울눈을 가졌다. 제주의 시골에서 2~3년 정도 농사를 짓다가 이태수의 남해자동차에 근무한 적이 있다. 지금은 서울 안국동에 살며 해방 후에 창간된 중앙지인 《건국일보》에 근무한다. 이건수는 친형제 이상으로 사촌형 이태수를 따르는 순종적인 경향을 보인다. 그는 아들 이유근과 딸 이문자 남매를 출가시킨 후 서울에서 S여자전문학교를 다니는 이유원을 보살피고 있는데 삐라 부착 혐의로 종로경찰서에 체포된 그녀를 석방시키고자 거액의 금액을 쓰기도 하고 그녀의 갑작스런 일본 유학 결정에 반대하기도 한다. 그러나 이유원이 정치·사상 활동에 연루되는 것을 차단하고자 결국 일본 유학에 찬성하고 만다. 그는 4·3무장봉기가 발발한 이후 재경제주도출신학우회에서 미군정청을 비롯한 당국 부처에 대한 청원서를 보내자 이를 《건국일보》에 실어주기도 한다. 이러한 이건수는 반(反)이승만 계열의 민족파이자 우파인 김구를 추종하고 있다. 4-9-2:223, 5-11-4:98, 5-11-6:138, 5-13-1:379~395, 5-13-

3:428~443, 5-13-3:447~452, 5-13-4:462~465, 5-13-5:496~499, 6-14-1:7~13, 6-14-2:38~39, 6-14-3:68~80, 6-14-4:96~108, 7-16-1:13~15, 8-18-7:165, 8-18-7:168~169, 8-18-7:179~189, 8-18-8:202~218, 8-18-9:242~240, 9-21-1:204, 10-22-1:11~22, 10-22-4:114~115, 10-22-5: 142~144, 11-25-6:356~376

이건수의 처 이건수의 아내. 이방근의 당숙모로, 얼굴에 온통 마맛자국이 남아 추녀상이지만 과묵하고 선량한 마음씨를 지녔다. 서울에서 학교를 다니는 이유원을 자신의 딸처럼 여기며 살뜰히 보살핀다. 그녀는 이유원의 일본행 유학 소식을 듣고 눈물을 흘릴 정도로 슬퍼하면서 부산에까지 직접 동행하여 이유원을 전송한다. 5-11-4:98, 5-13-3:426~431, 5-13-3:450~451, 5-13-4:454~457, 5-13-5:476~484, 6-14-2:40~42, 6-14-3:65~68, 6-14-3:78~80, 6-14-4:103~ 109, 7-16-3:73, 7-16-4:88~93, 7-16-6:164, 10-22-1:10~11, 10-22-2:37, 10-22-6:147~149, 11-25-6:356~368, 11-25-8:419~421

이경수 이태수의 육촌(62세, 또는 63세). 이태수보다 한두 살 어린 친척으로, 건장한 체격이지만 머리가 벗겨져 이태수보다 연장자로 보인다. 이경수는 이방근의 재혼을 성사시키고자 적극적으로 개입하는 숙부로서 고씨 집안의 딸과 맞선을 보도록 계획하기도 한다. 8-18-8:218~219, 8-18-9:222~227

이동오 이방근의 육촌동생. 제주 애월면 K리에 살고 있는 중학생 소년이다. 이동오의 부친은 태평양전쟁 전에 일본으로 건너가 오사카에서 작은 공장을 경영하고 있다. 이동오는 토벌대가 K리를 습격했을 당시 어머니와 마을 사람들이 학살당하는 장면을 목격했다. 사살 현장에서 가까스로 도망친 그는 실어(失語) 상태가 된 채로 이방근의 집 별채에 은신한다. 이방근은 토벌대원의 허락을 받아 이동오 모친의 시신을 찾고 이동오의 집 근처 밭에 매장해준다. 이어 이방근의 도움으로 이동오는 부친이 있는 일본으로 밀항한다. 11-24-6:168, 11-24-6:189~191, 11-24-6:194, 11-25-1:217~218

이동운 │한 동무│ 남조선노동당 인민유격대 총무부장. 이성운의 형으로, 남로당 제주도당에서 간부로서 지하활동을 하고 있는 인물이다. 곰보인 동생과 비교적 생김새가 다르고 키가 큰 편이다. 이동운은 한 씨라는 가명

을 사용해 평소 한 동무로 불린다. 8-19-9:488, 10-23-5:318, 12-종-6:362

이문수 이씨 문중의 장로(70대 초반). 이태수의 사촌형이자 이상근의 부친으로, 제주 조천면 Y리에 살고 있다. 이씨 가문의 어른으로서 이태수의 전처 제사에 참석하기도 하고 이방근에게 결혼을 독려하라며 서울의 이건수에게 편지를 보내기도 한다. 한편, 이유원의 맞선 문제를 논의하고자 성내의 이태수 집에 찾아오기도 한다. 그는 토벌대의 Y리 주민 소탕 작전이 벌어졌을 때에 희생당한다. 2-4-3:251, 8-18-7:184, 8-18-8:201~212, 9-20-1:17, 9-20-1:25, 11-24-1:15, 11-24-1:23~24, 12-27-3:201~204

이문자 이건수의 딸. 이유원이 소학생 시절부터 자별하게 지내온 육촌언니다. 그녀는 남편과 이건수 부부와 동행하여 일본 유학길에 오르는 이유원을 부산까지 전송한다. 5-13-3:430, 11-25-6:356, 11-25-6:359, 11-25-6:367

이방근(李芳根) 허무주의적 자유주의자, 민족주의자, 휴머니스트(33세). 튀어나온 이마에다 흰 살결에 등이 굽은 체형이다. 친일 행위를 통해 제주도의 실업가이자 지역 유지로 성장한 이태수의 차남이다. 부친이 운영하는 남해자동차에서 잠시 전무로 일한 적도 있으나 돌아가신 모친에게 물려받은 유산 덕분에 어느 누구에게도 의존하지 않을 만큼 자유롭게 산다. 낮으로는 소파에만 앉아 시간을 보내다가도 밤으로는 외출하여 술 마시기를 일삼는다. 단골 요정인 명선관에서 시비가 붙은 서북청년회 소속원들과 맞붙기도 하는데, 이방근은 운동신경이 발달한 유도 유단자답게 그들을 단숨에 제압해버린다. 일본 유학 시절 부모의 주선으로 제주도 세도가의 딸과 결혼하였지만 그는 자신의 처를 제주도에 남겨둔 채로 도쿄에서 혼자 유학 생활을 한다. 일제강점기 말에 이방근은 항일운동에 가담하였다가 사상범으로 체포되어 서대문형무소로 이감되어 있던 중 그간의 별거를 끝내고 처와 헤어진다. 석방되어서는 산천단 부근의 관음사에 머무른다. 해방 이후 이태수 집에 돌아온 뒤로는 식모 부엌이와 육체관계를 맺어나가는데, 이를 계모 선옥이 눈치채자 서로 마찰이 빚어지기도 한다. 결국 부엌이는 이태수 집을 나갔다가 얼마 후 돌아오게 되고 이방근과 둘 사이의 관계는 예전처럼 회복되지 못한다. 단골 술집의 명선과 단선 등을 육체적으로 가까이하는 한편, 자신에게 접근하는 조영하(여동생 이유원의 친구)는 거부하고, 게릴라 활동을 하다가 헌신한 신성욱과는 마음으로만 서로 통하기도 한다. 특히, 문난설은 이방근이 서북청년회 중앙총본부에서 처음 맞닥뜨리게 된 여성인데, 이후 계속 만나게 되면서 육체적으로나 정신적으로 이방근과 교감하는 유일한 여성으로 자리 매김한다. 평안남도 출신에다 결혼에 한 번 실패한 전력이 있는 그녀와 그는 이방근 자신의 서울 방문, 문난설의 제주도 방문을 통해 그 애정의 깊이를 더해나간다. 그런데 해방 전에 이방근은 서대문형무소에서 미결수로 1년 남짓 복역했을 당시 폐결핵에 걸려 보석으로 풀려났다. 그때 불온사상 운동에는 앞으로 가담하지 않겠다며 전향을 하고 말았다. 해방 후에도 그는 이를 자신의 큰 잘못으로 여겨 사회 전면에 나서는 일을 피하게 되었다. 그렇지만 남조선노동당의 4·3무장봉기가 일어나자 이에 깊은 관심을 보인다. 끝끝내 당원으로는 가입하지 않으면서도 자금을 지원하기도 하고 일본으로 게릴라 잔당을 밀항시키기도 한다. 그는 서북청년회의 폭압에 그 견제를 이어가다가 무장봉기가 진압될 즈음 게릴라가 납치해 온 제주경찰의 고위 간부 정세용을 무장대와 군경 간 평화 교섭의 방해자로서 총살한다. 이후 그 자신도 산천단에 올라가 권총으로 자살한다. 1-1-4:116~2-4-5:311, 3-7-1:237~12-종-6:370

이방근의 모친　이방근의 생모(生母). 간경변으로 입원과 요양을 반복하며 오랜 투병 생활을 하다가 1943년 음력 1월 25일에 쉰네다섯의 나이로 사망했다. 그녀는 축첩이 잦은 이태수와 선옥의 문제로 갈등이 깊어지던 중 자신의 재산을 이방근에게 상속하였다. 1-2-5:247, 2-3-1:7~8, 2-3-1:15~16, 2-4-1:213, 2-4-4:277

이봉수　서북청년회 중앙총본부 수하(27세, 또는 28세). 중앙총본부 고영상 사무국장의 대리 격 인물이다. 이봉수는 남조선노동당 중앙특수부의 비밀당원 황동성이 체포되자 이방근에게 그의 검거 사실을 알려주고 참고인

신분으로 동행해야 한다며 이방근을 서울 중구 M동의 서북청년회 간부 숙소로 데려간다. 5-11-6:136~137, 5-11-6:140~141, 5-11-6:157

이상근 이방근의 육촌형(35세, 또는 36세). 이문수의 아들로, 제주 조천면 Y리에 살고 있다. 제사 의식을 비롯한 번문욕례(繁文縟禮)에 정통하고 이를 번거로이 여기지 않아 예의 바른 효자로 소문이 나 있다. 이상근은 제주에서 유일한 상급학교인 농업학교를 졸업하고 구좌면 김녕리에서 생활협동조합 임원으로 근무한다. 그는 이방근과 나이 차이가 많지 않음에도 웃어른처럼 행세하는 경향이 있으며, 집전하길 좋아하는 성격으로 이방근 친모의 제사에서도 집사 역할을 자처한다. 4·3무장봉기가 발발한 후 토벌대에 의해 Y리 주민들이 집단 학살될 당시 아내와 딸, 아버지 이문수가 모두 총살되었다. 이상근은 사살이 집행되는 도중에 다급히 도착한 토벌대 제2대대장의 사격 중지 명령으로 가까스로 목숨을 구한다. 이방근은 K리로 피신해 있던 이상근을 자신의 집으로 데려오지만 그는 우울한 상태로 계속 잠만 자며 환청처럼 들리는 총소리에 괴로워한다. 2-4-1:206~207, 2-4-1:210~211, 2-4-3:240~241, 8-18-8:201~216, 8-18-9:233~248, 12-27-3:202~211, 12-종-1:242~243

이성운 남조선노동당 인민유격대 제1지대장 겸 총괄 사령관(20대 후반). 얽은 얼굴(곰보)에 견장이 없는 군복을 입고 다니며 평소 말을 더듬는 버릇이 있다. 북측으로 넘어간 인민유격대 군사부장 김성달을 대행하여 게릴라 조직을 통솔하는 인물이다. 학도병 출신의 이성운은 일본에서 돌아온 이후 조천에서 중학교 교사로 재직하며 제주 전도(全島)를 해방시키고자 남로당원이 되었다. 남승지와는 교원조합 집회에서 두세 번 본 적이 있다. 김성달의 후임으로 게릴라 부대의 사령관이 된 이성운은 소위 출신으로서 사격 실력이 출중했다. 그는 군경 측에 선전포고용 삐라를 배포하고 한라산 기슭 오등리에 주둔하던 토벌대와 우익 인사들의 가택을 기습하여 제주 무장봉기를 일으킨다. 그리하여 성내의 무장 경찰들을 사살하고 제주경찰서와 삼양리 경찰지서를 습격하는 데 성공한다. 그러나 S리와 삼양리 인근에서 토벌대와 격렬한 교전을 벌이던 중 사살된다. 그의 시신은 지프차에 똑바로 실린 채 조천면 신촌리 일대에서 이동 전시되었다가 1949년 6월 7일 성내로 옮겨져 도청과 경찰청 사이 십자가에 매달렸다. 그 무렵 이성운의 처자와 부모를 비롯한 팔촌 이내의 친척들은 멸살되었다. 8-19-1:252, 8-19-9:472, 8-19-9:474~481, 8-19-9:485, 10-23-5:318, 11-24-1:15, 12-26-2:55, 12-26-3:179~181, 12-26-3:193, 12-26-3:196, 12-종-6:360~362

이 소령　국방경비대 제14연대 부연대장. 여수 봉기가 발발했을 당시 제14연대 소속 군인이다. 이 소령은 우체국 전보로 하달된 비밀 출동명령에 따라 제주행 출항을 준비하고자 제14연대장 박 중령과 여수항으로 이동하였는데, 그 사이 봉기가 일어난다. 11-24-1:8~9

이용근(李容根)　하타나카(畑中) 내과의원 원장(40세). 이태수의 장남이자 이방근의 친형으로, 일본 도쿄에서 내과의원을 운영하며 살고 있는 제주 출신 일본인이다. 이방근과는 거의 닮지 않았고 아랫입술이 튀어나온 생김새가 이유원과 닮았다. 그는 냉정한 인품에서 차가움이 느껴지며 조선인 남성의 가부장적인 면모도 있으나 무뚝뚝하지 않은 성격이다. 이용근은 제주의 소학교와 본토의 중학교를 졸업하자마자 조선을 떠나 도쿄의 의전에 입학하고 20여 년간 일본에서 살았다. 그는 태평양전쟁 전에 일본인 아내와 결혼하여 일본 호적에 자신의 이름을 올린 채 조국으로 돌아가지 않았다. 아내의 성을 딴 하타나카 요시오(畑中義雄)라는 이름으로 살아간다. 이에 대해 자신은 일본인이 되었다기보다 식민지 출신 일본인이라고 설명한다. 그는 도쿄의 아사가야(阿佐ケ谷)에 살았던 적이 있어, 그곳에서 유학 생활을 한 유달현과도 알고 있다. 이용근은 고의천의 소개로 찾아온 강몽구와 남승지 일행에게 제주 무장봉기를 위한 자금으로 50,000엔을 기부한다. 2-4-5:296~299, 3-6-2:53~57, 3-6-3:59~61, 3-6-3:72, 3-6-8:223, 3-7-3:303~304, 3-7-3:310, 3-7-3:312, 3-7-4:341, 4-9-2:228, 6-14-2:37, 6-14-4:116, 6-14-5:124, 6-14-5:130, 7-17-7:373~374, 11-25-6:370

이용근의 처　이용근(하타나카 요시오)의 일본인 아내. 양갓집 규수와 같은 갸름한 얼굴에 지적인 외모지만 몸이 다소 허약해 보인다. 이용근의 성씨 하타나카(畑中)는 아내의 성을 따른 것이다. 2-4-5:297, 3-6-2:55, 3-6-3:71, 3-6-3:87

이유근 이건수의 아들. 이방근의 육촌동생으로, 부산 봉래동에 살고 있다. 이유근은 이건수처럼 술을 잘 마시지 못하나 여자관계가 좋지 않아 간혹 젊은 아내와 불화가 있기도 하다. 그는 일본 유학길에 오르는 이유원을 전송하고자 부산에 내려온 자신의 부모와 이문자 부부를 맞이한다. 11-25-3:283, 11-25-6:355~356, 11-25-6:359, 11-25-6:367

이유원 서울 S여자전문학교 음악과 학생(22세). 이방근의 여동생으로, 오빠와 닮은 넓은 이마에 약간 차가운 인상이다. 제주에서 소학교를 졸업하고 본토 광주의 여학교를 다니다 서울 안국동의 숙부 이건수의 집에 기거하며 전문학교를 다닌다. 이유원은 모친의 소상(小祥)이 지나자마자 후처를 들인 부친 이태수에게 거부감을 느끼며 몇 해 전까지 계모 선옥을 아주머니라 불렀다. 모친의 영정사진을 방에 걸어두고 제삿날에는 방에서 나오지 않는 시기가 있었으나 음악학교에 입학한 후에는 모친의 제사를 도맡다시피 한다. 재경학우회에서 만난 남승지와는 제주에서 재회한 후 이방근과 동행하여 무장대의 아지트인 해방구에 다녀오기도 한다. 이유원은 학기 중에 남한만의 신정부 수립에 반대하는 삐라를 붙이다 체포되어 종로경찰서에 12일간 구류되었다가 이건수와 이방근의 도움으로 8·15광복 3주년 하루 전날 유치장에서 풀려나게 된다. 그녀는 다른 체포자들에 비해 쉽게 출소한다는 사실에 자괴감을 느낀다. 최용학의 적극적인 구애를 받은 이유원을 두고 양가의 혼담이 오가지만 종로경찰서에 구금되었던 사건이 빌미가 되어 결혼은 무산된다. 한편, 그녀는 서울에서 만났을 때와 달라진 남조선노동당원 남승지에게 직접 짠 스웨터를 선물할 정도로 호감을 보인다. 이유원은 남한만의 단독 정부 수립과 제주의 혼란한 정세 속에서 이방근의 권유에 따라 음악과 교수 하동명의 추천서를 받고 음악학교 3학년으로 편입하고자 일본행 유학길에 오른다. 1-1-4:119,

1-1-5:125~130, 2-3-1:15~35, 2-3-5:124, 2-3-6:139~154, 2-3-7:155~162, 2-3-8:174~200, 2-4-5:287~311, 3-6-2:31, 3-6-2:33~34, 3-6-8:198~200, 3-7-1:242~244, 3-7-6:390~398, 3-7-7: 399~419, 3-7-8:430~431, 3-7-8:433~444, 4-0-3:70-05, 4-0-4:92~102, 4-8-4:107~121, 4-8-6: 160~175, 4-9-2:209~213, 4-9-2:222~238, 4-9-3:253~270, 4-9-3:279~283, 4-9-4:304~308, 4-9-5:324~333, 4-9-6:348~361, 4-10-2:402, 4-10-4:446~450, 5-12-3:229~232, 5-12-3:234~ 239, 5-12-4:256~271, 5-12-5:272~301, 5-12-6:302~307, 5-13-1:380~381, 5-13-3:439~453, 5-13-4:457~470, 5-13-5:482~485, 5-13-6:524~526, 5-13-7:537~558, 6-14-2:50~59, 6-14-3: 66~89, 6-14-4:102~105, 6-14-4:109~116, 6-14-5:124~141, 6-14-8:215~232, 6-14-9:258~260, 7-16-2:40~54, 7-16-4:103~113, 7-16-6:140~161, 8-18-5:113, 8-18-7:165~190, 8-19-3:309~ 316, 8-19-4:354~359, 8-19-5:360~383, 8-19-6:389~416, 8-19-7:417~424, 8-19-7:436~441, 8-19-8:442~467, 9-20-1:8~36, 9-20-2:38~45, 9-20-3:64~69, 9-20-3:80~92, 9-20-5:130~142, 9-20-7:187~194, 9-20-8:215~223, 9-21-1:249~261, 9-21-2:288~296, 9-21-3:309~314, 9-21- 3:318~324, 10-22-1:18~26, 10-22-2:40~44, 10-22-3:81, 10-22-4:90~110, 10-22-5:140~145, 10-23-6:345~354, 10-23-7:392, 11-24-1:34~35, 11-25-3:283, 11-25-3:291, 11-25-6:355~357, 11-25-6:359, 11-25-6:386, 11-25-7:389, 12-27-1:99~100, 12-27-2:160

이재완　　서울《대동신보》사장. 〈반민족행위처벌법〉으로 처벌받는 인물이다. 이재완은 일제강점기에 만주에서 조선 독립운동가들의 암살을 청부하는 특무를 맡았다. 또한 〈반민족행위처벌법〉 시행을 옹호한《국제신문》을 공산주의 전도자라고 규탄했다. 반민족행위특별조사위원회가 설치되자 그는 반민족 행위자로서 체포된다. 10-22-5:120, 12-종-1:215

이태수(李泰洙)　　제주 남해자동차와 식산은행의 경영자(63세, 또는 64세). 이방근의 부친으로, 사회적 지위와 부를 두루 갖추고 있다. 몸집이 크고 퉁방울눈에다 이마가 넓으며 윤기가 도는 반백의 머리칼을 가졌다. 해방 이전에는 조선총독부가 발행한 제주도 내 소학교 및 농업학교 교과서의 독점판매를 통해 부를 쌓은 바 있다. 제주도 내의 권세가로 사회적으로 비중 있는 존재이자 현실적인 이유에서 친일에 동조한 인물이다. 일본으로 떠난 장남 이용근이나 도무지 집안일에는 관심이 없는 차남 이방근의 태도에 안타까워한다. 아들을 대신하여 이유원의 남편에게 기대를 걸지만 이것도 바람대로 되지는 않는다. 후처인 선옥이 임신을 하자 그녀에게서 아들을 얻기를 갈망한다. 이방근과 그다지 친밀한 부자 관계는 아니지만 아들이 자신에게 무엇이든 상의하는 것을 내심 반긴다. 이방근이 사회주의 운동에 가담할까 봐 거듭 우려를 표시했으나 이후 남로당 조직의 회합 장소로 자택의 별채를 내주는 등 아들과 서로 이해하며 좀 더 가까워진다. 1-2-1:166, 1-2-5:240~251, 2-4-1:205~212, 2-4-2:219~221, 2-4-2:224~226, 2-4-4:276, 2-4-5:289~290, 3-7-1:237, 3-7-1:245, 3-7-4:328~347, 4-8-3:57, 4-8-5:124, 4-8-6:151~176, 4-9-2:212~227, 4-9-4:283~284, 4-9-5:338, 4-9-6:355~360, 4-10-2:412, 5-11-1:9~12, 5-11-1:20~21, 5-12-1:164~165, 5-12-3:209~211, 5-12-5:298~299, 5-13-1:376, 5-13-4:467, 5-13-5:489~491, 5-13-6:518~520, 6-14-4:92~94, 6-14-4:96, 6-14-4:107, 6-14-5:117~125, 6-14-8:217, 6-15-4:349~353, 7-16-1:20, 7-16-7:185, 7-17-4:312~313, 7-17-5:337~345, 7-17-6:361~379, 7-17-7:386~405, 8-18-2:35, 8-18-3:60~64, 8-18-7:181, 8-18-8:198~201, 8-18-8:218~220, 8-18-9:221~227, 8-18-9:235~243, 8-19-2:301, 9-20-1:7~32, 9-20-5:127~139, 9-20-6:155, 9-20-7:184, 9-20-8:215~217, 9-20-8:232~234, 9-21-2:276~279, 9-21-5:366, 9-21-6:385, 10-22-1:29, 10-22-4:88, 10-23-4:298, 10-23-4:303, 10-23-5:315~316, 10-23-6:342~360, 10-23-7:377~382, 10-23-7:386, 10-23-7:391, 10-23-8:392~418, 11-24-2:37~42, 11-24-5:128~130, 11-24-6:158, 12-27-2:152~153, 12-27-2:157, 12-27-3:194~195, 12-27-3:199, 12-종-1:225~227, 12-종-1:232, 12-종-1:234~235, 12-종-3:275, 12-종-6:364~365

이한수　이태수의 육촌. 이방근의 결혼 문제로 소집된 문중 회의에 참석하는 인물이다. 이한수는 여자는 아이를 낳기 위한 도구가 아니라는 이방근의 생각에 동조하는 한편, 당시 이태수 집에 체류 중이던 문난설과 직접 만나고 싶어 한다. 8-18-8:216, 8-18-9:224

임(林)　| 하야시(林) |　맹도회(盟道會) 회장(20대 후반). 재일조선인 폭력조직 맹도회의 두목 하야시(はやし)로서 유도장을 운영하는 재일조선인이다. 근육질의 체형이지만 흰 살결에 갸름한 얼굴상이며 평소 말쑥하게 정장을 입고 다닌다. 임 또는 림으로 불린다. 그는 강몽구를 형님으로

추종하며 권총을 구입해 주기도 한다. 3-6-1:23, 3-6-6:155~160, 3-6-8:219

임 동무 남조선노동당 인민유격대 조직원(30세). 남승지가 소속된 게릴라 아지트와 대정지구(안덕면, 대정면) 조직 간의 연락원이다. 남승지의 선배 격이 되는 게릴라로, 평소 과감하고 성실하게 활동하지만 남로당 제주도 당의 일원이라는 생각에 어떤 사안을 대하든 '원칙'이라는 말을 입버릇처럼 내뱉는다. 그는 게릴라 아지트에 방문한 본토의 군사 전문 조직원 주(朱)를 신봉하다시피 한다. 임 동무는 남승지에게 아지트를 오가며 어느 계곡의 암반에서 토벌대가 오동주의 모친을 총살하는 장면을 보았다고 말해준다. 8-19-1:257~258, 8-19-1:272, 8-19-2:283~284, 12-26-2:39~63, 12-26-3:74~89

장규순 │장 아무개│ 제주읍사무소 건축기사. 읍사무소 게양대에 적기를 매단 인물이다. 사건 당일 장규순의 행적을 수상하게 여긴 제주읍장이 그의 하숙집에서 적기 염색용 물품들을 발견하고 토벌사령관에게 신고하여 장규순이 체포되었다. 이방근은 본토의 수용소로 이송되는 그를 목포항에서 우연히 목격한다. 6-15-7:451~452, 7-17-3:279

장 동무 남조선노동당 조직원. 《한라신문》의 공무부 부장으로 일한다. 장 동무는 각종 인쇄와 관계된 일에 베테랑인 조직원이다. 무장봉기를 호소하는 삐라가 살포된 후 그 용의자로 한라신문사의 김동진이 토벌대에게 추적될 당시에 장 동무는 본토로 출장을 가 있어 연행을 면한다. 강몽구는 임무를 마치고 제주로 복귀하는 그를 목포항 인근에서 마중하기도한다. 5-11-3:66, 5-11-4:81, 5-11-4:84~85

장(張) 사찰계장 서울 종로경찰서 사찰계 계장. 삐라 배포 사건으로 체포된 이유원이 종로경찰서에 수감되었을 당시 담당 경찰이다. 장 계장은 이건수에게 거액의 금품을 받고 이유원을 출소시킨다. 그는 서울에 올라온 이방근에게 서북청년회 중앙총본부 고영상 사무국장을 찾아가보라며 전화를 걸기도 한다. 10-22-1:26~27

장석주 이유원의 소학교 동창. 이방근의 소학교 시절 후배이기도 한 장석주는 또래보다 3년이나 늦게 입학하여 동창보다 나이가 많았다. 열여섯 살이던 소학교 5학년 무렵 그는 창가 시간에 군가를 가르치던 일본인 담임교사 오이(大井)에게 "일본 똥단지!"라고 외친 후 스스로 퇴학을 결정하였다. 일본으로 건너간 그는 해방 후부터 오사카 부근에서 조선인학교의 교사로 일하고 있다. 5-13-6:507~509

장(蔣) 아무개 서울 남대문시장 견직물상 경리 총책임자. 송래운 조직의 발동선을 자주 이용하는 상인으로, 제주, 부산, 목포 등지를 왕래한다. 11-25-8:440

전(全) 중령 국방경비대 제2연대 연대장이자 제주도지구 전투사령부 참모장. 전 전투사령관 유 대령의 후임으로 파견된 인물이다. 남승지가 성내의 포로수용소에 잡혀 있다가 전 중령 관할의 제2연대로 인계되자, 이방근은 서북청년회 제주지부장 함병호를 찾아가 남승지의 석방을 위해 공작한다. 함병호는 전투사령부 전 중령의 허가가 필요하다며 난감해하면서도 이방근의 청탁을 수락한다. 12-26-2:36~37, 12-27-3:180, 12-27-3:195~196, 12-종-1: 244, 12-종-6:345

정세용 제주경찰서 경무과 계장(36세, 또는 37세). 이방근의 모계 쪽 팔촌형이다. 갸름하고 단정한 얼굴이지만 감정을 잘 드러내지 않고 술과 담배는 즐겨하지 않지만 하루 종일 커피를 마시며 지낸다. 그는 성내의 O중학교 근처에서 아내와 함께 살고 있다. 정세용은 일제강점기부터 경찰직에 몸담고 있었는데 도쿄 유학 시절 조선인 학우를 밀고하여 목포경찰서의 순사부장으로 임명되었다. 4·3무장봉기가 고조되자 게릴라 측과 국방경비대는 평화 교섭을 계획하는데, 남조선노동당원이자 국방경비대 제5연대장 오균의 중재로 게릴라 측 대표 김성달과 군 측 대표 제9연대장 김익구는 4·28평화협정(1948년)을 체결한다. 그러나 경찰과 서북청년회의 공작으로 O리 방화 사건이 발생하고, 이로 인해 정전 협정은 사흘 만에 파괴된다. 이 사건에 정세용이 관여했다는 소문이 도는 한편, 게릴라로 위장했던 일행이 미군정청의 취조로 경찰이라는 신분이 밝혀져 제주경찰서 사찰계로 인솔되자 그는 취조실을 빈번하게 출입한다. 그들 가운데

고 경위가 평화 협정 후 게릴라 측 하산자를 인솔하던 미군과 국방경비대를 습격한 사건이 경찰의 음모였다고 자백하자 정세용은 그를 경찰에 잠입한 공산주의자라며 사살한다. 이때 정세용은 임임리에 평화 교섭을 결렬시킨 공로를 인정받아 같은 해 9월 도(道)경찰국 경무과 계장으로 승진한다. 10월 25일 게릴라 측이 토벌대에 포고하는 삐라를 배포하자 그는 은밀히 내통한 성내지구 책임자이자 O중학교 교사 유달현에게 조직의 정보를 얻어내 일제검거를 실시한다. 한편, 남로당원이자 남해자동차의 트럭 운전수 박산봉은 정세용의 행보를 미행하다 유달현과 접촉하는 것을 목격하고 이를 이방근에게 알려주기도 한다. 정세용은 성산포경찰서에 출장을 갔다가 돌아오는 길에 게릴라 조직에 납치되었고, 결국 이방근에게 심문당한 후 총살당한다. 1-2-3:212~216, 1-2-7:285~287, 2-4-2:214~226, 2-4-4:260~273, 3-7-3:298~301, 4-10-1:9~14, 4-10-4:456~459, 5-11-3:70~76, 5-12-3:215~216, 5-12-7:345~351, 6-15-2:295~306, 6-15-4:352~360, 6-15-5:373~378, 6-15-5:393~397, 6-15-6:423~425, 6-15-9:451~456, 7-17-7:387~389, 8-18-1:24, 8-18-6:157~164, 8-19-2:297, 9-20-3:81, 9-21-6:401, 11-25-1:213~232, 11-25-4:324, 11-25-8:416~439, 12-27-1:111~134, 12-27-2:135~157, 12-종-2:270~271, 12-종-3:272~277, 12-종-3:284~286, 12-종-4:304~316, 12-종-5:320~321

정세용의 처 정세용의 아내. O중학교에 다니는 조카가 있다. 조카는 담임 교사 유달현에게 본토 광주로 진학할 수 있도록 지도받는다. 그녀는 남편이 행방불명되자 이태수·이방근 부자를 찾아가 도움을 청하기도 하는데, 남문길 변두리의 무선전신국 문기둥 위에 걸려 있는 남편의 머리를 확인하고는 실신한다. 결국 그녀는 그것만 가지고 장례를 치른다. 8-18-1:24, 11-25-1:219, 12-종-3:274, 12-종-5:320, 12-종-6:366

정준암(鄭俊巖) 일본의 주식회사 합동철공소 사장(40대). 20년 전 고향 제주를 떠나 일본에 정착한 재일조선인이다. 근육질 체형에 광대뼈가 도드라진 얼굴이며 오만한 구석이 엿보이는 인상이다. 정준암은 도쿄 소재의 명문사립대 전문부 출신의 인텔리로, 일본식 이름은 미야모토(宮本)이

다. 그는 제주에서 계획 중인 무장투쟁을 빨치산의 무장봉기라며 부정적
으로 평가하지만 결국 강몽구와 남승지에게 30,000엔의 자금을 지원한
다. 2-5-8:519~524

조영하 서울 S여자전문학교 영문과 학생(22세). 이유원의 친구로, 같은 대
학의 영문과에 재학 중이며 소설을 전공하고 있다. 평소 아무하고나 교제
하지만 누구의 애인도 아니라고 여길 정도로 남자와의 교제가 자유로운
말괄량이 같은 인물이다. 조영하는 종로의 음악다방 백조에서 이방근을
거침없이 유혹한다. 하지만 이방근은 그녀에게 넘어가지 않는다. 1-1-3:90,
1-1-5:128, 2-4-5:291, 3-7-7:415~416, 3-7-8:434~440, 5-11-5:109~115, 5-13-3:435, 6-14-2:
58~59, 7-16-4:86~113, 7-16-5:116~117, 7-16-5:131~136, 7-17-1:229

주(朱) 남조선노동당 전라남도당위원회 조직원(40대). 눈동자의 움직임이
보이지 않을 정도로 가늘고 매서운 눈매에 아래턱이 튀어나와 있다. 본토
에서 파견된 군사 전문 조직원으로, 게릴라 투쟁의 원칙과 혁명적 정신에
대해 냉철한 어조로 강조하는 인물이다. 주 아무개는 게릴라 대원들에게
혁명의 달성과 승리를 역설하지만 정작 본인은 미리 제주를 떠난다. 8-19-
9:474~475, 8-19-9:478~479, 12-26-2:54~57

차 선생 이방근의 소학생 시절 담임교사(50대). 이방근 친모의 제사에 참석
했다가 읍사무소의 계장대리와 말다툼을 벌이는 인물이다. 이방근이 소
학교 5학년 때 봉안전에 소변을 본 사건으로 퇴학을 당하자 차 선생은
본인도 책임지겠다며 학교를 사직했다. 이방근 가의 제사에 참석한 사람
들 앞에서 제자의 봉안전 소변 사건을 무용담처럼 말하던 차 선생은 계장
대리에게 술김에 '자네'라고 실언했다가 사과한다. 그는 남해자동차에서
사무를 보고 있다. 2-4-2:226~234, 2-4-3:244, 2-4-3:253, 2-4-4:264~274

차(車) 소대장 ㅣ차 동무ㅣ 남조선노동당 인민유격대 소대장(22세, 또는
23세). 조국 통일과 제주의 인민 해방을 위해 투쟁하고 있음을 강조하
며, 인민 투쟁의 과정에서 게릴라 대원들이 민가의 식량을 절도하면 엄
격히 처벌하는 인물이다. 차 동무는 조직 내에서 부서가 다른 남승지를

상급 간부로 인정하여 동무가 아닌 동지라 부른다. 12-26-1:12~17, 12-26-1:20, 12-26-2:62

천 동무 남조선노동당 인민유격대 소천시구 내원. 소천지구의 조직책으로 입산한 인물이다. 천 동무는 타협을 용납하지 않는 원칙적인 성향이다. 그는 남승지에게 게릴라를 구제하고자 일본행 밀항 탈출자를 모집하고 있다는 이방근의 소식을 전해주며 그가 적성분자와 다름없다고 비판한다. 8-19-1:272, 8-19-2:276~279, 8-19-2:283~285, 8-19-9:492~493, 12-26-1:26~34, 12-26-2:51~59, 12-26-3:73~76

최경오 국방경비대 제11연대 연대장. 박경진 전 연대장이 살해된 후 부임한 중령이다. 제주에 급파된 미군정청 딘(William F. Dean) 장관의 지휘로 박경진 암살범 검거 수색에 매진하는 인물이다. 최경오는 연대로 발송된 비밀 투서를 통해 현상일 중위와 그 부하들이 박경진 암살 사건의 범인임을 밝혀낸다. 박경진과 달리 그는 해안가의 촌락 지대에 경찰을 배치하고 중산간 지대에 국방경비대를 배치하여 게릴라 소탕을 위한 적극적인 작전을 전개한다. 5-13-4:468, 6-15-1:274

최 과장 서울 수도경찰청 공안과장. 신사복 차림을 하고 있음에도 눈이 사납고 사냥개 같은 인상을 풍긴다. 이방근의 부탁을 받은 문난설이 오남주의 도항증명서를 발급받고자 청탁하는 인물이다. 최 과장은 제주 체류 기간이 만료된 오남주가 서울로 돌아오지 않자 문난설에게 전화를 걸어 그의 신원을 확인한다. 7-16-8:204~209, 7-17-1:224, 9-21-6:380~382

최상규 제주 제일은행 이사장이자 조흥통조림공장 사장. 제주 정재계 인사 중 한 사람으로, 이태수와 경쟁하면서도 공존 관계를 유지하는 인물이다. 듬직한 풍채의 노신사이며 머리가 거의 벗겨진 대머리이다. 최상규는 최용학의 아버지이자 최상화의 사촌형이다. 그는 유달현이 재직하는 O중학교의 이사직도 맡고 있다. 막내아들의 담임이 줄곧 유달현이었던 까닭에 둘은 막역한 사이다. 제주4·3사건 발발 당시 성내를 중심으로 평화교섭을 위한 연판장 운동이 일어났는데, 최상규도 서명을 한다는 소문이 떠돌지만 결국 그는 서명을 하지 않는다. 2-4-2:228, 3-7-2:280~287, 3-7-4:338, 4-9-2:224~225, 4-9-4:297, 4-10-1:372, 4-10-2:407~410, 5-11-2:54~55, 6-14-8:217, 9-20-3:84, 9-20-3:91, 10-23-4:314, 10-23-5:332, 10-23-7:391, 12-27-2:152

최상규의 처 │최 부인│ 최용학의 모친(50세 전후). 여자치고는 비교적 큰 얼굴이다. 이유원과 최용학 간에 혼담을 주고받고자 이태수 집을 방문한 다. 2-4-2:229, 9-20-1:31~33

최상화 전 전라남도 제주지청 판사이자 제주 국회의원 입후보자. 최상규 의 사촌동생으로, 적당한 키에 조금 살이 찐 몸집이며 얼굴이 납작하여 '빈대'라는 별명이 있다. 최상화는 이방근의 소학교 시절에 몇 안 되는 조선인 교사였다. 차 선생과 동료였으나 전라남도 재판소 제주지청으로 이직하여 판사가 된다. 기분에 따라 형량이 바뀌는 판결로 유명했던 그는 해방 직후 전라남도 인민위원회 부위원장을 맡아 강몽구와 함께 일한 적이 있으나 미군의 탄압으로 인민위원회가 해체되자 좌익 조직에서의 활동을 일체 중단한다. 그는 미군이 제주에 입도할 당시 연미복을 입고 환영식에 참석한다. 이후 이승만 계열의 국민회 소속으로 국회의원에 입 후보를 한 최상화는 남한의 5·10선거를 앞두고 남조선노동당 게릴라 측 과 평화 교섭을 해야 한다며 이방근에게 강몽구와의 만남을 주선해 달라 부탁하기도 한다. 4·28평화협정이 불발되고 5·10선거가 제주 유권자 대 비 투표자의 과반수 미달로 무효처리가 되자 최상화는 결국 당선에 실패 한다. 조카 최용학과 이유원의 혼담이 오가던 시기, 그는 이방근·이유원 남매가 해방구에 다녀온 적이 있다는 소문을 듣고 이태수에게 발설하여 한바탕 소동을 일으키기도 한다. 1-2-1:163~165, 1-2-7:300, 2-4-2:227~235, 3-7-1: 245, 3-7-4:343, 4-8-1:30, 4-8-2:57, 4-8-6:154~160, 4-9-2:214~217, 4-9-2:230, 4-9-5:333~338, 4-10-1:371~373, 4-10-1:381~394, 4-10-2:395~411, 5-11-2:48~49, 5-12-2:197~200, 5-12-3: 232~234, 6-14-4:93~95, 8-18-2:35~36

최상화의 처 최상화의 아내(50대). 상당히 마른 체형의 중년 부인이다. 2-4-2:229, 4-10-1:381~382, 4-10-2:407

최용학 광주 모 은행의 과장대리(27세). 최상규의 외아들로, 광주에서 은행원으로 재직하고 있다. 포마드로 정돈한 깔끔한 머리 맵시와 상의 주머니에 손수건을 꽂은 말쑥한 신사복 차림으로 다닌다. 최용학은 본래 제주 출신이지만 출세를 위해 본적을 본토로 옮겼으며 서울 말투를 쓴다. 그는 서울의 S여자전문학교까지 찾아가 정혼자인 이유원에게 구애할 정도였으나 그녀가 남한의 단독 정부 수립을 반대한다는 내용의 삐라를 배포하다 유치장에 수감된 적이 있다는 사실을 고백하자 난색을 표하기도 한다. 그런데도 최용학 자신의 가족들에게는 수감 사실을 비밀에 부쳐달라며 결혼 의향을 굽히지 않았으나 결국 이방근의 반대로 이유원과 결혼을 하지 못한다. 2-4-2:228~229, 3-7-7:399, 6-14-8:216~220, 9-20-2:61~64, 9-20-3:65~87, 9-20-5:133~135, 9-20-6:166~169, 9-20-7:187~194, 10-22-4:97~115, 10-22-5:143, 10-22-6: 146, 10-23-5:327~329

하동명 서울 S여자전문학교 음악과 교수(40대 중반). 도쿄 M음악학교 출신의 피아니스트로, 이유원의 담당 교수이다. 중키에 손가락뼈가 튀어나올 정도로 깡마른 체격이다. 이유원의 재능을 알아본 하동명은 그녀가 조국을 떠나 일본 도쿄로 유학을 가도록 적극적으로 추천한다. 그는 자신의 과거 은사인 음악과 학장으로부터 이유원의 추천서를 발급받아 주기도 한다. 해방 후 좌익계 음악가동맹에 가입한 적이 있었던 그는 예술에 대한 정치적 통제를 일삼는 당 조직의 문화정책을 거부하고 음악가동맹에서 탈퇴했다. 평소 말수가 없는 편인 데다 제주에서 일어난 무장봉기에 대해 그다지 궁금해하지 않지만, 한반도를 분열하는 남한만의 총선거에는 절대 반대하는 입장이다. 그는 종로의 음악다방 백조의 단골손님이기도 하다. 6-14-2:37~38, 6-14-2:49~61, 6-14-3:62~89, 6-14-4:97~106, 10-22-2:42, 10-22-3:77, 10-22-3:82~85

하야카와(早川) 경성제국대학 법문학부 교수. 일제강점기의 어용학자로, 이방근의 10여 년 전 회상에 따르면, 하야카와는 조선인은 이미 여덟 살 때 사상가가 된다며 탄식한 적이 있다. 국내외 항일 독립운동을 펼친 조

선인을 탄압하던 일본인들의 심정을 토로하는 말이었다. 이방근은 하야
카와의 말을 빗대어 자금공작을 하고자 일본에 다녀온 남승지에게 이미
사상가가 되었다고 말한다. 3-7-6:378

하타나카 요시오(畑中義雄) → 이용근(李容根) 2-4-5:297~298, 3-6-2:53~57, 3-6-3:
59~87, 3-6-4:92~92, 3-7-3:309~312, 3-7-6:380~381, 4-8-2:48~49, 6-14-2:37, 6-14-4:116,
6-15-5:390, 7-16-6:151, 7-17-6:356, 10-23-5:316, 12-27-1:100

한대용 밀항선 알선업자(27세). 검고 숱이 많은 머리카락에 전체적으로 햇
볕에 검게 그을린 피부이다. 짙은 쌍꺼풀의 커다란 눈과 납작한 코, 두꺼
운 입술이 괴기스러운 인상을 풍긴다. 물자용 선박과 밀항선을 알선하는
인물로, 제주 한림에서 살고 있다. 일제강점기에 한대용은 부산의 훈련소
에 입영한 뒤 일본군에 지원하여 싱가포르 전선의 포로 감시요원으로
파견되었는데 해방 후 BC급 전범으로 몰려 창이형무소에서 2년간 복역
했다. 그는 7~8년 만에 조국으로 귀환했으나 친일파가 여전히 일소되지
않은 형국에 분개하여 입산을 계획한다. 그러나 일본군에 복무한 이력
탓에 친일 협력자라는 오해를 받아 남조선노동당으로부터 입산을 거부당
한다. 그러한 취급 때문에 그는 제주로 돌아온 뒤로 술과 여자에 빠져
지낸 적도 있었으나 절대적으로 신뢰해오던 소학교 선배 이방근과 교우
하며 패주한 게릴라를 일본으로 밀항시키는 그의 계획에 헌신적으로 조
력한다. 경찰과 토벌대에 금일봉을 건네거나 주연을 베풀기도 하며 밀항
선의 선주로서 일본을 자주 왕래한 것이다. 한대용은 강몽구와 남승지
일행이 일본을 오갈 때에도, 4·3무장봉기가 고조된 시기 신영옥과 이유원
이 일본에 밀항할 때에도 밀항선을 마련해준다. 5-12-1:166~186, 5-12-2:187~
188, 5-12-7:347, 5-12-7:359~360, 6-15-8:460~461, 8-19-6:413, 8-19-7:428~437, 9-20-6:154~
157, 9-20-7:195, 9-21-1:237~238, 9-21-6:386~387, 10-23-7:367~368, 11-25-1:206~207,
11-25-2:258~262, 11-25-3:278~289, 11-25-4:295~318, 11-25-5:328~351, 11-25-6:357~358,
12-27-1:99~101, 12-27-2:150~152, 12-종-2:250~253, 12-종-8:334, 12-종-9:356, 12-종-9:365

한성규 전 전라남도 의회의원(60대). 재경동향회의 고문으로, 일제강점기

에 임명제로 실시한 전라남도 의회의원을 지냈다. 예순을 넘긴 백발의 노신사이고 이태수보다 몇 살 손아래이다. 한성규는 한성주와 가까운 친척이기만 정치적 입장은 정반대이다. 그는 새성농양회 모임에서 한성일보사 기자 윤봉에게 친일파라고 비판을 받는 인물로, 이태수처럼 친일을 한 유력자이다. 7-16-1:20~33, 10-23-4:308

한성주 전 변호사(60대). 제주 정계 인사 중 한 사람으로, 반백의 머리를 깔끔하게 빗질하고 한복 차림으로 다녀 시골 선비나 촌장 같은 인상을 풍긴다. 눈빛이 날카로우며 꾸밈이 없고 기개 있는 인물이다. 전 전라남도 의회의원 한성규와 전 제주지사 한(韓) 지사의 사촌이다. 그는 남조선노동당 인민위원장 김성달과 일제강점기에 학도병이 되기 전부터 알고 지냈으며, 이동운·이성운 형제와도 오래전부터 알고 지낸 사이다. 신작로(일주도로)에 있는 한약방의 모퉁이를 돌아 산 쪽에 위치한 집에서 아내와 함께 살고 있다. 한성주는 이태수 집안과 오랫동안 교분이 있어 평소 이태수에게 형님이라고 부르고, 이방근은 공적인 자리를 제외하고는 한성주에게 삼촌이라 부를 정도로 가까운 사이다. 그는 이방근이 제주에서 존경하는 몇 안 되는 인물로 손꼽힌다. 서대문형무소에서 1년을 보낸 이방근처럼 한성주도 대전형무소에서 1년 실형을 산 이력이 있어 그에게 1년 친구라고 부른다. 해방 전 한성주는 민족주의자를 비롯한 좌익 활동가들과 반일 활동가들의 변호를 주로 맡았고, 이와 같은 행적 탓에 정치사상범으로 몰려 1년간 수감 생활을 하고 변호사 자격을 박탈당했던 것이다. 해방 후에는 변호사로 복귀했으며, 한성주의 사촌이자 한씨 일가 종손이 제주 인민위원장에 취임할 무렵부터 집행위원회 중도파에 이름을 올려 인민위원회의 일을 맡았다. 한성주는 통일국가의 수립에 선두적으로 활동했으나 근래에 건강상의 문제로 집에서 요양을 하던 중 이태수 집안의 중매 청탁을 받게 된다. 그는 이유원과 최용학 간의 혼례 중매를 맡기로 했으나, 이방근에게 혼담의 내막을 듣게 된 후 중매인 역할을 그만둔다. 한성주는 무장봉기 이후 제주의 유력 인사들을 모아 평화 교섭을 위한 연판장

운동을 추진한다. 그는 이방근에게 강몽구와의 만남 주선을 부탁하는가
하면, 도청과 중앙정부에 4·3사건 수습에 관한 청원서와 제1차 연판장을
제출하여 평화 협정의 성사에 적극적으로 조력하기도 한다. 그러나 연판
장 운동이 좌절되자, 그는 주로 칩거생활을 하며 종종 이방근의 집에만
왕래하며 지낸다. 4·3사건이 일어난 이듬해, 이태수와 선옥 사이에서 태
어난 아이에게 춘근이라는 이름을 붙여준다. 9-20-1:19~23, 9-20-7:193, 10-23-4:
298~314, 10-23-5:317~333, 10-23-7:373~391, 10-23-8:412~420, 12-종-1:216~239, 12-종-3:
288, 12-종-5:325, 12-종-6:340, 12-종-6:362

한종만 임대업자. 일본 도쿄의 긴자(銀座)와 요코하마(橫濱)에서 빌딩 임대
업을 하는 재일조선인이다. 한종만은 자금모금 공작을 위해 자신을 찾아
온 강몽구와 남승지로부터 제주에서 벌어지는 서북청년회의 횡포를 듣고
충격을 받는다. 그는 강몽구 일행에게 제주 무장봉기를 위한 자금으로
100,000엔을 기부한다. 3-6-2:47~49

한(韓) 지사 제주지사(63세, 또는 64세). 제주 출신의 도지사로, 온후한 시골
신사의 인상을 풍긴다. 1947년 여름, 전국에 걸친 대대적인 예비 사상
검속 당시 제주 출신이라는 이유만으로 빨갱이 혐의를 받아 경찰서 유치
장에 감금된 적이 있다. 한 지사는 4·28평화협정이 결렬된 이후 도지사직
에서 해임된다. 1-2-1:151~152, 1-2-6:261, 2-4-2:231~237, 2-4-3:249, 5-12-2:197~198,
9-19-3:303

함병호 서북청년회 제주지부장(35세). 반듯한 얼굴에다 눈에 띄게 작은 코
와 얇은 입술을 지녔다. 이방근을 반공주의자라고 칭송하며 그에게 서북
청년회의 경제적 후원을 요구하는 인물이다. 함병호는 이방근과 잦은 술
자리를 가지며 서북청년회의 극비사항을 누설하기도 하는데, 4·28평화
협정의 결렬에 정세용이 가담했다는 사실도 말해준다. 그는 포로수용소
에 수감된 남승지를 구출하려는 이방근에게 기부금 150만 원을 받고 석방
공작에 협조한다. 서북청년회와 대동청년단 등이 합병되어 대한청년단이
결성되자 함병호는 대한청년단 제주지부장을 맡는다. 이후 대한청년단

제주지부의 사무실로 들어가던 중 박산봉이 던진 수류탄에 현장에서 폭사
한다. 4-8-1:18~28, 7-17-7:388~389, 8-18-5:135~136, 8-18-6:140~147, 9-21-4:334~335,
10 23 5:333, 11 25 1:222·225, 11-25-8.437~439, 12-27-2.156~157, 12-종-2:270~271, 12-송-
6:344~347, 12-종-6:358~360

행자 남승일 집안의 식모(20세 정도). 남승일 집에 식모로 기거하는 조선인
여자이다. 본래 식모를 맡아보던 일본인 할머니를 대신하여 살고 있는
인물로, 일본식 이름은 사치코(幸子)이다. 미인상이지만 황달에 걸린 사
람처럼 안색이 좋지 않고 상대의 얼굴을 빤히 쳐다보는 버릇이 있다. 남승
지는 행자의 시선을 받고 오묘한 느낌에 사로잡힌다. 2-5-4:400, 2-5-4:416~
418, 2-5-7:480, 2-5-7:494~496, 2-5-8:504~505, 3-6-4:96, 3-6-8:207~208

허 의장 재일조선인연맹 의장단원(50세). 재일조선인연맹 중앙총본부에
서 활동한 적이 있는 재일조선인이다. 그는 강몽구와 오래전부터 알고
지낸 사이다. 지금은 오사카본부의 의장단에서 활동하고 있다. 3-6-1:17~18

현기림 제주 고무제품협동조합 이사. 이방근의 하숙집 주인이자, 해방 전
에 오사카에서 고무공장을 경영했던 인물이다. 일본식 이름은 구로카와
(玄川)이다. 현기림은 10여 년 전 일본으로 건너가 오사카에서 고무공장
을 경영했는데 해방 후 고향으로 돌아와 고무제품협동조합에서 반(半)명
예직 이사를 맡고 있다. 본래 제주에 고무공장을 설립하여 고무제품을
독점 제조·판매할 생각이었으나 계획을 이루지 못하고 아들 부부를 위해
별채가 있는 지금의 가옥을 매입했다. 그는 제주의 정세가 험악해지자
아들 부부의 귀국을 만류한다. 그의 아들은 재일조선인연맹에서 활동하
고 있으며 딸 부부는 오사카 쓰루하시에서 조선요리점을 경영하고 있다.
현기림과 오사카 거주 시절부터 알고 지내온 양준오가 하숙집을 구하던
이방근에게 현기림 부부의 집을 소개해준다. 9-20-8:229~230, 9-21-4:325~326,
11-25-2:240~243, 11-25-3:267~273, 12-27-1:100

현기림의 처 현기림의 아내. 작은 몸집에다 낮은 코와 큰 눈에 서글서글한
성격을 가진 초로의 부인이다. 남조선노동당 성내지구 여성동맹에서 활

동한 신영옥은 그녀의 사촌오빠의 딸로 친척관계이다. 현기림의 처는 게릴라 부대에서 하산한 자신의 조카 신영옥을 정성스레 돌봐준다. 9-20-8: 227, 9-21-8:326~331, 11-25-2:240~257

현상일 ┃현 중위┃ 국방경비대 제9연대(11연대) 제3대대 중위이자 남조선 노동당 조직원(23세). 제주 모슬포에 주둔하고 있는 국방경비대 소속 군인으로, 제11연대장 박경진을 암살하는 인물이다. 현상일은 충청도 출신의 기독교인이자 국방경비대 내부의 남로당원으로, 당 간부를 비롯한 군사부장 김성달 등과 모여 무장봉기를 결행한 사람 중 한 명이다. 국방경비대 지서를 습격하고 무기를 탈취하는 등 군 내에서 프락치 역할을 한다. 그는 연대 정보계 하사관, 위생병 등의 부하들과 공모하여 대령 승진 축하연에 참석했다 복귀하던 박경진을 총살한다. 박경진 암살 사건으로 현상일과 그의 아내, 하사관 네 명이 체포되었고, 현상일은 결국 총살형을 당한다. 4·28평화협정이 추진되던 당시에 현상일은 김익구, 오균 등과 함께 평화 교섭의 중개자 역할을 맡았다. 4-8-5:122, 5-12-7:355, 5-13-4:462~469, 8-19-1:251, 9-21-1:263~264, 11-24-7:182

현(玄) 씨 문준원의 대학 동창. 문준원에게 서운제를 소개해준 인물이다. 현 씨는 문준원의 도쿄 유학 시절 동창으로, 서운제의 고향 후배이기도 하다. 문난설은 이방근에게 부친 문준원과 양부 서운제 간의 친분을 설명하며 이 둘을 이어준 사람이 현 씨라고 회상한다. 11-25-7:406

홍대효 ┃홍 판관┃ 김문원의 친척. 제주 성내의 명문가 출신으로, 정5품 관직(판관)을 맡았던 조상이 있어 사람들에게 '홍 판관'이라 불린다. 홍대효는 인망이 두텁고 사람들을 잘 돌보는 덕에 청년들에게 존경을 받았다. 그는 김문원(한라신문사 편집장)을 근시로 만들고, 읍사무소 호적계에 요청하여 일본에 있는 아들과 성내 청년 두 명의 나이도 실제 연령보다 두세 살씩 어리게 만들어 그들의 학도병 징병을 면제받도록 주도했다. 옛 양반의 자부심을 갖고 있던 홍대효는 강직하고 곧은 성격으로, 리모토(李元)라고 창씨개명을 한 이태수의 면전에서 욕을 하기도 했다. 10-23-4:

홍(洪) 씨 화가 지망생. 해방 전에 배 위에서 노래 〈이어도〉를 절창하며 한밤중 제주 비디에 투신한 인물이나. 그는 폐병을 앓으며 인물화만 그리던 화가 지망생이었는데, 조선의 독립을 열렬하게 염원하다가 결국 제주의 바다에서 자살했다. 6-14-6:169

홍 아무개 제주 빌레못동굴 학살 사건 당시 생존자(19세). 토벌대의 습격을 받은 빌레못동굴에서 은신해 있다가 심야에 탈출하여 유일하게 살아남은 인물이다. 홍 아무개는 과거에 일본군이 직사포대 설치용으로 파두었던 바리오름 기슭의 굴에서 인민유격대 조직원 백 동무에게 우연히 발견된다. 12-26-1:23~24

홍 영감 민위대 대원. 죽창을 만드는 민위대 사람들 중 한 명으로, 몸이 야윈 노인이다. 홍 영감은 죽창을 만들고 있는 손 서방과 순실이 할머니에게 '이재수'의 투쟁에 대해 들려준다. 그의 조카는 성내에서 근무하는 경찰이다. 2-5-1:317~318, 2-5-1:328~331

홍(洪) 중대장 남조선노동당 인민유격대 구좌지구 중대장. 게릴라로 활약하며 게릴라 부대의 회합에 참여하는 인물이다. 홍 중대장은 무기를 분배하는 자리에서, 경찰지서의 무기고를 습격해 노획한 무기는 적의 총탄에 쓰러진 동지의 목숨값이라며 소총과 탄약 등을 다른 중대에 함부로 넘겨줄 수 없다고 단언한다. 8-19-9:476

황동성(黃東成) 남조선노동당 중앙특수부 비밀조직원(40대). 코는 콧방울이 옆으로 퍼진 납작코에다 약간 들창코이다. 또한 키가 크고 각진 얼굴, 날카로운 눈초리에 무뚝뚝한 인상을 풍긴다. 서울에서 창원부동산의 중역을 맡고 있는 남로당 비밀당원이다. 본명은 김동삼으로, 주로 잡화를 파는 행상인으로 변장하여 가명 박갑삼을 사용한다. 황동성의 아내와 자식은 평양에 있다. 우상배와는 일본 유학 시절의 중학교 동창이며 유달현과는 그가 서울에 있었던 시절부터 동지였다. 그는 일제강점기 당시 오사카 신문사의 경성특파원으로 친일 활동을 한 유력자였는데 해방 후에는 이를 자성하고 남로당의 열성분자가 되어 비밀당원으로 활동한다. 황동성은 서운제 회장의 후원으로 창간되는《국제신문》의 편집장을 맡기로 하고 제주 무장봉기가 발발하기 직전 남로당원과 접선하러 제주에 내려온다. 이때 이방근을 만나 국제신문사의 부편집국장을 맡아줄 것을 부탁하는 한편, 유달현을 경계하라고 조언한다. 이방근은 중앙당의 권위와 혁명을 운운하는 그에게 거부감을 느끼기도 하는데, 서울에서 다시 만났을 때는 황동성에게 권총 한 자루를 선물받는다. 〈반민족행위처벌법〉의 제정을 옹호하고 친일파 숙청과 박흥식(朴興植, 1903~1994)에 대한 비판을 주도했던 그는 〈반민법〉이 시행되자 과거의 친일 행위자로서 체포된다. 황동성은 수감 생활 중 자신의 친일 행위와 친일파 군상을 소재로 한 (가제)〈내가 걸어온 길〉이라는 글을 쓰기도 한다. 그는 한 달간 수감 생활을 하다 보석으로 풀려난다. 5-11-5:123~131, 5-11-6:136~138, 5-11-6:152~156, 5-13-7:554~555, 6-14-1:27~28, 6-14-2:58, 6-14-3:81~82, 6-14-6:146~173, 6-14-7:174~203, 6-14-9:242, 7-16-1:12, 7-17-1:223~224, 7-17-7:404, 9-21-5:355~357, 10-22-5:116~120, 10-22-6:162~165, 11-25-8:428~430, 11-25-8:446, 12-종-1:229~231, 12-종-3:290~291, 12-종-6:363

황춘자 이유원의 친구. 흰 살결에다 평범한 용모에 엄격한 선생님의 인상을 풍긴다. 황춘자는 국민학교 교사로 재직하고, 부모님은 잡화점을 운영하고 있다. 친우 모임에서 그녀는 이유원에게 평소 이방근을 존경한다고 말하는데, 이방근의 시선을 받으면 얼굴이 상기될 정도로 그를 흠모한다. 2-4-5:291, 3-7-8:434~436

3

지명

색인

1. 바리메오름
   (작품 내 바리오름)
2. 노루오름
   (작품 내 빗게오름)
3. 어승생악
4. 돌오름
5. 삼의양오름
6. 사라봉
7. 별도봉
8. 원당봉
9. 가시네오름
10. 침악

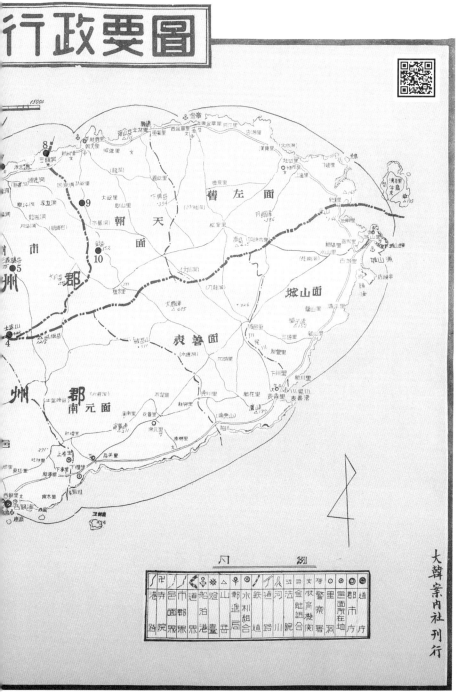

제주 오름 지도
〈제주도행정요도(濟州道行政要圖)〉(대한안내사, 1950년대, 49×34센티미터, 《지도박물관 및 지도집: 고지도 도록》(국토지리정보원, 2015, 377쪽) 위에 오름의 위치를 표시함.

大韓案内社 刊行

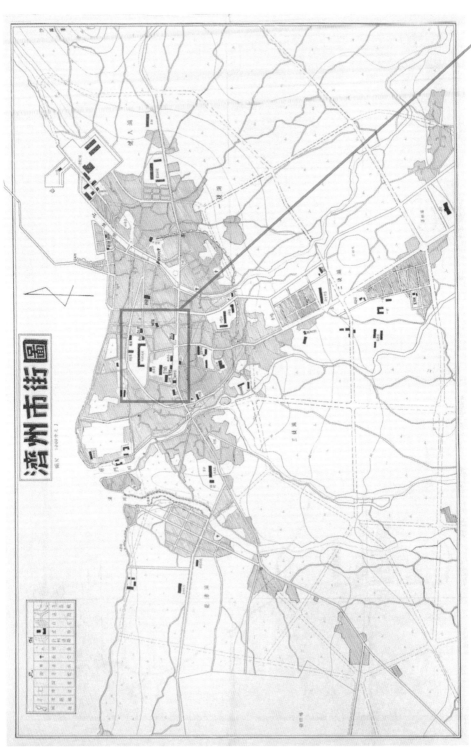

제주시가도(濟州市街圖) 제주관광안내서소, 1950년대, 39×54센티미터, 《제주 고지도: 제주에서 세계를 보다》(국립제주대학교박물관, 2020, 129~130쪽).

관덕정 부근
(작품 내)

북국민학교

도청

군정청

우체국

법원 경찰서

한라신문사

C길

관덕정

이발소

서문길 신작로 동문길

버스차고

제일은행

식산은행

남문길

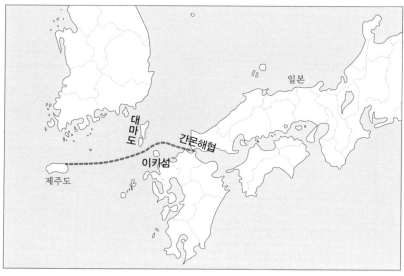

일본

대마도

간몬해협

이키섬

제주도

제주~일본 밀항 루트
(작품 내)

시모노세키

간몬해협

모지

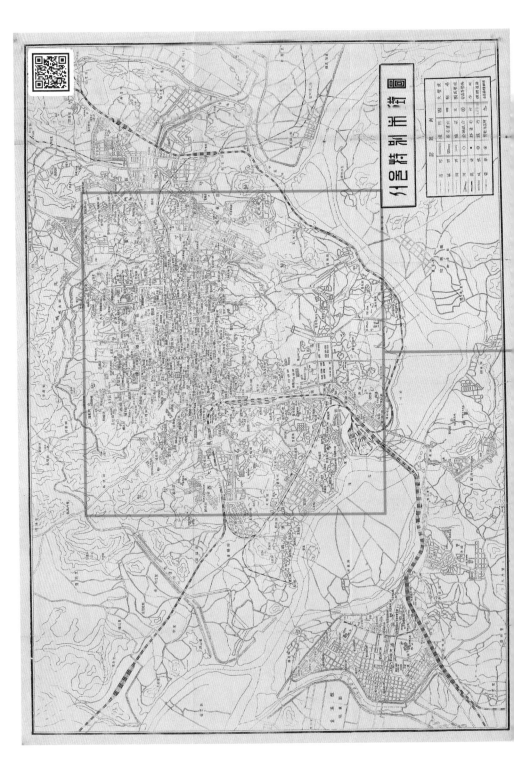

서울특별시가도(서울特別市街圖)

1940년대 후반, 52.7×73.3센티미터, 《서울지도》(서울역사박물관 유물관리과, 2006, 79~81쪽).

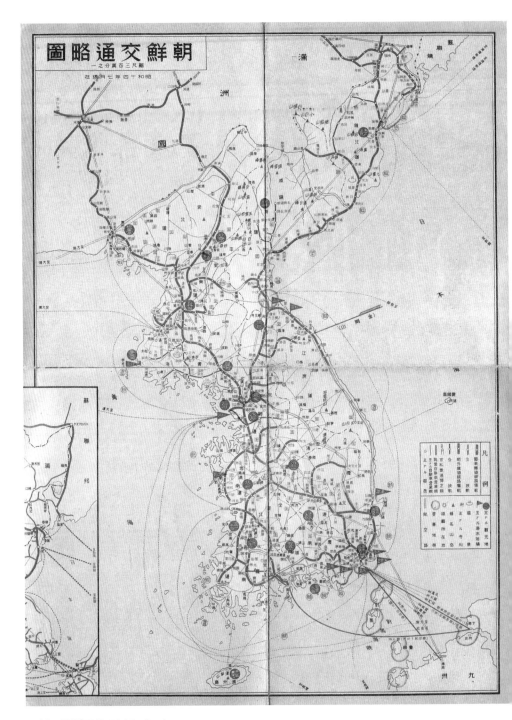

조선교통약도(朝鮮交通略圖)

조선철도국, 1939년, 53×36.2센티미터, 《조선의 여행(朝鮮の旅)》(조선철도국, 1939).

목포 지도(Mokp'o (Moppo)) **부분**

United States. Army Map Service, 1945년, 96×81센티미터(추정),
《Korea City Plans》(Army Map Service, 1944~1946).

부산 지도(Pusan (Fusan)) 부분

United States. Army Map Service, 1946년, 96×81센티미터(추정),
《Korea City Plans》(Army Map Service, 1944~1946).

O리 〈시대〉O리 방화 사건 참조.

YMCA회관 이방근은 어제 저녁, 여동생이 조영하와 일방적으로 정한 약
속에 따라, 여동생이 쳐 준 피아노에 대한 답례를 겸해서 종로로 나갔다.
종로 거리의 YMCA회관 근처까지는 걸어서 3, 40분이면 갈 수 있었다.
5-11-5:109~110 ¶ 이방근은 어느새 YMCA회관의 젊은이들이 모여서 무엇
인지 격론을 벌이고 있는 현관 앞까지 와 있었다. 나는 도대체 뭘 하러
여기까지 와 있는 것일까. 10-22-6:160

▶ 서울특별시 종로구에 건립된 서울기독교청년회의 회관 건물. Young
Men's Christian Association의 약자 YMCA는 기독교 신앙을 바탕으로
하여 정신, 신체, 지성을 조화시킨 인간 형성을 목적으로 하는 국제 청년
운동 단체(1844년 영국에서 G. 윌리엄스가 창립)를 일컫는다. 이 단체의
영향으로 1903년 10월 28일 서울에서 창설된 황성기독교청년회는 조직
당시부터 회관의 필요성에 따라 각국 외교관들과 실업가들을 포섭하여
청년회관 건립을 위한 자문위원회를 조직하였다. 이 위원회의 모금으로
1904년 종로대로 북쪽에 부지를 마련하였다. 1905년 개화파 인사였던
현흥택(玄興澤)이 이곳에 맞닿아 있는 자신 소유의 부지를 기증하였고,
나머지 필요한 부지는 미국 공사 모간(E. W. Morgan)이 기부한 기금으로
마련하였다. 이로써 1906년 6월 29일 대지에 대한 소유권 등기를 마쳤고,
여기에 워너메이커(J. Wanamaker)가 제공한 건축비를 사용하여 1908년
서울 종로구에 이 건물을 완공하였다. 1913년 황성기독교청년회는 조선
중앙기독교청년회로 개칭하였고, 그 뒤로도 여러 번의 개칭을 거쳐 서울
기독교청년회로 불리게 되었다. 서울YMCA회관은 한국전쟁으로 1950년
9월 27일 북한군에 의해 완전히 소실되었으나 1967년 4월 15일 현재의
모습으로 재건되었다.

Y리 〈시대〉Y리 집단 총살 참조.

가시네오름 │그스네오름, 구그네오름│ 두 사람이 안내하는 가시네오름까
지는 5, 6킬로 정도지만, 다시 몇 킬로 안쪽에 있는 바늘오름 일대는 눈이

쌓여 있다고 했다. 12-종-4:297

▶ 제주특별자치도 제주시 조천읍 와흘리에 있는 기생화산. 가시네오름 위에 그스네오름, 그시네오름, 기시네오름, 구그네오름 등 여러 별칭이 있다. 이 오름은 일찍부터 그스네오름이라 부르고 한자 차용 표기로는 문사내악(文土乃岳) 또는 예천악(曳川岳) 등을 썼다. 그스네는 아궁이의 재 따위를 긁어내는 고무래의 제주 고유어 기시네 또는 구그네의 앞선 형태로 보인다. 이에 따라 이 오름은 그스네오름 또는 기시네오름이라 하는데, 민간에서 구그네오름이라 하는 경우도 있다. 높이 236.7미터, 둘레 792미터, 총 면적 38,935제곱미터 규모로 중앙 부분이 높이 솟아올라 전체적인 형태는 원추형이다. 분화구 형태도 원추형이다. 오름의 북서면은 해송 숲으로 우거져 있으며 남사면은 대부분 억새풀로 덮여 있는데 일부분에는 해송이 자생한다.

가시하라 "(…) 이광수의 창씨개명인 가야마(香山)라는 것은, 일본의 진무 천황(神武天皇)이 즉위했다는 야마토(大和)·가시하라(橿原)에 있는 산이 가구야마(香久山)라서, 그곳과 관련지어 천황을 보다 가깝게 연모하고, 일본 정신을 함양하기 위해 이름을 지었다고 하지. (…)"9-20-6:175

▶ 일본 혼슈(本州) 나라현(奈良縣)에 있는 도시. 나라 분지 남쪽에 자리 잡고 있는데 선사시대부터의 유적이 많이 남아 있어 고고학적으로 중요한 곳이다. 가시하라 신궁은 전설적 인물인 초대 천황 진무(神武)가 즉위했던 곳이라 하며 1889년 메이지(明治) 천황이 이 궁터에 신사(神社)를 세웠다. 가시하라시의 북쪽과 동쪽에 솟아 있는 야마토 3산(大和三山)인 우네비산(畝傍山), 미미나시산(耳成山), 아마노카구산(天香久山)은 대표적인 관광 명소이다.

간몬해협 │관문해협│ 배는 그날 오후 늦게 간몬(關門) 해협을 무사히 통과했다. 백주에 당당히 해협을 통과하는 것은 매우 대담한 행동이라 할 수 있었다. 그러나 오히려 그편이 더 안전한지도 몰랐다. 2-5-3:360 ¶ 우상 배의 말에 의하면, 과연 오사카에서 올 때와는 반대의 코스인, 관문해협에서 세토내해(瀬戸内海)로 들어갈 수 있을지 없을지는 의문이라고 했다. 일본의 외해로 나오는 것보다도, 내해는 물론, 일본의 연안에 접근하는 것이 어렵다. 선장과 기관장의 판단에 맡길 수밖에 없지만, 관문해협을 피해서 멀리 동지나해를 남하하다가, 규슈 서쪽에서 그 남단을 돈 뒤, 계속 시코쿠(四國) 앞바다를 우회하면서 일단 와카야마(和歌山) 연안으로 다가가든가, 아니면 기이수도(紀伊水道)에서 오사카만으로 들어가는 것도 생각해 볼 수 있었다. 6-14-2:36

▶ 일본 혼슈의 야마구치현(山口縣) 시모노세키시(下關市)와 규슈(九州)의 후쿠오카현(福岡縣) 기타큐슈시(北九州市) 사이의 해협. 동해와 세토나이카이(瀬戸内海)를 잇는다. 해협의 이름이자 다리의 이름이기도 한 '간몬'은 다리의 혼슈 쪽에 해당하는 시모노세키시의 두 번째 글자인 '간(關)'과 규슈 쪽 기타큐슈시의 구 중 하나인 모지쿠(門司區)의 첫 글자인 '몬(門)'을 합친 것이다. 간몬해협은 일찍부터 조선통신사가 이곳을 통과하여 교토와 나라로 갔던 길목으로 한·일 역사 교류에서 중요한 관문 역할을 하는 곳이다.

개성 그런데 이 시는 원래 '개성관덕정음(開城觀德亭吟)'이라는 제목으로도 알 수 있듯이, 고도 개성의 남산에 있는 관덕정에 올라 읊은 것이지, 서울 남산이 아니다. 5-11-5:119

▶ 경기도 북서쪽에 있는 시. 고려의 수도로서 신라시대 후기의 행정단위를 송악군과 개성군으로 개편하면서 '개경' 또는 '송도'로 불렸다. 고려시대 이래 행정·교육·문화·상업 중심지로서 예로부터 고려자기와 고려인삼이 유명하다. 시내에는 개성 성터를 비롯하여 만월대·첨성대·성균관·남대문·선죽교 등 고려시대의 유물과 유적이 많고 천마산 북쪽에 있는 박연폭포가 유명하다.

건을촌 아니면 그 서쪽 옆에 있는 작은 어촌, 사라봉(봉이라고는 해도 백수십 미터의 작은 산이지만)과 나란히 있는 별도봉 기슭의 건을촌인지도 모른다. 그곳에는 경찰지서가 없었다. S리와의 사이에는 꽤 넓게 드러난

용암의 암반지대가 있어 다른 마을처럼 왕래가 쉽지는 않았다. 8-19-1:274

▶제주특별자치도 제주시 화북동에 위치한 마을. 항상 물이 고여 있는 땅이라는 네서 ⌐ 이름이 붙여졌다고 한다. 건을촌은 곤을촌(坤乙村)·곤을마을로도 불리는데, 이 곤을마을의 화북천 지류를 중심으로 밧곤을, 가운데곤을, 안곤을로 나누어진다. 곤을마을은 1300년(충렬왕 26년) 별도현에 속한 기록이 있듯이 마을이 들어선 지 700여 년이 넘는 매우 유서 깊은 마을이다. 그러나 제주4·3사건의 와중인 1949년 1월 4일 아침 9시경 국군의 작전으로 선량한 양민들이 희생되고 온 마을이 전소되는 불행을 겪었다. 결국 '잃어버린 마을'이 된 4·3의 상징적인 마을이다.

건입리 │고니리│ 이방근은 냇가로 난 길을 따라 바다와는 반대인 오른쪽으로 돌아서, C길로 통하는 다리를 건너, 다시 좀 전에 냇물 너머로 올려다보았던 기상대 앞으로 돌아왔다. 기상대의 바다 쪽 옆 절벽 아래 길을 올라가면 산지포(山地浦), 건입리(健入里), 동동(東洞)이 나온다. 동문교를 지나는 신작로로도 갈 수 있지만, 이쪽이 지름길이었다. 2-3-5:118 ¶ 남승지는 그 제주도 출신의 간수를 향해, 자신은 이유도 없이 통행 중에 연행되었는데, 부탁이니 산지(山地)의 고니리(健入里)에 있는 도청의 경리과장 양준오에게, 김명우가 유치되었다는 한마디만 전해 달라고 부탁하고, 일단 책상 위에 내놓았던 백 원짜리와 십 원짜리 지폐를 전부 집어 들고 상대의 바지 주머니에 슬며시 밀어 넣었다. 6-15-7:437

▶제주특별자치도 제주시에 속한 행정동이자 법정동. 지금 제주항이 들어서 있는데, 그 안쪽에 있었던 옛 포구를 '건들개'라 하고, 한자 차용 표기로 '건입포(巾入浦)' 또는 '건입포(健入浦)'라 썼다. 이 '건들개' 일대에 형성된 동네를 '건입촌(健入村)' 또는 '건입리'라 했는데, 1914년 3월 1일 행정구역 개편 때 건입리라 하여 제주면에 편입되었다가 1931년 4월 1일 제주면이 제주읍으로 승격되고, 1955년 9월 1일 제주읍이 제주시로 승격되면서, 1962년 1월 1일 동제(洞制)의 실시에 따라 건입동이 되었다.

계동 국제신문은 조간지였는데, 오늘아침 신문 2면에 2단표제로 '계동(桂

洞)에서 순경 한 명 피살, 삐라 살포 검문 중에 돌연 발포'라고 나와 있었다. 택시 운전수가 말한 사건일 것이다. 삐라 붙이기가 아니라, 표제로 보자면 살포가 된다. 장소는 계동의 창덕궁 근처니까 여기에서 멀지 않았다. 10-22-1:12

▶ 서울특별시 종로구 계동·가회동·원서동에 걸쳐 있던 마을. 이곳의 동명 유래가 두 가지이다. 원래 조선시대 의료기관인 제생원(濟生院)이 있어서 제생동(濟生洞)이라 하던 것이 음이 변하여 계생동(桂生洞)이라 불리다가, 1914년 동명(洞名) 제정 때 계생동의 발음이 기생동(妓生洞)과 비슷하다는 이유로 '생(生)' 자를 생략하여 계동으로 줄인 데서 유래하였다. 1910년 10월 1일 조선총독부령 제7호에 의해 한성부 북서에서 경성부 북부로 바뀌었고, 1911년 4월 1일 경기도령 제3호에 의해 개편된 북부 양덕방(陽德坊)의 계동 지역이 1914년 4월 1일 경기도고시 제7호에 따라 새로 통합되면서 계동으로 칭해졌다. 1936년 4월 1일 조선총독부령 제8호로 경성부 관할구역이 확장되고 경기도고시 제32호로 동 명칭이 개정될 때 경성부 계동정(桂洞町)이 되고, 1943년 6월 10일 조선총독부령 제163호에 의한 구제도(區制度)의 실시로 종로구가 신설되면서 경성부 종로구 계동정이 되었다. 해방 후 1946년 10월 1일 서울시헌장과 미군정법령 제106호에 의해 일제식 동명을 한국식 동명으로 바꿀 때 계동이 되어 오늘에 이른다.

고내리 태어난 마을이 고내리(高內里)라서 고내할망이라고 불리는 그녀를 이방근은 알고 있었다. 몸뻬[삐] 차림으로 달려온 자그마한 체구의 그녀는 무당도 아니었지만, 선옥을 보자, 이건 살을 맞아서 그렇다고 말한 뒤, 말도 못하는 그녀의 상반신을 일으켜 이불 위에 앉혔다. 5-11-1:8

▶ 제주특별자치도 제주시 애월읍에 속한 행정리. 옛 이름은 '고내'이며 한자 표기는 '고내(高內)'이되 확실하지는 않다. 통일신라시대의 생활 유적이 발견된 곳이다. 이곳에는 고려시대부터 사람이 살았고 1280년(충렬왕 6년)에 현촌(縣村)이 설치되었다. 수심이 깊은 해안선과 대양을 전망할 수 있는 고내봉이 있어 지세적으로 외적을 방어하는 지역이었다. 지형상

넓은 들판은 없고, 돌밭을 경계로 밭농사 경작지들이 있으며, 주민들은 대체로 어업과 농업을 겸한다. 본래 제주군 신우면 지역으로 '애월고내' 또는 '고내촌', '고내포'라 하였는데, 1914년 행정구역 개편에 따라 고내리가 되었고, 1980년 12월 1일 애월면이 애월읍으로 승격되었다.

고노하나구 "(…) 내가 아는 사람 중에 이런 사람이 있어. 지금도 오사카의 고노하나 구(此花區)에 살고 있는데, 이 사람은 설날이 되면 기모노 정장 차림으로 신사참배를 한다구. (…)"3-6-3:72

▶ 일본 오사카시(大阪市)를 구성하는 24개 구(區) 중 하나. 메이지 시대에 전답은 중공업의 거대 공장으로 변모하였고 해안에는 오사카항(북항)이 만들어졌다. 이후 고노하나구는 한신 공업지대의 중심이 되었다.

고령 "(…) 이건 경상북도의 고령에서 있었던 사건인데, 고령군 S면의 어떤 마을에서는 남로당 세포조직이라는 혐의로, 아무런 증거도 없는데 십여 명이 검거됐다는군. (…)"5-13-5:478~479

▶ 경상북도 남서부에 위치한 군. 고령은 6가야 가운데 하나인 대가야의 도읍지였다. 동쪽은 대구광역시 달성군, 서쪽과 남쪽은 경상남도 합천군, 북쪽은 성주군과 접하고 있다.

고마고메 주인은 전화로 부른 근처의 택시회사 차에 세 사람을 태워 보냈다. 고의천은 도중의 우에노에서 두 사람을 내려주고 고마고메(駒込)로 향했다. 3-6-2:51

▶ 일본 도쿄도 도시마구(豊島區)에 위치한 지역.

고베 고베(神戸)의 사촌 형 집에서 생활하게 된 남승지는 마침내 중학교에 진학하게 되었다. (…) 양준오와는 고베 시절부터 친구였다. 사촌 형 집 근처에 양준오의 지인이 있어서, 그는 오사카로부터 이따금 놀러 오곤 했다. 2-3-7:170

▶ 일본 혼슈 효고현(兵庫縣)의 현청 소재지이자 대표적인 항만도시. 일본에서 여섯 번째로 큰 도시로서 오사카의 위성도시이기도 하다. 고베시는 한신 공업지대의 중요한 항구이자 제조업의 중심지이다. 일제강점기 조

선인들은 일본으로 건너가 생존을 위해 오사카를 비롯한 인근 도시의 열악한 환경에서 공장 노동자의 삶을 살았다.

고양군 광장리 서울 근교인 고양군 광장리 하천에서는 뱃놀이를 나온 아홉 명의 여학생이 다섯 명 정원의 배를 타고 백 미터쯤 가다가 침몰하는 바람에, 선원 한 사람만 남기고 전원 익사 등등. 5-11-5:122

▶ 현재 서울특별시 광진구의 행정동이자 법정동. 광장리는 현 광진구 광장동이 1914년에서 1950년까지 불리던 명칭이다. 1914년 4월 1일 경기도령 제3호로 광진리(廣津里)・장의동(壯儀洞) 외에 산의동(山宜洞) 일부를 경기도 고양군에 편입시켜 뚝도면 광장리가 되었다. 해방 후 1949년 8월 13일 대통령령 제159호에 의해 서울특별시에 편입될 때 성동구 광장리가 되었으며, 1950년 3월 15일 서울특별시 조례 제10호에 의해 광장리를 광장동으로 고쳤다. 1995년 3월 1일 법률 제4802호에 의해 성동구에서 광진구가 분구되면서 광진구 광장동이 되었다.

곽지리 노루중대의 1소대 열 몇 명과 병약자, 노인, 젖먹이를 안은 여자들을 남기고 약 70명의 피난민이, 무장 게릴라를 선두로, 심야 도착을 목표로 10킬로 아래의 해안과 가까운 제주읍 쪽 곽지리로 식량 투쟁을 나갔다. 12-26-1:11~12

▶ 제주특별자치도 제주시 애월읍에 속한 행정리. 곽지(郭支)는 일찍부터 한자화하여 사용된 명칭인데, 마을 안 여러 곳에 잣(잔돌로 쌓아 놓은 곳)들이 있어 곽기리(郭岐里)라 하였다가 곽지리(郭支里)로 통용되었다고 한다. 고려시대에 곽지현(郭支縣)을 곽지리로 개칭하였다고 기록되어 있다. 본래 곽지리는 제주군 신우면 지역으로 지형상 곽오름(현 과오름) 밑이 되므로 곽오름 또는 과오름, 곽지라 하였는데, 1914년 행정구역 개편에 따라 곽지리가 되었다. 1980년 12월 1일에 애월면이 애월읍으로 승격되었다.

관덕정 광장 관덕정 광장 부근은 이른바 성내의 중심지였다. 방금 전에 남승지가 지게를 내렸던 신작로 주변의 은행을 비롯한 상점건물과 함께 나란히 늘어선 버스 차고 건너편의 광장 주변에는 경찰서와 도청, 법원, 소방서, 우체국 등이 들어서 있었다. 1-1-1:35~36

▶제주특별자치도 제주시 삼노1동 소재의 관덕정(觀德亭) 앞 광장. 관덕정은 제주도를 상징하는 건축물로서 병사들을 훈련시키기 위하여 1448년(세종 30년) 제주목사 신숙청(辛淑晴)이 창건하였다. 제주목(濟州牧) 관아(官衙)가 자리한 이 일대는 제주의 정치·경제·문화의 중심지였다. 1910년 대까지도 입춘 무렵에 제주도 내 무당들의 우두머리, 즉 도황수를 뽑는 입춘굿 놀이가 해마다 열리기도 하였고, 시장이 열려 성황을 이루기도 하였다. 1901년(광무 5년)에 외국인 신부의 위세를 믿고 범법(犯法)을 자행하던 천주교도와 제주도민 간의 충돌로 이재수의 난이 일어났을 때, 이 광장에서 수많은 천주교도들이 피살되었다. 그런가 하면, 1947년 3·1절을 맞이하여 제주 민중이 해방공간의 미군정 및 친일역사 청산을 위한 시위 중이었는데 경찰이 주민들을 향해 발포하여 첫 희생자를 낳았던 곳으로, 이 사건이 도화선이 됨으로써 그 이듬해 1948년 4월 3일 무장봉기가 일어난다. 이후 4·3사건 와중 숱한 목숨들이 이곳에서 처형되고 시신이 방치되었을 뿐만 아니라 무장대의 유격대장인 이덕구(李德九)의 시체가 일반에게 공개되기도 하는 등 이곳은 제주 정치의 생생한 현장이었다.

관음사 남승지는 요즘 한라산 중턱의 관음사에서 열리는 무장봉기를 위한 회합에 참석하고 있었는데 도중에 산천단 마을을 지나게 되었다. 이번에 산천단 마을을 지날 때는 영감을 찾아가 보리라고 남몰래 마음먹고 있던 참이었다. 1-1-2:53 ¶게릴라 측이 이용하고 있는 것을 알면서도 손을 쓰지 못했던 것은, 한라산 신(神)도 모신 관음사가 도민의 두터운 신앙의 대상이 되어온, 제주도에서 유일한 본산이기도 했기 때문이다. 제주도의 대표적인 건축이며, 중요한 벽화 등이 있는 대가람의 대웅전이 모두, 휘발유를 뿌리고 불을 질러 재가 돼 버렸다는 것이다. 12-종-5:335

▶제주특별자치도 제주시 아라동 소재의 사찰. 한라산 고지 650미터 기슭에 자리한 관음사(觀音寺)는 1908년 창건되어 제주 불교의 대표 사찰로

활발한 포교 활동을 펼친 곳이다. 조선 성종 때의 지리서인 《신증동국여지승람(新增東國輿地勝覽)》에 관음사에 대한 기록이 남아 있다. 그러나 유교를 국가 통치이념으로 삼았던 조선시대에 제주의 사찰은 모두 훼철(毁撤)되었고, 1702년에 당시 제주목사였던 이형상(李衡祥)은 제주에 잡신이 많다 하여 많은 사당과 함께 사찰 500동을 폐사시켰는데 관음사 역시 이때 폐허가 되었다. 현재의 관음사는 비구니 안봉려관(安逢廬觀)이 창건한 것이다. 봉려관은 제주 사람으로 1901년 비양도로 가는 길에 우연히 풍랑을 만나 사경에 이르렀을 때 관음보살의 신력으로 살아나게 되자, 1907년 비구니가 되어 그 이듬해 제주로 들어와 절을 세우고 불상을 모셨다. 사월 초파일에 경찬재(慶讚齋)를 열고자 하였는데, 주민들이 반대하여 사살하려 하자 한라산으로 피신하였다가, 1912년 승려 영봉(靈峰)과 도월거사(道月居士)의 도움으로 법정암(法井庵, 관음사의 전신)을 세웠다고 한다. 용화사(龍華寺)와 광산사(匡山寺)에 있던 불상과 탱화를 옮겨 온 이후 신도들이 생겨나면서 절 이름을 관음사로 개칭하였다. 관음사는 1939년 불이 나 대웅전 등이 소실되었으며, 1948년 제주4·3사건으로 전소되었다. 4·3사건 당시 관음사의 위치가 전략적 요충지였기에 토벌대와 입산 무장대가 관음사를 중심으로 격렬하게 대치하였고, 결국 1949년 2월 12일 토벌대의 방화로 전소된 것이다. 이후, 한라산의 입산 금지가 풀리면서 1968년부터 대웅전을 시작으로 선방, 영산전, 해월각, 사천왕문, 일주문, 종각 등 순차적으로 불사가 이루어지며 지금의 모습을 갖추게 되었다. 관음사는 한라산을 등반하는 데 중요한 거점이기도 하다.

광주 상대는 최상화의 사촌 형이자 제일은행의 이사장을 맡고 있는 사람의 아들로, 광주(유원도 광주에서 여학교를 졸업했다)에 있는 은행에서 계장으로 재직 중인 소위 잘 나가는 유망주였다. 2-3-2:35

▶ 전라남도 중부에 있는 광역시. 1973년부터 구제(區制)를 실시해 동·서·북구의 3구로 나누어 관할하였다가 1986년 11월 1일에 직할시로 승격되었다. 1988년 전라남도 송정시와 광산군이 직할시에 편입되면서 광산구가

설치되었으며 1995년 1월 1일 직할시의 명칭이 광역시로 변경되었다. 같은 해 3월 1일에는 서구를 분구해 남구가 설치되면서 5개 구가 되었다. 소백산맥의 여백이 이어져 동쪽에는 산지가 분포하며 하천을 따라 평야가 발달했다. 주로 쌀이 생산되었으나 최근 도시화로 인해 근교농업이 이루어진다. 전라남도 지역 도로 교통의 핵심지이다.

광화문 갑자기 광화문 쪽에서 스피커를 통해 흘러나오는 고함 소리가 들려왔다. ……수도 서울에서 공산분자의 폭동을 허용해서는 안 된다, 매국반동인 공산주의 완전 타도! 민족진영 정객들의 월북 저지! 트럭에 탄 수십 명의 서북청년회였다. 5-11·5:116

▶ 경복궁의 정문. 1395년(태조 4년) 경복궁을 창건할 때 정전(正殿)인 근정전(勤政殿)과 편전(便殿)인 사정전(思政殿), 침전(寢殿)인 경성전(慶成殿)·연생전(延生殿)·강녕전(康寧殿) 등을 지어 궁궐의 기본구조를 갖춘 다음, 1399년 그 둘레에 궁성을 쌓은 뒤 동·서·남쪽에 성문을 세우고, 동문을 건춘문(建春門), 서문을 영추문(迎秋門), 남문을 광화문(光化門)이라 이름 지었다. 임진왜란 때 불에 탄 것을 흥선대원군이 경복궁 중건 당시인 1865년(고종 2년)에 다시 짓게 하였다. 이후 1927년에는 일제의 문화말살 정책으로 인해 경복궁의 여러 곳이 헐리고 총독부 청사가 들어서면서 광화문은 건춘문 북쪽으로 옮겨졌다.

구좌 │구좌면│ 조직에서는 제주도 전체를 여섯 개의 작전 지구, 즉 한라산을 분수령으로 하여 제주도 북부는 서쪽으로부터 차례로 한림·애월 지구, 제주·조천 지구, 구좌·성산 지구, 그리고 남부는 서쪽으로부터 차례로 대정·안덕 지구, 남원·표선 지구, 서귀·중문 지구로 나누어, 각 지구 내의 오름, 즉 기생화산을 중심으로 한 근거지의 설정을 거의 마무리해 놓고 있었다. 3-7·6:389 ¶ 그는 인민유격대 제1지대장을 겸임하고 있었기 때문에, 그 관할인 제주읍, 조천면, 구좌면 지역의 각 부대 내의 무기 재분배를 위한 회합에 맞춰 하산한 것이었다. 8-19·9:475~476

▶ 제주특별자치도 제주시에 속한 읍. 18세기 중반까지 전라남도 제주목

(濟州牧) 좌면(左面)에 속했는데, 1874년 좌면이 동부의 구좌면(舊左面)과 서부의 신좌면(新左面, 현 조천읍)으로 분리되었다. 1980년 12월 1일에 면이 읍으로 승격되면서 구좌읍이 되었다. 제주에서 해안선의 길이가 가장 길며, 해안가를 따라 마을이 분포해 있다.

국제극장 | 시공관, 명동국립극장, 명동예술극장 | 어젯밤에는 시공관(市公館)으로 여동생과 함께 고려교향악단의 연주회를 들으러 갔다. 제22회라고 하니까, 해방 후 상당한 연주 횟수를 거듭하고 있는 것으로 보였다. 곡명은 드보르작의 '신세계', 보르딘의 '중앙아시아 초원에서', 보케리니의 '첼로협주곡', 지휘 김인수. 6, 7백 명이 들어가는 회장은 만원으로, 앙코르곡, 차이코프스키의 '슬라브행진곡'이 연주되었을 때는 장내가 모두 일어나 열광했다. 오랜만에 생생한 연주를 들으니 몸속에 잠들어 있던 것이 흔들려 깨어나는 느낌이었다. 오늘 밤은 같은 시공관에서 첫 공연을 맞이하는 오페라 '춘희'에 여동생을 데리고 가기로 되어 있었다. 5-11-6: 135 ¶ 이방근은 명동거리에 있는 국제극장의 십자로가 보이는 주변까지 온 뒤, 근처의 옆 골목에 있는 그 바로 문난설을 뒤따라 걸었다. 7-16-8:211 ▶ 서울특별시 중구 명동에 위치한 연극 전문 공연장. 일제강점기인 1936년 10월 7일, 일본인 이시바시 료스케(石橋良祐)가 메이지자(明治座)라는 이름으로 건립한 전문극장으로, 주로 일본인 관객을 대상으로 영화를 상영하는 곳이었다. 해방 직후 미군정기에 국제극장으로 불리다가 서울시가 접수하여 명동 시공관으로 개칭되었다. 이 극장은 대지 505평, 건평 749평, 객석 1,180석의 3층 건물로서 설립 당시 시내 중심지에 있었기 때문에 중요한 공연장의 역할을 담당했다. 1959년 환도(還都)한 중앙국립극장의 본거지로 시공관을 공동 사용하기로 하여 같은 해 6월 1일, 국립극장으로 간판을 달아 사용하였다. 1973년 국립극장이 남산의 신축 건물로 이전하면서 예술극장으로 개칭되었다. 이후 민간기업의 영업장으로 사용되다 정부가 건물을 매입하여 2005년부터 3년간 복원공사에 착수했다. 이에 2009년 이 건물은 건립 당시의 외벽은 보존하고 실내를 리모델

링하여 총 558석(1층 339석, 2층 116석, 3층 103석) 규모의 명동예술극장으로 새롭게 개관하였다.

군위고 악[부]계면 '겅북에서 무장봉기, 성찰내와 충몰, 쌍망에 피해'……. '제5관구 경찰청에 들어온 정보에 의하면, 지난 1일 미명, 군위군 악[부]계면과 달성군 팔공면 경계 팔공산 기슭의 부락에서 다수의 무장 군중이 출현하여 무장 경찰대와 충돌, 교전, 쌍방에 약간의 피해를 냈다. 상세한 내용은 현재 조사 중이라고…….' 10-22-1:12~13

▶ 경상북도 중앙부에 위치한 행정구역. 군위군은 동쪽은 영천시, 서쪽은 구미시, 남쪽은 대구광역시와 칠곡군, 북쪽은 의성군과 접하고 있다. 군위읍 외에 7개의 면(소보면, 효령면, 부계면, 우보면, 의흥면, 산성면, 삼국유사면(구 고로면)) 중 하나인 부계면(缶溪面)은 면 전체가 산으로 둘러싸여 있는 지형이다. 남동쪽에는 팔공산(1,193미터)이 솟아 있고 소규모 하천이 면의 중앙을 남북 방향으로 흐르며, 이들 연안에 좁고 긴 평야가 발달해 있다.

규슈 그런 배들은 5, 6톤 정도로 작았고, 활어가 들어갈 수조에 사람이 대신 들어가 갇혀 있게 된다. 그리고 일본의 쓰시마(對馬島)나 야마구치(山口) 현, 시마네(島根) 현, 규슈(九州) 같은 해안에 내팽개치듯 내려놓고 가 버린다. 이런 배는 특히 본토에서 출발하는 밀항선에 많았다. 2-5-2:348

▶ 일본 열도를 이루는 4개의 섬 중 가장 남쪽에 있는 섬. 규슈라는 지명은 '9개의 지방'을 뜻하는 봉건시대의 토지분할에서 유래된 말이다. 서쪽은 동중국해, 동쪽은 태평양에 둘러싸여 있으며 북쪽으로 시모노세키해협을 사이에 두고 혼슈와 마주한다. 북서쪽으로는 한반도와의 사이에 대한 해협이 있고 많은 화산 산지로 이루어져 있다.

기상대 평탄한 길로 접어들자 버스는 마침내 속력을 늦추었다. 오른쪽 평평한 언덕 끝에 붉은 벽돌로 지은 기상대 건물이 보였다. 첨탑 같은 건물 꼭대기에는 풍속계가 프로펠러처럼 돌아가고 있었다. 1-1-1:27

▶ 제주측후소. 제주지방기상청의 전신인 제주측후소는 일제강점기인

1923년 5월 1일 제주읍성의 쾌승정터(현 제주특별자치도 제주시 건입동 1123번지 일대로 추정)에 설립됐다. 당시 일기예보는 깃발로 알렸다. 제주 측후소가 설립된 곳은 어선들이 산지천을 따라 제주항으로 들어가는 통로 였기 때문에 어선에서 일기예보를 확인하는 장소로도 최적지였다. 이후 제주측후소는 1970년 중앙관상대 광주지대 제주측후소를 거쳐 1992년 제주기상대로 명칭을 바꿨다. 1998년에는 제주지방기상청으로 승격하면 서 적극적인 예보 업무를 수행하기 시작했다.

기이수도 ㅣ기이스이도ㅣ 선장과 기관장의 판단에 맡길 수밖에 없지만, 관문해협을 피해서 멀리 동지나해를 남하하다가, 규슈 서쪽에서 그 남단 을 돈 뒤, 계속 시코쿠(四國) 앞바다를 우회하면서 일단 와카야마(和歌山) 연안으로 다가가든가, 아니면 기이수도(紀伊水道)에서 오사카만으로 들 어가는 것도 생각해 볼 수 있었다. 6-14-2:36

▶ 일본 혼슈의 와카야마현(和歌山縣), 시코쿠의 도쿠시마현(德島縣), 효고 현의 아와지섬(淡路島)으로 둘러싸인 해역. 기이스이도는 세토나이카이 와 태평양을 잇는다.

긴자 남승지는 문득, 도쿄 전역의 부랑자나 부랑아들이 황궁 앞 광장에 모여 긴자(金座) 같은 번화가를 기아(飢餓) 행진하면 장관일 거라고 생각 했다. 3-6-2:45

▶ 일본 도쿄 중앙부에 위치한 번화가의 지명. '긴자'란 '은의 길드(Guild)' 라는 뜻인데, 1612년에 도쿠가와 막부(德川幕府)가 은화 주조소(鑄造所)를 이곳으로 옮긴 데서 유래한 명칭이다. 도쿄에서 가장 번화한 이곳은 세 계적인 상점가 중 한 곳이다.

김포비행장 도쿄에서 김포비행장에 착륙한 맥아더 원수 부처가 각 단체 와 학교에서 선발하고, 동원한 군중의 환영 인파 속에서 군정청 광장에 도착했고, 각국 사절과 함께 참가하여, 이승만 대통령의 '민주주의 모범 국가' 건설을 선포하는 식사, 맥아더 원수와 남조선 점령 미군 사령관 하지 중장, 그 밖의 축사 등이 있었고, 오후 한 시를 지나서야 식이 끝났

다. 5-13-6:527

▶ 1939년 경기도 김포군 양서면 방화리에 세운 비행장. 일본군이 가미카제(神風) 특공대의 훈련상을 마련하고자 활주로를 건설한 것이 김포비행장의 기원이 되었다. 8·15광복 후 항공장으로서의 시설 확장 및 현대화 계획을 수립하였으나, 한국전쟁으로 말미암아 김포비행장은 유엔군사령부의 관할 아래에 들어가 미공군이 사용하는 군용 비행장으로서 그 기능이 유지되었다. 1954년부터 대한민국 정부에서도 일부를 사용하게 되었으며, 당시 국제공항으로 쓰이던 여의도비행장을 1958년 김포공항으로 이전하였다.

김해군 진영읍 가장 먼저 눈에 띈 여학생이 주동 운운하는 기사는 "지난 7월 29일 밤 아홉 시 반을 기해서 경상남도 김해군 진영읍 부근의 5개소에서는 근래에 없이 대규모의 봉화가 올랐다. 그것을 발견한 경찰 당국이 총동원하여 현장으로 급히 달려가 포위했으나, 범인은 한 사람도 체포되지 않았다. 한편, 같은 날 정오, 다수의 여학생이 주동하여 대규모 시위행진을 벌이고, 다량의 삐라를 뿌렸다. 시위 현장에서는 모 학교 교원 한 명과 모 여학교 학생 여섯 명이 경찰에 검거되었다……"는 내용이 이어지고 있었다. 5-13-1:369~370

▶ 경상남도 김해시 서부에 있는 읍. 1942년 진영면은 읍으로 승격된 이후 김해읍과 더불어 김해시의 발전을 이끌어 온 지역이다. 대체로 300미터 이하의 낮고 평평한 구릉성 산지를 이루며, 주천강과 그 지류 연안에는 비교적 넓은 평야가 분포한다.

나가노현 "(…) 저는 일본 국적을 가진 인간임에 틀림이 없지만, 일본 어딘가에, 예를 들면 도쿄라든가 혹은 야마나시(山梨)나 나가노(長野) 현의 시골에 내 고향이 있다고는 생각지 않습니다. (…)" 3-6-3:63

▶ 일본에서 네 번째로 큰 혼슈 중앙부의 현(縣). 일본의 높은 산 20개 중 9개가 이 내륙 현에 위치한다. 나가노현은 일본에서 다른 현들과 가장 많이 경계를 맞대고 있다.

나라 고도(古都)인 교토(京都)와 나라(奈良)가 어떤 문화적인 배려 아래 폭
격 대상에서 제외되어 있었다는 사정과는 달랐다. 그렇다 해도 마치 동
오사카 일대를 경계로 폭격 지구가 확연히 구분되고 있다는 것은 참으로
신기한 일이었다. 우연이라고는 하지만 역시 불가사의한 느낌을 떨치기
어려웠다. 2-5-7:472

▶일본 긴키(近畿) 지방 나라현의 현청 소재지. 8세기에 헤이조쿄(平城京)
라 불리는 거대한 수도가 들어섰던 고도(古都)이다. 나라현의 정치·경
제·문화의 중심 도시이며 역사도시로서 유네스코 세계문화유산으로 지
정된 곳이다.

나진 8월 9일 북한의 나진에 상륙, 13일에 청진에 상륙한 소련군이 8월
15일에는 철원까지 남하한 것은 사실이었고, 경원선(서울−원산)이 연결
되어 있을 때였으니까, 그곳에서 다시 남하하여 서울에 입성한다고 하면
서너 시간으로 충분했을 것이다. 5-13-1:375

▶함경북도 북동부에 있는 시. 북동쪽으로 경흥군 웅기읍(雄基邑), 북쪽
으로 경흥군 아오지읍(阿吾地邑)과 경원군 유덕면(有德面), 북서쪽으로
종성군 화방면(華方面), 남서쪽으로 부령군 풍해면(豊海面)과 각각 접하
고, 동·남쪽으로 동해와 닿아 있다. 일제강점기에 일본이 북만주 진출에
필요한 항구도시로서 개발하기 시작하면서 급속한 발전을 했다. 1938년
읍이 되었고 1940년 시로 승격되어 청진·성진과 함께 함경북도의 주요
관문이 되었다.

나카사[자]키초 우메다에서 북동쪽인 덴로쿠(天六) 방향으로 전찻길을 따
라 걸었다. 목적지인 나카사[자]키초(中崎町)는 전차를 타면 한 정거장이
었지만, 전차를 기다리느니 걸어가는 편이 빠를 것 같았다. 2-5-8:509

▶일본 오사카부 오사카시 기타구(北區)에 있는 지역.

난바 남승지는 영화관을 그대로 지나쳐, 집과는 반대 방향인 이마자토 로
터리 쪽으로 걸어가면서 중얼거렸다. 음, 지금부터 난바(難波)로 가볼까.
미나미(南) 센니치마에(千日前)로 가면 어떨까. 고베의 유흥가보다 몇 배

나 큰 번화가였다. 3-6-6:165

▶ 일본 오사카시의 주오구(中央區)와 나니와구(浪速區)에 위치한 지역. 오사카의 2대 번화가 중 한 곳이다. 이곳은 도시의 주요 승남무 철도의 기종점으로 잘 알려져 있는데 서일본여객철도(야마토로센(大和路線)), 긴키닛폰철도(긴테쓰난바센(近鐵難波線)), 난카이전기철도(난카이혼센(南海本線)·고야센(高野線))와 오사카 시영 지하철의 3개 노선(미도스지센(御堂筋線)·요쓰바시센(四つ橋線)·센니치마에센(千日前線))이 지나는 역이 있어 교통의 요충지다.

남국민학교 그때 오른쪽 모퉁이의 전봇대에 두세 장 더덕더덕 붙어 있는 포스터가 눈에 띄었다. 가까이 가 보니, 붙인 지 얼마 안 되었는지 풀기도 채 마르지 않았다. "제헌국회의원 총선거추진 시국대강연회, 남국민학교 강당, 3월 30일 오후 여섯 시, 주최 대한독립촉성국민회 제주도지부 운운……" 남국민학교라면 고원식의 처남이 근무하고 있는 학교였다. 그가 연행된 것은 어쩌면 이 강연회 개최와 관계가 있었는지도 모른다. 4-8-1:29~30

▶ 제주특별자치도 제주시 삼도2동에 있는 공립학교. 남국민학교는 해방 후 제주읍 내 일본인이 설립했던 국민학교를 인수하여 1945년 10월 1일 설립 인가를 받아 1946년 1월 23일 제주읍 삼도리 136−1번지에 설립한 교육기관이다. 1950년 6월 13일 광양분교장 및 오라분교장이 개설되었으나 1951년 10월 15일 광양분교장은 광양국민학교로, 10월 18일 오라분교장은 오라국민학교로 승격·분리되었다. 1955년 제주읍이 제주시로 승격되면서 점차적으로 인구가 증가함에 따라 학생 수도 증가하자 1960년 1월 15일 학교법인 신성여자중·고등학교를 매각하여 현 위치로 이설하였다. 1977년 3월 1일 제주중앙국민학교로 6학급이 분리되었으며 1983년 3월 1일 제주삼성국민학교로 6학급이 분리되었다. 1996년 3월 1일 제주남국민학교에서 제주남초등학교로 명칭을 바꾸었다.

남대문로 그러나 택시가 덕수궁 앞에서 좌회전하지 않고 똑바로 달리다,

이윽고 밤의 거리를 배경으로 시커먼 남대문의 실루엣이 다가올 무렵, 이방근은 남대문 로터리에서 남대문로를 되돌아가 종로 3가까지 가 달라고 지시했다. 6-14-5:145

▶ 서울특별시 종로구 관철동 45번지(보신각)에서 남창동 20-1번지(남대문) 구간을 이르는 폭 40~50미터, 길이 1,500미터의 8차선 도로. 남대문로는 국보 제1호 남대문(숭례문)이 이 길 가운데에 있는 데서 유래하였다. 이 길은 조선 초 한양천도 이후 500년간 종로사거리에서 남대문으로 나가는 주요 간선도로였다. 즉, 경복궁에서 뻗은 주작대로인 육조거리를 이어 세종로사거리에서 종루십자가를 거쳐 남대문에 이르는 도성 내 남북 간선도로로 임금의 행차 길이었다.

남대문시장 그 종잇조각에는 '남대문 자유시장 26호 신화상회'라고 주소 같은 것이 쓰여 있었다. (…) 남대문시장이라면, 어딘가 다른 도시의 남대문시장이 아니라, 서울역 근처에 있는 그 시장을 말하는 것이다. 4-9-4:301

▶ 서울특별시 중구 회현동 숭례문(남대문) 인근에 위치한 재래시장. 1414년(태종 14년) 조선에서 새 도읍지인 서울의 남대문 근처에 상점을 지어 상인들에게 점포를 빌려준 것이 시초였으며, 1608년(선조 41년) 포(布)·전(錢)의 출납을 담당하던 선혜청(宣惠廳, 대동법 관장 기관)이 남창동에 설치됨에 따라 지방의 특산물 등을 매매하는 시장이 자연스럽게 형성된 데서 유래한다. 그 후 이 시장은 1921년 3월 송병준(宋秉畯)이 조선농업주식회사를 설립하면서 정식으로 개시되었다. 개시 초기 거래물품은 미곡·어류·과실·잡화 등이었는데, 주로 거래되는 물품은 곡물류였다. 1922년 경영권이 일본인 소유의 중앙물산주식회사로 넘어갔으며, 1936년 3월 남대문시장에서 중앙물산시장으로 명칭이 바뀌었다. 8·15광복 후에는 남대문상인연합회가 운영했으나 한국전쟁으로 폐허가 되었다. 서울이 수복된 후 다시 미군의 군용·원조 물자를 중심으로 시장이 형성되어 활기를 띠었다. 한국전쟁을 겪은 후 빈손으로 월남한 피난민들이 잿더미가 된 이곳에 몰려들어 천막을 치고 억척스럽게 상권을 장악하면서 한때 '아바

이시장'으로 불리기도 했다.

남문길 |남문로| 오른쪽 길모퉁이에 있는 이발소 근처에 신작로와 직각으로 교차되는 길이 나 있었고, 왼쪽으로 나 있는 완만한 오르막길이 남문길이었다. 1-1-1:28 ¶부엌이는 저녁 장을 보러 나간 김에, 그보다는 시장을 핑계 삼아 남문로에서 동문교 상류 안쪽에 있는 O중학교 근처의 유성원이[의] 아지트인 개인 주택을 찾아가 열 장 정도의 삐라를 가지고 돌아왔다. 11-24-5:132

▶ 제주특별자치도 제주시 삼도2동에 있는 관덕정 앞 교통대에서 남문교차로 사이에 있는 도로. 남문로는 조선시대 제주읍성의 남문이 있었던 곳이라는 데서 유래한다. 남문로라고 이름을 붙이게 된 유래로서 남문지(南門址)는 속칭 남문통에 있었던 남문 터로, 여기에는 남문의 초루가 있었다. 이른바 고루(高樓)라는 것인데, 문 위에 높은 다락을 지어서 먼 곳을 바라보는 곳이다. 1512년(중종 7년) 제주목사 김석철(金錫哲)이 옛 문루를 고쳐 세우고 정원루(定遠樓)라 명명하였는데, 1705년(숙종 31년)에 목사 송정규(宋廷奎)가 증수하였다. 1780년(정조 4년)에는 목사 김영수(金永綬)가 추가적으로 증수하였으나 지금은 헐려서 문루가 남아 있지 않다. 남문로는 얼마 전까지도 '남문통'이라 불렸고 일제강점기부터 칠성통, 원정통(현 관덕로)과 함께 제주시의 남북 방향을 연결하는 주요 간선도로였다. 버스를 비롯한 각종 차량의 통행이 가장 빈번하였고 갖가지 행사의 행렬이 반드시 이곳을 지나야만 했던 곳이다. 예로부터 남문로에 있는 마을을 '한짓골(大路洞)', '한질골', '남문 한질골'이라 불렀는데, 이는 이곳이 옛 관가에서 제주읍성의 남문에 이르는 큰길가였기 때문에 붙여진 이름으로 전해지고 있다.

남산 |목멱산| 전차는 10분도 되지 않아 남대문에 도착했다. 남대문을 뒤쪽으로 빙 돌아가면 바로 근처에 성문에 가려 보이지 않던 남산이 나타난다. 온화한 산자락 기슭은 사방으로 느긋하게 뻗어나가 크고 작은 언덕을 이루면서 시내 한복판에 솟아 있었기 때문에, 그 정상에 오르면 서울

전체를 한눈에 볼 수 있었다. 5-11·5:118 ¶ 경사로는 완만한 커브를 그리다가, 마침내 똑바로 남산의 정상에 오르는 장대한 돌계단 앞에 이르러 끝났다. 포장된 넓은 그 도로는 막다른 곳에서 평탄한 평지가 되고, 일찍이 일본의 아마테라스 오미카미(天照大神)와 메이지(明治) 천황을 모신 조선신궁(朝鮮神宮)의 앞쪽 참배 길 돌계단 앞에 한결같이 넙죽 엎드린 형태로, 과거의 경성시내로 흘러내리듯이 뻗어 있었다./그 참뱃길은, 옛 성벽을 따라 건조된 삼백팔십일 계단을 자랑하는, 그야말로 천국에 이르는 계단이나 되는 양 상당한 급경사에다 넓고 웅장했는데, 도중에 몇 번은 쉬어야 오를 수 있었다. 이 서울의 한복판에 솟아 있는 남산 꼭대기에 세워진 일제 황실의 관리를 직접 받던 큰 신사[官幣大社]가, '반도 진호(鎭護)의 신으로 받들어 모셔졌다'. 일제강점기, 조선의 방방곡곡에 만들어진 신사(제신·아마테라스 오미카미)에 대한, 강제 참배의 근본이 되는 것이 조선신궁이었다. 긴 경사로와, 마치 고대 잉카제국 신전의 계단 같은 삼백팔십하나의 계단을, 일장기를 손에 든 일본인, 조선인 남녀노소가 무리지어 끊임없이 오르내렸던 것이다. 지금은 남산의 등산로로서는 그야말로 풍취가 떨어지는 흉측하리만큼 큰 유물에 지나지 않았다. 7-16·7:181

▶ 서울특별시 용산구와 중구의 경계에 있는 산. 높이는 265.2미터로, 목멱산(木覓山)·종남산(終南山)·인경산(仁慶山 또는 引慶山)·열경산(列慶山), 마뫼 등으로도 불렸으나 주로 목멱산이라 하였다. 동쪽의 낙산(駱山), 서쪽의 인왕산(仁旺山), 북쪽의 북악산(北岳山)과 함께 서울 중앙부를 둘러싸고 있다. 조선 태조가 한양을 도읍으로 정하였을 때 남산은 풍수지리설상으로 안산(案山) 겸 주작(朱雀)에 해당하는 중요한 산이었다. 도성(都城)도 북악산·낙산·인왕산·남산의 능선을 따라 축성되었다. 남산의 정상에는 조선시대 이래 봄과 가을에 제사를 지내던 국사당(國祀堂 또는 國師堂)과 통신제도에 중요한 구실을 했던 봉수대(烽燧臺)가 남아 있다. 일제강점기인 1920년에 아마테라스 오미카미와 메이지 천황을 모시는 조선신궁이 세워졌으나 일본의 패전 직후 승신식(昇神式)이라는 폐쇄행사

를 갖고 신사를 철거하였다. 이후 서울특별시는 1990년대부터 남산의
문화유적 복원 및 생태계 회복을 위한 〈남산 제모습찾기 종합계획〉을
추진하여 남산에 소재한 잠식시설(蠶食施設)을 이전하거나 폐지하였다.
1996년 수도방위사령부, 안전기획부, 외국인 아파트 등 113개 동이 철거
되었고 이 부지에 야외식물원과 공원이 조성되었다. 또한 남산골에 한옥
촌과 전통 정원을 복원하여 1998년 남산한옥마을을 조성하였다. 서울의
발달로 시가지가 확장됨에 따라 교통의 장애가 되어왔던 남산 일대에
산을 둘러 일주할 수 있는 순환도로와 남산을 동서남북으로 직통할 수
있는 1·2·3호 터널이 개통되었다. 현재 산정에는 서울N타워(236.7미터)라
불리는 송신탑과 탑골공원의 정자를 본떠 만든 팔각정이 있으며, 이외에
도 시립남산도서관, 안중근의사기념관·동상, 백범김구광장·동상 등이
있다. 팔각정과 순환도로를 연결하는 남산 케이블카가 설치되어 서울의
유명 관광명소 중 한 곳으로 꼽힌다.

남산공원 봄에 들뜬 시민이 일요일 하루 만에 남산 공원과 서울 근교에
20만 명 이상, 그리고 창경원에는 십만 명의 인파가 몰려나와 문이랑
울타리, 시설이 파괴되고, 많은 부상자와 한 사람의 사망자가 나오는 판
국. 5-11-5:122

▶ 서울특별시 용산구와 중구 사이에 있는 서울 시립공원. 예전에는 '한양
공원(漢陽公園)'으로 불렀으나 이후 지금의 이름으로 바뀌었다. 1897년
일본인이 '왜성대공원(倭城大公園)'이라는 이름으로 세웠는데 1592년 왜
군이 한양을 점령했을 때 주둔했던 곳을 기리는 취지에서 세운 것으로
전해지고 있다. 이후 나무와 숲을 개조시켜 인공도로(현 남산순환도로의
전신)를 포장하고 벚나무를 곳곳에 심었으며 1910년에 한양공원을 열었
다. 1920년에는 '조선신궁'이라 불리는 일제의 건축물이 공원 안에 세워지
기도 했다가 1945년 해방이 되자 신사를 비롯한 일본 잔재물을 철거하면
서 이름을 남산공원으로 바꾸고, 당시 경기도 경성부가 관할하던 것을
서울시가 특별시로 승격 후 연임하면서 시립공원으로 조성하였다.

남원 | 남원면 | 조직에서는 제주도 전체를 여섯 개의 작전 지구, 즉 한라
산을 분수령으로 하여 제주도 북부는 서쪽으로부터 차례로 한림·애월
지구, 제주·조천 지구, 구좌·성산 지구, 그리고 남부는 서쪽으로부터 차
례로 대정·안덕 지구, 남원·표선 지구, 서귀·중문 지구로 나누어, 각 지구
내의 오름, 즉 기생화산을 중심으로 한 근거지의 설정을 거의 마무리해
놓고 있었다. 3-7-6:389 ¶ 게릴라 ― 인민유격대의 관할은, 제주도 전체를
세 방면으로 나누어, 중심부의 성내를 포함한 제주읍, 조천면, 구좌면의
북동부를 제1연대(제1지대), 애월면, 한림면, 대정면, 안덕면, 중문면 서부
를 제2연대(제2지대), 서귀면, 표선면, 남원면, 성산면의 남동부를 제3연
대(제3지대)로 하고 있었는데, 제주읍의 행정구역에 속하는 관음사는 제1
지대의 관할에 들어갔다. 8-19-1:270~271

▶ 제주특별자치도 서귀포시 남원읍에 속한 법정리. 북서 측이 한라산에
면해 있으며, 동쪽으로는 표선면, 서쪽으로는 서귀포 시내와 접해 있다.
남원(南元)이라는 명칭은 남쪽의 으뜸 마을이라는 뜻으로, 1935년 4월
1일부터 제주도 서중면(西中面)을 제주도 남원면(南元面)으로 고치며 사용
되었다. 서중면은 제주도 삼읍 중 하나인 정의현(旌義縣)의 여러 면 중
하나였으며, 당시 면사무소가 남원리(南元里)에 있었기 때문에 남원면으
로 바꾼 것이다. 1946년 8월 1일 제주도제(濟州道制)가 실시될 때 제주도
남제주군 남원면 남원리가 되었으며 1980년 남원면이 남원읍으로 승격되
었다. 2006년에 제주특별자치도가 출범하면서 남제주군이 서귀포시에
통합되어 서귀포시 남원읍 남원리가 되었다. 해안절벽의 경관이 빼어난
곳으로, 큰엉해안경승지 등의 관광명소가 있다.

납읍리 이 학살의 사실은, 빗게오름에 게릴라의 아지트가 있을 것으로 탐
지한 토벌대가 보성리나 근린의 민보단원들을 총동원하여 폭도 토벌에
출동한다는 정보와 함께, 납읍리의 연락원이 알려 온 것이었다. 12-26-1:23

▶ 제주특별자치도 제주시 애월읍에 속한 행정리. 옛 이름은 과납(科納)
또는 납(納)이다. 과납이라는 이름은 문서상 통용되는 이름으로, 과오름

의 남쪽이라는 데에서 유래했다는 설이 있다. 과남 또는 과납이라 하다가 납읍(納邑)으로 고쳤는데, 납읍은 1675년(숙종 1년)에 자연 지세가 여러 마을이 모여 많은 인구가 서수하는 읍(邑)과 같고, 여기에 입주한다는 뜻의 납(納) 자가 붙어 만들어진 이름이다. 최초의 거주는 1300년경(고려 충렬왕)에 시작되어 점차 마을 형태를 이루었다. 본래 제주군 신우면 지역으로 1914년 행정구역 개편에 따라 납읍리가 되었고, 1935년 신우면이 애월면으로 바뀌었다. 이후 1980년 12월 1일에 애월면이 애월읍으로 승격되었다. 주변의 오름들 가운데에 광활한 분지를 이루고 있는데, 남동쪽 한라산 방향으로 한림천이 어음리와 경계로 길게 뻗어 있다.

니시노미야 꽤 혼잡하던 전차가 니시노미야(西宮) 근처까지 오자 갑자기 텅텅 비었다. 타는 사람도 거의 없었다. 두 사람은 나란히 앉았다. 강몽구는 가방을 무릎 위에 올려놓았으나, 남승지는 빈손이었다. 2-5-5:422

▶ 일본 혼슈 효고현에 있는 도시. 세토나이카이로 흘러들어가는 무코강(武庫川) 어귀에 자리 잡고 있다. 니시노미야시는 한신 공업지대의 일부로서 오사카만(大阪灣)과 내륙의 롯코산(六甲山) 사이에 있는 좁은 저지대에 위치한다. 술로 유명하며 해안 지역에서는 금속·기계·화학·고무제품·비누·화장품·맥주 등이 생산된다.

니시아라이 고의천은 강몽구와 남승지를 데리고 다음 목적지인 아타치구(足立區) 니시아라이(西新井)로 향했다. 도쿄에서는 조선인들이 가장 많이 사는 지역이었다. 3-6-2:49

▶ 일본 도쿄도 아타치구에 있는 도시. 시부야구(澁谷區)로부터 북동쪽에 위치해 있다.

니시진 이틀 후의 저녁, 이방근은 집에 들른 한대용과 함께, 준비해 둔 흰색과 분홍색의 니시진(西陣)의 옷감 세 필을 가지고 명선관으로 갔다. 12-종-2:250

▶ 일본 교토시(京都市) 가미교구(上京區)에서 오사카시 기타구에 걸쳐 있는 구. 직물 생산으로 유명하며, 고품질 비단 직물의 발상지이다.

다마쓰쿠리역 택시는 큰길을 북으로 달려 이마자토(今里) 로터리에서 북
서 방향으로 방사선처럼 뻗어 있는 다마쓰쿠리(玉造) 역으로 향하고 있었
다. 2-5-7:470

▶일본 오사카부 오사카시 덴노지구(天王寺區)에 있는 철도역.

단성사 남승지는 며칠 전, 종로에 있는 단성사에서 프랑스 영화 '죄와 벌'
을 보고 있었다. 일본어 자막이 그대로 나오는 낡은 영화였다. 단성사
앞 메마른 도로를 스치는 바람으로 인해 미세한 먼지가 날아올라 그렇지
않아도 연극 공연장처럼 초라하고 거무스레한 건물을 먼지투성이로 만
들었다. 해방을 빼앗긴 채 혼돈스럽게 격동하는 붉은 먼지 속의 서울에
서 불행이라는 이름의 먼지를 뒤집어쓴 듯한 영화를 보는 것은 으스스한
현실감을 안겨 주었다. 영화관은 혼잡하지 않았다. 남승지는 이른 저녁
부터 최종회까지 반복해서 보았다. 도중에 저녁 대신 빵을 사 먹고 자신
의 내부 깊숙이 가라앉은 기분으로 영화관을 나왔다. 1-1-3:72 ¶ 다음날,
이방근은 행상인 박과 종로 3가, 영화관 단성사 근처에 있는 대동법률사
무소에서 만났다. 이쪽에서 전화를 걸기로 약속이 돼 있는 오후 두 시가
되기 전인 이른 아침, 이방근이 아직 이불 속에 있던 9시 조금 넘어 전화
가 걸려 왔다. 숙모가 아직 자고 있다며 일단 거절하였으나, 황이라는
사람이 꼭 통화하고 싶어 한다며 연결해 주었던 것이다. 수화기에는 틀
림없는 행상인 박이 나와 있었다. 그는 오늘 밤 여덟 시에 만나고 싶다,
시간은 아홉 시까지 한 시간을 예정하고 있다고 했는데, 바쁜 듯한 말투
였다. 5-11-5:122

▶대한제국 수도 한성(漢城)의 중심부(현 서울특별시 종로구 묘동)에 개관
한 최초의 민간인 설립 극장. 일제강점기에 무대 공연을 비롯해 영화 제
작과 배급·상영을 담당했다. 1907년 주승희(朱承熙)가 발의하고, 안창묵
(安昌默)·이장선(李長善)이 합자해 2층 목조건물을 세웠다. 처음에는 주
로 자선공연을 한 탓에 재정적인 어려움을 겪어 1908년 10월에 문을 닫
았으나 재개관했다. 1910년 국권피탈 후 일본인 후지하라(藤原雄太郎)에

게 넘어갔다가 1910년대 중반에 광무대(光武臺)를 경영하던 박승필(朴承弼)에게 인수되었다. 극단 혁신단(革新團), 유일단(唯一團), 신극좌(新劇座) 등이 이곳에서 〈오호전명(嗚呼大命)〉, 〈육혈포강노(六穴砲强盜)〉, 〈혈(血)의 누(淚)〉 등을 공연했다. 1924년에는 한국 최초로 극영화 〈장화홍련전(薔花紅蓮傳)〉이 한국인에 의해 제작·상영되었고, 1926년에는 나운규(羅雲奎)의 민족영화 〈아리랑〉을 상영해 화제가 되었다. 1939년 다시 일본인에게 넘어가 1940년 대륙극장(大陸劇場)이라는 명칭으로 바뀌었다가 해방 후 단성사(團成社)로 환원되었다. 이후 1960년대까지 영화 상영을 활발히 하였으며, 100년이 넘는 세월 동안 서울을 넘어 한국의 대표 극장으로 꼽히다가 경영난으로 2015년 폐관하였다.

달성군 팔공면 '경북에서 무장봉기, 경찰대와 충돌, 쌍방에 피해'······. '제5관구 경찰청에 들어온 정보에 의하면, 지난 1일 미명, 군위군 악[부]계면과 달성군 팔공면 경계 팔공산 기슭의 부락에서 다수의 무장 군중이 출현하여 무장 경찰대와 충돌, 교전, 쌍방에 약간의 피해를 냈다. 상세한 내용은 현재 조사 중이라고······.' 10-22-1:12~13

▶ 대구광역시 서부에 위치한 행정구역. 달성군은 대구광역시 전역에서 출토되는 유물로 보아 대략 청동기시대부터 사람이 살았던 것으로 추정된다. 또한 집단끼리 세력통합운동이 일어나 성읍국가와 같은 소국을 형성했을 것이라는 추측이 있다. 삼한시대에는 변한(弁韓)에 속했으며, 달구화 또는 달구벌이라 하였다. 1414년(태종 14년)에는 현풍현(玄風縣)과 화원현(花園縣)을 제외한 수성현(壽城縣)·해안현(解顏縣) 등 달성군 지역 일대가 대구에 속하게 되었다. 1419년(세종 원년) 대구현을 군으로 승격하여 달성이라 하였다. 지방제도 개정으로 1896년에 경상북도 대구군이 되었다. 1905년 성주군 노곡면이 현풍군에 편입되고, 1914년 부·군·면 통폐합 때 대구부 외곽지와 현풍군을 통합하여 달성군이라 하였다. 경상북도에 속해 있다가 1995년에 대구광역시로 편입되었다. 현재 달성군은 6개의 읍(화원읍, 논공읍, 다사읍, 유가읍, 옥포읍, 현풍읍)과 3개의 면(가창면, 하

빈면, 구지면)을 관할하고 있다.

대구   그리고 10월 1일, 대구에서 굶주린 군중 1만여 명의 '쌀을 달라'는 시위에 대한 미군과 경찰의 무력 탄압(검거 6백여 명, 사망자 17명, 부상자 23명)이 소위 10월 인민항쟁을 촉발시켰다. 민중봉기는 대구, 전주, 광주 형무소의 탈옥, 각 지방의 경찰서 습격으로 이어져 결국 남조선 전역으로 퍼져 나갔다. 1-1-4:97

▶ 경상북도 남부 중앙에 위치한 광역시. 분지(盆地) 지형으로서 북부와 남부는 산지로, 중앙부와 서부는 저지(低地)로 이뤄져 있다. 신라 군현 체제하의 대구는 위화군(喟火郡)과 달구화현(達句火縣)으로 나누어져 통치되었으며, 757년(경덕왕 16년) 위화군이 수창군(壽昌郡)으로, 달구화현이 대구현(大丘縣)으로 개명되었다. 1143년(고려 인종 21년) 대구현이 현령관으로 승격되었고, 12세기에 무신의 난이 일어난 이후 경주·밀양·청도 등지에서 민란이 빈발했을 때에는 이를 진압하기 위한 군사 활동의 근거지가 되었다. 조선시대에는 임진왜란 이후 이곳 출신의 사림이 주축이 되어 의병활동을 전개하기도 했다. 1601년(선조 34년) 경상도 감영(監營)이 설치되면서 대구는 명실상부한 영남지방의 중심지가 되었다. 일제의 침입이 시작되면서 대구는 항일 저항운동의 근거지로서 한몫을 하였다. 근대적 교육을 통한 민족실력양성운동이 전개되었고, 1907년 서상돈(徐相敦)·김광제(金光濟) 등이 국채보상운동을 전개해 전국적으로 큰 호응을 얻었다. 1914년 행정구역 개편으로 대구부의 관할구역이 대구면(오늘날의 중구)으로 크게 축소되었으나 1938년 대구부역의 확장에 따라 이 지역이 속한 수성면이 다시 대구로 편입되었다. 1949년 대구부가 대구시로 개칭되었고 1981년 7월 1일 대구직할시로 승격되었으며 1995년 광역시로 개칭되었다. 동쪽은 경상북도 경산시, 서쪽은 경상북도 성주군과 고령군, 남쪽은 경상북도 청도군과 경상남도 창녕군, 북쪽은 경상북도 칠곡군과 군위군 및 영천시와 접하고 있다.

대전   대전에서 갈아탄 급행열차가 서울역에 도착한 것은 오후 네 시가 넘어서였다. 지붕이 도중에서 끊어진 플랫폼 끝으로 넘쳐 나듯 북적거리는 승객들을 비추는 석양은 사람들의 몸과 짐 위에서 이글이글 불타는 모양으로, 아직 직열하는 열기를 잃지 않고 있었다. 5-13-1:367

▶ 충청남도 남동부에 위치한 광역시. 이곳이 대전으로 불린 것은 1905년 일제가 경부선을 부설해 '한밭' 마을을 그 통과지점으로 삼았을 때이다. 이와 동시에 일본인 거류민이 증가해 신사(神社)를 설치하고 일본 불교를 들여오는 등 일본풍의 시가가 형성되기 시작했다. 철도 부설로 서울과 영호남을 연결하는 교통의 중심지가 됨으로써, 1932년 충청남도 도청이 대전으로 이전되었고, 일본인이 정착한 대전읍이 확장되어 각종 산업시설이 들어섰다. 1935년 10월 대전읍은 대전부로 승격했으며 1940년 다시 행정구역이 확장되어 32개 동을 관할하게 되었다. 1949년 대전부가 대전시로 개칭되었고, 1989년 대전직할시로 승격되었다가 1995년 광역시로 개칭되었다.

대전역　서울에서 남편과 함께 온 숙모는 딸처럼 지내 온 유원과의 이별의 슬픔을 참기 힘들었고, 출항하는 배를 앞에 두고 '대성통곡'할까 봐 집에 머물고 있었다. 대전역에서 열차를 타고 부모와 합류한 문자는 그 엄마를 대신하고 있었다. 11-25-6:356

▶ 대전광역시 동구 정동에 소재한 철도역. 1905년 1월 1일, 경부선이 개통하면서 대전역이 개관하였다. 1912년 3월 6일, 호남선이 개통되면서 분기역으로 영업을 시작하였고 1919년에는 역사를 개축·준공하였다. 1920년 5월 우리나라 철도 역사로는 최초로 지하도를 설치하였다. 한국전쟁 이후 1958년 12월 28일에 현대식 철근 콘크리트 구조(3층 규모)의 역사를 신축·준공하였으며, 그 면적은 1,671제곱미터였다. 2004년 경부선고속철도가 개통된 후 현재는 경부선·충북선 고속열차와 새마을호, 무궁화호가 운행된다. 2016년부터 수서고속철도(SRT) 열차도 정차하고 있다.

대정촌　｜대정현｜ "(…) 대정촌(大靜村)에서 이재수란 장수가 나온 건 바로 이때였다구. 게다가 관리들은 법국(프랑스)놈들하고 한패가 돼 가지고선

섬 사람들을 함부로 죽이고 훔치고…… 참으로 천주교도들은 몹쓸 짓을 많이 했었지……. (…)"2-5-1:330 ¶공물을 실은 배는 섬의 남서쪽에 있는 대정현(大靜懸[縣]) 모슬포(慕瑟浦)에서 출항하여 중국의 산둥 지방으로 향했다. 그리고 언제부턴가 대정의 강(姜) 씨라는 사람이 해상운송대리업자가 되어 매년 수 척의 큰 배를 제공했다. 4-8-4:112

▶ 제주특별자치도 서귀포시 서부에 존재했던 마을. 대정현은 대정군(大靜郡)이라고도 불린 옛 행정구역이다. 1416년(태종 16년) 제주목사 겸 도안무사 오식(吳湜)이 제주의 지방 행정구역을 개편해 줄 것을 중앙 정부에 요구하였다. 이에 태종은 종래 제주목을 제주목·정의현·대정현 세 고을로 나누고, 여기에 17개의 속현(屬縣)을 소속시키도록 하였다. 그리하여 제주목에는 동도 도현의 신촌현·함덕현·김녕현과 서도 도현의 귀일현·고내현·애월현·곽지현·귀덕현·명월현을 소속시켰다. 동도의 현감은 정의현을 본읍(本邑)으로 삼고, 토산현·호아현·홍로현 3현을 소속시켰으며 서도의 현감은 대정현을 본읍으로 삼아 예래현·차귀현 2현을 소속시켰다. 이로써 제주의 행정구역은 한 고을에서 3개의 고을로 개편되어 삼읍체제(三邑體制)가 되었다. 이후 1864년(고종 원년) 대정현은 대정군으로 승격하였고, 1914년 전라남도 제주군으로 병합되어 소멸하였는데, 당시 대정군 지역은 3개 면으로 재편되었다. 이후 1946년 제주도(濟州道)의 설치와 함께 옛 대정군과 정의군 지역이 남제주군으로 독립했으며, 1956년 7월 8일에는 대정면이 대정읍으로 승격하였다.

덕수궁 오후 두 시, 현장 근처에 있는 덕수궁에서 신정부 수립을 축하하는 자유종의 타종식이 예정대로 진행되어 은은하게 종소리가 울려 퍼졌는데, 그것은 가련한 '문둥이'의 신음처럼 들렸다. 5-13-6:529

▶ 서울특별시 중구 정동에 있는 조선시대 궁궐. 덕수궁(德壽宮)은 처음 월산대군의 집터였던 것이 임진왜란 이후 선조의 임시거처로 사용되어 정릉동(貞陵洞) 행궁으로 불리다가 광해군 때에 경운궁(慶運宮)으로 개칭되었다. 이후 1907년 순종에게 양위한 고종이 이곳에 머무르게 되면서

고종의 장수를 빈다는 의미로 덕수궁이라 다시 바꾸었다. 덕수궁은 전통 목조건축과 서양식 건축이 함께 남아 있는 곳으로 조선왕조의 궁궐 가운데 ~~독특한 양식을 취하고 있으며~~ 구한말의 역사적 현장이었다. 특히 1945년 해방 후 덕수궁 석조전(石造殿)에서 미·소공동위원회가 열려 한반도 문제가 논의되었으며, 1947년 유엔한국임시위원회가 이 자리에 들어오게 되어 덕수궁은 새로운 역사의 현장이 되었다.

덴노지 | 덴노지역 | 오사카 역에서 고가철로를 달리는 조토 선(城東線)으로 갈아타고 덴노지(天王寺) 역을 나왔을 때는 오후 한 시가 되어 있었다. 도중에 쓰루하시 역을 지나가는 전차의 창밖으로 펼쳐지는 이카이노(猪飼野) 일대의 거리를 내다보며, 좁은 방 안에서 돋보기를 끼고 재봉틀을 돌리고 있을 어머니의 모습을 상상했다. 3-6-4:100

▶ 일본 오사카부 오사카시 남쪽의 교통 요충지. 재일조선인들이 많이 살고 있는 곳으로, 덴노지공원과 통천각이 유명하다.

덴포잔 부두 그 당시에는 백주대낮에 보란 듯이 배를 일본의 오사카 덴포잔(天保山) 부두에서 출항시켰다. 2년……, 일본에 갈 거라고는 생각지도 못했던 만큼, 어느새 2년……이라는 감회가 남승지의 가슴을 뜨겁게 했다. 2-5-2:355~356

▶ 일본 오사카부 오사카시 미나토구(港區)에 위치한 항만 시설. 대형 선박의 입항을 위해 준설 공사를 하면서 퍼올린 토사를 쌓아 올려 만든 항구이다. 1888년 해수 목욕탕을 만들면서 정비가 시작되었고 1950년대부터 유람선, 관람차 등의 여가시설이 들어서면서 관광명소가 되었다. 현재 대규모 수족관, 복합 쇼핑몰 등이 조성되어 있다.

도요하시 "그렇지요, 독고타이라는 것은 그 밀수입하는 그룹을 말합니다. 일본의 교토(京都)나 아이치(愛知) 현의 이치노미야(一宮), 도요하시(豊橋)에 있는 일본인 공장에서 사들여 조선까지 가지고 오니까, 목숨을 거는 거잖아요? (…)" 6-15-4:368

▶ 일본 혼슈 아이치현(愛知縣)에 있는 도시. 옛 이름은 요시다(吉田)이며

아쓰미만(渥美灣)에 접해 있다. 예로부터 조카마치(城下町, 봉건 영주의 성을 중심으로 발달한 시가지)로 유명했던 이 도시는 16세기에 많은 전투가 벌어지기도 했으며, 도쿠가와 시대(德川時代, 1603~1867년)에는 성주가 여러 차례 바뀌었다. 19세기 후반부터는 일본 굴지의 견직물 생산지가 되었으나, 제2차 세계대전 이후 비단의 수요가 줄어들면서 주로 면직물과 합성직물을 생산해왔다.

도쿄 이방근은 학생 시절에 부모의 뜻에 따라 중매결혼을 했다. 도쿄(東京)에 살고 있는 형이 일본 여자와 결혼한 뒤 아내의 성을 따라 '일본인'이 되는 바람에 이방근이 '집안'을 위해 편의적인 결혼을 한 것이나 마찬가지였다. 1-2-1:166

▶일본의 수도이자 일본 열도의 중심부인 간토 지방 남부에 위치한 도시. 정치·경제·외교·문화·교육·교통·금융·산업 등이 집중된 일본의 최대 규모의 도시이다. 이와 같은 기능 집적은 메이지 시대 이후 오늘날까지 지속되고 있다. 도쿄는 국제무역항인 요코하마(橫浜)·고베와 함께 서구 문화를 받아들이는 문호 역할을 하면서 생활양식과 의식이 가장 현대적이고 개방적인 곳이다. 메이지 유신 이후 신정부는 구(舊) 막부 세력의 장악과 옛 수도로부터의 탈피라는 정치적 의도에서 에도(江戶)를 수도로 선정했다. 교토에서 도쿄로의 천도와 함께 교토보다 동쪽에 있는 수도라 하여 1868년 도쿄로 이름이 바뀌었고, 중앙집권적이며 절대주의적 천황제(天皇制)의 신생 수도로 정치·경제·문화의 중심지가 되면서 근대 도시로서의 형태를 갖추게 되었다.

돈암동 "(…) 돈암동에서는 권총과 탄환 등 60여 점을 압수, 인천에서 발생한 경관 살해 사건 등을 포함하여, 지난 ×일 오후 일곱 시를 기해 총공격을 실시하고 있는 제주도에는, 바로 국방군 간부가 급거 비행기로 출동하게 되었다." 10-22-4:89

▶서울특별시 성북구의 행정동. 조선시대 야인들이 동소문을 이용하여 도성으로 들어왔기 때문에 지금의 미아리고개를 되너미고개(狄踰峴)라

부르고, 되너미고개를 한자명으로 돈암현(敦岩峴)이라고 한 데서 유래하였다. 돈암동은 조선 초부터 한성부 숭신방(崇信坊, 성외)에 속하였으며, 1867년(고종 4년)에 발긴된 《육진고례(六典條例)》에 의하면 한성부 동부 숭신방 사하리계였고 1895년 한성부 동서(東署) 숭신방 동문외계 돈암리로 바뀌었다. 1911년 4월 1일 경기도령 제3호로 한성부를 경기도에 예속시켜 5부8면제가 시행되면서 경기도 경성부 숭신면 돈암리로 칭하다가 1914년 4월 1일 경기도령 제3호에 의해 경성부 행정구역이 개편 축소되면서 삼선평(三仙坪)과 통합되어 경기도 고양군 숭인면 돈암리가 되었다. 1936년 4월 1일 조선총독부령 제8호에 따라 경성부를 확장하면서 이 동을 경성부에 재편입시켜 돈암정이란 일제식 동명을 붙였다. 그 후 1943년 6월 10일 조선총독부령 제163호로 구제도(區制度)를 실시할 때 동대문구에 속하였다. 해방 후 1946년 10월 1일 서울시헌장과 미군정법령 제106호에 의해 일제식 동명을 한국식 동명으로 바꿀 때 돈암동으로 고쳐 오늘에 이른다.

돌오름 ｜석악, 숫오름｜ 토벌대의 관음사 소각에 격분한 산 정상 가까운 돌오름에 포진하고 있던 게릴라 부대가, 관음사 부근에 주재하고 있던 전투사령부 외 기타 병력과 교전, 상당한 격전으로 쌍방에 사상자가 다수 나왔다는 이야기도 들려왔다. 12-종-5:335

▶제주특별자치도 제주시 월평동에 있는 기생화산. 한라산의 백록담으로부터 북동쪽으로 4킬로미터 떨어져 있으며, 한라산 국립공원 내 제주시 아라동과 조천읍 교래리의 경계에 위치한다. 우뚝 바위가 솟아 있어서 돌오름(石岳)이라 부르고, 남성의 상징으로 여겨지기 때문에 일명 숫오름으로 부르기도 한다. 높이는 1,278.5미터, 둘레는 735미터, 면적은 41,620제곱미터이며, 모양은 원추형이고 화구는 없다. 서쪽 사면을 제외하고는 매우 가파른 숲 사면을 가졌으며 그 속에서 우뚝 벼랑바위가 치솟아 나온 돌산이다. 오름의 정상부에는 구상나무와 적송, 삼나무가 숲을 이루고 있다.

동국민학교 이윽고 인가들이 늘어서 있는 저편으로 단층의 동국민학교
　　　건물이 보였다. 이방근은 학교 바로 앞에서 왼쪽으로 꺾어서 해안가 부락
　　　으로 들어섰다. 4-10-4:461

　　▶ 제주특별자치도 제주시 건입동에 있는 공립학교. 1941년 3월 31일 제주
　　북교 부설 용담간이학교가 용담동에 개설·운영되어 오다가 1943년 3월
　　31일 제주서공립국민학교로 승격되어 같은 해 7월 31일 이도동으로 학교
　　를 이설하였다. 이후 학교 명칭이 제주서공립국민학교에서 제주공립욱(旭,
　　아사이)국민학교로 바뀌었다. 1945년 10월 11일 현 제주남초등학교 터로
　　위치를 옮겼다가 1946년 학교를 현 위치인 건입동으로 이설하고 학교 명
　　칭을 제주동국민학교로 개칭하였다. 1996년 제주동초등학교가 되었다.

동문교 외침 소리가 차 안에까지 들려오는 아이들을 경적으로 쫓아내며
　　　버스는 노천시장 근처 동문교(東門橋)를 건넜다. 아이들이 욕을 해대면서
　　　다리까지 뒤따라왔다. 버스는 마침내 종점인 성내로 들어온 것이다(성내
　　　라고는 해도 성벽은 거의 남아 있지 않고, 관습처럼 그렇게 부를 뿐이다). 1-1-
　　　1:27~28

　　▶ 제주 성내의 관덕정을 기준으로 하여 동쪽 산지천 위의 다리. 고려시대
　　에 탐라군이 설치되면서 1105년(숙종 10년) 제주읍성이 축성되었다. 본래
　　동쪽의 산지천과 서쪽의 병문천 사이에 성을 쌓았으나, 성내에 우물을
　　확보하고자 조선조 중기부터 성곽을 확장하였다. 이후 일제강점기에 제
　　주목 관아 일대의 성곽이 철회되었는데 당시 4개의 성문이 있었다. 지금
　　의 동·서·남문교차로 자리에 각각 동문, 서문, 남문이 있었고 동문교는
　　관덕정과 동문교차로 사이에 놓여 있었다. 현재 일도동에 소재해 있는
　　동문교는 1996년 산지천 복개공사 시행으로 보수된 것이며 이 일대는
　　탐라문화광장으로 조성되어 있다.

동문길 사람들이 남승지 앞을 가로막고 서는 바람에 더 이상 창밖은 보이
　　　지 않았다. 열두 시가 지나서야 버스는 떠났다. 버스는 오른쪽으로 광장을
　　　한 바퀴 돌더니 동문길 방향으로 덜컹거리며 달리기 시작했다. 1-1-5:145

▶제주특별자치도 제주시 일도1동 중앙교차로와 건입동 6호 광장 사이에 있는 도로. 제주읍성의 동문이 있었던 것에서 유래된 명칭으로, 동문로는 동문교차로의 동쪽을 지칭하였고 흔히 동문통으로 불렸다. 동문로의 구간은 동문교차로에서 사라봉 입구까지 약 1.9킬로미터에 이르며 산지항 (1968년 제주항으로 개칭되기 이전의 항구 이름)과 연결돼 있고 중앙로와 동부 지역을 연결하는 길이다. 일제강점기에 동문로 주변에 논과 밭이 많았고 8·15광복 이후에야 주택가가 형성되기 시작하였다. 1945년 제주 상업의 근거지가 되는 동문상설시장이 만들어진 이후 쌀집·솜틀집·기름 집·헌옷 수선집 등이 생겨났다.

동문시장　두 사람은 관덕정 광장을 지나 C길 쪽으로 걸어갔다. 동문시장은 쉬는 날인지, 사람들이 서문시장 쪽을 향해 북적이며 이동하고 있었다.
1-2-4:219

▶제주특별자치도 제주시 일도동에 있는 상설 재래시장. 제주도에서 가장 오랜 역사를 지니고 있는 전통시장이다. 1945년 제주 상업의 근거지가 되는 동문상설시장이 만들어졌고, 1946년 4월 모슬포에 국방경비대 제9 연대가 창설되면서 육지에서 제주를 찾는 왕래객이 많아져 시장이 활성화 된다. 제주시 일도리 1146번지(현 동문교차로 일대) 남수각 하천 하류 주변 에 각종 일용품 및 채소, 식료품 등을 판매하는 노점이 하나둘 생기면서 매일 장사하게 된 것이 동문시장의 초기 형태이다. 동문시장의 주요 고객 은 성내 사람이지만 모든 상거래가 이곳을 중심으로 해서 이루어지므로 성 밖 시골에서도 사람들이 와서 많이 사고팔았다고 한다. 길거리에 앉아 서 파는 상인도 있었으며, 자기가 앉는 영역을 표시해 두고 지속적으로 한곳에서 장사를 하기도 했다. 무엇보다 동문시장은 제주 읍내 중심지에 위치하여 제주의 관문인 제주항과 직결되는 통로가 되었을 뿐만 아니라, 동부 지역으로 가는 교통의 요충지가 됨으로써 제주도 전체 상업 활동의 중심 역할을 수행하였다.

동지나해　선장과 기관장의 판단에 맡길 수밖에 없지만, 관문해협을 피해서 멀리 동지나해를 남하하다가, 규슈 서쪽에서 그 남단을 돈 뒤, 계속 시코쿠(四國) 앞바다를 우회하면서 일단 와카야마(和歌山) 연안으로 다가 가든가, 아니면 기이수도(紀伊水道)에서 오사카만으로 들어가는 것도 생 각해 볼 수 있었다. 6-14-2:36

▶ 동중국해(東中國海). 북동쪽으로 규슈, 동쪽으로 류큐(琉球), 남쪽으로 타이완, 서쪽으로 중국과 접해 있는 태평양의 연해이다. 중국에서는 '둥 하이(東海)'라고 부른다.

동화백화점 7시 반이 지나 다방을 나온 뒤 택시를 타고 남대문 근처의, 시내 한복판에 솟아 있는 남산의 산록을 종로 거리와 마찬가지로 동서로 뻗어 있는 충무로 입구의 동화백화점 앞에서 내렸다. 5-11-5:111~112

▶ 서울특별시 중구 회현동에 소재한 신세계백화점의 전신. 대한민국 백화 점 중 본점의 외관 모습을 개점할 당시의 원형대로 보존하고 있는 유일한 백화점이다. 1930년 10월 24일 개업한 미쓰코시(三越) 경성점을 그 시초 로 하며, 해방 이후 동화백화점(東和百貨店)으로 영업하다가, 1963년에 삼성그룹으로 흡수되어 상호를 신세계백화점으로 바꾸었다.

마루노우치 두 사람은 플랫폼에서 긴 다리 같은 복도를 건너 야에스구치 (八重洲口) 쪽으로 나왔다. 마루노우치(丸の內) 쪽의 정면 출입구와는 달리 벽의 군데군데에 베니어합판이 붙어 있는 것이 뒷문이라 다르다는 느낌을 주었다. 3-6-1:16

▶ 일본 도쿄역 서쪽에 소재한 지역. 마루노우치 또는 마루노우치구치(丸ノ 內口)라고 부른다. 도쿄도 지요다구(千代田區)에 있는 상업지구로, 도쿄역 과 황궁 사이에 위치한다. 마루노우치라는 이름을 뜻 그대로 풀이하면, '동그라미의 안'이라는 뜻이다. 황궁의 바깥쪽 해자(垓字) 안쪽에 위치하 기 때문에 이런 이름이 붙었다. 참고로, 북쪽은 니혼바시구치(日本橋口)라 고 일컫는다.

명동 이방근은 그대로 지나치며, 문득 서울에 온 첫날밤에 우연히 나영호 와 함께 그녀와 만난 충무로의 식당으로 갈까도 생각했다. 하지만 혼잡할 수도 있다는 생각에 그대로 오른쪽으로 돌아 명동의 혼잡한 인파 속으로 발길을 옮겼다. 문난설 자신도 앞을 안내하듯이, 스스로 그쪽으로 들어갔다. 7-16-8·194

▶ 서울특별시 중구의 행정동. 조선시대 한성부 5부 49방 중 남부(南部)의 명례방(明禮坊)에 속하였으며 명례방골 또는 종현(鍾峴)이라 하였다. 여기에서 명동이 유래한 것으로 보인다. 1914년 행정구역 개편 때 명치정 1·2정목(明治町 一·二丁目)이 되었고, 1946년에 명동1가·명동2가로, 1955년에 이를 합하여 명동이 되었다. 조선시대에 이 지역은 주택지로 밀집을 이루었고, 일제강점기에 충무로 일대를 상업지구로 개발하면서 명동도 점차 상업지구로 변모하였다. 1923년 이후부터 명동은 서울의 번화가가 되었고, 그 후 해방과 한국전쟁을 전후한 시기에도 여전히 서울의 문화와 예술의 중심지였다. 해방의 환희, 전후의 허무와 환멸의 정조가 흐르던 이 명동거리에서 한국의 문화인들은 다방과 술집 등에 모여 예술과 인생을 논하며 불운하였던 시대의 한과 정을 풀었다고 한다.

모리노미야역 택시는 오사카 성이 보이는 모리노미야(森ノ宮) 역으로 나왔다. 이 주변의 잡초가 무성한 광대한 부지는 전쟁 중에 육군 병기공장이 있던 자리로, B29의 집중적인 폭격을 받은 지역이었다. 2-5-7:471

▶ 일본 오사카부 오사카시 주오구에 있는 철도역.

모스크바 '모스크바 삼상회의'……, 모스크바에서 열린 미·소·영 삼국 외상회의 결정문을 보는 것도, 입으로 중얼거려 보는 것도 오랜만이었다. 2-3-3:64

▶ 러시아의 수도. 러시아 최대의 도시이자 유럽에서 인구가 가장 많은 도시이다. 14세기부터 18세기 초까지 러시아 제국의 수도였다. 1917년 사회주의 혁명 이후 1918년 러시아의 수도가 상트페테르부르크(Sankt Peterburg)에서 이곳으로 옮겨왔고 1922년 소련의 탄생과 함께 국가의 수도가 되었다. 냉전 시대에는 세계 공산당의 중심 역할을 하였는데, 1991년 소련의 붕괴 이후에는 러시아 연방의 수도로서 그 지위를 유지하고

있다.

모슬포 공물을 실은 배는 섬의 남서쪽에 있는 대정현(大靜懸[縣]) 모슬포(摹瑟浦)에서 출항하여 중국의 산둥 지방으로 향했다. 4-8-4:112 ¶ 그곳에는 게릴라 담당 지휘자인 군사부장 김성달과 당 간부, 그리고 군대 내의 세 포조직에서 파견된 모슬포 주둔 국방경비대 제9연대 제3대대 현상일 중위 등이 모여, 4월 3일에 봉기를 결행하기로 최종적으로 결정하고, 군대로부터의 무기 및 탄약 공급 등에 관해서도 협의가 이루어졌다. 4-8-5:122 ▶ 제주특별자치도 서귀포시 대정읍 상·하모리 해안 지역. 이곳의 모슬포항은 제주도의 남서쪽 끝에 있는 포구이다. 배후에 모슬봉(187미터)·가시악(加時岳, 123미터)을 등지고 있는 남서부 해안은 암석해안 또는 암초로 둘러싸여 천연의 방파제가 되고 있다. 포구 중앙에 돌출한 작은 반도 지형으로 인해 항구가 좌우로 나뉜다. 조선시대에는 수군방호소(水軍防護所)·중수전소(中水戰所)가 설치되어 군사적으로 중요한 곳이었다. 원래 모슬포는 대정의 외항(外港) 겸 어항(漁港)으로 발달해왔으나 지금은 관광지로서 활기를 띠고 있다.

모지항 오른쪽은 모지(門司) 항이었다. 틀림없이 푸른 산등성이를 배경으로 커다란 굴뚝이 숲처럼 솟아 있는 도회지이고, 왼쪽으로는 일찍이 한 많은 관부연락선의 발착지였던 시모노세키(下關), 거대한 크레인 숲이 보일 것이다. 2-5-3:361

▶ 일본 규슈 북쪽의 간몬해협에 면한 항구. 1889년(메이지 22년) 개항 이후 국제무역항으로서 규슈의 물자들이 본토로 넘어갈 때 반드시 거쳐야 했으므로 이곳은 번성했다고 한다. 일본의 다른 항구보다 서구적인 풍경이 이색적인 곳이다.

목포 오늘 아침 서울을 출발한다는 전보가 왔으니, 오늘 밤 목포에 도착하여 때마침 배편이 있으면 내일 아침쯤 제주에 도착할 것이고, 배편이 없으면 모레 아침에 올 거라고 하자, 부엌이는 안심된다는 표정으로 물러가려고 했다. 2-3-1:7

▶ 전라남도 남서단 영산강 하구에 위치한 도시. 동쪽과 남쪽은 영산호(榮山湖)에 면해 영암군을 마주하고 있으며, 서쪽은 많은 도서들로 이루어진 신안군, 북쪽은 무안군과 접하고 있다. 시사시의 서남쪽에 병풍을 눌러놓은 듯 기암절벽이 펼쳐진 유달산(儒達山)이 있다. 이곳은 1351년(고려 충정왕 3년)에 봉수대가 설치된 곳이기도 하다. 목포는 호남선의 종점이며 국도 1번(신의주~목포)의 기점이기도 하다. 조선 말기까지도 무안군에 딸린 작은 포구에 지나지 않았으나 1897년 개항된 이래 식민지 거점도시로 이용되면서 급속히 성장한 항구도시이다. 1914년 호남선 철도가 개통되었고 호남에서 생산되는 쌀·목화·누에고치 등이 이곳에 집산되어 일본 고베항으로 실려 갔으며, 일본에서 가공된 물자는 여기서 하역되어 철도를 타고 내륙으로 보급되었다. 목포항 권역을 중심으로 일제강점기에는 목포가 광주보다 훨씬 번성한 도시였다.

목포극장　두 사람은 이내 혼잡한 해안가 길을 벗어나 목포극장이 나오는 왼쪽 길로 돌아서 역 쪽으로 향했다. 이 주변은 시의 중심지에서 가깝기 때문에 통근하는 자전거와 사람들이 눈에 많이 띄었다. 5-11-4:85

▶ 1926년 11월 8일에 개관한 전라남도 목포시의 극장. 개관 당시 창평동과 무안동 사이(현 목원동)에 르네상스식 건물로 지어졌으며, 서울 단성사, 광주극장과 함께 조선인 자본가가 소유한 극장이었다. 목포역 부근의 이 일대는 유동인구가 많은 지역 중 한 곳이었으나, 1990년대 말부터 구도심의 유동인구가 감소하면서 극장의 흥망이 거듭되었다. 2008년 극장의 시설 정비로 영업을 중단하다가 2010년에 재개관하였다. 2012년에 롯데시네마에서 목포극장 건물을 인수하였으나 1년 10개월 만에 폐업하고, 2014년 메가박스가 인수하여 재개관하였으나 2020년에 문을 닫았다.

목포역　저녁 무렵, 짐을 여관에 두고 훌쩍 밖으로 나온 이방근은 제주도 게릴라토벌 증원경찰대의 제1진으로 보이는 검은 제복의 무장집단이 광주 방면에서 임시열차로 목포역에 집결하는 것을 보았다. 5-11-4:95

▶ 전라남도 목포시 호남동에 있는 호남선의 철도역이자 종점. 목포시 구

도심에 있으며, 대한민국의 철도역 중 최서단에 있는 역이다. 1913년 5월 15일 호남선의 목포~학교(현 함평역) 간 개통으로 역사 준공과 함께 보통역으로 영업을 개시했다.

목포항 "그만해라. 나잇살이나 먹어가지고 무슨 소녀같이 굴고 있어. 어떻게 된 거야, 그 고양이는?"/ "소녀같이 굴다니요, 말이 너무 심해요. 목포항에서 개한테 쫓기는 걸 구해 줬는데, 가여워서 데려온 거예요." 2-3-1:10 ¶ 문난설은 수고가 많다며 총경 대우답게 한마디 위로의 말을 건넨 뒤, 제주도에서 폭도들이 목포항에 도착한다고 하던데 그걸 잠시 볼 수 없겠냐고 물었다. 모자를 고쳐 쓴 사냥모자가 잠시 생각에 잠기는 듯하더니 표정을 바꾸고 곧바로 네 사람을 항구 쪽으로 안내했다. 연락선 발착장으로, 연도에 빈 트럭이 두세 대 늘어서 있었고, 백 명은 넘을 것 같은 경찰들이 주위의 부두를 포위하듯 방어막을 치고 있었다. 그 속에 라이트 불빛을 받은 덮개가 씌워진 트럭의 검은 그림자가 왠지 영구차처럼 섬뜩하게 비쳤다. 7-17-2:253

▶ 전라남도 목포시 항동에 있는 항구. 목포항은 1897년 10월에 개항되어 제주도와 홍도를 포함한 60곳이 넘는 다도해 섬을 연결하는 해상로의 중심이자 호남지방의 해상관문이다. 자연적인 조건과 입지적인 여건이 양호한 목포항은 중국 및 동남아시아로의 진출을 위한 거점 항만으로서 서남권 경제의 중추적 역할을 담당하고 있다. 특히, 목포항은 일본의 나가사키와 중국의 상하이를 좌우에 둔 지정학적 조건 때문에 제국 열강들의 정치경제적 관심이 집중됐다. 일제강점기에는 대량의 직물과 곡류의 공출 거점 기지로 전락하였으며 항구 주변에는 일본인 집단 체류지가 있었다. 현재에도 체류지의 흔적을 찾아볼 수 있다. 해방 후 목포항은 남항과 북항으로 나뉘어 그 기능이 분산되었다. 한편, 이 목포항은 4·3사건과 매우 관련이 깊다. 제주에서 일어난 1947년 3·1사건, 3·10총파업, 구좌면 종달리 6·6사건, 안덕면 동광리 하곡공출반대 사건과 1948~1949년 두 차례의 군법회의 등을 이유로 제주도민 600여 명이 목포형무소로 수

감될 때 대부분 무고했던 양민들은 제주 바다를 건너 목포항에 도착할 때까지 온갖 고초를 겪었다. 4·3사건과 관련한 재판을 받았던 상당수의 제주인들을 무속시길 형무소가 세주노에 셛내석으로 무속하여, 전국의 형무소로 분산 수감될 수밖에 없었는데, 목포형무소에는 수형인들이 가장 많이 수용되었다. 이렇게 목포형무소에 갇힌 제주인들은 1949년 9월 14일 발생한 탈옥 사건과 1950년 한국전쟁 이후 대부분 고향에 돌아오지 못한 채 지금까지 생사를 알 수 없는 이른바 행방불명자로 남아 있다.

목포형무소ㅤ｜목포교도소｜ "실태……? 아마 제주도에서 도착한다는 것은 말이지, 이른바 빨갱일 거야. 경찰서나 수용소에 들어가 있던 사람들을 본토의 목포형무소로 보내려는 거겠지. 제주도엔 형무소가 없거든." 7-17-2:250ㅤ¶ "그렇습니다. 요 며칠 사이에 지난 달 말에 체포된 사람들이, 배로 목포의 형무소로 보내진다고 합니다. 그때 체포된 사람들은, 이상하게도 아무도 비행장의 사형장으론 가지 않고 끝나고 있는 것 같습니다. 형무소로 보내지게 되면, 바로 죽임을 당하거나 하지는 않는다고 하니까요. 그래서 산부대에 있던 사람도 지금 자수하면 포로수용소에 일단 수용되든가, 잠시 경찰서에 집어넣어 두었다가 목포형무소로 옮긴다는 얘기입니다. 비행장으로만 가지 않고 끝난다면, 어차피 나라와 정부에 반대해 왔으니 자수를 하고 바로 석방되진 않더라도, 그 정도의 정부의 벌은 받아도……." / 그 정도의 정부의 벌……. 실제로 10·24 '선전포고' 전단 살포 직후, 원래 용의사실이 없는데도 성내에서 일제 검거된 사람들 중에서는, 석방자들도 상당히 나오고 있다는데, 어찌 된 일인가. 직접 게릴라 활동을 하지 않았기 때문인지, 최근 목포형무소로 7, 80명이 이송되었다는 이야기가 나오고 있었다. 그렇게 된다면 설령 형식적이라 해도 재판을 기다리는 동안은 연명할 수 있다. 11-25-2:247~248ㅤ¶ 행선지는 목포형무소, 대구형무소, 그리고 서울의 마포형무소였고, 스무 살 미만의 청년은 인천형무소로 보내졌다. 12-종-6:342

▸ 전라남도 목포시 산정동에 있었던 수감시설. 1909년 11월 1일, 통감부

가 목포시 산정동에 광주감옥 목포분감으로 개설하였다. 1920년에 목포
감옥으로 승격하였고, 1923년에는 목포형무소로 개칭되었다. 목포형무
소는 당시 전국의 10여 개 형무소 가운데 제주4·3사건, 여수·순천사건
과 관련된 수형인들이 대거 수감된 곳이었다. 1950년 한국전쟁이 발발하
자 정부에서는 수감 중인 재소자들을 모두 학살하기도 했다. 이후 1961
년에 목포교도소로 이름을 바꾸었고 1989년에는 목포시에서 무안군 일
로읍으로 시설을 이전했다. 옛 목포형무소 시설은 철거되었으나 현재 그
터에는 일제강점기 당시 목포형무소에서 사망한 희생자를 기리던 합장
비(合葬碑)가 남아 있다. 이 비(碑)는 2019년 12월 목포시문화유산으로
지정되었다.

무교동　하늘은 아직 밝았지만, 태양은 기울어 작열하던 기세는 사라졌다.
무교동의 음식점이 늘어선 일대는 음식 냄새가 거리로 흘러나오고, 주객
들의 왕래가 저녁의 가까워졌음을 알렸다. 여섯 시를 조금 지나고 있었다.
5-13-1:379

▷ 서울특별시 중구 명동의 관할 법정동. 조선시대 이 부근에 무기의 제조
관리를 맡아 보던 군기시(軍器寺)가 있어 청계천 모전다리 부근에 있던
모교동과 구별하기 위해 무교동으로 이름 붙인 데서 유래되었다. 1914년
4월 1일 경성부 구역 획정에 따라 조선총독부령 제3호와 경기도고시
제7호로 서부 도자동, 모교 두죽동, 무교 면동과 대정동 사동 일부 및
남부 모교 무교동·상다동 각 일부를 합하여 무교정이라 하였으며, 그
뒤 1943년 6월 10일 조선총독부령 제163호로 구제도(區制度)가 실시되면
서 중구의 관할 지역이 되었다. 1946년 10월 1일 일제식 동명을 한국식
동명으로 바꿀 때 무교동으로 하여 오늘에 이른다.

미도스지　거기라면 걱정할 게 없었다. 게다가 새 코트를 입고 번화가를
한 번 걸어 보고 싶기도 했다. 신사이바시스지(心齋橋筋)와 은행나무 가로
수가 있던 미도스지(御堂筋)도 그리웠다. 3-6-6:166

▷ 일본 오사카부 오사카시 중심부를 남북으로 종단하는 국도. 도로의 명

칭이기도 하며 오사카부의 중심 지역을 칭하기도 한다.

바리오름 ｜바리메오름｜ 동시에 빌레못동굴에서의 유일한 도망한 생존자가 근처 바리오늠 숭턱에서 게릴라에게 발견되었다. 토벌대는 전원 체포한 줄 알고 답답한 어둠의 동굴에서 철수했지만, 깊숙한 동굴은 도중에 여러 갈림길이 있었고, 몇백 미터나 끝없이 이어져 있었는데, 자신만이 알고 있는 은신처에 몸을 숨겨 토벌대의 손에서 벗어난 홍 아무개라는 우리 나이로 19세 소년(조선에서는 어엿한 성인, 청년이지만)이었다. 그는 학살의 심야에 동굴을 탈출하였는데, 과거 일제강점기 말기에 미군 상륙에 대비하려는 일본군에 동원되어 직사포대 설치를 위해 바리오름 기슭에 팠던, 지금은 좁은 입구 근처가 관목이나 가시덤불 등으로 덮인 굴에 몸을 숨기고 있었던 것이다. 12-26-1:23

▶ 제주특별자치도 제주시 애월읍 어음리에 있는 기생화산. 작품에는 '빌레못동굴 근처'에서 '서쪽으로 몇 킬로 떨어진' 오름으로 등장하는데, 바리오름의 실제 지명은 바리메오름이다. 제주4·3사건의 민간인 학살 현장 중 한 곳인 빌레못동굴을 기준으로 북서쪽에는 (큰)바리메오름(높이 763.4미터)이, 동남쪽에는 족은(작은)바리메오름(높이 725.8미터)이 위치하고 있다. 이 두 오름은 도로를 경계로 하여 속한 행정구역이 나뉘는데, 각각 어음리와 상가리에 소재한다. 19세기 중반에 이원조(李源祚)가 쓴 《탐라지초본(耽羅誌草本)》의 산천(山川) 조에 바리메는 제주도의 82개 오름 중 발산(鉢山)이란 이름으로 등장한다. 바리메는 스님이나 불자들이 음식을 공양할 때 쓰는 발우(鉢盂)가 음운 변동으로 '발우 〉 바루 〉 바리'가 되었는데, 여기에 산(山)이라는 뫼를 뜻하는 제주어 '메'가 합쳐진 말이다. 바리메오름의 전 사면은 해송이 주를 이루고 있으며, 자연림과 가시덤불, 산죽 등이 자생한다.

별도봉 아니면 그 서쪽 옆에 있는 작은 어촌, 사라봉(봉이라고는 해도 백수십 미터의 작은 산이지만)과 나란히 있는 별도봉 기슭의 건을촌인지도 모른다. 그곳에는 경찰지서가 없었다. S리와의 사이에는 꽤 넓게 드러난

용암의 암반지대가 있어 다른 마을처럼 왕래가 쉽지는 않았다. 8-19-1:274

▶제주특별자치도 제주시 화북동에 있는 기생화산. 사봉낙조(沙峰落照)로 유명한 사라봉 동쪽에 위치한 오름으로, 북사면은 급경사를 이루고 있으며, 자살바위·애기업은돌·고래굴 등이 있다. 별도봉은 바닷가 벼랑이라는 데서 이름이 유래한다고 하나 확실하지 않다.

병문천 이방근은 박산봉의 부재를 확인한 뒤, 서문교가 걸려 있는 병문천(屛門川)보다 조금 더 서쪽을 흐르고 있는 한천(漢川)을 건너면 나오는 용담리의 김동진이 살고 있는 집에까지 가 보겠다는, 자신의 다음 행동을 충동적으로 정해 버렸지만, 이건 매우 납득하기 어려운 일이었다. 4-10-3:424

▶제주특별자치도 한라산의 백록담에서 발원하여 제주시 북쪽의 바다로 흐르는 하천. 병문천은 한라산에서부터 아라1동, 도남동 서쪽, 오라1동·2동, 이도2동, 그리고 삼도1동과 용담1동과의 경계를 이루면서 바다와 만나는 건천이다. 《증보탐라지(增補耽羅誌)》에는 "제주읍 용담리에 있으며 아래쪽은 해조(海潮)와 상통하여 밀물 때는 물이 나오다가 썰물 때면 마른다."라고 기록되어 있다. 2001년 12월 삼도동과 용담동의 경계가 되는 병문천의 하류 지역은 모두 복개되었다.

보스턴대학 "(…) 작년에 재무국을 그만둔 동부의 시골 출신으로, 보스턴대학의 연구자가 있었는데, 머더 중위라고 합니다만, 지금은 연구실로 돌아갔습니다. (…)" 5-12-3:221

▶미국 매사추세츠주 보스턴에 위치한 종합대학교. 1839년 감리교 신자들에 의해 버몬트주 뉴베리에 설립된 뉴베리성서학교(Newbury Biblical Institute)에 기원을 둔다. 현재는 비종교적 학교지만 연합 감리교회와 역사적 연대를 유지하고 있다. 하버드대학교, 매사추세츠공과대학과 더불어 보스턴에 위치한 명문 학교 중 한 곳이다.

복계 "어디까지 왔을까?"/"복계까지 왔다는군."/"아니, 바로 그 앞 평강까지 왔다지 아마."/"이미 벌써 철원에 도착했다던데."/ 뒤범벅이 된 말들이 난무했다. 군중들의 몸이 땀으로 끈적이는 저고리와 셔츠를 통해서 직접 맞닿고, 손은 흘러내리는 이마와 목덜미의 땀을 연신 훔치면서, 염천의 하늘 아래, 언제 노작알지노 모르는 소련군을 기다렸다. 5-13-1:374

▶강원도(북한) 평강군에 있는 리. 평강군의 중부에 위치하며 전반적으로 평탄한 현무암지대이다. 1읍(평강읍) 6면(남면·목전면·서면·세포면·유진면·현내면) 중 평강읍에 소재하고 있는데, 북쪽은 신정리, 동쪽은 문산리·이수덕리, 남쪽은 평강읍, 서쪽은 상갑리와 접해 있다. 옛날부터 마을 안에 큰 개울을 끼고 있어 물울이라 불러왔다. 그 후 주변에 넓은 논벌이 생겨나면서 큰 개울에 보를 쌓고 농사를 지었으므로 개울의 복을 입는다 하여 복계리(福溪里)라고 하였다. 본래 군내면이었던 행정구역의 명칭이 1917년에 평강면으로 개칭되었고 1943년 평강면이 평강읍으로 개편되어 평강군 복계리가 되었다. 1952년 12월 북한의 행정구역 개편으로 면이 없어지면서 강원도 평강군 평강면 복계리가 평강면 상갑리·하갑리·전중리·평화리·북포리 등과 합쳐져 평강읍이 되었다. 1953년 12월 다시 백룡리와 합쳐져 일부는 상갑리가 되고 일부는 구읍리에 편입되었다. 1961년 3월 구읍리가 평강읍으로 승격되고 본래의 평강읍은 복계리로 개칭되었다. 경원선 철도가 지나는 복계역이 있다.

봉개 ｜봉개동｜ 토벌 측은 선무 공작을 계속하는 한편, 지금까지 간과했던 도민 학살을, 게릴라 평정작전에 마이너스가 되는 것이라고 반성하고, 적어도 비무장공비로서 무차별적으로 사살되었던 동굴로 도피 중인 피난민에 대해서는 귀를 자르거나 목을 베는 대상에서 제외시켜, 대부분을 수용소로 보냈다. 제주읍에 속한 봉개, 용강 등, 동부 일대의 게릴라 수색작전에서 발견된 피난민은 그러한 취급을 받았다./ 깊게 굽이치는 계곡과 삼림에 둘러싸인 중산간지대인 용강, 봉개 지구에서, 휘몰아치는 눈보라 속에 실행되었던 대대병력에 의한 게릴라 수색작전에서는, 한 개의 게릴라 아지트도 발견하지 못한 채 끝났다고 하는데, 그곳에는 이미 게릴라 자체가 없었던 것이다. 12-종-5:326

▶ 제주특별자치도 제주시의 행정동. 법정동인 봉개동, 회천동, 용강동을 관할한다. 동쪽으로 조천읍, 서쪽으로 아라동, 남쪽으로 남원읍, 북쪽으로 삼양동과 면해 있다. 봉개악(奉蓋岳) 혹은 봉개오름을 중심으로 인근에 자연 마을이 형성되었는데 이를 봉개마을이라 하였다. 봉가(奉哥) 성을 가진 사람이 이 마을에 살았다고 해서 봉개라는 명칭이 유래했다고 전해지나 확실한 근거는 없다. 본래 제주군 중면 지역으로 봉개동 아래가 되므로 봉아오름, 봉개름, 봉개악리, 봉개라 하였는데, 1914년 행정구역 개편에 따라 봉개리가 되어 제주면에 편입되었다. 1955년 제주읍이 시로 승격되고 기존 25개 리가 40개 동으로 개편될 때 제주시에 편입되어 봉개동, 회천동, 용강동으로 분리되었다. 1962년 제주시 40개 동이 14개 행정동으로 개편되면서 모두 봉개동에 편입되었다. 바다와 접하지 않은 중산간 마을로, 주민들의 대부분은 농업과 목축업에 종사한다. 명도암(明道岩) 관광목장과 유스호스텔 등 관광지가 조성되어 있다.

봉래동 이방근과 건수 숙부 가족은 홀로 서 있는 가로등 불빛이 흐트러지며 흔들리고 있는 어두운 바다를 뒤로 하고, 걸어서 20분 정도인 영도의 북동부에 위치한 봉래동 집으로 향했다. 11-25-6:356

▶ 부산광역시 영도구에 있는 법정동. 동쪽은 청학동, 서쪽은 남항동·영선동, 남쪽은 봉래산, 북쪽은 해안과 접해 있다. 중구 중앙동의 부산여객터미널을 기준으로 남쪽에 위치하며, 현재 부산대교, 영도대교, 부산항대교로 육지와 연결되어 있다. 봉래동은 영도의 중심에 있는 봉래산의 주맥(主脈)이 닿은 곳이라고 하여 붙여진 이름이다. 일제강점기에는 부산항을 마주한다고 해서 항정(港町)1~5정목이라고 하였고, 해방 후에는 봉래1~5동으로 개칭하였다. 1949년 부산부가 부산시로 개편되고, 1951년에는 영도출장소가 설치되었으며, 1957년 영도출장소가 영도구로 승격하였다. 1963년 부산시가 부산직할시로 승격하였으며, 1982년에는 법정동의 구역 조정으로 봉래동3가 일부가 봉래동4가로, 봉래동5가 일부가 봉래동4가로 편입되었다. 1995년 부산직할시가 부산광역시로 승격하며 부

산광역시 영도구 봉래동1·2·3·4·5가가 되어 현재에 이른다.

부산 커피 잔을 손에 든 이방근의 머릿속에 관부연락선 고안마루(興安丸)에서 내린 부산의 부두에서 낯선 넷의 형사에게 포위, 체포되었을 때의 정경이 물속의 탁구공처럼 불시에 떠올랐다. 5-11-6:148 ¶숙부 부부와 셋이서 21일 아침 서울을 출발, 저녁 무렵 부산에 도착해서 숙부의 아들인 유근의 집에 머문다. 이쪽은 모레 밤 출항, 다음날 21일 밤 부산에 도착. 일본으로의 출발은 22일 밤이 될 것이다. 여동생과는 육촌인 유근의 집에서 합류하게 된다. 11-25-3:283 ¶밀무역선은 멀리 부산으로 돌아가는 경우도 있었다. 제주도에서 일단 본토로 탈출했다가 그곳에서 다시 일본으로 향하는 밀항자들과 함께, 미군에서 흘러나온 생고무 등을 싣고, 귀로에는 장화 등의 고무제품을 운반해 왔다. 12-종-2:254

▶경상남도 동남부에 있는 광역시. 대한민국 제2의 도시이자 국내 최대의 항구도시이다. 조선시대와 일제강점기를 거쳐 일본, 다른 나라들과 교역 창구의 역할을 했다. 부산항을 중심으로 해상무역과 물류 산업이 발달하였다. 한반도 동남부에 위치하여 대한해협을 사이에 두고 일본과 가깝다.

부산항 이럴 때마다 남승지는 자주 긴장 속에 떠오르는 기억, 일제 때의 관부연락선, 시모노세키 항과 부산항, 이곳 성내의 항구, 서울과 목포역 등지에서 일본인인지 조선인인지 알 수 없는 사복경찰과 헌병을 두려워했던 일들을 떠올렸다. 1-1-1:30

▶부산광역시 동구 초량동에 있는 국제무역항. 부산항은 일본과 체결한 병자수호조약에 따라 인천항과 원산항 개항에 앞서 부산포라는 명칭으로 1876년 우리나라 최초의 무역항으로 개항한다. 1887년 청나라가 교역의 주도권을 잡기 위해 부산해관 부지 매축 공사와 확장 공사에 착수하였으나, 상업 항구로의 시설은 전혀 갖추지 못한 실정이었다. 이후 1902년에 정차관, 세관, 우편국 등의 시설이 들어선 것이 부산항의 효시라고 할 수 있다. 1910년 한일병합조약 이후 부산과 일본의 지리적 근접성을 이용하여, 부산을 한국과 대륙 침략의 거점이자 식민지 수탈품의 수송로

로 활용할 목적으로, 조선총독부에 의해 부산해관 공사 및 축항 공사가 이루어지면서 부산항은 근대적 항구로서의 모습을 갖추게 된다. 그리하여 8개년 계획에 따라 1911년 부산 축항 사업 제1기 공사가 착공되었고, 1919년에 부산 제2부두 축조, 항내 준설, 창고와 상옥 및 방파제 축조를 완공하였다. 1919년부터 1928년까지 제2기 부산 축항 공사가 추진되어 부산 제1부두와 부산 제2부두 확장, 남방파제 축조, 항내 준설 공사 등을 실시하였다. 또한 항만 개발의 일환으로 1931년 이후 4개년 계획에 따라 영도대교를 가설하기도 하였다. 부산항은 1943년 부산 제4부두 일부가 건설되어 10,000톤급 선박이 접안할 수 있는 항만이 되었고, 연간 하역 능력은 450만 톤으로 전국 하역 능력의 45퍼센트를 차지하게 되었다. 이로써 일제는 대륙 침략을 위한 목적을 노골화하였다.

북관 '서북'이란 원래 '서도(西道)'(북한의 황해도·평안남북도)와, '북관(北關)'(북한의 함경남북도) 지방, 즉 북한을 지칭하는 말이었으나, 지금 남한에서는 '서북청년회(西北靑年會)'를 일컫는 말이다. 1-1-1:30

▶ 조선시대의 행정구역이자 예전 함경남북도를 두루 지칭하는 말. 강원도 철령(鐵嶺)의 북쪽에 있다고 하여, 관북지방이라고도 한다. 감영 소재지는 함흥부(현 조선민주주의인민공화국 함흥시)였다. 1896년 함경북도와 함경남도로 분할되었고, 함흥과 경성의 머리글자를 따서 함경도라는 지명을 붙였다. 예로부터 고구려, 발해의 영토였는데, 고려시대에는 영토로 편입시키지 못하여 여진족, 거란족 등 북방 민족에 복속하여 있었다. 그러다가 북방 개척으로 말미암아 조선시대에 이르러 이 명칭을 가지게 되었다.

북국민학교 "(…) 자네도 알다시피 이방근은 북국민학교 뒤편에 살고 있으니까, 내 얼굴을 '배안'하고 싶으면 학교로 전화를 걸면 되지 않는가. (…)" 1-1-4:117

▶ 제주특별자치도 제주시 삼도동에 있는 공립학교. 1907년 1월 10일 설치 인가가 나면서 5월 19일 개교했다. 이후 1938년 4월 1일 제주공립심상소학교로 명칭이 바뀌었고, 1941년 4월 1일 제주북공립국민학교로 개칭되

었다. 다시 1951년 6월 1일 제주북국민학교로 개칭되었다가 1996년 3월 1일 제주북초등학교로 이름이 바뀌었다. 주목해야 할 점은 1947년 3월 1일 북국민학교에서 3·1절 기념 제주도 내외 개최로 30,000여 명의 인파가 몰려들어 인산인해를 이루었다는 사실이다. 기념식이 끝나자 식에 참가했던 제주도민들은 3·1정신 계승과 외세 배격, 통일 독립 쟁취 등의 구호를 외치며 시가행진을 시작하였다. 그러던 중 북국민학교에서 관덕정으로 가는 도로 모퉁이에서 어린이가 기마대의 말발굽에 치이는 사고가 발생하였다. 이는 제주4·3사건의 직접적 도화선이 된다.

북한산 두 사람은 계단을 등지고 서울 시가지를 바라보았다. 여기에서도 남대문의 지붕을 내려다볼 수 있을 정도니까, 상당히 멀리까지 서울 시내를 조감할 수 있었다. 정면에 솟아 있는 바위 표면이 검은 그림자를 드리운 북한산. 산에 둘러싸인 시내가 저녁 안개 속에 가라앉기 시작했다. 7-16·7:182

▶ 서울특별시와 경기도 고양시의 경계에 있는 산. 서울 주변 지역에서 가장 높은 산이며, 산맥과 이어지지 않고 우뚝 솟아 있는 특징이 있다. 높이 837미터인 주봉 백운대를 중심으로 동북쪽의 인수봉(높이 803미터)과 동남쪽의 만경대(높이 800미터)가 삼각형 구도를 이루고 있어 삼각산이라 부르기도 한다. 조선 숙종 대에 쌓은 북한산성에는 대동문·대서문·대남문·대성문·보국문 등이 남아 있고, 북한산 내에는 화계사를 비롯해 유서 깊은 사찰들과 많은 유물·유적이 있다. 1983년 북한산과 도봉산 일대 78.5제곱킬로미터가 북한산 국립공원으로 지정되었다.

분고스이도 선장은 창고가 서 있는 모퉁이의 해안과 직각으로 나 있는 길까지 따라와 두 사람과 작별했다. 배는 세토(瀨戶) 내해를 피해 분고스이도(豊後水道)를 지난 뒤 시코쿠(四國)의 태평양 연안을 돌아 와카야마(和歌山)로 향할 예정이었다. 2-5·3:364

▶ 일본 규슈의 오이타현(大分縣)과 시코쿠의 에히메현(愛媛縣) 사이, 태평양과 세토나이카이를 잇는 해역. 동서 길이 약 50킬로미터, 남북 길이

40킬로미터의 해역이다. 수심은 중앙 부분이 80~90미터, 하야스이노세토(速吸瀨戶) 남동쪽의 최고 수심이 300~400미터에 이른다. 연안은 전형적인 리아스식 해안이다.

비양도　역사에 기록된 이 섬의 마지막 분화는 약 천 년 전인 고려 목종 때의 해저분화, 비양도(제주도 서해안 근처에 생긴 작은 화산도) 등이 생성되었지만, 제주도 전체가 그대로 거대한 화산도였다. 3-7-5:357

▶ 제주특별자치도 제주시 한림읍 비양리에 있는 섬. 한림읍 웅포리 해안에서 북서쪽으로 3킬로미터 지점에 있다. 면적은 0.59제곱킬로미터이고, 해안선 길이는 3.15킬로미터이다. 조선 초기에는 대나무 군락지로, 죽순과 화살대가 많이 나서 죽도라 부르기도 하였다. 한라산에서 봉황이 날아와 생성됐다고 해서 '비상(飛翔)의 섬'이라고도 불렀는데, 섬의 명칭이 여기서 유래하였다. 한데 비양도는 신라시대까지만 해도 없었던 섬으로 추정된다. 《신증동국여지승람》에는 "산이 바다 가운데서 솟았다. 1002년(고려 목종 2년)에 산의 네 구멍이 터지고, 붉은 물을 5일 동안이나 내뿜다가 그쳤다(高麗穆宗五年六月. 有山涌海中. 山開四孔, 赤水涌出五日而止)."는 기록이 있다. 화산 폭발로 인한 비양도의 생성을 확인할 수 있는 대목이다.

비행장　｜정뜨르비행장, 제주비행장｜　달구지 행렬은 선발대가 성내에 도달했는데도 사라봉으로부터 계속 이어지고 있을 정도로 길었는데, 이번에는 성내를 빠져나가 비행장을 만들던 연병장으로 향하는 거야. 지금은 그곳에 미군이 주둔하고 있지만 당시는 일본군이 있었지. 그놈들은 비행장을 확장하려고 불평할 틈도 주지 않고 때려 부순 집과 밭 자리를 고른 뒤, 그곳에 잔디를 촘촘히 깔고 싶었던 게야. 그래서 비행기장까지 실어 날랐다오. 잔디 깔기는 또 어찌나 힘이 들던지. 그 일은 비행장 주변 부락 사람들을 강제로 끌어다 시켰겠지만, 놈들의 비행기를 띄우려고 우리는 이 맨손으로 수만, 수십만 개의 방석을 빼곡히 깔듯 잔디를 깔아 그 위를 달리게 해 준 셈이지. 일할 때는 언제나 왜놈 병사가 착검한 총을 들고 감독을 했는데, 그게 노력봉사라고 해서 일종의 노동력 공출이었다고나 할까……. 1-서:18~19 ¶ 다음날인 4일, 사태를 중시한 미 중앙군정청 장관 딘 중장이 시찰여행을 목적으로 국방경비대 총사령관 송호성 중장, 중앙군정청 경무부장 조병옥, 동 민정장관 안재홍을 대동하고 시흥에서 제주비행장에 도착했다. 5-12-7:351 ¶ 썩는 돌은 흙이 되고, 물에 분해된 다. 사형 집행장인 비행장 주위에, 가로 세로 1.5미터와 2.5미터 정도의 지면이 몇 군데나 2, 30센티의 깊이로 함몰돼 있어서, 우천에는 그곳에 빗물이 고여 빛나는 것을 볼 수 있었다. 이들 움푹 팬 땅은, 그곳에 묻혀 있는 사자들이 스스로 판 무덤이었다. 강제로 땅을 파고 그 가장자리에 서 사살되어 웅덩이로 떨어진다. 혹은 생매장을 당한다. 젖먹이를 안은 여자가 배후에서 사살되었을 때는, 한쪽 팔을 맞아 울부짖는 아기를 함 께 구덩이로 처넣었다는 것이다. 몇십, 몇백의 사체가 구덩이를 메우고, 그 위에 흙이 덮였다. 그것이 곧 무덤의 형태인 원추형이 되고, 땅이 가 라앉는다. 사체가 썩고 녹아서, 그 용량만큼 덮인 흙이 움푹 꺼지는 것이 었다. 12-27-3:183

▶제주읍(현 제주특별자치도 제주시 용담동)에 있었던 일본 육군 서비행장. 태평양전쟁 말기에 일본이 만든 육군 비행장으로, 정뜨르비행장이라 일 컫는다. 이 명칭은 그 지역 주민들이 비행장 부지를 '정뜨르'라고 한 데서 유래한다. 정뜨르비행장은 1942년 건설되기 시작하여 1944년 5월 준공되 었다. 공사에는 주민들이 대대적으로 동원되어 은폐와 엄폐, 활주로 공 사 등의 작업에 투입되었다. 이 비행장은 대형 비행기의 이착륙이 가능 하도록 1,800×300미터와 1,500×200미터의 활주로 2개를 갖춘 규모였 다. 이처럼 일제강점기 제주도에 들어선 교래리비행장(현 제주시 조천읍 교래리), 알뜨르비행장(현 서귀포시 대정읍 상모리), 진뜨르비행장(현 제주 시 조천읍 신촌리) 등은 1944년 말부터 1945년 초까지 일본 본토방위작전 비행부대의 후방 기지나 일본과 대륙 간 항공로 연접 기지의 역할을 하였 다. 그러다 1945년 5월 15일 중국에서 일본제국육군항공대(大日本帝國陸 軍航空部隊)의 제5항공군이 한반도로 옮겨온 뒤로는 연합군과의 일본 본

토 결전에 대비한 일본 본토방위작전 준비로 그 기능을 전환하였다. 7월 말부터 8월 초까지는 일본군 제96사단 병력이 이 비행장의 경비를 맡았다. 정뜨르비행장은 해방 후 1946년 1월에 민간 비행장이 되었고, 민간 항공기가 취항하여 서울~광주~제주 간 운항을 시작하였다. 1958년 1월에는 대통령령으로 제주비행장이 되었고, 1968년 4월에는 증가하는 항공 수요에 부응하기 위해 국제공항으로 승격되었다. 또한 1969년에는 제주~오사카 간 노선이 개설되어 국제공항의 면모를 갖추었다. 현재는 정뜨르비행장을 포함해 350만 제곱미터의 부지에 들어서 있는 제주국제공항이 제주의 관문으로서 자리하고 있다. 정뜨르비행장과 관련한 기록이나 관련 시설 등은 비행장이 제주국제공항으로 확충되는 과정에서 사라졌다. 그런데 제주4·3사건 당시 정뜨르비행장에서 토벌대가 주민들을 집단 학살한 것으로 파악되었다. 그 수는 무려 249명으로, 1949년 10월 2일 제2차 군법회의(군사재판)에서 사형을 언도받은 이들이었다. 무장대에 협력했다는 이유에서였다. 또한 1950년 한국전쟁 발발 직후 벌어진 예비검속(豫備檢束)에서도 500명쯤이나 되는 주민들이 이곳에 끌려와 학살당한 것으로 알려졌다. 이후 2000년 1월 12일 제정·공포된 〈4·3특별법〉에 의거해 2007년에서 2009년 사이 제주국제공항에서 유해 발굴 작업이 이루어졌다. 2007년에는 학살 암매장 구덩이 1기에서 123구의 유해와 659점의 유류품이 발굴되었고, 2008년에는 구덩이 1기와 259구의 유해와 1,300여 점의 유류품이 발굴되었다. 유전자 검사 등을 통해 총 380여 구의 유해 중 130여 구가 가족에게 인계되었다. 제주국제공항 내에는 아직도 많은 유해가 묻혀 있을 것으로 추정된다.

빌레못동굴 홍 아무개가 애초에 빌레못동굴로 피난한 것은 한 달여 전의 어음리를 불태운 뒤의 일로, 소개지인 해안 부락 근처 납읍리에서 옛 예언서를 해석하여 점복(占卜)에 정통한 한 노인을 만났는데, 2, 3개월 어딘가로 피난해서 시간을 보내면, 곧 난리는 지나가고 사람들은 살아남을 것이라고 노인이 말했다 한다. 노인의 말을 완전히 믿었던 홍은 노인과 둘이서

'80인 피난의 장'인 빌레못동굴로 미리 확인차 다녀왔고, 소개지인 납읍리에서 노인의 예언을 믿는 마을 사람들과 함께 그 동굴로 '피신'했다. 그로부터 한 달 여 만에 토벌대의 습격을 받은 것인네, 예언자인 노인 자신이 마을 사람들을 길동무로 해서 무덤으로 들어간 셈이었다. 다시 인과관계를 더듬어 가면, 노루중대원이 식량 투쟁을 위해 보성리에 출동한 것이, 하나의 학살 계기로 작용했던 것이다. 12-26-1:24

▸ 제주특별자치도 제주시 애월읍 어음리에 있는 용암동굴. 주굴의 길이는 2.9킬로미터, 총길이는 11킬로미터이다. 용암동굴로서는 복잡한 구조를 지닌 동굴로 웅장한 직류형인 주굴과 2~3층으로 교차되는 미로형의 가지굴이 복합적으로 발달하였다. 이 동굴은 선사시대의 동굴주거 유적으로서 석기, 목탄류와 순록·황곰(黃熊) 등의 동물 화석이 발견되어 한국 본토와의 육속(陸續), 제4빙기(40,000~35,000년 전)가 한국을 거쳐 갔다는 것을 확인하게 하는 등 고고학상의 가치도 매우 커서 보존 연구를 위해 비공개 영구보존 동굴로 지정되었다. 천연기념물 제342호(1984년 8월 14일 지정)이다.

빗게오름 |노루오름, 노로오름| 한라산 서쪽 능선의 북면 경사에 융기한 오름(측화산) 무리 중의 하나로, 중앙부가 계곡이 되어 깊이 파인 해발 5백 미터 정도의 빗게오름이 있다. 남쪽은 N오름과 사이를 두고 트인 완만한 고원지대로 이어져 있는데, 북쪽 기슭의 해안 쪽에서 오르는 경우에는, 절벽 사이의 계곡에서 좁고 바위투성이 길을 타게 된다./ 이 오름에는 12월 상순까지 한라산 중턱의 관음사 부근에서 도당 본부와 함께 주둔하고 있던 노루중대의 새로운 아지트가 있었다./ 중대는 빗게오름의 천연동굴을 이용했는데, 동굴 입구 근처에 억새로 가린 허술한 가옥 두 채를 만들어서, 일개 소대는 그곳에서 생활하고 있었다. 11-26-1:7 ¶ 군민혼성토벌대의 주력, 원 주둔 토벌 중대의 반을 넘는 24명의 죽음과, 총 24정, 기타 전리품의 노획. 빗게오름에서 거둔 전과는 게릴라의 사기를 크게 높였지만, 동시에 대합창과 박수로 성원을 보낸 많은 피난민의 거주

가 토벌대에게 노출되었다. 12-26-2:36

▶ 제주특별자치도 제주시 애월읍 유수암리에 있는 기생화산. 작품에 등장하는 '빗게오름'은 실재하지 않는 지명이나, 여기에서 벌어지는 무장대와 토벌대 간의 전투는 제주4·3사건 당시의 노루오름 전투(1949년 3월 9일)를 연상케 한다. 노루오름은 한라산의 서쪽에 위치하며, 노로오름으로도 불린다. 노로는 노루의 옛말로 제주어로 노리라고 한다. 노루오름은 예전에 노루가 많이 서식했다고 하여 붙여진 이름이다. 한자로는 그 뜻을 따서 장악(獐岳) 또는 음을 따서 노로악(老路岳)이라고도 하는데, 《신증동국여지승람》에는 장악(獐岳)이라 기록되어 있다. 노루오름은 남북으로 두 봉우리가 이어져 각각 큰노루오름, 족은(작은)노루오름이라고도 한다. 높이는 1,070미터, 둘레는 3,856미터, 면적은 571,141제곱미터이다. 큰노루오름은 1개의 원형 분화구와 5개의 원추형 화구로 이루어져 있고, 족은노루오름은 1개의 원형 분화구와 1개의 원추형 화구로 이루어져 각각 독립된 복합형 화산체이다. 오름 전사면은 울창한 숲을 이룬다.

사라봉 사라봉은 한라산을 주봉으로 이 섬의 도처에 솟아 있는 4백여 개의 기생화산 중 하나였다. 이 지역에선 '오름'이라 부르는 이들 기생화산 정상에서 바다를 내려다보면 파도 사이로 어른거리는 작은 배도 분간해낼 수 있다. 기생화산 사이에는 반드시 해안부락이 형성되어 있고, 이들 오름에서는 먼 옛날부터 이따금 봉화가 올랐다. 1-서:11~12

▶ 제주특별자치도 제주시 건입동에 있는 기생화산. 높이 148.2미터, 비고 98미터, 둘레는 1,934미터, 면적은 233,471제곱미터, 폭은 647미터이며, 북서쪽으로 벌어진 말굽형 모양이다. 제주에 있는 368개의 오름 중 하나로, 사라봉은 바로 옆으로 별도봉(화북봉 또는 베리오름)과 이어져 있고, 예로부터 사라봉에서 바라보는 저녁노을은 '사봉낙조'라 하여 제주의 빼어난 경치, 즉 영주10경(瀛洲十景)의 하나로 손꼽힌다. 예전에 사라봉은 고개를 경계로 하여 성내(城內)를 나와 제주읍성 바깥 인근 삼양과 조천 등 섬의 동쪽으로 가는 교통의 요충지였다. 일제강점기 태평양전쟁 말기

에 일본군은 비행장을 만들기 위해 사라봉의 잔디를 캐어 사용하기도 했다.

사세보 "(…) 이긴 들은 이야긴네, 맘에 북九슈의 사세보(佐世保)에 들어간 배가, 위험해서 항구에 접안할 수가 없었어. 그래서 일단 어떻게든 그곳에서 하선하고 싶다는 수영 가능자 몇 사람만 하선시켰어. 그들은 제각기 밤바다를 헤엄쳐 상륙했는데, 그중에 서울에서 부산을 경유해 밀항한 제주도 출신의 학생은, 대학의 졸업증명서 등의 서류를 바닷물에 젖지 않도록 하기 위해, 머리 위에 묶고 헤엄을 쳤다고 하는구나. (…)"7-16-6:152

▶ 일본 규슈 나가사키현(長崎縣)에 있는 도시. 사세보만에 접하며 오무라만(大村灣)의 어귀에 소재한다. 본래 훌륭한 천연 항구에 자리 잡은 조그만 마을이었으나 19세기 말 해군기지가 들어서면서 팽창하였다. 제2차 세계대전 이후 무역항 및 공업도시로 재건되었고 1952년 미군과 일본 자위대의 군사기지가 들어섰다.

사카이시 나카무라는 오사카 부(府) 사카이 시(堺市) 남쪽 변두리에 있는 농촌 출신으로, 농사를 짓는 모양이었다. 그 이상 자세한 것은 몰랐지만, 농사를 짓고 있는 모양이라는 강몽구의 말에 남승지는 마음이 끌렸다. 2-5-8:500~501

▶ 일본 오사카부 중남부에 있는 시. 서쪽으로 오사카만과 면해 있어 중세 시대 이래로 일본의 크고 중요한 항구 중 한 곳이자 상업도시였다. 선종 불교가 성행한 시기에 부유한 상공업자들이 다도(茶道) 문화를 보급하면서부터 사카이는 일본 다도의 중심지 중 하나가 되었다. 에도 시대의 사카이는 여전히 중요한 항구였으나 도쿠가와 막부의 쇄국정책 때문에 오직 국내의 항구로만 운항이 제한되었다. 제2차 세계대전 이후 철강·조선·석유화학·발전 등의 공업지대로 성장하였다.

산노미야 남승일은 오사카로 가는 두 사람과 함께 집을 나왔다. 산노미야(三宮) 근처까지 같이 가겠다는 것이었다. 택시를 불러 뒷자리에 강몽구와 뚱뚱한 남승일이 앉고, 남승지는 앞 조수석에 앉았다. 2-5-5:419

▶일본 혼슈의 효고현 고베시 주오구에 위치한 지역. 제2차 세계대전 후 고베의 중심지로서 철도노선 JR, 한신 전철, 한큐(阪急) 전철, 고베 시영 지하철, 포트라이너(Port Liner, 고베항의 인공섬 'Port Island'와 고베 시내를 이어주는 전철)를 탈 수 있는 산노미야역을 중심으로 상업 시설이 즐비한 번화가이다.

산둥 지방 그러자 어느 해인가 선주인 강 씨는 직접 공물선을 타고 산둥 지방을 향하여 배를 띄웠지만, 그도 결국 섬에 돌아오지 못했다. 혼자 남게 된 늙은 아내는 불귀의 객이 된 남편을 그리워하며, 환상의 섬 이어도를 향하여, 아아, 이어도여, 이어도여……로 시작되는 즉흥의 노래를 만들어 통곡의 슬픔을 노래했다. 4-8-4:112

▶황해를 사이에 두고 한반도와 마주보고 있는 중국의 영토. 이 성(省)은 산둥(山東) 반도와 내륙 지역의 두 부분으로 뚜렷이 구분된다. 북쪽과 서쪽은 허베이성(河北省), 남서쪽은 허난성(河南省), 남쪽은 안후이성(安徽省) 및 장쑤성(江蘇省)과 맞닿아 있다. 춘추시대(기원전 770~476년)에 산둥은 정치·군사 활동의 중심지가 되었다. 산둥 반도 남쪽에 있었던 소국(小國) 노(魯)나라는 공자와 맹자가 태어난 곳이다. 육조시대(六朝時代, 220~589년) 초기에는 중국 북부의 해상무역 중심지가 되었으며, 수백 년 동안 그 지위를 유지했다. 19세기의 마지막 10년 사이에 산둥은 독일·영국·일본의 영향권 내에 들어갔다. 제1차 세계대전 이후 일본은 산둥을 점령하고 그 사실을 인정할 것을 중국에 강요하면서 1922년까지 계속 점령했다. 중일전쟁(1937~1945년) 중인 1938년, 일본은 산둥에서 심각한 패배를 당했다. 이 성은 1948년 이후에야 중국공산당의 관할 지역이 되었다. 성도(省都)는 지난(濟南)이다.

산인 지방 해상이라 해도, 산인(山陰) 지방이나 규슈(九州) 북부 연안에는 순시선이 배치되어 경계에 임하고 있었지만, 밀항선은 그들의 성긴 그물망 사이를 헤치고 빈번하게 남한을 왕래하고 있었다. 3-6-2:33

▶일본 주고쿠(中國) 지방에서 동해에 접한 지역. 일본의 옛 광역 행정구역

인 고키시치도(五畿七道) 중 하나로서 산인도(山陰道)의 주고쿠 지방에 해당하는 부분의 총칭이다. 일반적으로 돗토리현(鳥取縣)과 시마네현(島根縣)을 가리킨다. 야마구지현의 하기시(萩市)와 나가토시(長門市), 아부초(阿武町), 야마구치시의 옛 아토정(阿東町) 부분을 포함하기도 한다.

산지천 이방근은 관덕정 광장 모퉁이의 이발소에서 머리를 깎고, 어슬렁거리며 C길에서 동쪽으로 산지천(山地川)을 따라 부두로 나왔다. 3-7-8:432
▶ 제주특별자치도 한라산의 북사면에서 아라동, 이도동, 일도동을 거쳐 건입동의 제주항으로 흐르는 하천. 산지천은 한라산 북사면 높이 약 720미터 지점에서 발원하는데, 하류 구간에서 용천수가 풍부하게 솟아나는 하천으로도 유명하다. 산지천의 하류 구간과 그 주변에서 용출하는 용천수, 즉 '산짓물(山地泉)', '금산물', '지장깍물' 등의 용천수들은 제주시에 상수도가 본격적으로 공급되기 이전인 1960년대 초까지 많은 제주시민들의 식수원으로 이용되었다. 산지천은 과거에 산짓내(山地川), 산젓내(山低川) 또는 가락천(嘉樂川)으로도 불렸으며, 예로부터 산지천 하구는 '산포조어(山浦釣魚)'라 하여, 낚시를 즐기는 것 자체가 영주10경에 속할 정도로 운치 있는 장소로 유명하다. 산지천의 하류 구간은 조선시대 제주목의 읍성과도 깊은 관련이 있다. 즉, 이 구간은 최초의 읍성 축성 과정에서 성밖에 두었으나 전쟁이 났을 경우 식수 조달이 어렵다고 하여, 후에는 성 안으로 들여 축성한 내력이 있다. 역사를 한층 더 거슬러 올라가면 산지천은 '탐라' 역사의 발상지로서도 중요한 기능을 담당하였다. 산지천은 병문천 및 한천과 더불어 제주시의 3대 하천이라 할 수 있으며 하류는 해수와 담수가 만나는 구간이다. 산지천 주변은 예로부터 많은 사람들이 거주하였기 때문에, 하천 주변에 많은 유적지를 비롯한 관광명소들이 분포하고 있다. 상류부의 관음사를 비롯하여 탐라목석원, 산천단, 제주민속자연사박물관, 신산공원, 삼성혈, 제주성지 등이다.

산지포 기상대의 바다 쪽 옆 절벽 아래 길을 올라가면 산지포(山地浦), 건입리(健入里), 동동(東洞)이 나온다. 동문교를 지나는 신작로로도 갈 수

있지만, 이쪽이 지름길이었다. 2-3-5:118

▶ 산지천이 바다로 흘러 들어가는 하류 일대. 제주의 아름다운 경치를 지칭하는 영주10경 중 하나로, 화북포, 조천포와 함께 제주의 관문으로서 옛날 강태공들이 한가로이 낚싯대를 드리우던 곳이다. 현재 제주항이 들어서서 흔적조차 없지만, 지금의 제주지방기상청으로 올라가는 길 밑에 아름다운 모양의 홍예교(虹霓橋)가 있었고 그 밑 깊은 물에는 은어가 뛰어 놀았다고 한다.

산천단 "(⋯) 음, 잠깐만 기다리게⋯⋯, 낮잠 자는 현인 디오게네스라고나 할까? 아니야. 그건 아니지. 통 속에서 낮잠을 자는 선생은 저 산천단(山泉壇)이 있는 마을에 사는 목탁영감이니까. (⋯)" 1-1-1:51

▶ 제주특별자치도 제주시 아라동에 있는 성소(聖所). 한라산에서 동상(凍傷)에 걸리거나 사고로 죽는 사람이 많아, 이를 방지하기 위하여 산천(山川)에 제(祭)를 지내고자 만든 제단이다. 한라산 산신제는 탐라국 때부터 한라산 백록담 북쪽 기슭에서 올린 것으로 추정되는데, 이는 1253년(고려 고종 40년)에 나라가 주관하는 제례(祭禮)로 발전하였다. 조선시대에는 부임하는 제주목사가 매년 2월경 백록담에 올라가서 제사를 올렸다. 그런데 문제는 각종 제기(祭器)와 많은 수행원을 데리고 백록담까지 올라가는 일이었다. 산길이 험하여 날씨가 궂으면 죽는 사람까지 생기며 제사에 큰 어려움이 발생했다. 1470년(성종 1년) 제주목사로 부임한 이약동(李約東)이 이러한 점을 알고 제사 문화에 일대 개혁을 시도하였다. 목사 재임 3년째인 1472년에 세금 감세와 더불어 한라산 산신제의 폐단을 임금에게 고하고 제사장의 이전(移轉)을 허락받은 것이다. 한라산신고선비(漢拏山神古禪碑)와 《탐라기년(耽羅紀年)》 등의 문헌에서 "한라산신제를 해마다 백록담에서 봉행하므로 제사를 지내는 과정에서 추위로 얼어 죽는 사람이 많았다. 이 사실을 알게 된 이약동 제주목사가 사람들이 희생되는 폐단을 없애기 위하여 제단을 백록담에서 산천단으로 옮겨 봉제하게 되었다."는 내용을 찾아볼 수 있다. 또한 18세기 중후반의 《증보탐라지》에서는 "소림

사(小林祠)는 한라산신(漢拏山神)을 제사하는 곳이다. 이 사(祠)는 한라산 아래인, 제주목 남쪽 16리에 있었다. (…) 처음에는 백록담에서 제사를 지냈는데, 서울에 만약 눈이 심하게 와서 올라가지 못하면 산 중턱에서 제사를 지냈다. 그 뒤 사(祠)는 소림과원(小林果園) 가운데로 옮겼다.”라고 하였다. 그밖에 18세기 후반의 《제주읍지(濟州邑誌)》에서도 산천단을 확인할 수 있으니, 18세기 후반부터 산천단이라는 지명이 자리매김한 것으로 보인다.

삼성혈　　왼쪽에 햇빛을 가리고 있는 소나무 숲에 다가가자, 매미들의 합창 소리가 솔바람 속에서 쏟아졌다. 이방근은 삼성혈 내의 문을 들어가 잠시 거기에 섰다. 소나무 숲을 지나는 시원한 바람이 얼굴을 어루만지며 지나간다. 8-18-6:152

▶ 제주특별자치도 제주시 이도동에 있는 성소(聖所). 삼성혈(三姓穴)은 한반도에서 가장 오래된 유적이자 탐라국 개국 신화의 배경이 되는 곳으로, 탐라국 시조에 대한 제의가 이루어지는 장소이다. 지금으로부터 약 4,300여 년 전 제주의 개벽시조(開闢始祖)인 삼을나(三乙那) 삼신인(三神人), 즉 고을나(髙乙那), 양을나(良乙那), 부을나(夫乙那)가 이곳에서 동시에 태어났다. 삼성혈은 땅 위에 움푹하게 파인 3개의 구멍이 삼각형 모양을 이루고 있다는 데서 붙여진 이름이다. 삼신인이 목욕한 연못을 혼인지(婚姻池)라 부르며, 신방을 꾸몄던 굴을 신방굴(神房窟)이라 하는데, 그 안에 각기 3개의 굴이 현재까지 남아 있다. 삼신인은 서로 다른 터전을 마련하고자 각각의 도읍지를 결정하는 방법으로 한라산에 올라가 활을 쏜 후, 그 화살이 떨어진 자취를 자신의 영토로 삼았다. 제1도, 제2도, 제3도를 정하고 난 후 비로소 개척을 하여 오곡을 심고 우마를 길러 촌락을 이루었다. 삼신인이 활을 쏜 지역을 사시장올악(射矢長兀岳)이라 하며, 활이 명중한 돌을 삼사석(三射石)이라 한다. 삼신인이 이룩한 촌락은 향후 탐라국의 기초가 되었으며, 이후 탐라국의 왕손들은 신라에 입조하여 작호(爵號)를 받았다. 당대의 삼국뿐만 아니라 중국·일본·유구왕국과

도 독립국가로서 해상교역을 하였고, 3,700여 년간 탐라국이라는 왕국을 유지하다가 고려에 합병되었다. 1526년(중종 21년)에 제주목사로 부임한 이수동(李壽童)이 처음 표단(標壇)과 홍문(紅門)을 세우고 담장을 쌓아 고·양·부씨의 춘추봉제(春秋奉祭)를 지내기 시작한 이래 역대 목사에 의하여 성역화 사업이 이루어졌고 현재에도 매년 춘추대제(春秋大祭)와 건시대제(乾始大祭)를 지내고 있다. 1698년(숙종 24년) 유한명(柳漢明) 목사 때 혈의 동쪽에 위패를 모시는 삼을나묘(三乙那廟, 현 삼성전)를 세웠다. 1785년(정조 9년)에는 양경천(梁擎天)의 상소로 '삼성사(三姓祠)'라는 사액이 내려졌으며, 고택겸(高宅謙) 교리가 어제제문(御製祭文)을 받들고 와서 봉제하였다. 이후 전사청(奠祀廳)과 숭보당(崇報堂)이 건립되어 재생(齋生)교육이 실시되었으나, 1871년(고종 8년)에 서원철폐령으로 위폐가 철거되었다. 그 뒤 재건 운동으로 1889년(고종 26년)부터 전사청, 삼성전 등이 중건되었다. 삼성혈에서 봉제를 행할 경우 모든 제관은 왕에 대한 예우로 금관제복을 착용하며, 사흘 전에 입재하여 목욕재계를 한 후 제향을 한다. 조선시대에 국제(國祭)로 지낸 것과 달리 현재는 제주도민제로 춘추대제(4월 10일, 10월 1일)와 건시대제(12월 10일)를 봉행하고 있다.

삼양리 5백여 호의 삼양리 마을에서는, 성내에서 출동한 토벌대가 신작로의 산 쪽에 있는 국민학교 교정으로 끌어낸 마을 주민을, '양민'과 게릴라 가족 혹은 연고자들의 두 그룹으로 선별하여, 마을의 '빨갱이 가족 일소'를 위한 형 집행이 이루어졌다. 12-종-1:245

▶제주특별자치도 제주시 관할 행정동. 도시와 농촌, 그리고 어촌의 생활과 경관이 어우러진 근교 농업 및 주거 지역이다. 기원전 1세기를 전후한 시기에 형성된 대규모 마을 유적에서 다양한 생활 도구와 곡물들이 발굴되는 것으로 보아 일찍부터 인간 생활이 활발하게 이루어지던 곳임을 알 수 있다. 19세기 중반까지 소흘리(所訖里)라 불리다가 19세기 말부터 삼양(三陽)으로 쓰이기 시작했다. 120여 년 전 이 마을에 살던 '장봉수(張鳳秀)'와 '박운경(朴雲景)'이라는 사람이 서흘개와 가물개, 그리고 매촌 등

3개 마을을 합하여 양지(陽地)라 부른 데서 삼양이라는 명칭이 유래했다고 전해지나 확실한 근거는 없다. 1955년 제주읍이 시로 승격되고 기존 25개 리가 40개 동으로 개편될 때 제주시에 편입되어 삼양농과 도련동으로 개칭되었다. 그 뒤 1962년 제주시 40개 동이 14개 행정동으로 개편되면서 다시 행정동인 삼양동으로 되었다. 현재 제주도 동부권의 관문 역할을 하고 있다.

삼의양오름 ｜새미오름, 사모악｜ 산천단과 계곡을 끼고 3, 4백 미터 떨어진 맞은편에 기생화산의 하나인 삼의양(三義讓) 오름이 솟아 있다. 재미있는 것은, 삼의양 오름이 마침 한라산의 북면 중앙부와 마주 보는 위치에 있었는데, 정상의 한가운데 주변부터 산록에 걸쳐 뻗어 있는 골짜기에 나무가 빽빽이 자라나고 있었다. 3-7-5:363

▶ 제주특별자치도 제주시 아라동 일대에 있는 기생화산. 높이 574.3미터, 비고 139미터, 둘레 2,473미터, 면적 412,000제곱미터의 오름이다. 산 정상부에 샘이 있다고 하여 '새미오름'이라 불렸다. 새미의 현대 한자표기는 '삼의(三義)'지만 이는 샘의 제주 방언 '세미'의 음가를 빌린 것이다. 현재 삼의악(三義岳), 삼의양악(三義讓岳), 삼의양오름으로 불리고 있는데, 그 모양이 사모(紗帽)와 비슷하다 하여 사모악(紗帽岳)이란 별칭도 있다. 정상은 풀밭을 이루고 있으나 전사면은 여러 종류의 나무들이 자라고 있다. 남동사면에서 정상까지 이어지는 등정로를 이용해서 오를 수 있는데 다소 가파른 편이다. 남쪽으로 야트막하게 형성된 분화구는 원형을 이룬다. 이곳은 예로부터 명당으로 알려져 있어 기슭에 많은 묘가 있다. 분화구 등성이는 한 바퀴 돌 수 있으며, 안쪽에 이르면 샘도 있는데, 물이 솟아나는 양은 그리 많지 않고 방목되는 가축들이 이용한다.

삼학도 일직선 도로 저편에, 경비정이 다도해의 어두운 파도를 헤치며 목포항을 향하고 있을 것이다. 아니, 이미 슬슬 삼학도 사이의 만 안쪽으로 들어와 곧 접안할지도……. 7-17-2:248

▶ 전라남도 목포시 영해동에 있는 섬. 유달산과 함께 목포를 대표하는

명승지이며, 섬의 세 봉우리가 학처럼 보인다고 하여 삼학도(三鶴島)라 불린다. 섬에는 무사와 그를 사랑했던 세 처녀에 관한 이야기가 전해진다. 세 처녀가 그를 기다리다 학이 되었으나, 이를 알지 못한 무사가 쏜 화살을 맞아 모두 죽게 되었고, 학이 떨어진 자리에 3개의 섬이 솟아나 삼학도라는 이름이 생겨났다고 한다. 본래 목포진의 시지(柴地)로서 목포 진에 땔감나무를 제공하던 섬이었다. 현재는 연륙공사와 간척공사로 육지화되었다.

서고베 나가타초　언제였던가, 일본의 전황이 조금씩 기울어져 가고 있을 무렵, 두 사람은 서고베(西神戸) 나가타초(長田町)의 어두운 해변을 걷고 있었다. 2-3-7:171

▶ 일본 혼슈의 효고현 고베시 남부 나가타구의 한인 밀집 지역. 공식적으로 '한인촌(코리아타운)'이라는 명칭을 사용하고 있지 않지만, 고반초(五番町), 로쿠반초(六番町)를 중심으로 합성피혁 신발 산업에 종사하는 한인들이 많이 거주하고 있다. 특히 1920~1930년대 일본의 고무공업 현장에는 소위 3D 직업에 속하는 열악한 환경하에서 수많은 조선인 식민지 출신자들이 저렴한 임금으로 고용되고 있었다. 1936년만 보아도 당시 나가타구 거주 한인 7,719명(고베시 전체 거주 조선인 약 16,000명)의 대부분이 고무공장에서 일했다. 제2차 세계대전 종결 이후, 고베에서는 지역 산업의 꽃이었던 고무공업의 현장에서 기존 생산하던 고무제품보다 원료를 확보하기 쉬운 폴리염화 비닐을 사용한 합성피혁 신발을 생산하는 공장이 증가하였다. 소위 '케미컬 슈즈(chemical shoes)'라고 불리는 이 나가타구의 합성피혁 신발은 일본의 고도 경제성장에 편승하여 판매가 급증하였고, 그 제조 공정의 말단에서 종래의 고무공업에 종사하던 수많은 한인들이 하청을 맡아서 일을 하였다. 즉, 한인 노동력이 고베의 합성피혁 산업을 지탱하고 있었던 것이다.

서귀포　한라산 너머 서귀포에서 신작로의 전봇대를 트럭으로 들이받아, 본인은 다치지 않았지만, 그다지 굵지 않은 전봇대가 꺾이고 말았다. 졸

음운전 탓이었다. 2-3-2:42

▶ 제주특별자치도 남부에 위치한 시. 조선시대 제주목사 오식(吳湜)의 건
의에 따라 1416년(태종 16년) 한라산을 경계로 북쪽에 제주목, 남쪽의 동부
에 정의현, 서부에 대정현을 두었다. 서귀포시 동부는 옛 정의현 지역에,
서부는 옛 대정현 지역에 해당한다. 해방 후인 1946년 제주도가 전라남도
에서 분리되어 도(道)로 승격되면서 남제주군 서귀면·중문면이 되었다.
1956년 서귀면이 읍으로 승격되었다. 1981년에는 서귀읍과 중문면이 통
합된 후 남제주군으로부터 분리되어 서귀포시로 승격되었다. 한편, 남제
주군은 조선시대의 정의현·대정현이 있던 곳으로, 2006년 제주도가 제주
특별자치도로 바뀌면서 서귀포시로 통합되었다. 북쪽은 한라산을 경계
로 제주시와 접해 있고 남쪽은 동중국해에 접해 있다. 해안선은 단조롭고
여러 섬들이 위치한다. 대부분의 인구가 해안가에 집중되어 있으며, 오름
이라고 불리는 기생화산이 산간 지역에 널리 분포되어 있다.

서대문우체국　택시는 빨랐다. 서울역 앞 거리인 의주로를 서대문 교차로
쪽으로 달렸다. 교차로 곁에 있는 서대문우체국을 왼쪽으로 보면서 북상
하여 잠시 흙먼지가 피어오르는 전찻길을 달리다가, 왼쪽에 높은 콘크리
트의 우울한 벽이 길게 계속되는 서대문형무소 앞에서 두 사람은 내렸다.
포장되지 않은 전찻길의 연도에는 곱고 메마른 흙먼지가 하얗게 쌓여
있었고, 트럭이 한 대 지나갔을 뿐인데도 주위는 피어오른 흙먼지로 뿌옇
게 변해 버렸다. 길가의 집들은 모두가 색이 바랜 것처럼 우중충해 보였
다. 7-16-1:17~18　¶ "……" 잠시 말이 막힌 듯한 느낌이 전해져 왔다. "좀
전에 아파트를 막 나와, 지금 서대문 우체국에서 전화 걸고 있어요. 선생
님, 무슨 일 있었어요?" 10-22-2:32

▶ 서울특별시 서대문 지역의 우체국. 서울지방우정청 소속으로 우편과
우체국예금·보험 분야의 업무를 수행한다. 1901년 11월 1일 한성우체사
(漢城郵遞司) 경교지사(京橋支司)로 업무를 개시하였고, 1906년 7월 1일
서대문우체국으로 승격하였다. 1989년 1월 25일 청사가 충정로에서 창천

294

동으로 이전하였는데, 서대문우체국이 있던 자리(현 서대문역 부근)에는 서울충정로우체국이 새로이 개국하였다.

서대문형무소 | 경성형무소, 서울형무소 | 이방근은 결혼한 뒤 아내를 제주도에 남겨 둔 채(아내는 거의 친정에 돌아가 살았기 때문에 '소박데기' 같은 생활을 하고 있었다) 도쿄에서 학교를 다녔으며, 사상범으로 체포되어 서울형무소로 이감되었다. 1-2-1:166 ¶ 일찍이 소변 사건을 일으켰던 소년도, 성장하여 대학생활을 했던 일본 오사카에서 다시 체포된 뒤 서울 서대문형무소에서 '전향'을 하지 않았던가. 십 년 전의 일이었다. 옥중에서의 각혈, 폐결핵, 보석(保釋). 일체의 '불온사상' 운동에 관계하지 않겠다는 '전향' 의사의 표명……, 생각하고 싶지 않았다. 2-4-4:277

▶ 서울특별시 서대문구 현저동에 있는 수감시설. 1908년(순종 2년) 10월 21일 일본인 건축가 시텐노 가즈마(四天王要馬)의 설계에 의해 한국 최초의 근대식 감옥인 경성감옥이 서울 현저동에 건축되었다. 1923년 서대문형무소로 개칭된 이곳은 일제강점기에 수많은 애국지사가 수감되었던 수난의 현장이었다. 해방 후 1946년에는 경성형무소로, 다시 1950년에는 서울형무소로 개칭되었다. 1961년 개정된 〈행형법(行刑法)〉에 따라 서울교도소가 되었으며, 1967년 7월 7일에는 서울구치소로 개칭되었다. 1987년 기관을 경기도 의왕시로 이전할 당시까지 이곳은 간첩·사상범, 많은 운동권 학생과 재야인사 등이 거쳐간 곳으로서 한국의 교도 행정상 빼놓을 수 없는 기념지였다. 현재 서대문형무소역사관이 설립되어 있다.

서도   '서북'이란 원래 '서도(西道)'(북한의 황해도·평안남북도)와, '북관(北關)'(북한의 함경남북도) 지방, 즉 북한을 지칭하는 말이었으나, 지금 남한에서는 '서북청년회(西北靑年會)'를 일컫는 말이다. 1-1-1:30

▶ 황해도와 평안남북도를 아울러 이르는 말. 서관(西關), 서로(西路), 서토(西土)라고도 불렸다.

서문교 | 서문다리 | 이방근은 바다를 보러 가자고 한 것이 무슨 변덕이나 되는 것처럼 부두와는 반대 방향인 서문다리 쪽을 향해 걸어갔다. 1-2-

1:151 ¶이방근은 담배에 불을 붙이고 달빛에 비쳐 보이는 서문교까지 걸어갔다. 반달이 얕은 냇물에 뾰족한 빛의 파편으로 부서져 흔들리고 있었다. 이내에 달빛을 의식하자 밤공기가 더욱 차갑게 느껴졌다. 2-3-2:41

▶ 제주 성내의 관덕정을 기준으로 하여 서쪽 병문천 위의 다리. 관덕정과 서문다리 사이, 지금의 서문교차로 자리에 서문이 있었다. 일제강점기 때 제주목 관아의 성곽을 없앴는데, 1913년 북문이 철회되는 것을 시작으로 1914년에는 동문과 서문이, 1918년에는 남문이 철회되었다. 서문은 정뜨르비행장(현 제주국제공항)에서 관덕정을 거쳐 산지항(현 제주항)으로 이어지는 전쟁 물자 수송 통로를 확보하기 위한 목적으로 철회되었다. 현재 용담동에 소재해 있는 서문교는 1994년 병문천 복개공사 시행으로 철거되었다 확장·재건된 것이다.

서문길 광장을 가로지른 버스는 신작로에 들어선 뒤 보이지 않게 되었다. 두 사람은 담소를 나누며 관덕정 앞을 가로지른 뒤 오른쪽으로 돌아 방금 버스가 간 길과는 반대 방향인 서문길 쪽으로 걸어갔다. 1-1-5:146

▶ 제주특별자치도 제주시 일도1동 중앙교차로에서 삼도2동 서문교차로 사이에 있는 도로. 조선시대 제주읍성의 서문이 있었던 곳이라는 데서 서문로라고 불리게 되었다. 제주시의 중앙로에서 구 도심권을 동서 방향으로 잇는 주요 간선도로이다. 이곳은 1967년 서부시외버스터미널이 제주시 광양종합터미널로 이전하기 전까지 유동인구가 많았던 곳이다. 그러나 중앙로 지하상가와 대형 할인매장 등이 등장하면서 서문로 일대의 상권은 크게 위축되었다. 현재는 제주 시내에서 가장 많은 가구점이 몰려 있는 가구의 거리로 명맥을 유지하고 있다.

서문시장 서문시장 앞 혼잡한 거리를 지나 서문교를 건넌 다음, 몇 대의 자전거가 서 있는 이층건물의 제주읍사무소가 보이는 주변까지 이르렀을 때, 전방에서 여름 사냥모자를 쓴 깡패풍의 남자 서너 명이 조를 이루어 팔자걸음으로 다가왔다. 짧은 경찰봉 같은 것을 들고 있는 젊은 그들은 경찰의 보조역할을 하고 있는 '서북'의 졸개들이었다. 6-15-3:336~337

▶제주특별자치도 제주시 용담동에 있는 상설 재래시장. 동문시장(1945
년~)이 먼저 만들어진 후 1954년에 서문시장(관덕정 서쪽)이 생겨났다.
주요 이용객이 동문시장에 편중되어 서문시장의 상권은 크게 형성되지
못했는데, 주로 동문시장을 이용하다가 나중에야 서문시장으로 가는 정
도였다고 한다. 1954년 동문시장에 대형화재가 발생하여 미군 당국의
도움을 받아 재건될 무렵, 서문공설시장이 개설되어 제주시 서부 지역을
담당하는 시장의 역할을 점차 수행하게 되었다.

서북 '서북'이란 원래 '서도(西道)'(북한의 황해도·평안남북도)와, '북관(北
關)'(북한의 함경남북도) 지방, 즉 북한을 지칭하는 말이었으나, 지금 남한
에서는 '서북청년회(西北靑年會)'를 일컫는 말이다. 1-1-1:30

▶황해도와 평안남북도 및 함경남북도를 아울러 이르는 말. 이들 북한
지역에서 해방공간 당시 38도선 이남으로 피난을 온 월남자들의 반공청
년단체인 '서북청년회'가 조직됨으로써 남한에서는 지역 명칭보다 보통
이 단체를 일컫게 되었다. 특히, 서북은 제주에서 일어난 4·3사건을 폭력
으로 진압하였다.

서북청년회 중앙총본부 이방근은 안국동의 언덕을 내려간 곳에서 반대
방향으로 달리는 택시를 타고, 미군정청 앞에서 좌회전, 세종로를 달리다
가 광화문 교차로를, 서북청년회 중앙총본부라고 쓴 큰 간판이 내걸린
밝은 3층건물을 오른쪽으로 보며 건넌 다음, 태평로에서 덕수궁 앞을
다시 좌회전하여 을지로를 동쪽으로 달렸다. 그리고 동심원을 그리듯이
꽤 멀리 돌아 종로 3가 네거리에서 내렸다. 5-11-5:122~123 ¶ 거리로 나오
자, 왼쪽에서 다가오는 트럭 위에서 십수 명의 핏발이 곤두선 한 이십
대 청년들이 어깨를 치켜 올리고, 혹은 주먹을 치켜들며 절규하고 있었
다. 트럭의 짐칸에 둘러친 슬로건의 큰 문자 "……우리는 멸공결사행동대
멸공통일 서북청년회 중앙총본부"가 바람을 안고 춤을 춘다. 그들은 트럭
위에서 삐라를 뿌리고, 경찰서 앞을 지나갈 때는 서로 응원을 하겠다는
것인지, 와— 하는 환성을 지르며 달려갔다. 5-13-3:444~445

▶서울특별시 종로구 세종로에 있었던 서북청년회의 중앙총본부. 처음에 서북청년회 중앙총본부는 광화문사거리(현 세종로사거리) 부근에 소재한 동아일보 사옥(현 일민미술관) 3층에 자리를 잡았다. 당시, 김성수(金性洙, 동아일보 설립자)의 사용 허락을 받은 것이었는데, 그가 속한 한국민주당(韓國民主黨, 1945년 창당되었던 정당)도 같은 층을 쓰고 있었다. 그 후 서북청년회는 중앙총본부를 그 건물에서 광화문 방향으로 대각선 건너편, 현재의 세종문화회관 옆에 위치한 3층 건물로 옮겼다. 이곳을 지나는 시민들은 서북청년회 중앙총본부의 간판을 보고, 저곳이 무시무시한 서청본부구나 하면서 몇 번씩 쳐다볼 정도였다고 한다.

서울 가난한 사람에게 서울의 겨울은 혹독했다. 결국 남승지도 굶주려 가죽만 남은 배가 등가죽에 달라붙도록 허리를 졸라맨 채 경찰에 쫓겨 숨어 지내는 서울 생활이었지만, 그래도 역시 서울은 내부에 희망을 간직한 독립국의 수도임에는 틀림없었다. 1-1-3:71 ¶ 이방근은 포장돼 있지 않은 완만한 언덕길을 내려가면서, 서울에는 언덕이 많다는 생각을 했다. 주위를 산이 둘러싸고, 더구나 한가운데에 남산(273미터)이 솟아 있어서, 서울은 상당히 기복이 심하고 언덕이 많은 도시였다. 5-11-5:115 ¶ 북풍에 먼지가 흩날리는 종로의 거리를 나와, 따뜻해진 볼을 냉기에 드러내며 걸었다. 공기가 눈에 띄게 차갑지만, 서울의 추위는 정말이지 지금부터였다. 찬바람 속을 어슬렁거릴 수는 없지만, 국제통신이 있는 을지로 근처까지 걸어가면, 십여 분의 거리였다. 11-25-7:393

▶한반도 중서부에 위치한 정치·경제·사회·문화와 도로·철도·항공 교통의 중심지. 서울이라는 명칭은 신라의 수도인 서라벌·서벌에서 유래되었다. 조선의 건국 이후 600년의 수도로서 명맥을 유지하며 한양·한성으로 불리다가 일제강점기에 경성으로 개칭되었다. 1945년 해방 후 서울은 미군이 진주하여 군정이 시행되면서 1946년 9월 28일 경기도의 관할에서 벗어나 도(都)와 같은 수준의 서울시로 승격되고, 8개 구를 관할하였으며, 과거의 일본식 지명과 행정구역을 한국식 이름으로 바꾸었다. 1948년

대한민국 정부 수립에 따라 수도의 지위를 재확인하였으며, 1949년 8월 15일 서울특별시로 승격되었다.

서울역　밤 열한 시가 넘어 서울역에 도착하여 이건수 씨 댁에 전화를 걸자, 전화기 앞에서 기다리고 있었던 것처럼 여동생이 받았다. 속달이 도착했다는 말인데, 숙부님 내외도 아직 자지 않고 이방근이 오기를 기다리고 있다고 했다. 5-11-4:96 ¶ 서울역 쪽에서 울리는 기적 소리가 하늘 높이 퍼졌다가, 남산을 넘어 내려왔다. 두 사람은 연도에 인가가 늘어서 있고, 가로등에 노면이 떠오른 완만한 언덕길을 내려갔다. 전차와 자동차가 달리는 것이 눈에 들어오는 밝고 혼잡한 움직임이, 경사로 저쪽으로 펼쳐졌다. 7-16-7:188 ¶ 서울역 정면의 큰 시계가 곧 여덟 시를 가리킬 무렵이었다. 역 앞 광장을 건너, 이미 혼잡한 역 구내로 들어가려던 차에 뒤에서, 이 선생님…… 하고 귀에 익은 목소리가 뒤쫓아 왔다. 그래, 그건 분명히 문난설의 목소리……. 돌아보자마자 멈춰 선 그의 눈에, 점퍼가 아닌 다갈색 코트를 입고 숄더백을 옆구리에 끼고 달려오는, 한층 여성스러운 문난설의 아름다운 모습이 날아 들어왔다. 10-23-1:210

▶ 서울특별시 용산구 동자동에 있는 기차역. 1900년 7월 8일 경인선의 남대문역으로 영업을 개시한 후 1923년 경성역으로 역명이 변경되었다. 남대문역을 개량한 경성역사는 일제에 의해 도쿄역에 이은 동양 제2의 규모로 지어져 1925년 완공되었고, 이후 만주 방면의 국제 열차를 취급하는 등 한반도의 철도 교통에서 중추적인 역할을 담당하였다. 해방 이후인 1947년 경성역에서 서울역으로 역명이 바뀌었다. 한국전쟁, 1960~1970년대 경제성장기를 거치며 대한민국의 최대 역으로 도약하였다.

서울운동장　｜경성운동장, 동대문운동장｜ 그렇지, 혁명시인인 유진오(俞鎭五), 반미 투쟁에 앞장섰으며 집회와 데모 때 죽은 동지들의 영전 앞에서 즉흥적인 시를 낭독하고 다니던 그가, 9월 1일 국제청년제 당일 서울운동장을 가득 메운 군중 앞에서 낭독한 시 '누구를 위한 벽차는 우리의 젊음이냐?'가 청년들의 영혼을 뒤흔들던 무렵이었다. 1-1-3:66 ¶ 작년 3·1절

당일, 여동생과 함께 이 집에 있었다는 것이 기묘하게 여겨졌다. 그리고 이 집에서 데모에 참가한 사람은 아무도 없었다. 숙부 이건수가 참가했다면, 남산공원에서 있었던 좌익 집회가 아니라, 서울운동장에서 열린 우익 쪽 집회에 참가했겠지만, 그는 어느 쪽 집회에도 참가하지 않았다. 5-13-5:491 ¶ "가자, 서울 대운동장으로. 참가합시다, 반공 애국 국민총궐기대회……". 10-22-6:160

▶ 서울특별시 중구 을지로7가에 소재했던 종합경기장. 1925년 5월에 착공하여 같은 해 10월에 준공했으며 면적은 95,764제곱미터였다. 개장했을 때는 경성운동장이었다가 8·15광복 후에는 서울운동장, 1985년에는 동대문운동장으로 개칭하였다. 이곳은 조선시대 때 하도감(下都監)이 설치된 자리이자 임오군란 때에는 청나라 제독 오장경(吳長慶)이 진을 쳤던 자리이기도 하다. 한국 운동 경기사의 발전과 함께했으나 시설이나 규모는 해방 후에도 빈약했다. 그러다 1962년 보수공사로 육상경기장을 비롯한 야구장·수영장·배구장·테니스장 등 국제 규모의 운동경기를 치를 수 있는 시설을 갖췄다. 1968년 보수공사로 육상경기장이 메인스타디움의 면모를 갖추었으나 2003년 3월부터 폐쇄되어 임시 주차장 및 풍물시장으로 사용되었다. 동대문운동장은 2007년 12월 18일부터 철거를 시작하여 폐장되었고, 이 부지에 동대문역사문화공원(2009년 10월 27일 개장)과 동대문디자인플라자(2014년 3월 21일 개장)가 조성되었다.

성내 버스는 언덕을 깎아 낸 완만한 비탈길을 달렸다. 전방으로 성내의 낮은 시가지가 보이기 시작한다. 기와지붕들 사이에 띄엄띄엄 있는 초가지붕이 유독 눈에 띄었다. 성내 입구 주변에는 강풍에 날아가지 않도록 굵은 밧줄로 바둑판처럼 동여맨 초가지붕들이 땅에 달라붙은 갑층 모양으로 밀집해 있었다. 1-1-1:27 ¶ 성내 거리는 사람의 왕래는 적고, 바람이 온화한 밤의 정적에 잠겨 있었다. 그러나 섬에서는 이미 게릴라와의 전투가 시작되고 있었다. 어딘가 멀리서 총성이라도 울려 퍼질 것 같았다. 금목서의 향이 흐르는 골목 구석구석에 조수가 스며드는 듯한 파도 소리

가 울려왔다. 10-23-1:222 ¶ 여기서는 배후의 절벽 그늘이라 한라산은 보이
지 않았다. 아득히 눈 아래로 성내의 칙칙한 읍내 모습이 나지막하게 펼쳐
져 있었다. 오른쪽 산지 언덕으로부터 서서히 솟아오른 사라봉 너머는
깎아지른 절벽 아래로 바다다. 12-종-6:370

▶ 제주성(濟州城)을 기준으로 성 안(內) 마을을 이르는 말. 주로 '성안'이라
하고, 성 밖 마을은 '목안(牧一)' 또는 '모관'이라 하였다. 통상 '제주시'를
예전에는 성내(또는 성안)라고 했는데, 남문, 서문, 동문을 중심으로 해서
그 안을 가리킨다. 성내(城內)를 중심으로 하여 도시가 번창했으며, 예로
부터 부호들도 많이 살았다고 한다. 지금도 오현단(제주시 남문교차로 동쪽
에 성곽이 복원됨)에 성의 일부가 남아 있는데, 성내란 주로 '묵은성'과
남문교차로 일대를 말한다. 고성(古城)에서 연유됐다고 보는 '묵은성'은
지금의 제주북초등학교 서북쪽을 통칭하는 지역으로, 제주시 핵심 생활
권이었다. 성내에는 일제강점기부터 제주목 관아를 중심으로 제주도청,
제주경찰서, 제주세무서, 법원 등 주요 관공서가 있었다.

성북구　하지만 이번 7, 8월에 걸쳐 풍수해의 이재민에 섞여 상경한 사람
들이 상당히 있었는지, 서울에서는 3백 명에 달하는 환자가 방치되어
있었다. 특히 성북구의 T동 일대에 많이 모여 근처의 주민을 공포로 몰아
넣고 있었다. 5-13-6:527

▶ 서울특별시 북동부에 위치한 구. 성북이라는 명칭은 이 지역에 있던
성북동(城北洞, 도성의 북쪽, 도성의 북문 바깥 골짜기라는 뜻)에서 나왔다.
성북 지역은 조선시대에 한성부의 일부였으나, 일제강점기에 접어들어
1911년 경성부 관할의 경기도 고양군 숭신면(崇信面)과 인창면(仁昌面)이
되었고, 1914년에는 2개의 면이 통합된 숭인면(崇仁面)의 관할하에 있었
다. 1936년 경성부의 구역이 확장되면서 숭인면의 일부가 경성부에 편입
되어 동부 출장소의 관할하에 들어갔고 나머지는 그대로 고양군 숭인면
으로 남게 되었다. 해방 후 1949년 경기도 고양군 숭인면과 동대문구의
일부 지역이 합쳐져 성북구로 신설되었다.

성산포　지프는 계속 달려, 섬의 동쪽 끝에 있는 성산포 근처 소가 누워 있는 것처럼 보인다고 해서 우도라 이름 붙은 섬이 보이는 곳까지 갔다가 되돌이왔디. 1 2 C:204

▶ 제주특별자치도 서귀포시 성산읍에 있는 항구. 제주도의 동쪽 끝에 돌출한 성산반도에 자리 잡고 있는 어업의 중심지로, 많은 수산물이 나는 곳이다. 자연적으로 형성된 항구로서 유명하였는데 제주항이 축항된 후 쇠퇴하였다. 지금은 원양어업 기지로 중요한 곳이며, 인근에 성산 일출봉과 우도 등 해양 관광자원의 지리적 여건을 갖추고 있어 관광항으로 자리매김하고 있다.

세종로　사냥모자를 쓴 중년의 운전수는 손님에게 어디로 가는 거냐는 책망을 듣고 나서야 정신을 차린 듯, 모자를 가볍게 들어 올려 사과하면서 광화문 넓은 십자로를 우회전해, 관아가인 세종로로 들어갔다. 6-14-3:63

▶ 서울특별시 종로구에 위치한 길. 세종로라는 도로의 명칭은 조선 제4대 왕인 세종의 묘호(廟號)를 따서 붙여졌다. 조선왕조의 법궁(法宮)인 경복궁의 정문(광화문)이 세워진 곳이자, 조선의 성군으로 칭송받는 세종의 탄생지(종로구 옥인동)와 가까운 곳이기 때문에 세종로로 제정된 것이다. 세종로는 조선시대에도 7궤(軌) 56척(尺)(약 17미터)의 한성부 대로로 가장 넓은 길이었는데, 도로 좌우에는 의정부, 육조, 한성부 등 주요 관아들이 배치되어 있어 '육조거리' 또는 '육조앞'이라 불리었다. 일제강점기인 1914년 4월 1일 경기도고시 제7호로 서울의 행정구역명을 제정할 때 이곳을 광화문통(光化門通)으로 개칭하였다. 해방 후 1946년 10월 1일 일제식 명칭을 개정할 때 우리 명현·명장의 이름을 따는 방식에 따라 세종로로 바뀌었다.

세토내해　│세토나이카이│　선장은 창고가 서 있는 모퉁이의 해안과 직각으로 나 있는 길까지 따라와 두 사람과 작별했다. 배는 세토(瀬戸) 내해를 피해 분고스이도(豐後水道)를 지난 뒤 시코쿠(四國)의 태평양 연안을 돌아 와카야마(和歌山)로 향할 예정이었다. 와카야마에 도착하려면 앞으로

3, 4일은 족히 걸릴 것이었다. 2-5-3:364 ¶올 초봄, 강몽구와 남승지의
일본 왕복 때는, 간몬(關門) 해협으로 들어가 세토나이카이(瀨戸內海)를
경유하여 오사카(大阪) 축항으로 직항, 돌아올 때도 같은 코스를 지나왔
다고 했지만, 지금은 경비정의 순찰이 심해 운하처럼 가늘고 긴 간몬 해
협 통과는 곤란하다고 했다. 11-25-6:354

▶일본 혼슈와 시코쿠, 규슈 사이의 좁은 바다. 세토내해는 일본의 서부
에 위치하며, 야마구치현, 히로시마현(廣島縣), 오카야마현(岡山縣), 효고
현, 오사카부, 와카야마현, 가가와현(香川縣), 에히메현, 도쿠시마현, 후
쿠오카현, 오이타현과 접한다. 동서로 450킬로미터, 남북으로 15~55킬
로미터, 평균 수심 37.3미터, 최대 수심 105미터이다. 동쪽은 나루토(鳴
門)해협으로 필리핀해로 연결되며, 서쪽은 간몬해협으로 동해와, 분고스
이도로 필리핀해와 연결된다. 내해 안에는 3,000여 개의 크고 작은 섬이
있으며, 그중 아와지섬이 제일 크다.

센니치마에 남승지는 반 시간쯤 뒤에 다방을 나왔다. 오래 머무는 것은
금물이다. 그는 결국 미나미의 번화가 센니치마에에는 가지 않았다. 바
로 옆 상점가에도 영화관이 두세 개 있었지만, 그 앞을 그냥 지나쳤다.
3-6-6:167~168

▶일본 혼슈 오사카시 주오구에 위치한 지역. 센니치마에(千日前)는 난바
주변에서 가장 번화한 거리이다. 극장과 영화관이 밀집된 지역이었는데
파친코, 음식점, 상점 등이 들어서면서 오락과 쇼핑을 즐길 수 있는 번화
가가 되었다.

수원 제주도 게릴라 토벌부대에서 현지근무를 하다가 최근에 본토로 철
수한 뒤, 현재는 수원의 연대에서 일주일간 휴가를 받아 집으로 돌아왔
다는 청년은, 문난설이 우연히 이방근의 이야기를 했더니, 제주도에서
그 이름을 들어 알고 있다고 했다는 것이다. 7-16-2:59

▶경기도 중남부에 있는 시. 1914년 군·면 통폐합 때 수원군·남양군·광
주군·안산면이 통합되었고 이후 면적이 크게 확장되어 1949년에 수원시

로 승격되었다. 서울의 남쪽 관문으로, 1967년 경기도청이 들어서면서 경기도의 행정·문화·금융·교육의 중심지로 성장하였다.

순천 또한 반란군은 그 지역 공산주의 청년과 합세하여, 수중에 넣은 무기를 가지고 강제적으로 시민을 선동하는 한편, 이에 응하지 않는 양민을 다수 살해하면서. 그 일부 세력은 철도를 점령, 다시 여수·순천 간 학생 통학열차 여섯 차량에 편승하여 곧장 순천으로 진격했다. 반란군은 순천역 도착과 동시에 철도경찰과 교전하면서, 지방경찰서를 습격했다. 이리하여, 일부 세력은 여수에서, 일부는 순천에서 학살, 약탈, 방화, 능욕을 자행한 것이, 20일 하루 동안의 사태이다. 11-24-1:10~11

▶전라남도 동부에 있는 시. 전형적인 도농복합도시이며, 행정·교육·교통의 중심지이다. 시의 남쪽은 순천만에 접해 있으며, 전라선과 경전선이 만나는 곳에 입지하여 영호남을 연결하는 전라남도 동부의 교통요지이다. 특히, 1948년 여수(당시 여수읍)에 주둔하던 국방경비대 제14연대가 제주4·3사건 무장대 진압군으로서 파견되는 데 반대하여 순천(당시 순천읍)을 점령함으로써 막대한 인명과 재산 피해를 입었다. 1995년 승주군과 통합시를 이루었는데, 옛 승주군 지역은 자연경관이 수려하고 문화유산이 풍부하다.

스가모형무소 │스가모구치소, 도쿄구치소│ "(…) 이미 도조 등 일곱 명의 가족들은 마지막 면회를 마쳤으며, 장례를 주재하는 자로 추측되는 승려는 매일 오후의 외출 뒤에는, 스가모(巢鴨)형무소 안에 머물러 있다." 11-25-8:418

▶일본 도쿄도 도시마구 스가모(巢鴨, 현 히가시이케부쿠로(東池袋))에 소재했던 형무소. 스가모형무소(巢鴨刑務所)는 도쿄구치소(東京拘置所)의 전신으로, 1895년 일본 경시청의 감옥으로 설치되었다. 1922년 스가모형무소로 명칭이 바뀌었고 1937년에 기존 형무소의 기능이 후추형무소(府中刑務所)로 이관된 후, 스가모구치소(巢鴨拘置所)로 명칭이 변경되었다가 1958년 도쿄구치소가 되었다. 제2차 세계대전 당시에는 공산주의자를

비롯한 일종의 사상범이나 반전 운동에 관련된 종교가들이 갇혀 있었고, 종전 후에는 연합군 최고사령부(GHQ)의 관할로 극동국제군사재판의 피고인들인 전쟁 범죄자들이 수용되었다. 이곳은 태평양전쟁을 일으킨 도조 히데키(東條英機)를 비롯하여 도이하라 겐지(土肥原賢二), 이타가키 세이시로(板垣征四郎), 무토 아키라(武藤章), 기무라 헤이타로(木村兵太郎), 마쓰이 이와네(松井石根), 히로타 고키(廣田弘毅) 등과 같은 전범들의 사형이 집행된 곳이다. 이후 1971년에 철거되었다.

스이타 "(⋯) 스이타(吹田)에 박이라는 조선인 친구가 있는데, 학생 시절부터 친하게 지낸 독실한 기독교인입니다. 한번은 그 친구 앞에서 조선이 그립다, 다시 한 번 제주도에 가고 싶다고 말한 적이 있습니다. 그런데 그 친구가 몹시 화를 내더란 말입니다. (⋯)"3-6-4:112

▶ 일본 오사카부에 있는 도시.

시마네현 그런 배들은 5, 6톤 정도로 작았고, 활어가 들어갈 수조에 사람이 대신 들어가 갇혀 있게 된다. 그리고 일본의 쓰시마(對馬島)나 야마구치(山口) 현, 시마네(島根) 현, 규슈(九州) 같은 해안에 내팽개치듯 내려놓고 가 버린다. 2-5-2:348

▶ 일본 혼슈 남서부에 있는 현. 동서로 길게 뻗어 있으며 남쪽은 주고쿠 산지, 북쪽은 동해와 접한다. 도시의 대부분은 동해 연안 근처에 있다.

시모노세키 │시모노세키항│ 틀림없이 푸른 산등성이를 배경으로 커다란 굴뚝이 숲처럼 솟아 있는 도회지이고, 왼쪽으로는 일찍이 한 많은 관부연락선의 발착지였던 시모노세키(下關), 거대한 크레인 숲이 보일 것이다. 5-2-3:361 ¶ 이럴 때마다 남승지는 자주 긴장 속에 떠오르는 기억, 일제 때의 관부연락선, 시모노세키 항과 부산항, 이곳 성내의 항구, 서울과 목포역 등지에서 일본인인지 조선인인지 알 수 없는 사복경찰과 헌병을 두려워했던 일들을 떠올렸다. 1-1-1:30

▶ 일본 혼슈 야마구치현 서남쪽 끝에 있는 항구도시. 서일본 육해 교통의 십자로에 해당하는 위치에 있어, 예로부터 교통과 상업의 요지이며 원양

어업의 근거지이다. 중심부인 시모노세키항 주변은 옛날에는 아카마가세키(赤間關) 또는 바칸(馬關)으로 불렸다. 1905년 지금의 기타큐슈인 모지구와의 사이에 철도와 연락선이 개통되면서 현대적으로 발전하기 시작했다. 같은 해 시모노세키와 부산을 잇는 관부연락선(關釜連絡船, 1905~1945년) 항로가 개설되어 일본이 조선을 침략하는 데 교두보가 되었다. 이곳은 청일전쟁(1894년)에서 일본이 승리한 후 시모노세키 조약이 체결된 곳이다. 청나라는 이 조약을 체결하면서 조선의 독립과 요동 반도의 할양, 배상금의 지불, 다른 열강과 같은 특권의 인정 등을 일본에 약속했다. 이에 따라 동아시아에서 전통적으로 중국이 차지하고 있던 위상이 붕괴되고, 일본은 서구 열강과 같은 근대적 민족국가의 기틀과 지위를 확보하게 되었다.

시코쿠 배는 세토(瀨戶) 내해를 피해 분고스이도(豊後水道)를 지난 뒤 시코쿠(四國)의 태평양 연안을 돌아 와카야마(和歌山)로 향할 예정이었다. 와카야마에 도착하려면 앞으로 3, 4일은 족히 걸릴 것이었다. 2-5-3:364

▶ 일본 혼슈 서남쪽에 있는 섬. 도쿠시마, 가가와, 에히메, 고치(高知)의 네 현(縣)으로 구성된다. 세토나이카이를 끼고 혼슈와 마주하고 있으며, 일본 열도 4개의 섬 중 가장 작은 섬이다. 시코쿠산맥(길이 180킬로미터)을 기준으로 남북으로 나뉘는데 북부는 공업, 남쪽은 어업·농업이 주요 산업이다.

신사이바시스지 신사이바시스지(心齋橋筋)와 은행나무 가로수가 있던 미도스지(御堂筋)도 그리웠다. 3-6-6:166

▶ 일본 오사카부 오사카시 주오구에 있는 상점가. 이 구역의 입구인 신사이바시역(心齋橋驛)을 중심으로 상권이 발달해 있어 유명 브랜드의 매장이 밀집되어 있다.

신의주 형제는? 남동생이 어머니와 함께 평안북도 신의주로 이주당했다는 것까지는 알고 있지만, 그 후 소식은 몰라요. 만일 살아남았다고 해도, 중국과의 국경인 압록강 연안이라서, 거기에서 서울까지는 도저히 도망

쳐 오지 못할 거라며, 그녀는 이를 보이며 희미하게 웃었다. 과거를 덮는
그늘진 웃음이었다. 10-22-3:80

▶ 평안북도 압록강 하류 유역에 있는 시. 압록강이 서한만(西韓灣)으로
유입되면서 하구에 삼각주를 형성하여 신의주평야가 발달하였다. 일제가
의주읍의 남쪽에 경의선(1906년 4월 개통) 철도를 개설하면서 급격히 성장
하여 1914년에 신의주부로 승격하였다. 지금은 평안북도의 도청 소재지
이자 신의주특별행정구이다. 압록강을 사이에 두고 중국과 국경을 접하
며, 조·중우의교(압록강철교)를 통해 중국 단둥시(丹東市)와 교류한다. 국
제철도가 압록강철교를 지나며, 평의선(평양~신의주)의 종착지이다.

쓰루하시역 |쓰루하시| 오사카 역에서 덴노지(天王寺)행 고가철도로 갈
아타고 동부 오사카를 10분 정도 달리자 그리운 쓰루하시(鶴橋) 역에 도
착했다. 전쟁 중에 자주 타고 내리던 역이었다. 2-5-5:423

▶ 일본 오사카부 오사카시 이쿠노구(生野區)와 덴노지구에 위치한 긴키
닛폰철도·서일본 여객철도·오사카시 교통국의 역. 이쿠노구와 덴노지
구에 걸친 쓰루하시 지역은 재일조선인들이 1920년대부터 조선시장을
이룬 곳으로 유명하다. 역 앞은 1993년 재일한국인에 의해 개명된 코리
아타운(전 조선시장)으로 이루어져 있다. 특히, 오사카 속 작은 한국이라
불리는 쓰루하시는 한국 근대사의 아픈 역사와 맥을 같이하는 곳이다.
1920년대 쓰루하시 부근의 히라노(平野) 운하를 건설할 때 강제 징용되
어 끌려온 조선인들이 해방이 되어도 고국으로 돌아가지 못하고 이곳에
정착하여 터전을 잡으면서 작은 코리아타운이 형성되기 시작하였다. 해
방 후에도 오사카에서 무역을 하는 사람들이 이곳에 정착하였다.

쓰시마 |대마도| 사람들의 얼굴은 공포로 굳어져 있었다. 남승지도 새파
래진 얼굴로 다다미에 찰싹 달라붙어, 기울어진 배에 그대로 몸을 내맡기
면서 어떻게든 균형을 유지하고 있었다. 다만 익숙해진 탓인지 뱃멀미가
나지 않는 것만도 다행이었다. 화주 한 사람이 대마도 근처까지 돌아가
고 말을 꺼냈다. 제주 근해에 다가갈수록 바다가 거칠어지는 것을 두려워

했던 것이다. 3-6-8:231 ¶그때는 당연히 한 사람당 7, 8만 원에서 10만
원 하는 보통 밀항자의 알선과는 사정이 달라진다(짐을 실은 배의 사정에
따라 행신시사 쓰시마(對馬島) 시마네(島根) 현 연안, 규슈(九州), 혹은 규슈
남단을 빙 돌아서 간사이(關西), 와카야마(和歌山) 현 등으로 결정되지만, 악질
선주가 아닌 이상 일본으로 실어 나르는 것은 틀림없었다. 제주도의 밀항업자
에게는 거의 없는 일이지만, 본토의 부산 주변에서 선불을 받고 출발한 밀항선
이, 어둠을 틈타 근해를 빙빙 돌다가, 부산 근처의 작은 섬에서 여기가 일본이
라고 속여 밀항자를 내려 주고, 배만 도망쳐 버리는 경우가 많이 있었다. 이방
근이 부산에서 여동생을 밀항시키는데, 배를 신경을 써서 선택하는 이유이기
도 했다). 10-23-7:371~372

▶ 일본과 한국을 가르는 대한해협의 중간에 있는 섬. 나가사키현에 속해
있으며, 5개의 바위섬으로 이루어졌다. 일본 신화에 따르면 창조신들이
쓰시마를 일본 최초의 섬 중 하나로 만들었다고 한다. 한국과 일본 사이의
중계지로서 중요한 역할을 한 곳이며, 1905년 러일전쟁 때 러시아의 발틱
함대(Baltic Fleet)가 패배한 곳이다.

아리다　이번에는 대부분이 한림의 탈출자들이기 때문에 도중의 분산을 피
하고, 영옥을 포함한 전원을 간사이, 주로 한신(阪神) 지방으로 데려다주
기 위해서 와카야마 연안의 거점의 하나, 이야기에 따르면 아리다(有田)
근처로 향하는 것이었다. 11-25-6:354~355

▶ 일본 와카야마현 중부에 있는 시. 기이스이도와 접해 있다. 아리다시의
중앙을 흐르는 아리다 강가에 충적평야가 형성되어 시가지와 전답이 펼쳐
져 있다.

아사가야역　│아사가야│　강몽구와 남승지는 오후 네 시에 아사가야(阿
佐ヶ谷) 역 앞에 있는 다방에서 고의천을 만났다. 낮에는 고의천에게 볼일
이 있었지만, 이제부터 갈 곳은 병원이라서, 오후 진찰시간이 끝날 무렵에
가지 않으면 안 된다. 3-6-2:51 ¶"그렇지, 하타나카 의원 말일세. 용근
씨라고 했던가. 도쿄의 댁에 찾아갔을 때, 유 동무 이야기가 나왔는데

말이지. 유 동무가 전쟁 전에 아사가야에 살고 있을 무렵부터 잘 아는 사이였던 모양이야. 그래서 여러 가지 이야기가 나왔지. (…)" 4-8-2:48~49

▶ 일본 도쿄도 스기나미구(杉並區)에 위치한 역. JR 동일본 주오 쾌속선과 주오·소부 완행선(주오 본선)이 지나는 철도역이다.

아오모리현 "이걸 동해고무에서 떼다가 나는 살고 있어. 여기 사장은 친척이야. 고무장화를 눈이 많이 오는 아오모리(青森) 현 등지에 가지고 가서 파는 거지. 눈이 많은 지역은 특히 고무장화가 필요하니까 말야, 홋카이도(北海道)까지도 간다구. (…)" 2-5-6:466

▶ 일본 혼슈 북쪽 끝에 있는 현. 동쪽으로 태평양, 북쪽으로 쓰가루(津輕) 해협, 서쪽으로 동해와 접한다. 쓰가루해협을 사이에 두고 홋카이도와 마주보고 있다. 춥고 눈이 많은 긴 겨울과 빈약한 배수로 때문에 농업은 비교적 취약하고 발달이 덜 된 편이다.

안국동 오빠, 오빠, 일어나세요. 바람이 창문으로 들어왔다. 정신을 차려 보니 차는 종로경찰서 바로 근처를 달리고 있었다. 네거리의 오른쪽으로 보였을 종로경찰서 건물을 확인할 틈도 없이, 차는 안국동의 좁고 완만한 언덕길로 접어들어 올라갔다. 5-13-2:456 ¶ 일본식과 조선식을 혼합한 이 가옥은 안국동 일대에서는 보기 드물게 이전에 일본인이 살고 있던 것을, 본국으로 철수할 때 아버지의 지인이 싸게 손에 넣었다가, 다시 그것을 당숙에게 넘긴 것이었는데, 그때 아버지가 꽤 큰 도움을 준 모양이었다. 5-13-4:423

▶ 서울특별시 종로구의 법정동. 안국동이라는 동명은 이곳이 조선시대 한성부 북부 안국방(安國坊)이었던 데서 유래하였다. 《태조실록(太祖實錄)》에서, 1396년(태조 5년) 4월 1일 한성부 5부 방명의 표지를 세울 때 한성부 북부 안국방으로 처음 기록한 것으로 보인다. 안국방은 조선시대 초기부터 있던 한성부 북부 12방(행정구역의 단위) 중의 하나로, 1751년(영조 27년)에 간행된 《도성삼군문분계총록(都城三軍門分界總錄)》에 의하면 북부 안국방의 안국방계와 가회방의 가회방계 일부 지역으로 되어 있다.

일제강점기인 1910년 10월 1일 조선총독부령 제7호에 의해 한성부 북서(北署)에서 경성부 북부(北部)로 바뀌었고, 1911년 4월 1일 경기도령 제3호에 의해 개편된 북부 안헌과 소안동·홍현·새통 일부 시역이 1914년 4월 1일 경기도고시 제7호에 따라 새로 통합되면서 안국동으로 칭하였다. 1936년 4월 1일 조선총독부령 제8호로 경성부 관할구역이 확장되고 경기도고시 제32호로 동 명칭이 개정될 때 경성부 안국정이 되고, 1943년 6월 10일 조선총독부령 제163호에 의한 구제도(區制度)의 실시로 종로구가 신설되면서 경성부 종로구 안국정이 되었다. 해방 후 1946년 10월 1일 서울시헌장과 미군정법령 제106호에 의해 일제식 동명을 한국식 동명으로 바꿀 때 안국동이 되어 오늘에 이른다.

안덕 │안덕면│ 섬 남부의 서귀포경찰 본서, 안덕면, 남원면, 성내를 중심으로 동부의 구좌면, 서부의 애월면 내의, 그리고 제주읍의 아라리 등의 지서와 주둔 토벌대에 대한 게릴라의 공격이 격화되고 있는 가운데, 이번에는 군을 대상으로 한 대규모의 군대 내부 조직원의 검거가 이루어졌다. 11-24-7:191 ¶윤 중대장은 처음에 이곳에서 비교적 가까운 한라산 남쪽의 안덕, 대정 지구의 무장 게릴라에게 연락해서 원군을 요청, 공동 작전을 생각했지만, 시간적으로도 무리가 있고, 소대장들과 합의한 결과, 빗게오름의 지형을 이용하면 원군의 필요 없이, 노루중대만으로 적에게 섬멸에 가까운 타격을 줄 수 있다고 결론을 냈다. 12-26-1:27

▶제주특별자치도 서귀포시에 있는 면. 북동부는 500~700미터의 산지를 이루며, 남서쪽으로 갈수록 점차 낮아져 남쪽은 남해에 면해 있다. 곳곳에 돌오름(440미터)·왕이매(517미터)·산방산(395미터)·영아리오름(694미터) 등의 기생화산이 있고 중산간 지대와 고지대에 비교적 많은 취락이 분포한다. 산방굴사와 산방산, 하멜기념비가 있는 용머리해안, 안덕 계곡 등이 유명하다.

안양 원래 한센 병 환자는 남한 일대에 많았다. 하지만 이번 7, 8월에 걸쳐 풍수해의 이재민에 섞여 상경한 사람들이 상당히 있었는지, 서울에서는

3백 명에 달하는 환자가 방치되어 있었다. 특히 성북구의 T동 일대에 많이 모여 근처의 주민을 공포로 몰아넣고 있었다. 그러자 서울시 보건위생 당국은 일단 그들을 먼 교외의 시골인 안양에 천막을 치고 그곳에 옮겨 살도록 하였다. 5-13-6:527

▶경기도 중서부에 있는 시. 조선시대 과천현·시흥현이 있었던 지역이다. 서울의 위성도시로 급속히 성장하여 1973년 시로 승격되어 시흥군에서 분리되었다. 안양천이 북류하여 한강에 흘러든다. 관악산, 삼성산, 수리산 등과 유원지가 인근 지역 주민들이 즐겨 찾는 관광지로 조성되어 있다.

압록강 형제는? 남동생이 어머니와 함께 평안북도 신의주로 이주당했다는 것까지는 알고 있지만, 그 후 소식은 몰라요. 만일 살아남았다고 해도, 중국과의 국경인 압록강 연안이라서, 거기에서 서울까지는 도저히 도망쳐 오지 못할 거라며, 그녀는 이를 보이며 희미하게 웃었다. 과거를 덮는 그늘진 웃음이었다. 10-22-3:80

▶한반도에서 가장 긴 강. 백두산 천지 부근에서 발원하여 한국과 중국 동북지방(만주 일대)의 국경을 이루는 국제 하천으로 전체 길이는 925,502킬로미터, 국경 하천의 길이는 806,503킬로미터이다. 유역 면적은 63,160제곱킬로미터인데 한반도에 속하는 면적은 31,226제곱킬로미터, 중국에 속하는 면적은 31,934제곱킬로미터이다. 《신증동국여지승람》에 의하면, 물빛이 오리 머리색과 같이 푸른 색깔을 띠고 있다고 하여 압록(鴨綠)이라 이름을 붙였다고 한다. 또한 《사기(史記)》 조선전(朝鮮傳)이나 《한서(漢書)》 지리지(地理志)에 따르면 패수(浿水)·염난수(鹽難水)·마자수(馬訾水)·청수(靑水) 등의 이름으로도 기록되어 있다. 한편, 부여에서는 엄리대수(奄利大水), 고구려에서는 청하(靑河)라고도 불리었다. 중국에서는 황하(黃河), 양자강(揚子江)과 더불어 천하의 삼대수(三大水)라고 일컬으면서, '야루' 또는 '얄루'라고 부른다.

애월리 │애월면│ "(…) 내가 소속된 대대는 제주도 서쪽 애월면의 N산과 B산 주변의, 모두 한라산의 산악부 쪽이었는데요, 그쪽에 포진하고 있었

습니다만, 전부 천 미터 가까운 밀림지대였습니다. (…)" 3-6-5:122 ¶ 서너
시간 걸려 목표인, 제주읍과 경계를 이루는 애월면의 동쪽 끝에 위치한
곽지리에 이르렀다. 애월면 서쪽 끝에 있는 경찰지서 소재지인 애월리나
그 밖의 토벌대 주둔지에서는 거리가 있어, 토벌대가 오기 전까지 어느
정도 시간을 벌 수 있다는 것이 곽지리를 습격하는 이유 중 하나였다.
12-26-1:12~13

▶ 제주특별자치도 제주시 애월읍에 속한 행정리.《태종실록(太宗實錄)》에
애월현(厓月縣),《탐라순력도(耽羅巡歷圖)》등에 애월, 해월포로 표기되어
있다.《제주읍지》에 "애월ㅁ을은 제주 서쪽으로 45리의 거리에 있다"는
기록이 나타난다. 1905년 무렵에는 이 지역이 신엄(新嚴)이라 불렸으나
1914년 일제의 행정구역 개편에 따라 제주군 신우면 신엄리에서 애월리로
변경되었다. 1935년 신우면을 애월면으로 개칭하였고, 1980년 애월면에
서 애월읍으로 승격되어 현재의 지역 편제가 되었다. 동남쪽은 한라산
줄기와 이어져 있고 서북쪽은 해안과 이어진 지리적 특징이 있으며, 특히
애월의 남부에는 기생화산이 많이 분포한다.

야마구치현 배는 머지않아 작은 항구에 도착했다. 야마구치(山口) 현 산요
(山陽) 본선의 H시에 있는 역에서 가깝다고 했다. 작게 만을 이루는 곳으
로 들어간, 드문드문 백열전등 불빛이 쓸쓸하게 비치고 있는 해안이었
다. 조용한 해면에 달걀 노른자위를 풀어 놓은 것처럼 빛이 흔들리고 있
었다. 2-5-3:363

▶ 일본 혼슈 서쪽 끝에 있는 현. 동쪽으로 동해, 남서쪽으로 시모노세키
해협, 남쪽으로 세토나이카이와 각각 접한다. 대부분 고원과 구릉으로
이루어졌고 넓은 평야는 없다. 현청 소재지는 중앙부에 있는 야마구치시
이지만 경제적인 중심 도시는 규슈, 대한민국과 연결되는 서단의 시모노
세키시이다. 현의 최대 도시인 시모노세키는 인구 규모(2023년 기준 약
250,000명)도 꽤 크고 공업·교육의 중심지이자 항구이다.

야마나시 "(…) 저는 일본 국적을 가진 인간임에 틀림이 없지만, 일본 어딘

가에, 예를 들면 도쿄라든가 혹은 야마나시(山梨)나 나가노(長野) 현의
시골에 내 고향이 있다고는 생각지 않습니다. 그러니까, 그렇기 때문에,
제주도가 고향인 것은 틀림없는 사실이라는 겁니다. (…)" 3-6-3:63

▶ 일본 혼슈 중부 내륙에 있는 현. 산악지형이며 북서부에 시라네산(白根
山), 남쪽 접경에 후지산(富士山)이 있고, 후지강과 그 지류들이 흐른다.
남쪽의 후지산 주변에 야마나카호(山中湖), 가와구치호(河口湖), 사이코호
(西湖), 쇼지호(精進湖), 모토스호(本栖湖) 등 5개의 호수가 있는데, 이 후
지5호 주변은 관광자원이 많이 개발되어 있다.

야마토 "(…) 이광수의 창씨개명인 가야마(香山)라는 것은, 일본의 진무천
황(神武天皇)이 즉위했다는 야마토(大和)·가시하라(橿原)에 있는 산이 가
구야마(香久山)라서, 그곳과 관련지어 천황을 보다 가깝게 연모하고, 일본
정신을 함양하기 위해 이름을 지었다고 하지. (…)" 9-20-6:175

▶ 일본 긴키 지방 나라현에 속한 지역. 원래 야마토국(大和國, 7세기~1871
년)이 근거한 나라분지(奈良盆地)의 동남쪽 지역만이 '야마토'라 불렸다.
그런데 야마토의 세력은 나라분지 전체, 그리고 인접한 카와치국(河內國)
쪽으로까지 미치게 되었다. 더 나아가 일본 열도의 대부분을 통치하게
되자 야마토는 일본 열도의 이칭이 되기에 이른다.

어승생악 성내를 포함한 제주읍과 인접한 조천면 지구는 관음사─산천
단, 그밖에 어승생악(1,070미터) 등이 그 근거지로 결정되었다. 따라서
관음사─산천단 일대는 이른바 '해방구'의 성격을 띠었고, 거기에 사는
소수의 주민들은 게릴라 조직망에 들어 있었다. 3-7-6:389

▶ 제주특별자치도 제주시 해안동에 있는 기생화산. 예로부터 '어스싱오
름' 또는 '어스싱이오름'이라 부르다가, 한자 차용 표기로 어승생악(御乗
生岳)이라 썼다. 조선 정조 때 이 오름 아래서 용마인 어승마(御乗馬)가
탄생하였는데, 당시 제주목사가 이를 왕에게 봉납(奉納)하여 이때부터 어
승생(御乗生)이라 불렀다고 한다. 오름의 높이는 1,169미터, 비고 350미
터, 둘레는 5,842미터, 면적은 254만 3,257제곱미터, 폭은 1,968미터이

며, 원형의 화구호이다. 어승생악 입구에는 한라산 국립공원 관리사무소가 있으며, 오름 정상과 중턱에는 일제강점기에 만들어진 진지 땅굴이 산발적으로 넘아 있다.

어음리 심야에 보성 마을에 도착한 토벌대는 집합한 마을 주민을 앞에 두고 게릴라습격의 경위를 조사한 뒤, 가까운 동굴의 소재를 알고 있는 자가 없는지 물었다. 한 사람이 옆의 불에 탄 어음리를 한라산 기슭 쪽으로 올라가면 빌레못이라는 동굴이 있다고 말했다. 12-26-1:21 ¶ 폐촌인 어음리에서 멀지 않았다. 어음리에서는 군경이 주둔하지 않았기 때문에, 집집마다 마루 밑이나 마당 등을 찾으면 꼭 나오는 은닉식량을 확보하는 한편, 해안에 가까운 부락의 경찰지서를 습격할 목적이 있었다. 12-26-2:45

▶ 제주특별자치도 제주시 애월읍에 속한 행정리. 옛 이름은 '부멘이'이다. 이 마을에 맨 처음 문 씨와 송 씨 부부가 정착하였는데, 설촌 문 씨가 부부 갈등으로 가출한 후 남은 송 씨 부인이 남편 얼굴을 보고 죽는 것을 소망해서 부면이(夫面伊)란 이름이 붙었다고 전해진다. 18세기 말까지 독립된 행정 마을이었으나 19세기 초반 어음(어림빌레·어린빌레·어림비)에 통합되었다. 1914년 행정구역 개편에 따라 어음리가 되었고, 1948년 4·3사건으로 모든 가구가 인근 해변 마을로 소개되었다가, 1949년에 재건하여 현재에 이르고 있다.

여수 무기와 탄약을 탈취한 반란군은 곶의 돌출부에 위치한 구 일본 해군 항공기지터의 연대 본부에서 서쪽으로 4킬로 떨어진 여수 읍내로 진격하여, 도중에 백 수십 명의 경찰대 저지선을 격파하고, 밤 열한 시 반에 읍내로 돌입했다. 이에 맞선 2백여 명의 경찰 측과 격렬한 총격전이 있었지만, 20일 오전 세 시 반경, 경찰서는 반란군의 수중에 떨어졌다. 11-24-1:9

▶ 전라남도 남동부에 있는 시. 임진왜란 당시에는 해안 방어의 요충지였으며 오늘날은 호남 남부의 대표적 항구도시이자 어업도시이다. 1948년 여수(당시 여수읍) 지역에 주둔하던 국방경비대 제14연대가 제주에서 일어난 4·3사건을 진압하라는 파견 명령을 받았으나 이른바 여수순천 10·19사

건을 일으켜 이 지역과 주민들이 많은 피해를 입었다. 1998년 여천군과
여수시를 통합하여 여수시로 출범했는데, 오동도를 중심으로 한 여수시
동쪽 해상은 한려해상국립공원으로 지정되어 있으며, 수려한 해안자연과
조화된 유물·유적이 많다.

연동리 성내에 가깝지만 초토화된 R리의 이웃 마을 연동리도 마찬가지로
마을 주민들이 소개한 폐촌이었는데, 그곳에 갑자기 축성 명령이 내려
져, 해안 부락에 소개해 있던 마을 주민과 이웃 마을 O리의 주민이 연일
동원되었다. 12-종-5:327

▶ 제주특별자치도 제주시에 속한 행정동이자 법정동. 관광 관련 시설,
그리고 주택가 등이 들어서면서 급속히 발전한 지역이다. 원래 있었던
마을인 '닛골(잇골)'의 한자 차용 표기인 연동(延洞)의 변칙 표기인 연동
(蓮洞)에서 유래되었다. 제주군(북제주군) 중면 지역의 연동이라 하였는
데, 1914년 행정구역 개편에 따라 연동리라 하여 제주면에 편입되었다.
1955년 9월 1일 제주읍이 시제(市制) 실시로 25개 리를 40개 동으로 개편
하면서 현재의 연동으로 불리게 되었다. 1962년 이후 한때 연동은 오라
동에 통폐합되기도 했으나 1979년에 다시 독립되었다.

영광 '굴비' 하면 전라도 굴비, 특히 영광 굴비라고 하듯이, 영광에서 난
것이 유명한 것은 알고 있지만, 자세한 유래는 생각이 잘 나지 않았다.
6-14-3:68

▶ 전라남도 북서쪽에 있는 군. 동쪽으로 장성군, 남쪽으로 함평군, 북쪽으
로 전북특별자치도 고창군에 면해 있다. 굴비의 산지로 유명하며, 쌀·누
에고치·소금·눈이 많은 곳이라 하여 예로부터 4백(四白)의 고장으로 불
렸다. 영광의 별호는 기성(箕城)·정주(靜州)였다. 지방제도 개정에 의해
1895년에 전주부 영광군, 1896년에 전라남도 영광군이 되었다. 오늘날
홍농읍에는 1980년대에 건립된 한빛원자력발전소(구 영광원자력발전소)
가 있고, 불갑산도립공원과 4대종교문화유적지가 유명하다.

영도 | 절영도, 목도 | 배는 한림을 출발한 다음날 심야, 열두 시경에 천연

의 큰 방파제를 이루며 부산항만을 서쪽에서 크게 둘러싸고 있는 영도의 서쪽 해안, 부산 시가지로 연결되는 대교 근처에 도착했다. 11-25-5;353 ¶ 영두는 일제강점기에 마키노시마(牧ノ島)로 불렸고, 지금까지도 절영도(絕影島), 목도(牧島)로 불리고 있는데, 제주도 출신자가 꽤 살고 있었다. 4·3봉기 후, 섬에서의 학살에 저항, 천 명의 의용병을 조직하여 제주도 게릴라에 합류하려고 한 것은, 영도의 제주도 출신자를 중심으로 한 부산 지구의 청년들이었다. 11-25-6;356~357

▶ 부산광역시 중남부에 위치한 섬이자 자치구. 동쪽은 부산만, 서쪽은 서구와 중구, 남쪽은 남해, 북쪽은 남구와 접한다. 영도(影島)는 부산에서 가장 큰 섬이자 육지와 인접한 섬이다. 장축은 약 7킬로미터(북서~남동 방향)이며, 단축은 약 1~3킬로미터(북동~남서 방향)이고 면적은 약 14.1제곱킬로미터이다. 섬의 중앙부에 봉래산(蓬萊山, 높이 395미터)이 솟아 있다. 이 섬은 일찍이 절영도 혹은 목도라 불렸다. 이곳은 기후가 따뜻하고 맹수들이 없어 말을 키우기에 적합한 지리적 조건을 갖추었으므로 신라시대부터 조선조 중기까지 말을 방목한 곳으로 유명했다. 나라에서 말을 키우는 국마장(國馬場)이 있어 목도(牧島)라 하였으며, 절영도는 이곳에서 자란 말은 하루에 천 리를 달려 빨리 달리면 그림자가 못 따라올 정도라 하여 끊을 절(絕), 그림자 영(影)을 써서 이 이름을 붙였다고 한다.《삼국사기》열전 김유신(金庾信) 조를 보면 신라 제33대 성덕왕이 삼국통일을 이룬 김유신의 공을 되새겨 그의 적손(嫡孫) 김윤중(金允中)에게 절영마 한 필을 하사하였다는 기록이 있다.《고려사》와《동국여지승람(東國輿地勝覽)》에서도 후백제의 견훤(甄萱)이 절영마 한 필을 고려 태조 왕건(太祖)에게 선물한 일을 기록하고 있다. 일제강점기에 절영도를 줄여 영도라 부르게 되었다. 당시 일본인들은 영도를 마키노시마(牧島)라고 하였는데 '말을 먹이는 목장의 섬'이란 뜻이었다. 해방 이후 1957년 구제(區制)의 실시로 영도 지역을 관할로 하는 영도구를 설치하였다. 1988년 5월 1일 자치구로 승격되었다. 영도대교, 태종대, 흰여울문화마을, 봉래산 등이

유명하다.

영흥 "나는 이북 함남(함경남도)으로, 이조 태조(이조 태조 이성계)의 아버지, 환조의 고향인 영흥입니다. 그런데, 어떻습니까, 아바이 순대는 맛있습니까……. (…)" 7-16-8:201

▶ 함경남도 남부에 있는 군. 동쪽은 동해, 서쪽은 낭림산맥과 접하고 있다. 광대한 영흥평야를 관류하는 용흥강 변두리에 위치하여 대부분의 지역이 평야지대이며, 서부가 다소 구릉지로 높은 편이다. 개답 사업 후 수리 시설이 잘되어 쌀·콩의 곡창지대를 이루며, 동시에 이 지방 물산의 집산지로서의 구실도 한다. 양잠업이 가장 발달하였으며, 이곳에서 생산되는 견직물은 '영흥주(永興紬)'라 하여 조선시대부터 특산품으로 알려져 왔다. 이성계(李成桂)의 출생지이기도 하다.

오등 | 오등리 | 제2연대는 대대를 제주(제2), 제주읍의 중산간 부락 오등(梧登, 제3), 서귀포(제1)에 배치하여, 한라산 협공 태세를 취하고 있었지만, 제주도 상륙과 거의 동시에 빗게오름의 게릴라 토벌에서 원 주둔 토벌 중대의 파멸적인 패배는 커다란 좌절감을 맛보았다. 12-26-2:36~37 ¶ 산천단과 가까운 한라산 기슭인 오등리의 절에, 한라산 포위작전의 1진으로 배치 됐던 제2연대 제3대대가, 1월 1일이 되자마자 게릴라 부대의 공격을 받았다. 12-27-3:180

▶ 제주특별자치도 제주시 아라동에 속한 마을. '오두싱이오름' 아래 지역이 되므로 '오두싱이'가 되었다가 후에 오등동이 되었다. 본래 제주군(북제주군) 중면 지역으로 오드싱 또는 오등이라 하였는데, 1914년 행정구역 개편 때 오등리라 하여 제주면에 편입되었다. 1955년 시로 승격되어 제주시가 분리되면서 오등동이라 하였다가 1962년에 아라동에 속하게 되었다. 동쪽의 서삼봉을 비롯하여 북부는 오등봉, 오구시오름 등이 200~500미터 내외로 이루어져 있고, 남쪽의 한라산 근처는 대부분이 높은 고지로 되어 있다. 한라산에서 흘러온 물은 여러 개의 계곡을 만들어 기암절경을 형성한다.

오무라수용소 무리가 아니라고 생각해요. 도중에 일본 경찰에 체포되어 규슈의 오무라(大村)수용소에 보내지는 사람들이 얼마나 많을까요. 오사카까지 오는데 제주노에서부터 줄곧 규슈 남단을 돌아 와카야마(和歌山)에 도착한 5, 6톤의 화물선에는 몇 십 명이나 빼곡히 타고 있었고, 도중에 폭풍우를 만나 규슈 근처의 작은 무인도에 표류했다가, 그곳에서 보름을 지내고 난 뒤 겨우 오사카에 도착한 사람들도 있다고 합니다. 6-15-1:268
▶ 일본 법무성이 강제 퇴거하는 외국인을 임시적으로 관리하던 시설. 한국전쟁 직후 한반도에서 일본으로 밀항자가 속출하자 일본 정부는 이들을 체포하여 구금하기 위해 1950년 10월 나가사키현 하리오섬(針尾島)에 수용소를 설치했다. 이어 그해 12월 오무라시에 수용소가 개설되어 하리오수용소의 기능이 이곳으로 이전되었다. 1993년 그 명칭이 오무라 입국관리센터로 변경되었고 오늘날까지 이어지고 있다.

오사카 "아이고, 오늘은 날씨가 좋구나. 바람도 완전히 멎었고……."/ 어머니의 밝은 목소리였다. 오사카의 날씨와 현해탄의 날씨가 직접 관련되어 있는 건 아니라 해도, 바람이 계속 불면 그만큼 어머니가 마음을 졸이게 될 것이다. 그런 만큼 맑은 하늘이 고마웠다. 3-6-8:205 ¶ "(…) 제주도로부터 지인이나 혈연을 의지해서 도망 온 밀항자들이 오사카의 이쿠노 주변에 많아서 말이죠. 그들 중에는 4·3사건에 관한 헛소문이나 다름없는 비참함과 공포를 퍼뜨리는가 하면, 정반대로 혁명적 고양이라는 식으로 이야기를 하기 때문에, 이를테면 일종의 유언비어가 제멋대로 퍼져 나가고 있습니다. (…)" 6-14-1:15
▶ 일본 긴키 지방의 중부에 있는 행정구역. 서일본 최대의 도시인 오사카시와 오사카부를 가리키는 명칭인데, 오사카부를 중심으로 하는 교토시, 오사카시, 고베시를 묶어 게이한신(京阪神)이라고 부르기도 한다. 도쿄도에 이어 경제·문화 등의 분야에서 중요한 역할을 담당하고 있다. 1923년 제주와 오사카를 잇는 배편(기미가요마루(君が代丸), 1923~1945년)이 생기면서 제주인들의 상당수가 일본 열도로 이주하였고, 군수공장이 밀집하

여 노동력이 많이 필요한 오사카에 주로 정착하였다. 한때 오사카의 재일 조선인 중 60퍼센트가 제주 출신이었다.

오사카부청 양준오는 오른쪽에 앉은 이방근을 힐끗 쳐다보고는 먼 곳을 향하여 중얼거리는 듯한 말투로 말했다. "그게 오사카부청(府廳) 지하실에 있는 유치장이었죠. 거기서 전 이 형을 처음 뵈었어요……" 1-2-6:255 ¶ 왼쪽으로 오사카 부청(大阪府廳)의 낮지만 거대한 건물이 오사카 성과 마주 보며 서 있었다. 완전히 그림자가 진 깊은 해자 밑바닥에 채워진 물은 물가에 있는 나무 그림자를 비추며 짙은 녹색을 띤 채 잔잔했다. 시영 전차를 추월한 택시는 황색 신호가 켜진 교차로를 곧장 앞으로 내달렸다. 2-5-7:473

▶일본 오사카부의 행정 사무를 보는 관청. 오사카부의 행정을 총괄하는 도도부현 청사로, 오사카부의 중심인 오사카시에 위치한다. 1868년 오사카부가 설치되며 그 역사가 시작되었고, 현 청사는 1926년 기공되어 현재까지 본청사로 쓰이고 있다.

오키나와 미군을 맞아 싸우기 위해 모든 섬을 요새화로 무장했던 제주도에서의 결전. 일본인 거류민을 중심으로 한 섬 밖 소개령. 일본 패전 직전에 오키나와(沖繩)를 점령한 미군이, 얼마 안 있어 제주 해역으로 북상 진격하고, 상륙과 함께 함포사격을 개시하는……. 역사의 시나리오는 그렇게 되어 있었다. 12-27-3:192~193

▶일본 최서남단의 현. 류큐 제도(琉球諸島) 약 190개의 섬 중 가장 큰 섬이다. 메이지 시대 전까지는 독립적 지위를 누려온 류큐 왕국이었다. 류큐 처분(1879년) 이후 일본 열도에 오키나와현으로 복속되는데, 무엇보다 오키나와는 태평양전쟁 때 가장 치열한 전투가 벌어진 곳 중 하나다. 1945년 4월 미군은 오키나와에 대한 육군·해군·공군 합동 상륙작전을 감행했고, 일본군은 이에 대해 강력한 방어전을 벌였다. 미군은 이 섬을 완전히 장악할 때까지 3개월 동안 벌인 전투에서 전사 12,000명, 부상 36,000명의 피해를 입었고, 일본군은 100,000명가량 전사했다. 태평양전쟁의 패전

후 오키나와는 미국에 복속되었다가 1972년 일본에 반환되었으나 미군 기지는 여전히 남아 있다.

온평리　삼신인이 세 명의 공주와 만난 바닷가는 지금의 제주도 동남단에 위치한 온평리로 추정되는데, 일본 규슈와 가장 가까운 이 마을에는 삼신인의(짐승 가죽을 걸치고 갈기 같은 머리, 수염이 덥수룩한 굉장한 모습의 신인이었는데), 벽랑국(碧浪國), 바다 저쪽 나라에서 건너온 세 처녀와의 결혼 등, 그 외에도 많은 전설이 전해지고 있다. 8-18-6:153

▶ 제주특별자치도 서귀포시 성산읍에 속한 법정리. 1880년 정의현 좌면 온평리, 1914년 제주군 정의면 온평리, 1935년 정의면이 개칭되어 성산 면 온평리가 되었다. 1946년 제주도 남제주군 성산면 온평리가 되었고, 1980년 성산면이 성산읍으로 승격되어 성산읍 온평리가 되었다. 온평리 는 해안선의 길이가 무려 6킬로미터 정도로 제주도의 해안 마을 중 해안 선이 가장 길다. 태풍의 영향을 가장 많이 받는 지역이기도 하다. 특히, 탐라의 시조인 고·양·부 삼신인(三神人)이 벽랑국의 세 공주를 맞아 혼 인을 치렀다는 장소인 혼인지(제주특별자치도 기념물 제17호)가 성산읍 온 평리 1693번지에 위치하고 있다.

와카야마　배는 세토(瀬戸) 내해를 피해 분고스이도(豊後水道)를 지난 뒤 시코쿠(四國)의 태평양 연안을 돌아 와카야마(和歌山)로 향할 예정이었다. 와카야마에 도착하려면 앞으로 3, 4일은 족히 걸릴 것이었다. 2-5-3:364

▶ 일본 혼슈 기이반도(紀伊半島)에 있는 현. 서쪽으로 기이스이도, 남쪽 으로 태평양에 면한다. 여름에 태풍이 자주 불지만 기후는 온화하며, 해 안 평야지대와 몇몇 큰 강의 유역은 비옥한 농업지대가 형성되어 있다. 와카야마현은 바다의 경관과 해변·온천·휴양지·사원 등 볼거리도 많은 관광지이다.

요요기　|요요기역|　일본공산당 최고 간부의 한 사람으로, 재일조선인 운동을 지도하는 전문부를 담당하고 있는 고의천을 만나려면 조련 본부 가 아니라 요요기(代々木)에 있는 일본공산당 본부로 직접 가야 한다.

3-6-1:17 ¶두 사람은 요요기 역에서 지바(千葉) 행 전철을 타고 우에노로 향했다. 3-6-2:41

▶일본 도쿄도 시부야구 북부에 있는 지역. 위치는 시부야와 신주쿠의 중간 지점이며, 일본공산당 본부가 위치해 있다. 교통이 편리하고 주변에 메이지 신궁을 비롯한 공원과 녹지가 많기 때문에 도쿄에서 고급 주택단지로 유명하다. 이 지역의 요요기역은 JR 동일본 야마노테선, 주오선·소부선, 도쿄도 교통국 지하철 오에도선이 환승하는 곳이다.

용강 여자들은, 오늘 밤 중에 다음 짐이 도착할 것 같은데, 짐을 짊어지고 밤에 산길을 오르는 건 위험하니 내일 아침에 관음사로 옮기도록 하겠다, 그 짐은 용강(龍崗) 쪽에서 오는 모양이라고 했다. 산천단의 동쪽에 있는 용강마을까지 짐이 와 있다면, 이미 근처까지 와 있다는 소리였다. 8-19-1:274

▶제주특별자치도 제주시 봉개동에 속한 법정동. 원래 '웃무드내'로 불렸다. 이 마을에 '놀용이(飛龍)'라는 언덕이 있어 이를 한자로 표기한 것이 용강(龍崗)이다. 동쪽은 봉개동, 서쪽은 월평동, 남쪽은 한라산, 북쪽은 영평동과 각각 접하고 있다. 과거에는 목축과 밭농사를 생업으로 하였으나 최근에는 대부분 감귤 재배를 하고 있는 전형적인 농촌 마을이다. 1931년 4월 1일 제주면이 제주읍으로 승격되고, 1955년 9월 1일 제주읍이 제주시로 승격되어 제주시 용강동이 되었고, 1962년에는 봉개동에 통합되었다.

용담 |용담리| "(…) 용담(龍潭)의 용두암(龍頭岩)이라도 보러 가든가 아니면 사라봉에라도 올라가든가. 아니, 그것도 힘들어. 핫, 하, 하." 1-2-6:252 ¶물가로 올라온 세 사람은 들판으로 어슬렁어슬렁 걸어왔던 것처럼, 그대로 함께 성내 서쪽의 용담리로 향했다. 8-19-2:298

▶제주특별자치도 제주시에 속한 법정동이자 행정동. 한라산에서 북쪽 해안으로 흘러내리는 한내(大川)와 바다가 만나는 지점에 한독(大獨)이라는 마을이 형성되었는데, 세월이 흐르면서 점차 촌락이 커져 한내 동쪽은

동한두기, 서쪽은 서한두기라 불렀다. 인구가 증가하면서 두 마을을 통칭할 이름이 필요하였다. 1900년을 전후하여 두 마을을 합쳐 '용담'이라 불렀다. 이 지역에 위치한 용연(龍淵) 또는 용넌의 나른 이름인 취병담(翠屏潭)에서 유래한 것이다. 1914년 3월 1일 행정구역 개편에 따라 용담리라 하여 제주면에 편입되었다. 현재 용담은 인근에 제주국제공항이 위치해 있어서 제주시의 관문에 해당하는 마을로 북쪽에는 바다를 곁에 두고 서해도로가 용두암으로 이어진다.

용산 이방근도 주위에 경계를 게을리 하지 않았지만, 황동성도 결코 무방비한 상태로 택시에 몸을 싣지는 않았다. 그러나 자동차는 있을지도 모르는 미행을 따돌리기 위해 방향을 바꾸는 일 없이 목적지로 직행했다./ "안국동 쪽으로. 그리고 용산까지."/ 황동성이 운전석을 향해 말했다. 6-14-7:203

▶ 서울특별시 중남부에 있는 구. 조선시대에는 한성부 용산방이었고, 1911년 경성부 용산면이 되었다. 1913년 경성부 용산출장소가 설치되었고, 1943년 용산구역소로 개칭되었다가 1946년 용산구가 되었다. 동쪽은 성동구, 남쪽은 한강을 사이에 두고 동작구·서초구, 서쪽은 마포구, 북쪽은 중구와 접해 있다. 서빙고동·한남동 등지에는 고급주택이 많고, 이태원동 일대는 내국인은 물론 외국인들이 즐겨 찾는 곳이다.

우도 "고생 정도가 아니었어. 하마터면 고기밥이 될 뻔했으니까. 현해탄에서 대한해협을 지나 슬슬 제주 근해로 들어올 무렵부터 바람이 불기 시작하는데 견딜 재간이 없더군. 성산포의 우도 입구에 저녁 무렵 도착해서 잠시 쉬었다가, 밤에 S촌 방파제에 닿았는데, 어쨌든 목숨은 건져 돌아온 셈이지." 3-7-3:302~303

▶ 제주특별자치도 제주시 우도면에 있는 섬. 제주도 동쪽 성산포 앞에 있는 남북 길이 3.5킬로미터, 동서 길이 2.5킬로미터의 섬이다. 예로부터 물소가 머리를 내민 모양(牛頭形) 또는 누워 있는 모양(臥牛形)이라 해서 '소섬' 또는 '쉐섬'으로 불리다가 한자로 '우도(牛島)'라 표기하였다.

1900년경에 행정상의 이름을 연평(演坪)이라 개칭하였다. 그 뒤 제주군 연평리, 구좌면 연평리라 하다가 1986년 북제주군 우도면으로 승격되어 오늘에 이르고 있다. 일제강점기인 1932년에 일본인 상인들의 착취에 대항하여 우도 해녀들이 항일투쟁을 일으키기도 한 곳이다.

우메다 | 한큐 우메다역 | 남승지는 시영 전차 선로 건너편에 있는 한큐(阪急)산노미야 역 건물에 '우메다(梅田)까지 특급 30분'이라고 깜박이는 네온사인을 올려다보면서 문득 오사카행 특급을 타 보고 싶다는 생각을 했다. 2-5-5:422 ¶ 한큐 우메다 역에 도착한 것은 아홉 시가 되기 전이었다. 두 사람은 조련 오사카 본부로 향했다. 2-5-8:508

▶ 일본 혼슈 오사카에 있는 지역. 오사카 경제의 중심지이자 오사카에서 가장 큰 상업·위락 지구이다. 이곳의 우메다역은 관서지방을 달리는 철도노선 JR, 한신선, 한큐선의 출발점이다. 고베나 교토 그리고 타 지역으로 이동할 때에도 우메다에서 출발하거나 우메다를 거쳐 가야 할 만큼 간사이 지방 교통의 중심지이기도 하다.

우에노 | 우에노역 | "형님, 아직 부랑자가 있네요……." / 역 정면에 있는 현관을 나온 뒤 남승지가 작은 소리로 말했다. / "당연한 거지. 전쟁에 지고 나서 몇 년도 채 지나지 않았어. 도쿄의 우에노(上野)나, 오사카의 우메다(梅田) 지하도에는 지금도 많이 있을 거야. 어디에서나 기적은 그렇게 간단히 일어나는 게 아니야." 2-5-4:390 ¶ 우에노 역의 넓은 구내는 혼잡하고 더러웠다. 역이 더러워 보이는 것은 부랑자나 빈 깡통을 든 담배꽁초 줍는 사람, 그리고 구두닦이 소년들의 모습이 눈에 띄는 탓도 있었다. 3-6-2:41

▶ 일본 도쿄도의 다이토구(台東區)에 있는 지역. 각종 열차가 경유하는 교통의 요지이며 나리타공항으로 가는 주요 교통인 게이세이선(京成線)이 출발하는 곳으로, 편리한 교통 때문에 과거로부터 상업 지역으로 유명했다. 또한 우에노역과 우에노공원으로 잘 알려져 있다. 우에노는 역사적으로 도쿄의 시타마치(下町) 지구의 일부로, 귀족과 부유한 상인들

보다는 노동자 계급의 거주 지역이었다.

원당봉 |원당오름| 왼쪽으로 솟아 있는 소나무 숲과 노송이 울창한 원당봉(元堂峯) 오름의 기슭을 따라 지프는 밀렸다. 1-2-6:258 ¶ 왼쪽으로 다가오는 소나무와 삼나무 숲에 덮인 원당 오름의 훨씬 전방에, 허름한 사진관과 잡화점 등의 작은 가게가 몇 채 늘어선 연도의 왼쪽 바리케이드 너머로 삼양경찰지서의 단층건물 기와지붕이 보였다. 8-19-8:448

▶제주특별자치도 제주시 삼양동에 있는 기생화산. 원나라 때 이 오름 중턱에 원나라의 당인 원당(元堂)이 있어서 원당봉(오름), 조선시대 때 원당 봉수가 세워진 데서 망오름, 삼양동에 있어서 삼양봉, 3개의 능선에 7개의 봉우리가 이어져 있어 원당 칠봉(일명 삼첩 칠봉)이라고도 한다. 원당봉은 망오름·도산오름·앞오름·펜안오름·나부기 등으로 구성되어 있다. 높이는 170.7미터, 비고는 120미터, 둘레는 3,411미터, 면적은 633,286제곱미터이다. 산의 주봉을 중심으로, 북쪽에 망오름, 망오름 동쪽에 도산오름, 서쪽에 앞오름, 앞오름 남서쪽에 펜안오름 그리고 주봉과 망오름 사이에 나부기(동서로 나누어져 있어 동나부기, 서나부기라 함)로 구성되어 있다. 보물 제1187호로 지정된 5층 석탑이 있는 불탑사(佛塔寺) 그리고 원당사(元堂寺)·문강사(門降寺)가 자리한다.

월평리 도중에 일행과 헤어진 남승지는 삼의양오름의 아랫마을, 월평리 쪽으로 도중에 펼쳐지는 고원지대 기슭의 경사를 따라 왼쪽으로 꺾어, 에둘러 온 길을 서쪽으로 크게 우회하여 나아갔다. 12-26-3:90

▶제주특별자치도 제주시 아라동에 속한 법정동. 한라산의 밑 벌판이 되므로 다랏곳, 다랏굿, 월하, 월평이라 불렸다. 17세기 고지도에서 별라화촌(別羅花村)을 확인할 수 있으므로 적어도 조선 초기부터 마을이 형성되었을 것으로 본다. '다라콧ᄆ을·다라쿳ᄆ을'은 별라화촌 또는 별라화리로 쓰다가, 19세기에 별라리(別羅里)로 표기하였다. 본래 제주군(북제주군) 중면 지역으로 월평이라 하였다가 1914년 행정구역 개편에 따라 월평리라 하여 제주면에 편입되었다. 1955년 제주시에 편입되어 월평동이 되

고 1962년에 아라동의 관할이 되었다.

유달산   연락선은 다음날 아침 8시 전에 목포에 도착했다. 배는 높은 파도의 제주해협을 건너 새벽녘에 다도해에 들어서자, 파도는 호수처럼 잠잠해지고, 아침 연무의 베일을 헤치며 푸른 섬들이 여기저기에 모습을 드러내기 시작했다. 이윽고 목포 시가지의 서북쪽 변두리에 산 전체가 기암덩어리로 된 유달산이 울퉁불퉁한 바위 표면을 아침 햇살에 씻긴 듯 선명하게 솟아 있는 모습이 보였다. 유달산 정상에 오르면 다도해의 무수한 섬들, 그리고 그 사이를 오가는 작은 배들을 한눈에 볼 수 있었다. 5-11-4:79~80

▶ 전라남도 목포시 남서부에 있는 산. 높이는 228미터로 높지 않으나 산세가 험하고 층층기암과 절벽이 많아 호남의 개골(皆骨)이라는 별명을 갖고 있다. 유달산은 예로부터 영혼이 거쳐 가는 곳이라 하여 영달산(靈達山)이라 불렸다. 동쪽에서 해가 떠오를 때 그 햇빛을 받아 봉우리가 마치 쇠가 녹아내리는 듯한 색으로 변한다고 하여 유달산(鍮達山)이라고도 하였다. 이후 구한말 대학자인 무정(茂亭) 정만조(鄭萬朝)가 유배되었다가 돌아오는 길에 유달산에서 시회를 열자 이에 자극을 받은 지방 선비들이 유달정(儒達亭) 건립을 논의하게 되었고, 그때부터 산 이름도 유달산(儒達山)이 되었다. 목포시와 다도해를 조망할 수 있는 곳에 위치하므로 산정에 2개의 봉수대를 설치해 멀리 바다에서 들어오는 외적을 경계하였다. 달성각(達成閣)에서 약 100미터 정도 내려오면 정오를 알리던 오포대(午砲臺)와 노적봉(露積峯)이 있다. 노적봉은 임진왜란 때 이순신이 군량을 쌓아둔 것처럼 가장하여 적을 속인 곳이라는 전설이 전해진다.

을지로 |을지로2·5가| 강변에 판자오두막의 빈민가가 게 등짝처럼 납작하게 달라붙어 고약한 냄새를 풍기는 청계천 다리를 건넜다. 차는 이윽고 왼편의 민가 지붕 너머로 터무니없이 옆으로 길게 늘어선 느낌을 주는 사범대학 교사를 바라보면서 을지로 5가 교차로를 건넌 뒤 계속 남쪽으로 달렸다. 5-11-6:142 ¶ 다음날 아침 늦게, 여관이 있는 동대문 근방에서 식

사를 한 뒤, 문난설을 택시로 을지로의 국제통신사 건물이 멀리서 보이는 근처까지 배웅하고는 집으로 돌아왔다. 10-22-3:71 ¶ 서대문 우체국 앞에 서 잠시 기다렸다가 뒤따라온 그녀와 전차를 타지 않고 택시를 잡았다. 서소문로에서 동쪽을 향해, 을지로 2가에 있는 국제신문 앞에 그녀를 내려 준 뒤 안국동으로 향했다. 11-25-6:385

▶ 서울특별시 중구에 위치한 길. 을지로는 중국 수나라의 침략을 물리친 고구려 을지문덕(乙支文德) 장군의 성(姓)에서 유래되었다. 중구 태평로1가 31번지(서울특별시청)에서 을지로3가, 을지로5가를 경유하여 을지로7가 1번지(동대문운동장, 현 동대문디자인플라자&파크)에 이르는 도로이다. 조선시대부터 '동현(銅峴)' 혹은 '구리개'로 불리던 지금의 을지로 입구에서 광희문(光熙門)에 이르던 길이었다. 1914년 4월 1일부터 동현을 황금정(黃金町)으로 칭하였고, 1927년에 이 길을 황금정통(黃金町通)이라 불렀다. 해방 후 1946년 10월 1일 일제식 명칭을 개정할 때 우리 명현·명장의 이름을 따는 방식에 따라 가로명이 을지로로 제정되었다.

의주로 이방근은 뒷좌석에 경무관 대우인 황동성과 나란히 앉았다. 경비 전화가 딸려 있었다. 지프는 용산 방면을 향하고 있었지만, 도중에 남대문로로 빠져 의주로에서 서울역을 지나 북서쪽으로 달리면, 그다지 돌아가는 것은 아니었다. 10-22-6:162~163] ¶ 이방근은 택시로 막 왕복했던 전찻길인 의주로를, 서대문교차로에서부터 계속 걸었다. 오가는 차와 노면전차의 라이트가, 거의 지상에 내린 밤의 빛을 밀어내고는 땅거미의 확산을 짙게 하고 있었다. 서울역까지 20분이면 갈 수 있다. 10-22-7:196

▶ 서울특별시 중구 봉래동2가 43번지(서울역)에서 독립문을 거쳐 서대문구 홍은동 450번지(홍은사거리)에 이르는 도로. 의주로(義州路)는 서울에서 의주까지 국도 1번의 일부인 데서 유래한다. 이 길은 1914년 일제에 의해 의주통(義州通)이라 불렸다. 해방 후 1946년 10월 1일에 서울역에서 적십자병원에 이르는 구간은 의주통에서 의주로로 변경되었다. 1984년 11월 7일 서울특별시 공고 제673호에 의해 홍은사거리를 기준으로 의주로

와 통일로로 나뉘었다. 이때 서울역에서 독립문을 거쳐 홍은동 50번지(홍은사거리)까지 의주로가 되고, 홍은사거리에서 은평구 불광동을 지나 진관내동 570번지(진관동 시계)까지 통일로가 되었다. 이 길은 조선시대 중국 사신이 홍제원(弘濟院)·모화관(慕華館)을 거쳐 남대문을 통과하여 태평관(太平館)에 이르는 데 이용되었다. 한편, 중국과 만주에서 서울에 오는 간선도로로 전쟁과 피난 등 민족의 애환을 간직한 길이기도 했다.

이도리   곧장 가면 관덕정 광장의 신작로를 건너 남문거리로 들어서게 된다. 완만한 언덕을 올라가면 유달현이 살고 있는 이도리(二徒里)였다. 2-3-2:36

▶ 제주특별자치도 제주시에 속한 행정동. 제주시 구시가지의 중심인 중앙교차로에서 광양교차로를 잇는 간선도로 상에 위치한 지역이다. 고(高)·량(良)·부(夫)씨 삼신인(三神人)이 탄생한 삼성혈이 위치해 있어서 탐라국의 발상지에 해당한다. 탐라국의 삼신인 고을나·양을나·부을나가 땅에서 솟아 나와 활을 쏘아 거주할 땅을 일도(一徒)·이도(二徒)·삼도(三徒)로 나누어 정한 데서 유래되었다. 탐라국시대부터 제주의 주요 마을로 기능했을 것으로 보이며, 고려시대에는 일도·이도·삼도를 대촌(大村)이라 칭했던 것으로 보아 제주의 중심 마을이었다. 1914년 3월 1일 행정구역 개편으로 제주군 제주면 이도리가 되었다. 1931년 4월 1일 제주면이 제주읍으로 승격, 1946년 8월 1일 제주도가 도(道)로 승격되면서 북제주군 제주읍 이도리가 되었다. 1955년 9월 1일 제주읍이 제주시로 승격되면서 이도리는 이도1동과 이도2동으로 분리되었다.

이마자토 | 이마자토로터리, 이마자토 신치 | 빵집 모퉁이를 오른쪽으로 돌아, 동쪽의 이마자토를 향해 조금만 가면 영화관이 있었다. 3-6-6:163 ¶ 육교를 지나 5, 6분 걸으면 이마자토 로터리였다. 로터리 주변은 자동차의 왕래로 시끄러웠다. 맞은편에 보이는 은행의 묵직한 석조건물은 커다란 셔터가 굳게 달혀 있었다. 모퉁이를 왼쪽으로, 쓰루하시 역 쪽으로 돌아 전차 정류장으로 다가가자, 사람들의 왕래가 많았다. 왼쪽의 번화한 상점

가에서 사람들이 나왔다. 3-6-6:166 ¶ 이 한마디에, 해방 직후 늦가을, 어머니와 여동생을 남겨 두고 일본을 떠나기 전에, 우상배에게 이끌려 오사가의 이마자토 신지(今里新地)에 갔던 때의 일이, 불현듯 머릿속에 되살아났다. 11-24-5:119

▶ 일본 오사카부 오사카시 히가시나리구(東成區)에 있는 지역. 센니치마에선이 지나는 이마자토역을 중심으로 오거리 교차로가 형성되어 있다.

이어도 │이허도│ 아득히 먼 바다 저편의 이어도는 일찍이 저와 같이 모호한 모습으로 떠올라 뱃사람들을 유혹하고, 뱃사람들과 함께 환상처럼 사라져 버렸는지도 모른다. 4-8-4:109 ¶ 공물을 가득 실은 배는 황해를 건너 아득히 먼 중국으로 향했는데, 이상하게도 공물선은 단 한 번도 무사히 섬에 돌아온 적이 없었다. 그런데 그 무렵, 항로 중간에 '이허도(離虛島)', 즉 이어도라는 섬이 있다는 이야기가 널리 퍼져 있었다. 이 섬은 탐라인이 섬 밖으로 배를 타고 나갈 때면 반드시 들러야 된다는 섬으로, 나갈 때나 들어올 때 이 섬까지만 무사히 도착하면 일단은 항해의 안전이 보장된다고 믿고 있었다. 그러나 그것은 이제까지 아무도 가 본 적이 없는 섬, 중국과 탐라 사이의 바다 위에 있다는 것 말고는 어디에 있는지도 모르는 섬이었다. 그러자 어느 해인가 선주인 강 씨는 직접 공물선을 타고 산둥 지방을 향하여 배를 띄웠지만, 그도 결국 섬에 돌아오지 못했다. 4-8-4:112

▶ 국토 최남단 마라도(제주특별자치도 서귀포에 속함)에서 서남쪽으로 149킬로미터에 위치한 수중 섬. 파랑도(波浪島)라고도 부르는 이 섬은 동중국해에 있다. 중국의 서산다오(余山島)에서 287킬로미터, 일본 나가사키현 도리시마(鳥島)에서 276킬로미터 떨어진 해상이다. 등수심선 50미터를 기준으로 하면 길이는 남북으로 1,800미터, 동서로 1,400미터, 면적약 2제곱킬로미터다. 가장 윗부분이 평균 해수면에서 4.6미터 아래의 바닷속에 있어서 높이 10미터 이상의 심한 파도가 치지 않는 한 그 형체가 잘 드러나지 않는다. 이어도는 수중 암초(暗礁)로 해저광구 제4광구에

있는 우리나라 대륙붕의 일부이다. 이어도 일대는 약 11,000년 전 빙하기에는 제주와 연결된 육지였는데, 현재의 간빙기가 되면서 바닷물의 높이가 상승해 해저 대륙붕이 되었다. 이 섬은 예로부터 제주에서 바다에 나가 돌아오지 않는 남편이나 아들이 살고 있는 섬이라 전해진다. 실존 여부와 관계없이 제주 사람들에게 '이어도'는 이승의 고통스런 삶이 끝나는 지점에 있다는 해양타계(海洋他界) 또는 남해상의 하얀 산호섬으로 상상되어 왔다. 전설 속 이어도는 "바람난 남편이 첩을 데리고 건너가 살았다"거나 "그곳으로 가면 다시 돌아오지 못하는 불귀(不歸)의 섬"이었다. 제주 사람들은 섬에서 살아가는 현세의 고난을 견디며 고해(苦海)의 경계를 초월하면 해방의 공간이자 정토(淨土)의 섬이 남쪽 바다 어딘가에 있으리라 생각하였다. 제주의 부녀자들이 삶의 고통을 느낄 때, 사랑하는 사람을 그리워할 때, 망자(亡者)를 떠올리거나 희망을 상상하는 공간이 곧 이어도였다. 해녀들은 "이여하면 나 눈물 난다", "이엿말은 마라서 가라"라고 노래하였는데, 이어도는 죽음과 맞닥뜨린 순간에 저승의 피안이자 상상의 공간으로 인식된 것이다.

이즈하라 　부산 출항 시에 정해지는 모양이지만, 배는 도중에 혼슈(本州)와의 연락선이 있는 쓰시마의 이즈하라(嚴原)에서 가까운 동쪽 해안에 들를지도 모른다. 11-25-3:292

▶ 일본 규슈 나가사키현 쓰시마의 남부에 있던 마치(町). 2004년 행정구역 통합으로 쓰시마시가 되어 지자체로서는 소멸하였다. 이전에는 쓰시마에서 가장 인구가 많은 곳이었으며, 예전 쓰시마 영주의 저택과 현재의 쓰시마시청이 모두 이곳에 소재한다.

이치노미야 　"그렇지요, 독고타이라는 것은 그 밀수입하는 그룹을 말합니다. 일본의 교토(京都)나 아이치(愛知) 현의 이치노미야(一宮), 도요하시(豊橋)에 있는 일본인 공장에서 사들여 조선까지 가지고 오니까, 목숨을 거는 거잖아요? (…)" 6-15-4:368

▶ 일본 혼슈 아이치현에 있는 도시. 7세기에 유서 깊은 이 지방의 주요

신도 사원이었던 마스미다 신사(眞清田神社)를 중심으로 하여 발달했다. 도쿠가와 시대에는 기후 가도(岐阜街道) 상의 수송 중심지였다. 지금은 나고야(名古屋) 공업지대의 일부이며, 기모노(着物) 및 양복을 만드는 노직물·면직물을 전문적으로 생산한다. 봉제공업단지와 대규모 상업단지가 조성되어 비약적으로 발전했다.

이카이노 　두 사람은 시영 전찻길로 나와 택시를 잡아탔다. 도중에 몇 번이나 좌회전 우회전을 반복하면서 이카이노(猪飼野)의 '조선시장'에서 멀지 않은 어머니의 집 근처에서 내렸다. 2-5-5:424

▶ 일본 오사카시 동남부의 이쿠노구(生野區)에 위치한 지역의 명칭. 주민의 대부분이 제주도 출신이다. 원래 이 지역은 이카이노(猪飼野)라고 불렸는데, 한자명을 보면 예측할 수 있듯 그 유래는 고대 한반도 특히 백제 유민들이 이곳에서 돼지를 사육하며 살았다고 해서 생긴 명칭이다. 행정구역명은 1973년까지 계속 이카이노초(猪飼野町)였지만, 그 후 구획 변경으로 인해 이카이노라는 명칭은 지도에서 사라졌다. 해방 전부터 이카이노는 제주도 출신자들을 중심으로 한 도일 한인들의 집중 거주지였다. 그들은 히가시나리구에 속한 이카이노와 그 주변에 거주하며 오사카 지역에서 발달된 고무공업의 하청 노동에 다수 종사하였으며, 그 외 토목노동자, 노점상 등도 적지 않았다. 1930년대 말에는 이미 이카이노에 조선시장이 형성되어 있었고, 명태, 고춧가루 같은 식료품부터 혼수 용품까지 거주 한인의 생활 용품을 파는 점포가 약 200개에 달할 정도였다. 1943년에 이카이노 지구는 히가시나리구에서 분리되어 신설된 이쿠노구에 소속되었다. 일본이 패전한 이후, 일본 거주 한인들은 대거 해방된 조국으로 귀환한 반면, 고향에 생활의 근거가 없는 사람들은 계속 이카이노에 잔류하였다. 1988년 서울올림픽 이후, 이쿠노구를 포함한 오사카 지역에도 한국인 '뉴커머'들이 서서히 유입하였다. 2002년 한일 월드컵 공동개최와 2005년경부터 본격화된 '한류 붐'의 영향으로 관광객이 늘어나자 쓰루하시역의 서쪽까지 코리아타운이 확장되었다. 2009년부터는

'이쿠노 코리아타운 공생 축제'를 개최하며, 지역 전체의 활성화를 기하고 있다.

이쿠노 "(…) 남 군의 여동생을 만났습니다. 그곳은 이쿠노(生野)입니다만, 그 조련(재일조선인연맹)의 분회에서 일을 하면서, 분회의 회비와 매달 내는 협력 자금을 받으러 온 그녀를 만났지요. (…)" 6-14-1:15

▶ 일본 오사카시의 동남부에 있는 구. 이쿠노구는 이카이노 지구가 1943~1973년에 속했던 구(區)로서 오사카시를 구성하는 24개 구 중 하나이다. 이 구의 쓰루하시 지역, 즉 이쿠노 코리아타운은 재일한국인이 많이 사는 곳으로 유명하다.

이키섬 밀항선은 꼬박 하루 반나절을 항해한 뒤 저 멀리에 겨우 섬 그림자 하나를 찾아볼 수 있게 되었다. 아침에 갑판으로 나온 남승지는 귀밑머리를 살랑거리는 상쾌한 바람 소리를 들으며 그 섬을 바라보았다. 이키(壹岐) 섬이라 한다. 이키, 이키……, 섬이라면 한반도에 보다 가까운 대마도를 떠올리게 된다. 이키 섬이 어디 근처인지 남승지는 머릿속에 펼쳐진 지도를 따라 찾아보았다. 그 명확한 위치는 떠오르지 않았지만, 일본이 목전에 바싹 다가왔다는 중압감을 느꼈다. 산이 없고 낮은 언덕 모양으로 보이는 섬이 이키였다. 2-5-3:360

▶ 일본 규슈와 쓰시마섬 사이에 있는 섬. 나가사키현에 속하며 섬 전체가 이키시에 해당한다. 주위에 21개의 부속 섬(유인도 4개, 무인도 17개)이 있으며, 이 전체를 이키 제도(壹岐諸島)라고 한다. 보통은 부속 섬까지 포함해서 이키섬이라고 부른다.

이타바시 음, 그리고 보니, 이방근이 있던 곳은 이타바시(板橋)라고 했었지……, 아니, 몇 군데를 전전했다고 들은 것 같아. 3-6-2:52

▶ 일본 도쿄도에 있는 이타바시구 동쪽 끝 지역. 이타바시라는 명칭은 한자로 읽으면 '판교(板橋)'로, 헤이안 시대(平安時代, 794~1185년)에 샤쿠지이가와강(石神井川)을 가로지르던 나무로 만든 다리에서 유래되었다. 이곳은 에도의 4대 역참 마을 중 하나로 여행자들이 세이이타이쇼군(征夷

大將軍)의 영지(領地)를 떠나 처음으로 묵는 곳이었다.

인사동 인사동 일대는 조선식 가옥이 밀집해 있었다. 일제강점기부터 조선어 책을 취급하는 오래된 전포와 헌책방이 많은 거리였고, 골동품점이 줄지어 있었다. 6-14-2:43

▶ 서울특별시 종로구의 법정동. 인사동(仁寺洞)이라는 명칭은 일제강점기인 1914년 행정구역 개편 때 처음 사용되었다. 현재의 인사동 지역에는 조선 초기에 한성부 중부 관인방(寬仁坊)과 견평방(堅平坊)이 있었고, 1894년 갑오개혁 당시에 이루어진 행정개혁 때는 대사동(大寺洞), 원동(園洞), 승동(承洞), 이문동(李門洞), 향정동(香井洞), 수전동(水典洞) 등이 있었다. 관인방과 대사동에서 가운데 글자 인(仁)과 사(寺)를 각각 따서 인사동이라는 동명이 붙여진 것으로 알려진다. 대사동(댓절골)이라는 명칭을 쓴 것은 이 지역에 고려시대에는 흥복사(興福寺)라는 큰 절이 있었고, 조선시대에는 원각사(圓覺寺)라는 큰 절이 있었기 때문이었다. 일제강점기부터 골동품 상점들이 들어서기 시작했고, 이들 상점들은 문화재 수탈의 창구 역할을 했다. 1919년 3월 1일 독립운동이 인사동에서 일어났는데, 현재 태화빌딩은 당시 33인이 모였던 태화관이 있었던 곳이다. 해방 후 1970년대에 들어와 화랑, 표구점 등의 미술품 관련 상점들이 이곳으로 집중되면서 인사동은 현재와 비슷한 문화의 거리로 발전하기 시작했다.

인천 뒷면에 이단짜리 표제어로 '여학생이 주동한 진영에서 대규모 데모와 봉화', 그리고 다른 기사의 일단짜리 표제어는 '인천에서 검거 바람', 또한 '부산에서도 삐라 사건', 다시 기사는 아래로 이어지면서 '여학생 등 35명, 종로경찰서에 검거'……. 5-13-1:369

▶ 한반도 중서부의 서해안에 접해 있는 광역시. 1413년에 인천군이라는 명칭을 얻었다. 1883년 개항된 이후 서양의 근대문물을 수입하는 수도의 관문으로서 조선의 근대화에 이바지하였다. 1895년 23부제 실시에 따라 인천부가 설치되었고 1896년 경기도 인천부가 되었다. 1949년 인천시로 개편되었으며 1995년에 광역시로 승격되었다. 동쪽은 경기도 부천시와

광명시, 서쪽은 황해, 남쪽은 시흥시, 북쪽은 김포시와 접하고 있다.

자남산 사실, 개성의 남산이라는 것은 자남산(子男山, 103미터)을 말하는 것으로, 김삿갓이 시의 형식에 맞도록 사용한 속명일 것이다. 이방근은 일제 말기에 고도 개성을 찾았을 때 자남산을 올라간 적이 있는데, 도저히 시구의 남산제일봉이라고 할 만한 분위기는 아니고 나지막한 언덕이었다. 5-11:5:119

▶황해북도 개성시 자남동에 있는 높이 104미터, 둘레 약 6킬로미터의 산. 송악산이 누워 있는 어머니의 모습이라면, 자남산은 마치 그 아들처럼 작은 산이라 하여 조선 중기 이후부터 자남산이라 부르기 시작하였다. 개성을 대표하는 산이며, 개성 정중앙에 위치하고 있어 정상에서 개성 시가지와 한옥 지구의 모습이 보인다.

자바섬 "……1942년 8월로 또렷이 기억하고 있지요. 8월 19일 밤에 부산항을 출발해서 약 한 달 뒤에 우리는 자바 섬의 자카르타에 도착했습니다. 그 전에 부산의 훈련소에 입영을 했는데요. 3천 명 정도의 조선 청년이 군대와 마찬가지로 맹훈련을 받았습니다. 그러니까, 노구치(野口) 부대, 군속이라고는 해도 군인과 마찬가지였습니다……. (…)" 5-12-1:172

▶인도네시아에서 네 번째로 큰 섬. 말레이시아와 수마트라섬의 남동쪽, 보르네오섬(칼리만탄섬)의 남쪽, 발리섬의 서쪽에 자리 잡고 있다. 1811~1816년 영국인들에게 일시 점령당하기도 했으나 곧 다시 네덜란드로 넘어갔다. 이러한 과정들을 거치면서 자바 전쟁(1825~1830년)을 비롯한 광범위한 저항운동이 일어나기 시작했으며, 1세기 후에는 독립을 쟁취했다. 1942년 일본군에게 점령되었으며, 1950년 인도네시아 공화국에 병합되었다.

자카르타 "(…) BC급 전범이 되어 아직도 싱가포르나 자바의 자카르타에서 형무소 생활을 하고 있는 동포들도 있고, 현지에서 많은 조선 청년이 죽었습니다. (…)" 5-12-1:176

▶자바섬 북서부 해안에 위치하고 있는 인도네시아의 수도. 옛날에는 작

은 항구도시였지만, 1619년 네덜란드 동인도 회사(1602~1799년)가 기지로 사용하면서 발전하기 시작했다. 이때 이름이 '순다끌라빠(Sunda Kelapa)'에서 '바타비아(Batavia)'로 개칭되었다. 제2차 세계대전시 발발하자 이곳을 일본이 점령했고, 점령 이후인 1942년에 일본 군정에 의해 다시 자카르타로 이름이 바뀌었다. 오랫동안 무역 및 재정 중심지로 중요한 역할을 해왔으며, 산업 및 교육 중심지로도 큰 발전을 이루었다. 자카르타는 낮은 평지로 이루어진 충적평야에 위치하고 있어 우기에는 홍수로 물에 잠기기도 한다. 열대성 기후 지대로서 높은 기온과 많은 강우량이 특징적이며, 이에 따라 습도도 평균 75~85퍼센트로 상당히 높다. 인도네시아의 경제계획 중심지로서 경제적으로 중요한 행정부처들이 있으며, 무역 중심지로도 큰 역할을 하고 있다.

전남[북] 남원 "(…) 그 사이 합세한 오합지졸의 반란군은 약 2천 명에 달하는데, 그 병력은 두 방면으로 갈라져, 한쪽은 전남[북] 남원으로, 다른 한쪽은 광주를 향해서 돌진 중이다……." 11-24-1:11

▶ 전북특별자치도 남동부에 위치한 시. 동남쪽은 지리산을 경계로 경상남도 하동군, 동쪽은 경상남도 함양군, 서쪽은 전북특별자치도 순창군, 남쪽은 전라남도 구례군과 곡성군, 북쪽은 전북특별자치도 임실군과 장수군에 접한다. 남원은 삼국시대 백제 때에는 고룡군(古龍郡)이라 불렸는데 통일신라 685년(신문왕 5년)에 9주 5소경의 하나로 남원소경(南原小京)이 되었다. 일시적으로 대방군·일신현인 때가 있었고, 1895년에 전라4부 중 하나인 남원관찰부가 되었다가 1914년 남원도호부가 폐지된 후 운봉군과 통합하여 남원군이 되었다. 1931년 남원면을 남원읍으로 승격하였고, 1981년 남원읍이 시로 승격·분리되었다. 1995년 1월 1일 법률 제4774호에 따라 남원군과 분리된 남원시를 통합하여, 현재의 남원시가 되었다. 판소리 동편제의 고장이자 〈춘향전〉의 무대인 남원에는 춘향테마파크를 비롯해 국립민속국악원, 향토박물관 등이 있다.

전주 자세한 내용은 모른 채 반란군은 수천 명이라느니, 순천을 점령한

반란군은 다시 북상, 전라북도 도청소재지, 전주로 향한다⋯⋯느니, 아니, 정부군의 배후에 존재하는 강대한 미군의 힘으로 반란은 실패로 끝난다느니, 하는 억측을 동반하고 이야기가 퍼졌다. 11-24-1:7

▶ 전북특별자치도 중부에 있는 시. 북쪽으로 완주군, 동쪽으로 진안군, 서쪽으로 김제시, 남쪽으로 모악산(母岳山, 794미터) 도립공원과 면해 있다. 도시의 북쪽으로 만경강이 흐르고 노령산맥과 만경평야의 경계부에 위치한다. 전주는 삼한시대에 마한의 영토였다가 백제가 이 땅을 영유하면서 완산(完山)이라고 불렸다. 660년 나당연합군에 의해 백제가 멸망된 뒤 신라에 병합된 후 685년(신문왕 5년)에 완산주가 설치되면서 전라북도 지방의 행정중심지로 발전하게 되었다. 757년(경덕왕 16년)에 주군현의 명칭이 바뀔 때, 현재의 이름인 전주로 바뀌었다. 한편, 1894년 동학농민봉기가 일어나 전주성이 일시 함락되기도 하였다. 1896년 지방제도 개편으로 전주부는 전주군으로 개편되어 21개 면을 관할하였다. 1914년 행정구역 개편에 따라 전주면으로 되었다가 1931년 전주읍으로, 1935년 전주부로 승격되었다. 1949년 8월 15일 전주시로 개칭되었다. 1999년 전통문화특수 조성을 위한 사업의 추진으로 전주한옥마을이 건립되면서 오늘날 대표적인 관광도시로 발전했다.

제주도 │ 제주 │ 식민지 지배에서 해방된 조국의 남단 제주도에까지 이국의 깃대가 우뚝 서 있는 광경은 한순간 그의 머릿속을 어지럽게 만들었다. (⋯) 서울에서 제주도로 돌아와 성조기를 보았을 때의 인상은 해방 직후에 느꼈던 것과는 이미 달라져 있었다. 1-1-1:37 ¶ 오늘 아침 서울을 출발한다는 전보가 왔으니, 오늘 밤 목포에 도착하여 때마침 배편이 있으면 내일 아침쯤 제주에 도착할 것이고, 배편이 없으면 모레 아침에 올 거라고 하자, 부엌이는 안심된다는 표정으로 물러가려고 했다. 2-3-1:7

▶ 한반도 최남단에 위치한 화산섬. 제주도(濟州島 / 濟州道)의 한가운데에는 높이 1,950미터의 한라산이 우뚝 자리하고, 섬의 동서 길이는 약 70킬로미터, 남북 길이는 약 30킬로미터에 이른다. 화산섬의 생태지리적 특성

상 한라산은 섬 전체에 걸쳐 약 360여 개의 기생화산인 '오름'을 거느리고 있다. 조선시대 이래 행정구역 상 전라남도에 소속된 제주목(濟州牧)이었다가, 일제강점기인 1914년에 대정·정이 양군이 폐지되어 제주군(濟州郡)에 포괄되었는데, 1915년에 군제(郡制)에서 도제(島制)로 바뀌면서 전라남도 제주도(濟州島)로 개편되었다. 도청 소재지는 제주 읍내에 둠으로써 1읍 12면의 행정구역으로 조직된다. 해방 이후 미군정은 군정장관 러취(Archer L. Lerch) 소장 명의의 미군정청 법령 제94호에 의해 1946년 8월 1일부터 제주도제를 실시함으로써 행정구역 상 제주도는 전라남도에서 분리돼 '도(島)'가 아니라 '도(道)'로 승격되고, 초대 제주도지사로서 제주 태생 박경훈(朴景勳)을 임명한다. 1955년에 제주읍을 제주시로 승격하고, 1981년에 서귀읍과 중문면을 통합해 서귀포시로 승격했다. 2006년 7월 1일 특별자치지역으로 전환되어 제주특별자치도가 출범하여 오늘에 이른다.

제주우체국 광장으로 나온 남승지는 낮고 평평한 우체국의 돌계단을 올라가 유리문 앞에 서자 유리창에 건물 내부와 바깥 풍경이 투명하게 서로 겹쳐져 비쳤다. 유리창에 비친 바깥 풍경을 유심히 살폈다. 여기는 경찰서도 관공서도 아닌 우체국일 뿐이다. 남승지는 문을 열고 안으로 들어갔다. 1-1-3:90 ¶ 이방근은 좀 전에 우체국에서 목격한 일을 말하지 않았다. 전화는 오늘 저녁에 양준오와 만나기 위해 사무적으로 건 것이었지만, 집에 돌아오고 나서도 우체국의 유리문을 사이에 두고 서로 간에 밀어대면서 필사적으로 탈출구를 찾고 있던 젊은이의 모습과, 햇살에 빛나던 핏빛이 눈앞에 어른거려 마음이 안정되지 않은 탓에, 어딘가에 전화라도 하지 않으면 견딜 수 없었던 것이다. 5-11-3:65

▶ 제주특별자치도 제주시 삼도2동에 위치한 우체국. 주요 사업 및 업무는 우편 물류와 소포 물류를 담당하는 데 있다. 1902년 8월 15일 설립된 제주우체사가 1903년 제주우편취급소로, 1905년 6월 6일 목포우체국 제주출장소로 명칭이 변경되었다. 1907년 1월 1일 제주우편국으로 승격되

었고, 해방 후 1962년 12월 17일 제주우체국으로 명칭을 변경하였다. 1988년 9월 20일 제주우체국 청사가 개축되었으며, 1990년 12월 31일 제주체신청으로 승격되었다. 1997년 7월 1일 제주체신청에서 제주우체국으로 분리·개국하여 지금에 이른다.

제주읍　제주읍 동쪽에 인접한 조천면 관할하에 있던 촌락 N리에 대한 포위 공격이 어떠했는지 사람들의 입을 통해 이내 성내에도 알려졌는데, 한 마을에서 약 3백 명이 일시에 체포되었다. 1-2-3:201

▶ 제주특별자치도 제주시의 과거 행정구역. 1931년 제주면에서 읍으로 승격된 후 1955년 제주시로 승격되기 전까지 존속하였다. 조선시대에 들어와 제주목으로 행정구역이 정립되었는데, 제주시는 중면(中面)에 해당한다. 1895년(고종 32년) 지방관제 개정에 따라 제주부(濟州府)에 속한 제주군이 되었다가 1896년 다시 제주군이 되어 전라남도에 소속되었다. 1914년 행정구역 개편에 따라 제주군에 속한 제주면이 되었다가 1931년 읍으로 승격되어 제주읍이 되었다. 1946년 8월 1일 제주도(濟州島)는 도(道)로 승격되었으나 제주읍은 일제강점기의 행정구역 그대로 유지되었다. 해방 이후 제주읍은 제주도의 중심지로서 지속적인 성장을 이루었는데, 이러한 변화에 힘입어 1955년 9월 1일 제주시로 승격되었다.

제주항　9월 28일, 드디어 미군이 몰려왔다. 제1진이 수송기로 성내 서쪽 근교에 있는 옛 일본군 비행장(지금은 미군용 비행장이자 캠프였다)에 상륙했다. 일부는 수송선으로 제주항에 상륙했지만, 최초의 상륙행진을 펼친 미군은 수십 명에 불과했다. 1-2-1:164

▶ 제주특별자치도 제주시 건입동에 있는 항구. 1735년에 제주목사 김정(金政)이 전 도민을 부역하게 해 산지항(현 제주항)과 별도항(현 화북항)에 방파제 80간(間)과 내제를 쌓게 했는데 관에 의해 항만이 건설된 것은 이때가 최초이다. 이후 일제강점기에 건입포(현 제주항의 안쪽에 있었던 옛 포구)의 항만 개발이 시작되었는데, 1920년 조선총독부령 제41호에 의거 서귀포항, 성산포항 등과 함께 2등급에 해당하는 지정항이 되었다.

1926년에 방파제 축조 공사가 시작되어 1927년 5월에 개항하였으며, 약 3년간의 공사로 1929년에 서방파제가 준공되었다. 이로부터 건입포는 신지항으로 불리면서 제주도 내 최대 규모의 항만이 되었다. 1908년 〈항만법〉이 제정될 즈음에 산지항의 명칭이 제주항으로 바뀌면서 무역항으로 지정되었으며, 1978년 제주항 종합개발계획이 확정되면서 제주항의 정비와 확대가 본격적으로 이루어졌다.

제주해협 배는 삼학도를 왼쪽으로 보면서 구름 낀 항만을 빠져나가 다도해로 향했다. 유달산 정상에서 바라보면, 장대한 인조정원처럼 수놓아진 푸른 섬들과 바다가 보인다. 아직은 배의 흔들림이 거의 없었지만, 바람이 불어 입에 문 담배에 붙이려는 성냥불이 몇 번이나 꺼졌다. 다도해를 빠져나가면, 제주해협의 바다는 상당히 거칠지도 모른다. 7-17-4:300 ¶ 상당히 먼 바다로 나왔는지, 배가 좌우로 흔들렸다. '풍다(風多)'의 제주해협은 파도가 거칠었다. 자리에 앉으면 엉덩이가 기울어진 다다미 위로 미끄러져, 위치에서 벗어날 것처럼 되기도 했다. 피스톤 운동을 반복하는 엔진의 간헐적인 진동이 다다미 너머로 엉덩이를 통통 끊임없이 쳐올렸다. 11-25-4:306

▶한반도와 제주도 사이에 있는 바다. 국제수로기구(IHO)에서 정한 동해와 황해의 경계이며, 대한민국에서는 남해의 일부로 여긴다. 이 해협은 난류인 쿠로시오 해류의 지류가 흐르고 있어 일 년 내 상시적으로 따뜻하며, 한반도와 일본, 또는 중국과 일본 간의 국제적 해상 교역로 내지 문화 교류의 통로로 이용되어 왔다. 특히, 일제강점기에 제주인들은 제주해협을 통해 일본 열도로 이주노동을 떠났는데 그 과정에서 밀항을 하기도 하였다. 해방을 맞이하자 이 해협을 거쳐 고향 제주도로 귀향하는 이들도 있었고 정치·경제적 문제로 또다시 제주를 떠나 일본 열도로 이주하거나 밀항하는 이들도 있었다.

조선시장 어머니가 해방되고 얼마 지나지 않아 오사카의 이카이노(猪飼野)로 이사를 한 것은 '조선시장'도 있었고, 고향 사람이 많다는 것과 함

께 생활상 이유도 있었다. 2-5-5:438 ¶ '조선시장'에는 한민족의 생활에 필
요한, 제사에 사용하는 제기(祭器)까지 있었으며, 이러한 봉건적인 생활
양식의 유물조차도 '황민화', '내선일체(內鮮一體)'에 대한 암묵적인 저항
의 형태로 나타났다고 할 수 있었다. 그곳에는 잃어버린 말까지 있었다.
성(姓)이나 국어, 문자를 빼앗겼으면서도 조선의 어머니들은 고향의 토
착 방언을 구사했고, 고향 이야기를 전해 주었다. 여기에서는 아이들까
지도 고향의 말을 배웠다. 2-5-6:458

▶ 일본 오사카부 오사카시 이쿠노구에 위치한 코리아타운의 전통시장.
조선시장은 일제강점기에 도일한 조선인들의 집거 구역인 이카이노에
형성된 시장인데, 1920년대 초에 들어선 것으로 추정된다. 초기에는 공
설시장이 아니었다가 1926년에 공설시장이 개설되어 상업에 종사하는
조선 사람들이 모여들기 시작했다. 1930년대 중반에는 대로변인 미유키
모리(御幸森) 상점가와 그 뒷골목에 있는 조선시장이 함께 번성하였는데
태평양전쟁의 발발 이후 식재료 등 물자가 부족해지고 경제가 통제되자
상업이 위축되었다. 1941년 일본의 〈물자통제령〉으로 철거되는 상점들
이 늘어났고, 전쟁 중에는 미군의 잦은 공습으로 피난길에 오르는 일본
인이 증가했다. 이에 상점가의 빈 점포를 조선인들이 차지하면서 공설시
장에 조선인 상인이 늘어났다. 전쟁 말기인 1945년 6월 이 지역이 또
한 차례 공습을 받게 되자 대피하는 사람들이 증가했는데 1948년 이후
피난에서 돌아온 조선인들이 상점가에 정착하기 시작했다. 이후 1951년
에는 조선인들의 상점가 점령을 제지하려는 일본인 상인들의 움직임이
있었으나 무산되었다. 1950년대에 미유키모리 상점가에 조선인 점포가
들어서면서 조선시장의 규모가 커졌고 서·중앙·동 상점가로 구획되었
다. 조선시장은 1960년대까지 조선인들의 생필품을 비롯한 명절·관혼상
제 용품을 취급하는 대규모 전통시장으로 성장했으나 1970년대에 들어
재일코리안의 세대교체가 이루어지며 시장의 수요가 점차 감소하기 시
작했다. 그러다 1988년 서울올림픽 이후 이쿠노구를 포함한 오사카 지역

에 한국인 '뉴커머'들이 유입하면서 조선시장은 재일조선인 2~3세대를 중심으로 활성화되기 시작했다. 1993년 동쪽 상점가에 '백제문'을, 중앙 싱점가에 '미유기거리中잉문'을 세웠고, 새롭게 가로등 설치 및 보도 포장을 하면서 '코리아타운'이라는 명칭도 사용하게 되었다.

조선식산은행 제주지점 광장 맞은편에는 전에 버스를 내린 정류장 곁 차고와 제일은행, 그리고 식산은행의 초라한 건물이 늘어서 있었다. 문득 식산은행 1층과 2층 사이에 현수막이 걸려 있는 게 눈에 띄었다. 검정과 파랑색 페인트로 쓰인 '국제연합 조선위원단을 열렬히 환영한다'는 글귀가 바람에 펄럭이고 있었다. 1-1-3:91

▶ 일제강점기에 일본이 조선에서 자금을 대출하여 경제적 착취를 강화하기 위해 만든 은행. 1918년 10월 1일 조선총독부령에 의해 조선식산은행이 설립되었다. 이로 인해 광주농공은행이 같은 날짜로 해산함에 따라 광주농공은행 제주지점이 명칭을 변경하여 조선식산은행 제주지점이 되었다. 이 은행은 동양척식주식회사의 실질적인 지배를 받으면서 일제가 조선의 경제적 침략을 하는 데 큰 역할을 하였다. 조선을 식민지화한 일본의 유·이민들은 제주성, 서귀포, 성산포, 한림, 추자 등지에 집단 거주하면서 조선의 국유지를 불하받고 어장 및 임항(臨港) 토지로 사용하여 막대한 부를 형성하였다. 또한 광주농공은행 제주지점 혹은 조선식산은행에서 이윤을 증식하는 한편 이를 본국으로 송금하기도 하였다. 8·15광복 이후 한국식산은행으로 바뀌어 한국전쟁 때까지 장기 산업 자금의 조달 및 공급 업무를 수행하였다.

조선신궁 마침 남대문 주변에서부터 남산의 녹음을 뚜렷이 두 개로 나누는 한줄기 하얀 콘크리트길, 정상에 다가갈수록 긴 계단으로 조성된 길이 보인다. 일제강점기에 아마테라스 오미카미(天照大神)와 메이지(明治) 천황을 제신으로 받들던 조선신궁의 참배 길로 만들어진 것이었다. 5-11-5:118

▶ 일제강점기에 일제가 경성부의 남산 중턱에 세운 일본식 신사(神社).

조선총독부 청사가 세워지기 1년 전인 1925년 남산의 대단위 지역에 세워진 조선신궁은 일본 황실의 조상신인 아마테라스 오미카미와 메이지 천황을 제신(祭神)으로 안치한 신사로, 신사 중에서도 가장 등급이 높은 관폐대사(官弊大社)로 지어졌다. 조선신궁은 1945년 일제 패망 직후 일본인들에 의해 해체·철거되었고, 본전은 소각되었다. 미군정기에 조선신궁 터는 대규모 정치집회가 열리는 장소로 활용되기도 했으며, 1956년에는 이승만 대통령의 동상이 건립되었다가 4·19혁명 때 철거되었다.

조천면 | 조천리 | 이 Y리는 성내에서 동쪽으로 약 20킬로미터 떨어진 조천면의 동쪽 끝에 위치한 300호 정도 되는 작은 해변 마을이었다. N리에서 대검거 선풍이 불었던 다음 도당지도부 일부 아지트가 이곳으로 옮겨 왔지만, 마을 사람들은 알 리가 없었다. 2-5-1:335 ¶ 조천리에는 면사무소와 경찰지서가 있었지만, 원래 조직의 힘이 강해서 낮 동안에도 경찰들의 순찰이 자유롭지 않은 지역이었다. 12-27-1:106

▶ 제주특별자치도 제주시에 속한 읍. 조천(朝天)이라는 명칭은 14세기 초 조천관(朝天館)이 설치된 이후에 생긴 것으로 추정된다. 조천이라는 의미는 '육지로 나가는 사람들이 순한 바람을 기다리는 곳'이라고 하나 정확히 알려진 바는 없다. 17세기경 제주목을 좌면·중면·우면으로 나눌 때 조천읍은 제주목 좌면에 속하였다. 1874년 제주군 좌면을 신좌면과 구좌면으로 분리할 때 신좌면이 되었으며 1935년 제주 지역 내 면 이름을 바꾸면서 신좌면이 조천면으로 개칭되었다. 1946년 제주도(濟州島)가 전라남도에서 분리되어 제주도(濟州道)로 독립할 때 북제주군에 포함되었으며 1985년 조천읍으로 승격되었다. 2006년 7월 제주특별자치도 출범과 함께 북제주군은 제주시에 편입되어 사라졌다.

종로 | 종로1·2·3가 | 동향 출신 학우회 모임이 끝난 뒤 김동진과 함께 종로 뒷골목 선술집에서 마신 소주가 몸속에서 불타오르던 기억이 난다. 1-1-3:66 ¶ 두 사람은 봄날 저녁 바람을 맞으며 종로 1가의 교차로를 향해

걸어가면서, 이방근은 남승지와 만났던 일, 그가 일부러 유원을 만나기 위해 성내로 찾아와 양준오의 하숙집에서 만난 일을 여동생에게 이야기 했다. 5·11·5:110 ¶ 다음날, 이방근은 행상인 박과 종로 3가, 영화관 단성사 근처에 있는 대동법률사무소에서 만났다. 5-11-5:122 ¶ 이방근은 손가락의 담배를 입에 물고 큰 걸음으로 도로를 건너, 종로 1가의 화신백화점이 있는 네거리에 이르는 큰길과 삼각형으로 갈라져 비스듬히 직진하면 종로 2가 쪽으로 나오는 길을 조금 들어가, 작은 다방의 문을 밀었다. 6-14-5:142

▶ 서울특별시의 광화문에서 동대문까지 연결되어 있는 도로. 조선시대에 밤에는 인정(人定), 새벽에는 파루(罷漏)를 쳐서 도성의 8대문을 여닫게 하던 종루(鐘樓)가 동서대로와 남북대로가 만나는 지점에 세워졌다. 그 뒤로 이 지점을 종루십자가(鐘樓十字街), 종루에서 4대문으로 통하는 길을 종로(鐘路) 또는 종길이라고 한 데서 유래한 명칭이다. 종로는 종가·종루·종루가·운종가 등으로 불리었다. 동대문과 서대문을 잇는 이 길은 조선시대부터 교통이 발달하여 육의전을 비롯한 많은 시전과 이현(梨峴)시장이 있었던 상업의 중심지이자 번화가였다. 종로는 도로 명칭으로뿐만 아니라 동명, 구명으로까지 쓰이고 있다. 또한 종로1가에서 종로6가까지의 지역명으로도 쓰이며, 종로2가 사거리만을 지칭하기도 한다. 이 길은 현대적인 교통수단이 도입되면서 최초로 전차 노선이 부설되었고, 1974년에는 이 노선에 지하철이 가장 먼저 건설되었다.

주정 공장 각 집안의 뜰이 눈이라도 내린 것처럼 새하얗게 보였는데, 그것은 절간(切干)고구마였다. 고구마를 얇고 동그랗게 썰어 햇볕에 말린 뒤 알코올 원료로 팔았는데, 알코올은 성내의 주정 공장에서 만들어졌다. 4-8-3:67~68 ¶ 남승지는 밀짚모자 위로 밝은 햇살을 가득 받으며, 흙먼지가 날리는 산지의 언덕을 어제 왔던 것과는 반대로 길을 지나, 마침내 바다 쪽에 있는 주정 공장과 커다란 창고 건물을 보면서, 기상대가 있는 언덕의 관목이 우거진 벼랑가 길을 내려와 산지천의 다리로 걸어 나왔

다. 8-19-4:348

▶ 일제강점기 동양척식주식회사 제주지사에서 제주항 근처에 건립하여
운영하였던 주정(酒精) 공장. 1940년 동양척식주식회사 제주지사가 제주
항 근처의 부지 약 43,685제곱미터에 7,580제곱미터 규모로 착공하여
1943년 완공한 주정 제조 공장이다. 일본 전역에 주정을 공급할 수 있을
정도로 동양 최대 규모의 주정 시설이었다. 제주 지역에서 생산되는 고
구마·설탕·강냉이 등을 재료로 하여 주정, 즉 알코올을 제조하였는데,
이는 군사용 비행기의 연료로 보급하기 위함이었다. 이때부터 제주 지역
농가에서는 얇게 썰어 볕에 말린 절간(切干) 고구마 생산이 본격화되기
시작하였다. 10,000여 평의 제주주정주식회사 상단은 고구마 창고 건물
이었고 그 하단은 주정 공장 건물이었으며, 상·하단을 잇는 수로와 계단
으로 된 통로가 있었다. 해방 후에는 미군정에서 관리하였는데, 절간 고
구마를 배급하여 도민들의 식량난을 해결하고 공장 내 발전기를 이용하
여 제주 도내에 전력을 보급하였다. 제주4·3사건이 발발하자 미군에서
는 주정 공장에서 무기를 제조하였으며, 인근의 10여 개의 창고 건물은
수용소이자 갱생원으로 사용되기도 하였다.

중구 이방근은 일전에 상경해서 당숙의 집에 머무르고 있을 때 갑자기 '서
북' 중앙본부에서 '호출' 전화가 걸려 온 일, 그래서 할 수 없이 마중 온
승용차로 중구 M동의 '서북' 숙소까지 갔던 경위 등을 아주 간략히 이야기
했다. 5-13-2:405~406

▶ 서울특별시 중앙에 위치한 행정구역. 1934년 4월 경성부 중앙사무소가
발족되었으며, 그해 6월 중구직할구역소로 개편되었다. 1943년 6월 구제
도(區制度)를 실시함에 따라 중구가 되었다. 남쪽의 남산(262미터)·응봉
(175미터)을 비롯하여 동쪽·서쪽·남쪽은 대체로 100미터 내외의 저산성
산지로 둘러싸여 있으며, 북쪽은 복개된 청계천이 종로구와 경계를 이루
고 있다. 조선시대에는 벼슬에서 물러난 양반이나 하급관리·중인·평민
등 주로 가난한 서민들이 거주했으며, 청일전쟁 이후 소공동에는 화교촌

이, 남대문·명동·충무로 일대에는 일본인 상가들이 들어섰다. 이때부터 일본인들은 각종 현대식 건물과 상가를 짓고 퇴계로 등의 길을 정비하는 등 중심 시가지로의 토대를 마련했다. 소공동·을지로 등지에는 대규모 백화점, 시장, 호텔 등의 상업·유흥 기능과 금융·언론·관청·기업체 본사 등의 중심 업무기능이 밀집해 있다. 을지로변에는 인쇄·출판·가구·목재업이, 청계로변에는 기계·공구·의류업 등이 발달했으며, 남대문·동대문·평화시장 등의 도매시장은 전국적인 상권을 형성한다.

중문 |중문면| 조직에서는 제주도 전체를 여섯 개의 작전 지구, 즉 한라산을 분수령으로 하여 제주도 북부는 서쪽으로부터 차례로 한림·애월 지구, 제주·조천 지구, 구좌·성산 지구, 그리고 남부는 서쪽으로부터 차례로 대정·안덕 지구, 남원·표선 지구, 서귀·중문 지구로 나누어, 각 지구 내의 오름, 즉 기생화산을 중심으로 한 근거지의 설정을 거의 마무리해 놓고 있었다. 3-7-6:389 ¶"으―음, 손님이긴 하지만, 조카야, 여동생의 아들이 모처럼 찾아왔어. 산 너머 중문면에서 시골학교 선생을 하고 있는데, 이 어수선한 시기에 국민학생들을 데리고 일부러 성내 구경을 왔어. (…)" 4-10-1:384

▶제주특별자치도 서귀포시에 속한 법정동이자 행정동. 서귀포에서 서쪽으로 약 15킬로미터 떨어져 있는데, 이 지역은 전체적으로 한라산까지 걸쳐 있으며, 한라산 영실로부터 아래쪽으로 이어져 해안까지 연결된다. 1416년(태종 16년) 한라산 남쪽 서부 지역에 처음으로 대정현이 설치될 때 대정현에 속해 있었으며, 일제강점기인 1914년 제주군 좌면 중문리가 되었다. 1946년 8월 1일 제주도제가 실시될 때 제주도 남제주군 중문면 중문리가 되었다. 1981년 7월 1일 서귀읍 일원과 중문면을 통합하여 서귀포시로 승격하게 되자, 중문리는 대포리·하원리·회수리를 관할하는 제주도 서귀포시 중문동이 되었으며, 2006년 제주특별자치도 서귀포시 중문동이 되었다. 서귀포시 서부 지역의 중심 생활권이자 중문해수욕장, 제주국제컨벤션센터, 박물관 등을 갖춘 중문관광단지가 조성되어 있다.

중앙우체국 아직 '축 대한민국 정부 수립'이라는 커다란 현수막이 내걸린 동화백화점과(방금 지나친 화신의 사장도 그렇고 동화의 사장도 그렇고, 이미 성립된 반민족행위처벌법의 대상이 되는 '친일파'로서 항간의 소문에 올라 있는 인물이었다), 중앙우체국 사이를 왼쪽으로 끼고 돌아 이미 가로등과 상점가 네온사인의 조명이 밝은 충무로의 인파 속에 들어갔다. 10-22-2:49 ▶ 서울특별시 중구 소공로에 위치한 우체국. 서울중앙우체국을 가리킨다. 서울 지역의 우편 업무를 총괄하는 곳으로, 1884년 11월에 설치된 최초의 우편행정 관청인 우정총국(郵政總局)을 시초로 한다. 같은 해에 일어난 갑신정변으로 우정총국은 중단되었고, 1895년 한성우체사가 설치되면서 업무가 재개되었다. 이후 경성우편국, 경성중앙우편국으로 명칭이 바뀌었으며, 해방 후 1949년부터 서울중앙우체국으로 개칭하였다. 서울중앙우체국은 2003년에 옛 건물을 철거하고, 2007년 9월 '포스트타워' 건물을 준공하여 사용하고 있다.

중앙청 암운과 저녁놀이 교착하는 조금 괴기한 하늘 모양 아래, 중앙정청의 장중하고 옆으로 긴 석조 건축ㅡ일제 지배의 상징적인 건축의 모습이 구조선총독부의 존재감 그대로 압박해 왔고, 그것이 저녁놀 속에서 기묘한 색채를 띠며 주위로부터 떠오르듯이 두드러지게 눈에 띄었다. 정면 중앙부에 뾰족한 첨탑을 갖추고 돌출한 돔 모양의 양분하여 왼편 절반이 핏빛으로 물들어 있고, 그늘진 쪽의 동쪽 절반이 무수하게 빛나는 창의 불빛을 감싸고 밤처럼 완전히 검게 칠해져, 중앙부를 경계로 마치 건물이 두 종류로 분단된 것처럼 이상한 모양새를 하고 있었다. 후방에 솟아 있는 검은 북악산의 한 모퉁이도 저녁놀에 빨갛게 마치 그림물감을 바른 것처럼 빛나고 있었다. 6-14-3:63~64 ¶ 이방근은 비가 내리는 어둠 너머로 석양을 투시해 보고 있었다. 그 석양의 빛, 아니 그렇지 않다. 바로 두세 시간 전 해질녘에 중앙청의 건물 한가운데 첨탑에서 어둠과 핏빛의 석양으로 이분하여, 암운이 감도는 서울 거리의 절반이 물속에 빨간 잉크를 푼 것처럼, 기묘한 밝음 속에 가라앉아 있던 광경을 떠올렸다. 어두운,

병적인 기분에서 빠져나오지 못할 것 같은 분열 징후의 빛. 그러고 보면 5·10단선(단독선거)의 전날인 9일의 제주도의 하늘도 붉게 물들어 있었다. 6-14-4:90 ¶ 이방근은 오건수에게 행선지를 밝히지 않고, 중앙청 앞을 좌회전해서 남대문 방향으로 가 달라고 했다. 이전과 같은 일을 반복하고 있었다. 그러나 택시가 덕수궁 앞에서 좌회전하지 않고 똑바로 달리다, 이윽고 밤의 거리를 배경으로 시커먼 남대문의 실루엣이 다가올 무렵, 이방근은 남대문 로터리에서 남대문로를 되돌아가 종로 3가까지 가 달라고 지시했다. 초로의 운전수가 멀리 돌게 된다고 중얼거리듯 말했지만, 그래도 괜찮다, 밤거리를 달리고 싶어 그런다고 대답했다. 6-14-5:145

▶ 서울특별시 종로구 세종로 1번지에 있었던 중앙정부 청사. 중앙청(中央廳)은 대통령 집무실을 비롯해 주요 행정부처가 자리를 잡은 건물이었다. 본래 일제강점기에는 일본의 역대 총독들이 조선총독부 청사(1916년 착공, 1926년 완공)로 사용하였다. 8·15광복 후 미군정기에는 이 건물이 군정청에 인계되어 쓰이면서 중앙청이라 불리기 시작했다. 1948년 대한민국 정부 수립 후에는 이승만 대통령이 이곳을 집무실로 사용했는데, 1950년 한국전쟁 때 건물 일부가 파괴되기도 했다. 1961년 5·16군사정변 후 복구공사를 통해 건물을 수리했으나 박정희(朴正熙) 대통령은 집무실을 없앴고, 1970년대 들어서는 중앙행정부서가 세종로의 종합청사와 과천청사 등으로 이전하였다. 이 무렵에 구 중앙청으로 국립중앙박물관을 이전하는 문제가 제기되었다. 이에 대폭 개수하여 1986년 8월 21일 국립중앙박물관으로 개관하였다. 이후 1993년 8월 김영삼(金泳三) 대통령이 일제의 잔재를 청산하고 민족의 정기를 바로 세우자는 '역사바로세우기 운동'의 일환으로 이 건물을 철거하고 경복궁을 재건하는 계획을 시행하였다. 옛 조선총독부 건물의 철거는 1995년 8월 15일 광복 50주년 기념식에서 시작되어 1996년 11월 13일 완료되었다.

창경원 돌담 사이의 정원에서 꽃이 지기 시작한 서향의 향기가 부드러운 바람에 실려 방 안으로 들어왔다. 제주도청 구내의 벚꽃나무는 요전번

비바람으로 깨끗이 져 버렸는데, 서울 창경원의 벚꽃은 지금이 한창일 것이다. 5-11-4:103~104

▶1909년부터 1983년까지 창경궁(昌慶宮) 안에 있었던 동·식물원. 일제에 의해 1909년 조선시대의 궁궐 중 하나인 창경궁에 설치되어 일반에게 공개되었는데, 이는 우리의 궁궐을 격하시키고 민족의 얼을 짓밟으려는 일제의 획책 가운데 하나였다. 이곳에 있던 동·식물원은 창경궁 복원 계획에 따라 1983년 경기도 과천시 막계동으로 옮겨 현재의 서울대공원 으로 개장하였다.

창기[이]형무소 지난 1월, 7, 8년 만에 남방(南方)에서 고향으로 돌아온 남자로, 듣자 하니 영국군 포로 학대 혐의로 싱가포르의 창기[이]형무소 에서 복역했다고 한다. 4-10-2:414 ¶ 싱가포르의 창기[이]형무소는 4천여 명의 전쟁범죄 용의자를 인종별로 ABCD의 네 블록으로 나누어 수용하고 있었는데, 조선인 6백 명은 B블록에 속해 있었다. 5-12-1:184 ¶ 그는 게릴 라 측으로의 입산을 이룰 수 없었지만, 창이형무소에서 올해 초에 기적처 럼 고향으로 생환한 경력을 경찰이나 토벌대에서 높게 사고 있어서, 그들 과 사업을 하는 데에 크게 도움이 되었다. 11-25-2:259

▶싱가포르 창이(Changi) 국제공항 부근에 있는 형무소. 일제는 1938년 총동원령으로 조선인을 강제 징병 및 징용했다. 특히 일제가 미국 본토를 공격한 진주만 침공 이후 시작된 아시아·태평양전쟁이 한창이던 무렵 말레이시아, 태국, 미얀마 등지에서 연합군 포로를 감시하는 군속요원으 로 20대 초반의 조선인 청년들이 징집됐다. 그 포로수용소 중 하나가 바로 창이형무소였다. 일본 패전 이후 영국군은 연합군 포로 학대 혐의로 조선 인 군속요원을 싱가포르 창이형무소에 수감하였을 뿐만 아니라 사형 집행 도 감행하였다.

창덕궁 국제신문은 조간지였는데, 오늘아침 신문 2면에 2단표제로 '계동 (桂洞)에서 순경 한 명 피살, 삐라 살포 검문 중에 돌연 발포'라고 나와 있었다. 택시 운전수가 말한 사건일 것이다. 삐라 붙이기가 아니라, 표제

로 보자면 살포가 된다. 장소는 계동의 창덕궁 근처니까 여기에서 멀지 않았다. 10-22-1:12

▶ 서울특별시 종로구 율곡로에 있는 조선시대 궁궐. 창덕궁(昌德宮)은 1405년(태종 5년)에 건립된 조선왕조의 왕궁으로, 창경궁과 이어져 있고 뒤쪽에 후원(後苑)이 조성되어 있다. 조선시대의 정궁은 경복궁이었으나 임진왜란으로 소실된 뒤 1867년에 복원되었기 때문에 광해군 때부터 300여 년간 정궁으로 사용되었다. 1917년 11월에 창덕궁에 화재가 일어났는데, 일제는 불탄 전각들을 복구한다는 명목 아래 경복궁의 수많은 전각들을 헐어내고는 이 가운데 극히 적은 재목들을 사용하여 창덕궁을 변형·복구하였다. 대한제국의 황실 가족들은 창덕궁의 낙선재(樂善齋) 일원에서 마지막까지 거주하였다.

철원 "어디까지 왔을까?"/ "복계까지 왔다는군."/ "아니, 바로 그 앞 평강까지 왔다지 아마."/ "이미 벌써 철원에 도착했다던데."/ 뒤범벅이 된 말들이 난무했다. 군중들의 몸이 땀으로 끈적이는 저고리와 셔츠를 통해서 직접 맞닿고, 손은 흘러내리는 이마와 목덜미의 땀을 연신 훔치면서, 염천의 하늘 아래, 언제 도착할지도 모르는 소련군을 기다렸다. 5-13-1:374

▶ 강원도 북서부에 위치한 군. 한반도의 중앙부에 있어 예부터 중시되었던 곳으로 고려 이전에 궁예가 세운 태봉(후고구려)이 한때 수도로 삼았던 곳이다. 조선시대에는 강원도 서북부를 아우르는 중심지로 발전하였으며, 일제강점기에는 철도(경원선)와 도로가 교차하는 교통의 요지로 성장하였다. 철원군 전 지역이 38선 이북에 위치하여 해방 직후(1945년 9월 2일) 소련 군정의 관할 아래 들어갔다. 한국전쟁 중에는 철의 삼각지대(강원도의 평강군, 철원군, 김화군을 잇는 지리상의 지대)의 격전지로, 이 지역을 가로질러 군사분계선이 설정되어 군역(郡域)이 남북으로 분단되었다. 현재 철원군은 대한민국과 조선민주주의인민공화국 양쪽 모두 설치한 행정구역이다.

청진 8월 9일 북한의 나진에 상륙, 13일에 청진에 상륙한 소련군이 8월

15일에는 철원까지 남하한 것은 사실이었고, 경원선(서울-원산)이 연결되어 있을 때였으니까, 그곳에서 다시 남하하여 서울에 입성한다고 하면 서너 시간으로 충분했을 것이다. 5-13-1:375

▶함경북도 동부에 있는 시. 동쪽은 나진시와 동해, 서쪽은 무산군·경성군, 북쪽은 부령군·회령시와 접해 있다. 작은 어촌이었으나 1908년에 개항되면서 현대적인 항구도시로 발전한 지역이다. 1928년에는 함경선이 개통되면서 목재와 지하자원의 집산지가 되었다. 1944년 수성과 나남을 흡수하여 청진시가 되었다.

춘경원 덕수궁을 나온 이방근은 열두 시 반에 그곳에서 멀지 않은 무교동 음식점 거리에 있는 한 가게로 들어갔다. 춘경원(春景苑)이라는 가게였다. 그곳에서 숙부인 이건수와 점심을 먹기로 되어 있어서, '노란 밤과 대추를 넣은 인삼영계백숙', 인삼이 들어간 영계 요리를 전화로 예약을 해 놓았었다. 5-11-6:135 ¶이건수는 지금 당장 나갈 수는 없지만, 여섯 시는 어떠냐, 무교동의 춘경원에 가서 '영계백숙'이라도 먹지 않겠느냐고 말했다. 춘경원은 일전에 왔을 때 숙부와 들렀던 조선요릿집이었다. 이곳의 '노란좁쌀, 큰 대추, 인삼을 넣은 영계백숙'은 인삼이 들어간 특별요리로서 신문에도 자주 광고가 실리고 있었는데, 과연 다른 가게와는 달리 뭔가 다른 풍미가 있었고 몸에도 좋았다. 이방근은 뭔가 차가운 것, 냉면에 식초와 고추장을 듬뿍 풀어 땀을 흘리며 먹고 싶었지만, 그것도 괜찮을 듯싶어서 그렇게 하자고 답했다. 5-13-1:371

▶서울특별시 중구 무교동에 있던 한국요리점. 작품에 춘경원(春景苑)으로 등장하는 춘경원(春景園, 苑과 園은 통용됨)은 역사적인 장소이기도 하다. 1927년 12월 정통파 조선공산당에서 배제된 이영(李英) 등은 이곳에서 ML당(마르크스-레닌주의당을 줄여 ML당이라 부름. 1920년대 중반 사회주의 운동 그룹으로 혁명사, 레닌주의동맹, 고려공산청년회 만주총국(만주 공청), 서울파 사회주의그룹 신파, 일월회 등이 결합하여 만들어진 단체)의 정통성을 빼앗기 위해 그들과는 별도로 조선공산당을 결성하였다. 그러나 코민테

른(Comintern)의 승인을 얻지 못하였고, 1928년 4월과 6월 일제경찰에 일망타진되기에 이른다. 이들을 비정통파 조선공산당 또는 춘경원당(春景園黨)이라고도 한다.

충무로 │혼초 거리, 충무로1가│ 일제강점기에는 종로가 조선인들의 번화가였고, 당시 혼초(本町) 거리라고 불렸던 충무로는 서울의 중심가, 입구에 지금의 동화백화점 자리에 미쓰코시(三越)가 서 있던 일본인 거리로, 하루 종일 나막신 소리가 아스팔트 도로 위에 울려 퍼졌다. 5-11-5:112 ¶ 팔러는 보통의 다방보다 훨씬 넓었다. 해방 전에는 일본의 제과회사가 직영한, 지금의 충무로, 당시에는 일본인들의 메인스트리트인 혼초(本町) 거리 중에서도 현대식 가게의 하나로, 2층은 식민지 지배하의 문사들이 자주 회합을 갖던 곳이다. 6-14-8:233 ¶ 두 사람은 약속한 것처럼 충무로1가 쪽으로, 아까 이방근이 왔던 방향으로 발걸음을 옮기고 있었다. 하늘은 무겁게 저물어가고, 지상의 빛은 밝기를 더해가고 있었다. 10-22-2:54 ▶ 서울특별시 중구에 위치한 길. 충무로는 이순신 장군의 시호에서 유래하였는데, 서울특별시 중구 충무로1가 21번지(서울중앙우체국)에서 극동빌딩을 거쳐 충무로5가 8번지에 이르는 도로이다. 일제강점기에는 1914년 4월 1일부터 본정통(本町通)이라 불렀으며, 해방 후 1946년 10월 1일 일제식 명칭을 개정할 때 우리 명현·명장의 이름을 따 붙이면서 충무로로 가로명이 제정되었다.

충정로 그는 서대문우체국에서 서쪽으로 들어간 곳이라고 들은 것과, 상의 안주머니에서 꺼낸 수첩의 주소에 의지하여 우체국 옆길로 들어섰다./ 잠시 걷자, 길은 약간 오르막이며 전방에 보이는 구릉 기슭의 언덕으로 이어져 있었다. 주위는 주택가이고, 그 한 모퉁이에 있는 명성아파트는 곧 찾을 수 있었다. 충정로 서쪽의 깊숙한 곳이었다. 10-22-6:167 ¶ 그는 남대문로 앞에서 운전수에게, 안국동이 아닌, 지금 왔던 서대문 쪽으로 가 달라고 했다./ "서대문 우체국 옆을, 충정로 안쪽으로 가서, 계속가면, 공원이 있소, 작은 공원인데." 10-22-7:193 ¶ 둘이 탄 택시는 종로를 곧장

서쪽으로 벗어나, 충정로에서 서대문 방면으로 향했다. 이방근은 문난설의 장갑을 벗은 손을 잡아 자신의 무릎 위에 올려놓고 있었다. 11-25-7:401

▶ 서울특별시 서대문구에 위치한 길. 충정로는 1905년 을사조약 때 순국한 충정공(忠正公) 민영환(閔泳煥)의 시호를 붙인 데서 유래하였는데, 서대문구 충정로2가 8-2번지(서대문교차로)에서 미동초등학교를 거쳐 충정로3가 44번지(아현삼거리)에 이르는 도로이다. 1946년 10월 1일 일제식 지명을 우리 고유의 지명으로 바꿀 때 우리 역사에 길이 남아야 할 위인들의 이름을 가로명으로 제정하면서 일제강점기에 죽첨정(竹添町)이라고 하던 것을 충정로로 변경하였다. 이 길은 서대문 밖 의주로에서 신촌 방향과 광화문 방향을 잇는 도심 간선도로 구실을 한다.

칠성통 김동진은 가볍게 머리를 숙여 인사를 한 뒤 칠성통의 신문사 쪽으로 향했고, 이방근은 손을 가볍게 흔들며 우체국 모퉁이를 왼쪽으로 돌아 북국민학교 쪽으로 향했다. 1-2-4:220~221

▶ 제주특별자치도 제주시 일도1동 칠성1로에서 칠성2로까지의 도로. 이지역은 예로부터 '칠성단(七星壇)'이 있다 하여 칠성골로 불렸다.《증보탐라지》에 의하면 제주 성안에 돌로 만든 옛터 7개소가 있으니 고·양·부삼을나가 북두성(北斗星)을 따라 대를 세우고 일토·이토·삼토로 나누어 살았다고 전해진다. 특히, 일제강점기에 이 지역을 중심으로 근대적 형태의 상점들이 들어서기 시작한다. 당시 상점들은 관공서와 주택가가 몰려 있던 제주시 중심부(당시 제주읍 성안)인 칠성로와 관덕로에 주로 분포되어 있었는데, 이 가운데 유명 상점들은 거의 칠성로에 자리를 잡았다. 삼화상점(三和商店)과 반상점(伴商店)이 있었으며, 이들 상점에서는 미곡·주류·석탄·문구류 등을 판매하였다. 이 외에도 대산상점(大山商店), 촌전상점(村田商店), 대구상점(大龜商店), 전구상점(田口商店), 경성실(京城室) 등이 있었다고 한다. 해방 이후 칠성로는 제주상권의 중심지이자 문화 공간과 낭만의 장소로 이어졌는데 제주도에서는 최초로 '파리원'이라는 다방도 생겼다.

침악 │ 바늘오름, 바농오름 │ 제주읍 동쪽에 인접한 조천면의 Y리에서도 청년 여러 명이 4월 1일 한밤중에 마을을 나와, 중산간 부락인 태흘촌에서도 한참 올라가서 한라산 기슭에 기끼운 침악(針岳, 552미터)으로 향했다. 4-9-1:185

▶ 제주특별자치도 제주시 조천읍 교래리에 있는 기생화산. 높이는 552미터이며, 산정부에 원형의 화구와 서쪽 능선에 말굽형 화구를 동시에 지닌 화산체이다. 흔히 '바농오름' 또는 '바늘오름'으로 불렸는데, 한자를 차용하여 반응악(盤應岳, 盤凝岳), 침악이라고도 한다. 기생화산 주위에 가시덤불이 많아서 '바늘(針)'의 제주 방언인 '바농'을 붙여 바농오름(岳)이 되었다고 전해진다. 《탐라지》와 《제주군읍지(濟州郡邑誌)》의 〈제주지도〉 등에 '반응악(盤凝岳)'이라 기록되어 있고, 〈제주삼읍도총지도〉, 〈영주산대총도(瀛洲山大總圖)〉 등에 '침산(針山)'으로 기록되어 있다. 또한 〈제주삼읍전도〉에는 '반응악(飯凝岳)'으로, 〈조선지형도〉에는 '침악(針岳)' 등으로 표기되었다.

태평로 남대문에서 태평로 쪽을 바라보자 아직 네온사인이 깜빡이고 있었다. 잠깐 동안 바라본 네온사인의 명멸(明滅)이 묘하게 서커스 장식이나 완구의 빛처럼 보였다. 5-11-4:96 ¶ 달리기 시작한 택시의 차창으로 조금 전 역 건물의 그림자 주위를 살펴보았지만, 꽤 떨어져 있는 데다가 사람들의 왕래에 막혀 알 수가 없었다. 남대문 쪽부터 바로 태평로를 달리면서 뒤돌아보았지만, 미행하는 차 같은 것은 없었다. 무엇보다 미행당할 까닭이 없었다. 10-22-1:9

▶ 서울특별시 종로구에서 중구에 걸쳐 있는 길. 태평로는 남대문 서북쪽 현 대한상공회의소가 들어서 있는 부근에 태평관(太平館)이 있었던 데서 유래하였다. 태평관은 조선 초부터 임진왜란 때까지 명나라 사신이 머물던 숙소였다. 태평로는 종로구 세종로 139번지(세종로사거리)에서 중구 봉래동2가 122번지(서울역)에 이르는 길이다. 1912년 11월 6일 조선총독부고시 제78호 '조선시구개수예정계획'에 따라 이 길을 노폭 27미터로

시공하였다. 1914년 6월에 간행된 〈경성부명세신지도(京城府明細新地圖)〉에 '태평통(太平通)'으로 표기되어 있으므로 그 이전에 개통된 것으로 보인다. 해방 후 1946년 10월 1일 일제식 지명을 한국식 지명으로 바꿀 때 황토현사거리(세종로사거리)에서 남대문에 이르는 1,009미터 길이의 도로인 태평통을 '도로가 넓다'란 의미를 반영하여 태평로로 개칭하였다. 이후 2001년에 남대문로와 구간 조정하여 남대문~서울역 구간이 포함되었다.

통천각　미술관과 식물원, 야외공회당, 그리고 야구장, 나무가 무성한 산책로가 있는가 하면, 공원 변두리에는 통천각(通天閣)이 우뚝 솟아 있는 신세계 번화가도 있었다. 3-6-5:138

▶ 일본 오사카부 오사카시 나니와구(浪速區)에 있는 전망대. 원래 통천각은 1912년에 세워졌으나 1943년에 소실되었다. 현재의 통천각은 1956년에 다시 세워진 것이다.

파고다공원　어디를 어떻게 헤매고 다녔는지, 영상이 없는 막막한 안개 속을 빠져나온 곳에 펼쳐진 공원의 인파 속에서, 팔각정이 있는 그곳은 서울의 파고다공원이었다. 5-12-5:274

▶ 서울특별시 종로구 종로2가에 있는 공원. 원래 조선 세조 때에 세운 원각사(圓覺寺)가 있던 곳으로, 광무 원년(고종 34년)인 1897년에 당시 개항장의 해관 업무를 담당하던 영국인 고문 총세무사 브라운(J. M. Brown)이 설계하여 서울 최초의 근대식 공원으로 건립하였다. 3·1운동 때 독립선언문을 낭독한 곳으로 유명하며, 원각사지, 팔각정, 앙부일영(仰釜日影)의 대석(臺石), 십삼층탑, 귀부 비석(龜夫碑石) 등의 유적이 남아 있다. 1991년 10월 11일 탑골공원으로 명칭을 확정하였으며, 2011년 7월 28일 '서울 탑골공원'으로 명칭이 변경되었다.

평강　"어디까지 왔을까?"/"복계까지 왔다는군."/"아니, 바로 그 앞 평강까지 왔다지 아마."/"이미 벌써 철원에 도착했다던데."/ 뒤범벅이 된 말들이 난무했다. 군중들의 몸이 땀으로 끈적이는 저고리와 셔츠를 통해서 직접 맞닿고, 손은 흘러내리는 이마와 목덜미의 땀을 연신 훔치면서, 염천의 하늘 아래, 언제 도착할지도 모르는 소련군을 기다렸다. 5-13-1:374

▶ 강원도(북한) 남부에 있는 군. 동쪽은 김화군, 서쪽과 남서쪽은 이천군·철원군, 남쪽은 강원도(남한) 철원군, 북쪽은 세포군·판교군에 접해 있다. 1945년 8·15광복과 함께 남북 분단이 되면서 평강군 전역이 38도선 이북에 위치하였고, 1950년 한국전쟁을 거치면서 휴전선이 북상함에 따라 남면 정연리가 흡수되었다. 1954년 10월 〈수복지구 임시행정조치법〉에 따라 정연리의 행정권이 철원군에 이관되었다.

평양 "(…) 이번 4월 19일부터 이북 평양에서 열리는 남북정치협상회의 참가를 놓고 서울 장안은 뒤숭숭하다구. 무엇보다 단독선거를 그만두라고 반대하고 있는 김구 선생과 김규식 선생이 평양으로 가는 걸 미군정청도 이승만 박사도 막을 방법이 없으니까……. (…)" 5-11-4:100

▶ 한반도 서북부 중앙에 위치한 북한의 수도. 동쪽은 평안남도 회창군과 황해북도 연산군, 서쪽은 평안남도 대동군과 남포직할시, 남쪽은 황해북도 황주군·연탄군, 북쪽은 평안남도 평성시·성천군·평원군과 접해 있다. 4,000여 년의 역사를 지닌 고도(古都)로서 단군왕검이 도읍한 이래 기자조선·위만조선·낙랑·고구려 등의 도읍지였으며, 옛 이름은 왕검성(王儉城)·기성(箕城)·낙랑(樂浪)·서경(西京)·호경(鎬京)·유경(柳京) 등이다. 지금은 북한의 정치·경제·문화·행정·교육의 중심지로서 '혁명의 수도'로 불리고 있다.

표선 조직에서는 제주도 전체를 여섯 개의 작전 지구, 즉 한라산을 분수령으로 하여 제주도 북부는 서쪽으로부터 차례로 한림·애월 지구, 제주·조천 지구, 구좌·성산 지구, 그리고 남부는 서쪽으로부터 차례로 대정·안덕 지구, 남원·표선 지구, 서귀·중문 지구로 나누어, 각 지구 내의 오름, 즉 기생화산을 중심으로 한 근거지의 설정을 거의 마무리해 놓고 있었다. 3-7-6:389

▶ 제주특별자치도 서귀포시에 속한 행정구역. 표선면(表善面)은 동쪽으

로 성산읍, 서쪽으로는 남원읍에 접해 있다. 북쪽 중산간 지역이 남쪽 해안 지역보다 넓은 형상이다. 표선면은 행정구역상 많은 변천을 거듭하였다. 고려시대에는 토산현(兎山縣)에 속하였다. 조선시대 초기인 1416년(태종 16년) 정의현에 예속되었으며, 1609년(광해군 원년) 정의현 중면(中面)에 속하였다. 1915년 도제(島制) 실시로 제주도(濟州島) 동중면(東中面)이 되었고, 1935년 4월 1일 동중면이 표선면으로 바뀌었다. 1946년에는 남제주군을 설치하면서 남제주군 표선면이라 했다가 2006년 7월 제주특별자치도가 출범하면서 서귀포시 관할로 변경되었다.

하와이 "(…) 난 해방 후 미국 하와이에서 돌아왔지만, 이제 완전히 정나미가 떨어져 버렸단 말이오. 이 섬에 사는 인간들에게, 젊은 서방님을 포함해서 말이지, 이젠 정나미가 떨어졌단 말이오. (…)" 2-3-4:94

▶ 미국의 50번째 주. 샌프란시스코(San Francisco)에서 서쪽으로 3,857킬로미터 떨어져 있으며 8개의 주요 섬과 124개의 작은 섬들로 구성된 미국령 섬이다. 지형이 험해서 분지나 호수가 드물다. 1851년 미국의 보호령이 되었고, 1887년 미국은 진주만을 해군기지로 사용할 수 있는 권리를 확보하였다. 1941년에 진주만의 미국 해군 태평양 함대의 시설을 일본이 공격하자 미국은 제2차 세계대전에 참가한다. 1959년 하와이는 미국의 50번째 주가 되었다.

하이델베르크 "(…) 그리고 말이죠, 너는 무슨 그런 한가한 말을 하느냐고 나무라실지도 모르지만, 덕분에 그리운 내 하이델베르크가 아닌, 나의 제주도에 가 보고 싶다는 마음도 있습니다. (…)" 3-6-5:127~128

▶ 독일 바덴뷔르템베르크(Baden Württemberg)주에 위치한 도시. 라인강(Rhine River)의 지류인 네카어강(Neckar River) 강변의 대학도시이자 관광도시이다. 1386년에 설립된 독일 최초의 대학교, 하이델베르크대학교가 있다. 삼십년전쟁(1618~1648년)으로 폐허가 되었다가 1693년 프랑스인의 침략으로 도시가 거의 파괴되었다. 당시 남은 건물은 성령교회, 기사회관, 마르슈탈(Marstall, 옛 왕실의 마구간)뿐이었고, 현재 남아 있는 주요

건물들은 대부분 중세의 고딕 양식이 아닌 바로크 건축 양식으로 18세기에 지어진 것들이다. 이곳은 제2차 세계대전이 끝난 후 공장의 수효가 기하급수적으로 늘어났는데, 기계·정밀기기·가죽·담배·목제 제품이 이곳에서 생산된다. 현재의 주요 산업은 관광산업이다. 강가에 100미터 높이로 웅장하게 서 있는 하이델베르크(Heidelberg) 성이 대표적인 관광명소이다.

하카타 그런데 여기가 간몬 해협을 통과한 일본의 내해라는 것을 도대체 선창에 있는 누가 확인해 줄 수 있단 말인가. 여기가 하카타(博多)라고 할 수도 있었고, 사세보(佐世保)라고 할 수도 있었다. 선장의 말 한마디가 없었다면 어두운 선창에 누워 있으면서 여기가 어디인지, 어디로 끌려가는 것인지 알 도리가 없었다. 눈가리개를 하고 어딘가로 끌려가는 것과 조금도 다를 바가 없었다. 2-5-3:362

▶ 일본 규슈 북부 후쿠오카현 후쿠오카시의 동부 지역. 하카타만에 접해 있는 항구도시로, 중세시대에 무역도시로서 번창했다. 한반도와의 교통 요충지로도 발달하였다. 메이지 시대에는 후쿠오카와 함께 후쿠오카시로 지정되어 현재에 이르고 있다. 하카타라는 지명은 하카타구로 남았다.

한국은행 눈앞의 충무로 입구 쪽으로 사람들이 오가고, 왼쪽의 남대문길 모퉁이에 한국은행의 석조건물 돔이 밤하늘 밝은 빛에 반사되어 그림자를 뚜렷이 부각시키고 있었다. 화강암을 쌓아 올린 건물의 네 귀퉁이가 각각 돔 형식을 취한 르네상스풍의 당당한 건축물은, 일본은행 본점을 본떠 만들었다고 한다. 서울역, 과거의 경성역도 마찬가지로 르네상스풍의 도쿄 역과 닮아 있었다. 7-16-8:193~194

▶ 서울특별시 중구 북창동에 소재한 대한민국의 중앙은행. 1950년 6월 12일에 업무를 개시한 금융기관으로, 1948년 대한민국 정부가 수립된 직후 근대적 금융제도를 확립하고 통화신용정책을 시행하고자 창립되었다. 한국의 중앙은행제도는 1909년 구한국은행(舊韓國銀行)이 설립되면서 처음 도입되었다. 구한국은행은 국권피탈 후 1911년 일본이 〈조선은행

법〉을 제정·공포함에 따라 같은 해 8월 조선은행(朝鮮銀行)으로 개편되어 발권, 국고업무 등 중앙은행의 기능과 함께 일반 은행 업무를 겸영하였다. 하지만 일제강점기에 설립된 조선은행은 중앙은행 본연의 기능을 수행하는 데에 한계가 있었으며 1948년 정부 수립과 함께 중립적인 중앙은행의 설립이 절실히 요구되었다. 이에 1950년 5월 5일 〈한국은행법〉을 공포하여 같은 해에 한국은행을 창설하였다. 이후 1997년 12월 한국은행의 중립성과 자율성을 제고하고 한국은행으로부터 은행감독 기능을 분리할 목적으로 〈한국은행법〉을 전면 개정함으로써 중앙은행제도가 크게 바뀌었다. 한국은행의 기존 은행관리감독 기능은 1998년 4월 1일 신설된 금융감독위원회 및 금융감독원으로 이관되었다. 현재 한국은행에서는 화폐 발행을 비롯하여 통화신용정책의 수립과 집행, 금융 시스템의 안정, 지급 결제 제도의 운영 및 관리, 외환 자산의 보유 및 운용, 경제 조사 및 통계 작성 등을 주로 담당한다.

한라산　바람은 하얀 등대가 서 있는 해발 백 수십 미터의 사라봉 절벽에 힘껏 부딪혀 소용돌이치다가 바다를 가르며 차오른 뒤 사라봉 위로 빠져나간다. 그리고 밭과 언덕, 광야를 지난 바람은 섬 중앙에 솟아 있는 한라산으로 향한다. 1-서:11 ¶ 세 사람은 한동안 산 쪽에서(이 섬에서 산이라고 하면 영봉(靈峯)으로서 사람들의 신앙 산이기도 한 한라산을 말한다) 켜졌다 꺼졌다 하는 여러 개의 봉화를 바라보고 있었다. 2-5-1:324 ¶ 길과 지형은 점차 경사를 이루면서 서서히 한라산 기슭으로 수렴되는 광대한 고원지대가 보이는 주변까지 이르렀다. 자연의 목장을 이룬 고원의 일각에 풀을 뜯는 말과 소의 무리가 띄엄띄엄 흩어져 보였다. 한라산은 하늘 끝의 그림자가 내려앉은 것처럼 짙은 색의 실루엣으로 변하면서 윤곽을 무너뜨리려 하고 있었다. 돌아보니 저 멀리 지는 해에 반사되어 반짝이는 바다가 한눈에 들어왔다. 8-19-8:467~468

▶제주특별자치도 중앙에 있는 높이 1,947미터의 산. 한라산(漢拏山)의 '한(漢)'은 은하수(銀河水)를 뜻하며, '라(拏)'는 '잡아당기다' 혹은 '붙잡다'

를 뜻하는데, 산이 높으므로 산정(山頂)에 서면 은하수를 잡아당길 수 있다는 의미에서 붙은 이름이다. 한라산의 산정은 남극노인성을 굽어볼 수 있을 정도로 높고 광활하며, 이 별을 본 사람들은 장수한다는 믿음이 있었다. 한라산은 봉우리가 평평하다 하여 '두무악(頭無岳)', 활이나 무지개처럼 둥글게 굽어 있다 하여 '원산(圓山)'이라 부르기도 한다. 다른 말로는 '두모악(豆毛岳)'이라고도 하는데, 산의 꼭대기에 못이 있어서 마치 물을 담은 그릇과 닮았기 때문이다. 하지만 봉래산(금강산), 방장산(지리산)과 더불어 삼신산의 하나로 일컬어지는 영주산(瀛洲山)이 한라산을 가장 두드러지게 하는 이름이다. 제주 한가운데 우뚝 솟은 영주산은 중국 진시황이 서복(徐福)에게 동남동녀 500명을 거느리고 가서 불로초를 찾아오도록 명했다는 전설이 있을 정도로 신령한 산이다. 한라산을 오르는 입구에는 방선문(訪仙門)이 있고, 영주10경의 하나인 영구춘화(瀛丘春花)로도 알려진 이곳을 지나면 선계(仙界)로 올라 신선을 만날 수 있다고 한다. 그 신선이 백록(白鹿)을 타고 한라산을 돌아다니다 산정 호수의 맑은 물을 백록에게 먹인다고 하여 그곳이 '백록담'이 되었다.《세조실록(世祖實錄)》에는 1464년(세조 10년) 2월에 "제주에서 흰 사슴을 헌납하였다(濟州獻白鹿)."라고 기록되어 있다. 조선 초기의 문신 권근(權近)은 한라산을 보고 "푸른 한 점은 한라산이요, 멀리 넓은 바다엔 파도 소리뿐"이라 하였고, 중기의 문신 김상헌(金尙憲)은《남항일지(南航日誌)》에 한라산은 영산일 뿐 아니라 장엄하다고 기록하였다. 실학자 이중환(李重煥)역시 그의 저서《택리지(擇里志)》에 한라산을 "신선이 노는 곳"이라고 표현하였다. 또한 조선 후기의 문신 장한철(張漢喆)의《표해록(漂海錄)》에는 "어떤 이는 일어나 한라산을 향해 절을 하면서 '흰 사슴을 탄 신선이시여, 나를 살려주십시오, 나를 살려주십시오! 설문대 할머니, 나를 살려주십시오, 나를 살려주십시오!' 하고 빌었다."라는 내용이 있다. 해상을 표류하다가 구사일생한 사람들이 한라산을 향해 살려달라고 기원하였다는 것이다. 한편, 오늘날 한라산의 기슭 곳곳에는 일제강점기에 제주를 요새화하며 만든 진지(陣地)가 남아 있다. 한라산 중턱은 제주4·3사건 당시 게릴라 부대가 잠복하여 작전 지구로 삼은 공간이며, 봉기의 시발 신호로 봉화가 타오르던 곳이기도 하다.

한림면 | 한림, 한림리 | "(…) 최근만 해도 한림면에서는 '서북'과 경찰의 부당한 탄압에 마을 청년들이 38식 보병총과 수류탄, 일본도를 들고 맞서서, 적들이 감히 마을에 들어오지 못하게 했고, 또……."3-7-1:257 ¶주둔지인 한림에서 축하연에 참가했던 현 중위가 박 대령을 미행, 일찍부터 뜻을 같이하던 연대 당직 정보계 하사관과 실행을 결의하고, 그 심복인 위생병에게 지시해서 연대장을 살해했다는 것이 조사 결과 밝혀진 것이다. 5-13-4:468~469 ¶7월 말, 한림의 경찰 토벌대가 한림리 근처 여러 부락의 남북 총선거를 위한 지하투표운동을 궤멸시키기 위해, 일개 소대 규모의 병력으로 작전을 전개했는데, 사전에 정보를 입수한 지구의 무장민위대가 적의 트럭이 통과하는 지점 한 곳에 잠복해 공격 작전을 펼쳤다. 8-19-1:257

▶제주특별자치도 제주시에 속한 읍. 한림의 옛 이름은 '한술' 또는 '한수풀'이다. '한'은 '큰'의 뜻을 가진 고유어이고 '술'은 '수풀' 또는 '덤불'의 뜻을 가진 제주 방언으로, 한자로 대림(大林)으로 표기된다. 한림(翰林)이라는 표기는 19세기 말 문헌인《제주군읍지》에 나타난 이후 현재까지 사용되고 있다. 해방 후 1946년 8월 1일 제주도(濟州道)로 승격함에 따라 제주도 북제주군 한림면이 되었다. 한국전쟁 이후인 1956년 7월 8일 한림읍으로 승격하여 오늘에 이르고 있다.

한신 "(…) 일본에서도 지난 4월에 한신(阪神) 조선인교육 사건 등이 있어서, 조선인 학교의 폐쇄나 조선인 단체의 해산과 같은 야만적인 탄압이, 그야말로 일본 경찰의 무장탄압이 지금도 전국적으로 이루어지고 있고, 재일조선인은 해방 후 3년이 채 못 돼서 큰 곤경에 처하고 말았지만요. (…)"6-14-1:25

▶일본의 오사카와 고베를 중심으로 하는 오사카만 연안 지대. 인구 밀집

지대로, 재일조선인이 대거 거주하고 있다.

한천 이방근은 박산봉의 부재를 확인한 뒤, 서문교가 걸려 있는 병문천(屛門川)보다 조금 더 서쪽을 흐르고 있는 한천(漢川)을 건너면 나오는 용담리의 김동진이 살고 있는 집에까지 가 보겠다는, 자신의 다음 행동을 충동적으로 정해 버렸지만, 이건 매우 납득하기 어려운 일이었다. 4-10-3:424

▶ 제주특별자치도 한라산의 백록담에서 발원하여 용연(龍淵)으로 흐르는 하천. 한천은 한라산에서부터 아라동, 오라동, 오등동을 거쳐 용연과 동·서한두기(용담리) 사이의 바다와 이어지는 건천이다. 제주시 지역에서 가장 크고 긴 내(川)인데, 크고 긴 내여서 '한내' 또는 '대천', '한천', '므르내'라고 한다. 대천(大川)과 한천은 음과 뜻을 빌린 이두식 표기이다.

함남(함경남도) "나는 이북 함남(함경남도)으로, 이조 태조(이조 태조 이성계)의 아버지, 환조의 고향인 영흥입니다. 그런데, 어떻습니까, 아바이 순대는 맛있습니까……. (…)" 7-16-8:201

▶ 한반도의 동북부에 있는 도. 북한의 동·서 해안 지역과 남북 지역을 연결하는 결절 지역으로, 동쪽은 동해에 면해 있으며, 서쪽은 자강도·평안남도, 남쪽은 강원도, 북쪽은 양강도, 북동쪽은 함경북도와 접해 있다. 도 중심부에 함흥공업지구가 있어 육상·해상 교통이 발달했다. 도청 소재지인 함흥시는 동해안 일대의 교육·문화의 중심지로서 각급 교육기관과 문화시설이 집중해 있다.

해신사 "S리의 중동이라면, 마침 선창이 있는 주변입니다. 그곳의 해안을 따라 도로 옆 쑥 들어간 곳에 해신사(海神祠)라는 조그만 사당이 있잖습니까?"/"음, 있지, 해신사를 본 적이 있어."/"옛날부터 마을 여자들이 거기에 참배를 하여 멀리 출어한 마을 남자들의 무사귀환을 기원했는데, 이번 토벌대의 중동습격은 거기에서 산에 들어간 마을 청년과 남편들, 인민유격대의 승리와 무사를 기도하는 제사를 거기에서 지냈다는 이유를 들고 있습니다. 그러나 이건 날조된 구실이고, 모친이나 아내들이 해신사에서 입산한 자식이나 남편들의 무사를 몰래 기도했다는 것은 사실이겠지만, 그래도 중동의 주민이 모여서 제사를 지냈다는 것은, 탄압을 위한 구실입니다. (…)"10-23-2:237~238

▶ 제주특별자치도 제주시 화북동에 있는 제당(祭堂). 화북 포구를 통하여 바다를 드나드는 배의 안전을 기원하는 사당으로, 해신사의 역사는 비교적 뚜렷하게 기록으로 남아 있다. 해신사는 1820년(순조 20년), 당시 제주목사 한상묵(韓象默)이 뱃길의 안전을 기원하고자 지은 제당이었다. 1841년(헌종 7년)에 방어사 이원조(李源祚)가 한 차례 건물을 보수하였고, 1849년(헌종 15년)에는 방어사 장인식(張寅植)이 돌에 '해신지위(海神之位)'라는 글자를 새겨 보존하도록 하였다. 1975년에 사당이 낡고 공간이 좁아 본래 위치에서 서북쪽 해안으로 자리를 옮겨 지금의 모습을 갖추게 되었다. 본래 바다의 신인 용왕, 즉 해신(海神)에게 제사를 지낼 목적으로 세운 제당이었으나 유교식으로 제사를 행하면서 해신당이 아닌 해신사로 이름을 바꾸었다. 해신사에서는 출항을 앞두고 제사를 지냈을 뿐만 아니라 매년 정월대보름날에도 제사를 크게 올렸다. 이러한 의례가 언제부터 시작되었는지는 정확히 할 수 없으나 지금의 제주항이 제1관문의 구실을 하기 전까지 화북 포구는 제주의 주요한 관문이었다. 주요 항로의 거점이 화북항에서 제주항으로 이동함에 따라 해신사에서 항로의 안전과 무사귀환을 기원하는 의례는 점차 사라져 갔다. 이에 따라 1989년부터 마을의 안녕과 수복을 비는 내용의 축문으로 바꾸어 화북동의 마을제로 지내고 있다. 이는 제사를 앞두고 사흘 동안 정성을 들인 뒤 매년 정월 초닷샛날 새벽에 지내며, 마을 해녀와 어부들의 안전과 풍요를 기원하는 제사로 봉행된다. 해신인 용왕에게 유교식 공동제사를 먼저 지낸 후 개인적인 비념을 드린 다음에 '지드림'을 한다. '지드림'이란 백지에 음식을 싸서 바다에 던지는 행위로, 용왕과 바다에 빠져 죽은 영혼들을 기리는 행위이다. 해신제의 제관(祭官)은 헌관(獻官) 세 명과 집례(執禮), 대축(大祝) 등 다섯 명으로 구성된다.

해주시 "(…) 참, 이 동지도 알고 있겠지만, 3, 4일 앞으로 다가온 이번

21일부터 38선의 바로 북쪽에 있는 해주시에서 남조선인민대표자회의가 열립니다. (…)" 6-14-7:183~184

▶ 황해도 남서부에 위치한 시. 동쪽은 정난군, 서쪽은 벽성군, 남쪽은 서해, 북쪽은 신원군과 접해 있다. 고려시대에는 서해도 관찰사영(觀察使營)이 있었고, 조선시대에는 황해도의 감영 소재지로서 중심지 역할을 한 도시이다. 1895년(고종 32년) 부제(府制) 실시로 해주부가 설치되었고, 그 후 도제(道制) 실시로 황해도의 도청 소재지가 되었다. 1940년 해주항이 개항장으로 되었으며, 8·15광복이 되면서 시로 승격되었다. 북한 행정구역 개편에 따라 1954년 황해도가 남도와 북도로 분리될 때 황해남도에 속하면서 도청 소재지가 되었다. 예로부터 서울과 평양·중국 등을 연결하는 교통의 요지였다.

현저동 우상배가 전화로 언급한 것처럼 서대문형무소 근처 현저동에 있는 숙소인 의원에서 찾아온 것은 정오가 좀 지나서였다. 6-14-1:9 ¶ 조사단 파견은 4, 5일 전 현저동의 고의원 집에서 열린 동향회의 결정 사안에 대한 실현이었고, 일곱 개의 사회단체 정당이 참가해서 내일 27일에 서울을 출발할 예정이었다. 7-1-17:239 ¶ 이방근은 황동성에게 서대문 어디 근처냐는 질문을 받고, 아니, 정확히는 서대문이 아니라, 조금 멀어지지만 서대문을 경유한 현저동까지 갔으면 한다고 대답했다. 서대문 근방에서 내리면 혹시 문난설의 아파트에라도 가는 것이라고 의심받을 것을 염려했다. 현저동은 서대문에서 좀 더 달려야 하지만, 고병삼 의원을 떠올린 것이었다. 10-22-6:163

▶ 서울특별시 서대문구의 천연동(天然洞) 관할 아래 있는 동. 현저동(峴底洞)은 인왕산과 안산(무악)이 이어지는 무악현의 아래에 있던 데서 동명이 유래하였다. 조선시대에는 한성부 서부 반송방(성외)에 속하였다. 갑오개혁으로 행정구역을 개편하면서 1895년 5월 26일 서서(西署) 반송방 지하계 모화현이라 하였다. 1911년에는 경성부 서부 모화현이 되었고, 1914년 4월 1일 한성부 행정구역을 대폭 개편하면서 경성부 현저동이 되었다.

1936년 4월 1일 경성부의 관할구역이 확장되고 동명을 일제식으로 바꿀 때 현저정이 되었고, 1943년 6월 10일에 구제도(區制度)를 실시하면서 서대문구 현저정이 되었다. 1946년 10월 1일 일제식 동명을 한국식 동명으로 바꿀 때 서대문구 현저동이 되었고, 1998년 10월 천연동과 통합되었다. 서대문형무소와 서대문독립공원이 이곳에 있다.

현해탄 어머니와 고향의 여자들이 배에 타기 전에 돼지비계 같은 지방을 먹어 두면 묘하게도 배 멀미를 하지 않는다고 한 말이 떠올랐다. 현해탄을 건널 때는 롤링과 피칭이 동시에 일어나고 배가 파도 사이에서 몸부림을 치며 나아가는 바람에 바닥이 거의 수직으로 올라와 벽처럼 느껴질 정도로 기울어지면 인간도 굴러다니지 않을 수 없었다. 2-5-2:357

▶ 일본 규슈 북서쪽의 해역. 한국과 규슈를 잇는 해상 교통로로, 수심이 얕고 풍파가 심하다. 대륙붕이 전개되고 쓰시마 해류가 흘러 세계 유수의 어장으로 알려져 있다. 이 해역을 뜻하는 '玄界灘(현계탄)'의 일본어 발음인 '겐카이나다'를 '玄海灘'으로 잘못 옮겨 쓰면서 한국어 독음인 '현해탄'이 일제강점기에 한국과 일본 사이의 바다인 지금의 대한해협을 지칭하는 것으로 오인되어 왔다.

혼인지 온평리에서 남쪽으로 약 5백 미터쯤 들어간 황량한 평지에, 거의 잡목으로 둘러싸인 연못이 있는데, 그 이름은 혼인지(婚姻池)라고 한다. 그 옛날, 사람이 없던 땅에서 세 처녀를 맞이한 삼성, 즉 삼을나가 함께 이 연못에 찾아와 목욕을 하고 혼인을 했다는 것이 연못 이름의 유래이다. 연못의 물은 긴 가뭄에도 마른 적이 없었고, 연못 옆에 있는 작은 동굴은 세 쌍의 남녀가 첫날밤을 함께한 곳으로 전해지고 있다. 8-18-6:153

▶ 제주특별자치도 서귀포시 성산읍 온평리에 있는 성소(聖所). 제주의 중산간 마을에서 흔히 볼 수 있는, 봉천수(빗물)로 된 이 연못은 삼성혈(三姓穴), 삼사석(三射石)과 함께 제주의 개벽신화에 등장한다. 삼신인(三神人)인 삼을나가 한라산에서 사냥을 하다가 바닷가(현 온평리 '황노알')로 내려와 멀리 벽랑국에서 찾아온 세 공주를 맞아 이곳 혼인지에서 목욕재계

하고 혼인을 하였다고 한다. 혼인식을 올린 후에는 연못 옆에 있는 바위 그늘에서 지내다가 각각의 영토를 정하여 정착하였다고 전해진다. 삼신인이 목욕한 연못을 혼인지라 부르며, 신방을 꾸몄던 굴을 신방굴(神房窟)이라고 한다. 제주의 동쪽 암반지대에 조성된 혼인지는 지역 주민들 사이에서 '흰죽' 또는 '흰죽물'로도 불리는데, 혼인지의 음가가 시간이 흐르며 변한 것으로 추정된다. 혼인지는 웬만한 가뭄에도 연못의 바닥이 드러나지 않아 상수도가 보급되기 이전인 1970년대까지 인근 지역의 식수와 농업용수로 사용했다.

홋카이도 남승지는 용백이 전시 중에 일본의 홋카이도(北海道)까지 강제노동으로 끌려갔던 일을 알고 있었는데, 또 이방근으로부터도 용백의 출생과 성장과정에 관련된 이야기를 들은 바 있었다. 6-15-3:320

▶ 일본 최북단에 위치한 섬이자 행정구역. 일본 열도에서 혼슈 다음으로 큰 섬이다. 서쪽은 동해, 북쪽은 오호츠크(Okhotsk)해, 동쪽과 남쪽은 태평양에 접해 있다. 몇몇 작은 섬과 함께 행정구역 상 도(道)를 이룬다. 본래 토착민인 '아이누(Ainu)족'이 살던 곳으로 에조치(蝦夷地)라고 불렸던 이 지역에 1869년 개척사(開拓使)를 두고 에조를 홋카이도로 개칭하였다. 주도(主都)는 삿포로(札幌)로, 행정·산업·상업·관광의 중심지이다. 그 밖의 주요 도시들로는 하코다테(函館)·오타루(小樽)·무로란(室蘭) 등의 항구도시가 있다.

화북리 예를 들어, 우리가 북제주군의 화북리라는 부락에 갔을 때, 열다섯 살 정도의 아이가 그 아버지의 시체를 부둥켜안고 있는 것을 본 순간, 박 대령은 그 자리에서 무조건 아이를 사살해 버렸다. 7-16-3:78

▶ 제주특별자치도 제주시에 속한 행정동. 옛 이름은 벨돗개 혹은 벳뒷개이다. 문헌상 화북(禾北)이라는 명칭은 17세기 중반부터 사용되었으나 이보다 먼저 별도(別刀)라는 이름이 쓰였다. 19세기 말부터 잠시 공북리(拱北里)라 불리다가, 1908년부터 다시 화북으로 바뀌어 현재까지 행정 지명으로 사용되고 있다. 본래 제주군 중면에 속해 있던 지역으로 별인내(구

산천)가 되므로 벨도, 별도동, 별도, 별도천 또는 화북이라 하였는데, 1914년 행정구역 개편에 따라 화북리로 제주면에 편입되었다. 1955년 제주읍이 시로 승격되고 기존 25개 리가 40개 동으로 개편될 때 제주시에 편입되어 화북1동과 화북2동으로 분리되었다. 1962년 제주시 40개 동이 14개 행정동으로 개편되면서 다시 화북동이 되었다.

화신백화점 두 사람은 남대문로의 전찻길로 나와 있었다. 왼쪽 종로 네거리에 화신백화점의 땅딸막한 건물이 보였다. 모레를 위해 일찌감치 육층 옥상에서 늘어뜨린 '경축 대한민국 정부 수립'이라는 큰 현수막이 바람에 나부끼고 있었다. 오른쪽으로 가면 명동, 남대문 방향이었다. 5-13-2:400 ¶황혼의 거리로 나온 그는, 화신백화점의 그림자가 우뚝 솟은 종로 1가까지 걸어가서는, 교차로를 건넌 다음 종루 앞에서 남대문 방면의 만원 전차를 타고, 종로까지 걸어온 것과 같은 정도의 거리인 한국은행 앞에서 내렸다. 10-22-2:49 ¶어느새 두 사람은 화신백화점 앞 공중전화부스 옆에 와 있었다. 이방근은 그녀의 장갑 낀 손을 맨손으로 세게 잡았다가 놓으며 부스 안으로 들어가, 건수 숙부에게 오늘 밤 돌아갈 수 없다는 취지를 알리고 나왔다. 문난설의 방에서 전화를 할 생각은 없었다. 11-25-7:401 ▶1932년 박흥식(朴興植)이 서울(현 종로구 공평동)에 설립한 백화점. 동아부인상회를 경영하던 최남(崔楠)은 1932년 1월부터 최초의 한국인 백화점인 동아백화점(東亞百貨店) 영업을 개시했다. 한편, 화신백화점(和信百貨店)은 본래 신태화(申泰和)의 화신상회에서 출발했는데, 경영난을 겪자 박흥식이 인수해서 1931년 9월 ㈜화신상회를 설립했고, 이를 1932년 5월 화신백화점으로 발전시켰다. 당시 화신백화점은 약 500평 넓이의 콘크리트 3층 건물로 종업원 153명이 종사했다. 그런데 동아백화점과 화신백화점은 종로에 나란히 위치하면서 과도한 출혈 경쟁을 벌였고, 이 때문에 큰 손실을 입었다. 양자가 타협 끝에 박흥식은 1932년 7월 동아백화점을 인수 합병했다. 이로써 화신백화점은 경성 유일의 한국인 백화점이 되었으며, 1945년 해방 이후에도 영업을 계속했다. 1946년 12월 화신주식회사에서 독립해 자본금 2,000만 원의 화신백화점이 설립되었다. 1950년 1월 다시 화신주식회사와 통합해 자본금 3억 원의 화신산업주식회사로 운영되었다. 1970년대 이후 과도한 사업 확장과 투자로 1980년대 들어 화신백화점을 운영하던 화신그룹이 해체되었고, 그 결과 화신백화점도 1986년 영업을 마감했다.

효자동 "효자동이에요." 상대는 조금 망설이듯 말했다. "저어, 파티 장소에요. 우리들의 사교장인 살롱입니다. 이 선생님은 별로 관심이 없으시겠지만……." 6-14-7:189

▶ 서울특별시 종로구의 법정동. 효자동(孝子洞)은 조선 선조 때 학자 조원(趙瑗)의 아들 희정(希正)·희철(希哲) 형제가 효자로 이름 나 나라에서 이들에게 내린 정문(홍살문)이 효자동 100번지에 있어 이 마을을 '효곡(孝谷)'이라고 한 데서 유래되었다. 효곡·쌍효자거리·쌍효자가·쌍효잣골·효잣골이라고도 하였다. 1947년 6월 효자동회가 설치되어 효자동 일원을 관할하였다. 1970년 5월 5일 이전의 청송동과 백송동을 통폐합한 효자동이 신설되어 효자동·창성동·통의동·적선동 일원을 관할하게 되었다. 2008년부터 행정동 효자동과 청운동을 합하여 설치한 청운효자동에 속하게 되었다.

후세 │후세역│ 세 사람은 택시를 타고 동오사카의 후세(布施)로 향했다. (…) 긴테쓰(近鉄) 후세 역 북쪽 입구 부근에서 택시를 내렸다. 2-5-8:518

▶ 일본 오사카부 히가시오사카시(東大阪市)의 일부 지역. 공업지대로서 긴키닛본철도 긴테쓰오사카선·나라선이 지나간다.

흥남 어쨌든 경천동지(驚天動地)의 현실 속에서, 방대한 무기를 바다에 버리기 위해 다시 산에서 운반하는 고역을 견딜 만한 정열은 더 이상 일본군에게 남아 있지 않았다. 그렇다고 해서, 패전과 함께 북한의 흥남 공업지대를 비롯한 한반도의 모든 주요 공장시설을 파괴해 버린 일본인들이 무기를 그대로 우리 손에 넘겨줄 리도 없었다. 2-5-8:499~500

▶ 함경남도 중서부 해안에 있는 시. 흥남(興南)은 함흥(咸興)의 남쪽이라

는 뜻으로, 동해와 인접하고 있어 어업이 발달한 도시이다. 1927년 일본의 재벌 노구치(野口)의 조선 질소비료 주식회사(일본 질소비료 주식회사가 설립한 비료 회사)의 비료공장이 설립되고, 장진강·부전강 수력발전소(각각 1932년 건설, 1929년 11월 준공)가 들어서면서 대표적인 중화학 공업 도시가 되었다. 이곳은 중일전쟁 이후 일본의 군수산업기지로 변화하여, 화약을 비롯하여 각종 첨단 무기, 비행기 외강판, 항공연료 등을 생산하였다.

히라노천 | 히라노강, 히라노 운하 | 상점가와 교차하는 네거리에서 왼쪽으로 돌았다. 곧장 가면 '운하'라 불리는 히라노(平野) 천의 다리가 나오는데, 그 왼쪽으로 파출소가 있었다. 동해고무는 히라노 천의 맞은편에 있다고 하니까 강몽구는 파출소를 피하려 했는지도 모른다. 2-5-6:462

▶ 일본 오사카부의 가시와라시(柏原市), 야오시(八尾市)와 오사카시를 흐르는 하천. 특히, 오사카시의 코리아타운인 이쿠노구와 히라노구 일대를 남북으로 가로질러 흐르는 히라노강(平野川)은 장마철에 범람이 빈번하였다. 이에 침수 피해를 예방하고 군수물품을 운반하고자 히라노 운하 준설 공사(1919~1923년)가 이뤄졌는데, 여기에 재일조선인 노동자들이 대거 동원되었다.

지명

풍
속

4

풍속

색인

갈칫국　생각지도 못한 특별 대접이었다. 두께가 2센티는 족히 돼 보이는
기름진 갈칫국이 입맛을 돋운다. 1-1-4:113~114

▶ 제주의 향토 음식으로, 낚시로 잡아 올린 갈치를 은비늘이 붙은 상태에
서 지느러미를 제거하고 토막을 내어 호박과 함께 끓인 국이다. 예로부터
제주 사람들은 집에 찾아온 귀한 손님에게 갈칫국을 끓여 내놓는 것이
최고의 대접이라 여겼다.

게젓갈　안주로 나온 게젓갈과 김치를 먹은 뒤, 다시 두꺼운 사발을 입술에
갖다 대고 술을 흘려 넣었다. 5-11-4:86

▶ 제주에서 게를 '깅이'라고 부르는데, 이 깅이를 간장에 넣어 발효시킨
젓갈을 '깅이젓'이라고 한다. 서귀포 해안의 조간대에는 화산암이 발달하
여 이 깅이들이 무리를 지어 서식한다. 3월에서 5월 사이, 가장 물때가
큰 시기에 마을 사람들이 앞바다로 나가 돌을 뒤척이면서 통통하게 살이
오른 깅이를 잡는다. 알이 꽉 찬 봄철 깅이를 잡아 깨끗이 씻은 후 소금물
에 담가 해감을 하여 조림을 하거나 젓갈을 담가 반찬으로 즐겨 먹었다.
서귀포에서 깅이는 해녀들이 물질과 밭일에 지쳐 뼈나 관절이 아팠을
때 먹는 보신 음식이었다.

결혼식　"식사……? 결혼식에 갈 사람이 식당에 가면 남들이 웃습니다. 잔
칫날엔 실컷 먹고 마시는 게 예의니까요."/ "아침부터 아무것도 먹지 않았
네. 예의는 현장에서 충분히 차려야지. 어쨌든 가자고, 따라오게." 1-2-1:151

▶ 제주의 전통 혼례는 육지의 지역과 다른 점이 많다. 납채(納采, 신랑
집에서 신붓집에 혼인을 구하는 의례)와 친영(親迎, 신랑이 신붓집에 가서 신
부를 직접 맞이하는 의례)은 육지와 정반대이고 대례(大禮)와 같은 예식
없이 신부를 곧장 신랑 집으로 데려간다. 즉, 신랑은 상객들과 같이 '홍세
함(예장과 폐물을 담은 함)'을 갖고 신붓집에 가서 중방(신부 측 안내자)의
안내를 받아 방에 들어가 상을 받고, 신부는 부모에게 인사를 올린 후
신랑과 함께 신랑 집으로 간다. 이날 신붓집에서는 잔치를 벌인다. 결혼식
다음날 신랑과 신부는 시아버지, 백부와 함께 친정집으로 가 인사를 드리

고 신랑은 신붓집에서 하룻밤을 묵고 온다. 전날 가문잔치, 혼인식 당일 잔치, 신붓집과 신랑 집에서의 사돈잔치까지, 양가에서 최소 사흘 이상 총 여섯 번의 잔치를 벌여 혼인 의례를 치른다.

고방 그 학생 한 사람을 잡으려고 수상쩍은 곳은 전부 가택수색을 하였는데, 하숙집에도 찾아와 고방까지 이 잡듯이 찾다가 철수했다. 그런데 막상 그 학생은 그 고방 안에 숨어 있었던 것이다. 고방에는 쌀과 보리, 좁쌀 등의 곡물을 담아 놓은 큰 질그릇 항아리가 여러 개 놓여 있었는데, 가장 안쪽의 빈 항아리 안에 숨어 있었다고 한다. 5-12-2:202

▶ 제주의 전통 가옥에서 곡식을 보관하는 창고이다. 주로 곡물 등 식품을 보관하는 공간인데 반드시 큰구들(안방) 뒤편에 배치되어 있다. 제주의 가옥은 마당을 중심으로 안거리(안채), 밖거리(바깥채), 모커리(별채) 등으로 공간이 분할되며, 안거리와 밖거리에는 저마다 상방(마루), 구들(방), 정지(부엌), 고팡(곳간)이 있다. 고팡은 상방을 사이에 두고 큰구들 가까이 위치하며, 고팡문은 상방에서 통할 수 있는 두 짝의 판문으로 세워진다. 바닥은 지면보다 높게 다진 흙바닥으로 만들며 환기와 채광을 위해 1~2개의 작은 창을 낸다. 고팡에서는 일반적으로 큰 항아리에 곡물을 담아 양쪽 벽면에 세워 보관하고, 가운데는 통로로 사용한다. 제주 사람들의 절약 정신인 '주냥 정신'은 바로 이 고팡에서 기원한다고 볼 수 있는데, 곡물 항아리 옆에 작은 항아리를 별도로 두어 곡식을 퍼갈 때마다 정량에서 한 줌씩 덜어내어 작은 항아리에 비축해 두었다. 이를 '주냥'이라고 한다. 고팡을 큰구들 옆에 두는 것은 그만큼 식량을 매우 귀하게 여겼다는 제주인의 인식에서 연유한 것이다. 예전에는 밖거리에 있는 자식에게 안거리를 내어줄 때 '고팡물림'을 한다고 표현하였다.

고사리나물 "알겠습니다. ······가만있자, 소주였었지, 안주는 어떻게 해?"/ "······김치 아닐까, 그렇지, 고사리나물이라도 가져오든가. 간단하게 가져와." 2-3-1:25

▶ 말려 둔 고사리를 삶아서 양념을 쳐서 먹는 '고사리나물'은 제주에서

'고사리탕쉬'라고 부른다. 명절이나 제사에 빼놓을 수 없는 제주의 음식이지만, 원래 '나물' 자체는 제주에서 발달한 음식이 아니었다. 나물은 원래 채소가 나지 않을 때를 대비하여 제철에 수확한 채소를 말려두었다가 물에 불려 먹는 음식이다. 제주는 사시사철 채소가 많이 나는 지역으로 나물을 많이 만들어 먹을 이유는 없었다. 한편, 육지에서는 불교의 영향으로 채소음식을 상식(常食)하게 되면서 채소를 말려서 저장하는 나물이 발달하였다. 이는 제주에도 영향을 주었다. 더욱이 18세기 이래로 육지의 성리학이 영향을 미쳐서 제주에서도 나물이 차츰 제사 음식으로 자리를 잡았다. 고사리탕쉬도 이에 해당하는 음식이다. 고사리는 봄에 자라는 양치식물로, 한라산 자락 어디에서나 흔히 볼 수 있다. 고사리가 자라나면 제주 여인들은 무리를 지어 고사리를 캐러 다닌다. 이렇게 캐어 온 고사리는 삶아서 말렸다가 기일제사 때 조금씩 삶아서 제사 음식으로 올리기도 하고 평소에도 반찬으로 요리해서 먹는다. "산에 강, 고사릴 꺾어당 콥대사니에 된장에 춤지름이나 ㅎ쓸 비추민 맛이 기멕힌게 괴기반찬 주엉 안 바꾼다(산에 가서 고사리를 꺾어다 마늘과 된장과 참기름을 넣어 무치면 맛이 좋아 고기반찬과도 바꾸지 않는다)."라고 하여, 고사리 반찬이 별미임을 말해 준다.

구덕 │대나무 바구니│ 그런데 성내의 이 주변에는 수도가 들어와 있기 때문인지, 물허벅(항아리)을 담은 구덕(바구니)을 지고 가는 아낙네나 아이들의 모습은 그다지 보이지 않았다. 시골 마을에서는 길 가는 사람 중에 물 긷는 여자나 아이들의 모습을 흔히 볼 수 있었는데, 타지에서 온 사람들에게는 그것이 이 섬의 풍물처럼 보이기도 하였다. 1-1-1:36 ¶ 점심때가 지나 이 섬의 풍습인 대나무 바구니에 짐을 꾸려 등에 지고 찾아온 부엌이는, 인사를 마치자마자 바로 대문 옆 하녀방에서 뒤뜰에 이르기까지 집안 청소를 하고, 빨래를 하고, 장작을 패고, 어제도 했다는 듯이 묵묵히 게다가 솜씨 좋게 집안일을 정리해 갔다. 8-18-7:164~165

▶ 대나무를 재료로 하여 만든 바구니로, 들고 다니기보다는 등에 지고 다

니도록 만든 운반용 도구이다. 제주는 화산섬이라는 지정학적 특성 때문에 경사로가 많고 길이 평탄하지 않을 뿐만 아니라 바람도 거세므로 짐을 머리에 이고 나르는 것이 용이하기 않다. 따라서 등에 지고 다닐 수 있는 운반용구로 만든 것이 구덕이다. 구덕은 용도에 따라 제각각 다른 이름을 붙여 사용하였는데, 물허벅을 운반하던 '물구덕', 아이를 재우거나 외출할 때 이용하던 '애기구덕', 큰 물건들을 담아 나르던 '질구덕' 등이 있다.

굿 살풀이와 기도는 섬 여자들의 일상생활, 그 생활습관에 이르기까지 완전하게 지배하고 있는 무속 안의 굿이라고 불리는 제사를 말한다. 종교적 색채를 띤 민간신앙이자, 일개의 미신이라고 치부해 버릴 수도 없는 것이었다. 그렇다 해도 미신 외의 무슨 특별한 것도 아니라고 이방근은 생각했다. 5-11-1:9

▶ 제주의 심방이 집행하는 의례는 크게 두 가지로 나뉘는데, 하나는 '비념'이고, 다른 하나는 '굿'이다. '비념'은 작은 규모의 굿으로, 소박하게 차린 제상 앞에서 심방 한 사람이 앉아 요령(鐃鈴)을 흔들며 기원을 하는 의식이다. '굿'은 제상을 크게 차리고, 무복(巫服)을 차려입은 심방이 무가를 부르며 춤을 추는 큰 의례를 말한다. 비념과 굿의 가장 큰 변별점은 심방이 추는 춤의 유무이다. 또한 굿은 굿을 하는 장소, 규모, 형식, 내용에 따라 여러 가지로 구분할 수 있다. 장소에 따라서는 가제(家祭)와 당제(堂祭)로, 규모에 따라서는 큰굿과 작은굿으로 나누어진다. 형식에 따라서는 초감제(初監祭)와 맞이굿(迎神儀禮), 본풀이(神話儀禮), 놀이굿(聖劇儀禮)으로, 내용에 따라서는 탐혼주입의례(探魂注入儀禮), 기원유화의례(祈願宥和儀禮), 협박구축의례(脅迫驅逐儀禮), 유감주술의례(類感呪術儀禮) 등으로 나눌 수 있다. 제주의 굿은 대체로 각각의 굿마다 고유의 제차(祭次)를 갖고 있다. 보통 '청신(請神)−공연과 기원−송신(送神)'의 구조로 전개되며, 무격(巫覡)에 따라서 세부적인 제차를 변형해 가는 것이다.

까마귀 까마귀의 울음소리가 들려왔다. 까마귀는 어딜 가나 눈에 띄는, 이 섬에 유난히 많은 새였다. 3-7-5:356 ¶갑자기 까마귀 우는 소리가 들려왔다. ……하하, 손님이 온다는 것을 알리러 왔나? 오늘쯤 다양한 손님이 찾아올지도 모르겠는데. 울음소리는 한동안 대문 지붕 위에서 나다가 사라졌는데, 이 섬사람들은 아침부터 까마귀가 찾아와 울면 손님이 온다고 믿었다. 4-9-5:320

▶ 제주에는 까마귀의 개체 수가 많은데 몸집이 월등히 큰 '큰부리까마귀'가 다수이다. 겨울에 벌판에서 몇백 마리의 까마귀 무리가 날아오를 때 그 날갯짓과 울음소리가 제주의 진풍경으로 손꼽힐 정도였다. 제주에서 까마귀는 일상에서 흔히 볼 수 있는 조류라서 이를 돌보거나 이 새에 빗대어 표현한 말들이 있다. 예를 들어, 수다를 늘어놓으며 이곳저곳을 배회하는 사람을 가리켜 '바람 까마귀'라 표현하였다. 또한 제사를 지낸 뒤 '까마귀밥'이라 하여 젯밥과 나물 등을 대문 앞이나 울타리 곁에 놓아두는 관습이 있었다. 까마귀 울음소리를 흉조로 여기는 육지의 문화와 달리, 제주에서는 천상을 오가는 까마귀를 저승을 넘나드는 사자로 보아 조상의 음복을 도와주는 매개체로 인식하였다.

남아 출산 기원 그녀는 작년 말, 일부러 한라산 중턱의 관음사까지 이웃의 부녀자들과 함께 '고행'을 겸해 참배하고, 남아 출산을 기원하는 불공을 드릴 만큼(출산 예정인 4월까지 한 달에 두 번 공양을 이어 가고 있는 모양이다), 신앙 대상으로서의 절의 존재는 둘째 치고, 남아 출산 기원에 지장을 초래하는 꼴이 되었다. 12-종-5:335

▶ 혼인을 하고 자식이 없을 때 제주 사람들 또한 여러 방식으로 자식 얻기를 기원하였다. 이러한 기자의례(祈子儀禮)에는 심방을 불러 치르는 불도(佛道)맞이도 있고 개인적으로 산천을 찾아 치성을 드리는 방법도 있었다. 치성의 효험이 있다고 알려진 곳으로는 제주시 동광양의 미륵보살 물할망, 서김녕의 서문하르방당, 함덕의 서물한집, 와산의 불돗당 등이 있고, 제주시에서 제주성을 기준으로 동서쪽에 있는 복신미륵상도 치성을 드리는 장소이다. 이밖에도 한라산의 영실, 아흔아홉골, 성산읍의 식산봉, 가파도의 개미왕돌, 대정의 산방산 등이 제주에서 잘 알려진 기자의례

장소이다. 기자치성(祈子致誠)은 장소에 따라 절에서 치르는 불공, 명산대천에서의 치성, 집안에서의 치성 등으로 나눌 수 있으며, 심방을 불러 치르는 불도맞이굿을 덧붙일 수 있다. 불도맞이는 큰굿의 일부 의식으로 행하기도 하지만 자식을 얻고자 행하는 별도의 치성의례인 경우도 있다. 불도는 산신(産神)이며, 아이의 잉태와 출산을 관장하므로 불도맞이굿으로 치성을 드리면 자식을 잉태하여 순산할 수 있다고 믿었다. 이 외에도 아들을 얻고자 행하는 속신(俗信)이 있었는데, 원하는 바와 닮은 대상의 모습이나 행동을 따라 하면 소원이 이루어진다고 믿는 유감주술(類感呪術)에서 유래하였다. 예를 들어 '아기를 많이 낳은 여인의 속곳을 빌리거나 훔쳐다가 입기', '분만한 집에 매어 둔 금줄을 훔쳐다 갖고 있기', '분만한 집 삼승할망상에 올려둔 쌀을 훔쳐다가 이레 동안 빌기' 등이 있다. 또한 위대한 힘에 닿으면 그와 비슷한 힘을 갖는다는 접촉주술에 근거하여, 미륵이나 돌하르방 등의 코를 쪼아서 그 가루를 먹거나 그 가루를 삶은 물을 마시는 행위도 있었다.

노동요 이 섬의 노동요가 대부분 그러하듯이, 이 노래도 부녀자들의 가혹한 노동의 괴로움과 슬픔을 읊은 것이었다. 4-8-4:105 ¶아마 숙모도 유원의 일본행에 관한 이야기가 대학의 선생님 입에서 반복되지 않았더라면, 나이에 비해 젊고 아름다운 목소리로 민요를, 고향에서 밭일할 때 부르던 노동요를 들려줬을 것이다. 6-14-4:105

▶제주에서 주로 불리는 노동요는 크게 밭일을 할 때 부르는 농업 노동요, 곡식을 빻거나 찧을 때 맷돌이나 방아를 돌리면서 부르는 제분 노동요, 바닷일을 하면서 부르는 어업 노동요, 산에서 나무를 베고 다듬어 끌어 나르거나 장작을 패면서 부르는 임업 노동요, 양태·망건·탕건 등 갓을 짜면서 부르는 관망 노동요, 방앗돌을 끌어오면서 부르거나 불미(풀무) 작업을 하면서 부르는 잡역요로 나뉜다. 제주는 육지와는 달리 논농사보다 밭농사의 비중이 커서 밭일을 할 때 부르는 민요가 농업 노동요의 대부분을 차지한다. 농업 노동요로는 〈따비질 소리〉, 〈밧 가는 소리(밭

가는 소리〉, 〈흙벙에 두드리는 소리(흙덩이 부수는 소리, 곰베질 소리)〉,
〈밧 불리는 소리(밭 밟는 소리)〉, 〈검질 매는 소리(김매는 노래)〉, 〈타작질
소리(마당질 소리)〉가 있다. 제분 노동요로는 〈ᄀ레 ᄀ는 소리(맷돌 가는
노래)〉, 〈방아질 소리(남방에 소리)〉, 〈연자매 노래(ᄆᆯ방에 찧는 소리)〉가
있다. 어업 노동요로는 〈해녀 노래(해녀 노 젓는 소리)〉, 〈멜 후리는 소리
(멸치 후리는 노래)〉가 있다. 임업 노동요는 '벌채요'라고도 부르는데 〈낭
끈 치는 소리(나무 베는 노래)〉, 〈낭 싸는 소리(나무 켜는 노래)〉, 〈낭 끗어
내리는 소리(나무 내리는 노래)〉, 〈촐 비는 홍애기(꼴 베는 노래)〉가 있다.
조선시대부터 1950년대까지 제주시를 중심으로 그 주변 지역에서 갓을
만드는 일이 성행하였는데, 관망 노동요는 이 시기 제주 여인들의 주요
부업거리였던 관망 수공예 현장에서 불리던 노래이다. 〈양태 줏는 소리
(양태 짜는 노래)〉, 〈맹긴 줏는 소리(망건 짜는 노래)〉, 〈탕근 줏는 소리(탕건
짜는 노래)〉가 있다. 일반적인 기능에 따라 분류되지 않는 잡역요로는
〈방앗돌 끌어내리는 소리〉, 〈똑딱불미 소리〉, 〈토불미 소리〉, 〈디딤불미
소리(발판불미 노래)〉, 〈집줄 비는 소리(집줄 놓는 노래)〉, 〈질 ᄄᆞ림 소리(흙
이기는 소리)〉가 있다.

단술 최상화는 그 아이에게 단술을 가져오도록 이르고는, 손님에게 권했
다. 이방근은 사양하지 않았다. 단술은 최상화가 즐기는 모양이었다. 금
방 신 맛이 나기 때문에 조금씩 자주 담근다고 했다. 4-10-1:384

▶ 쌀밥이나 보리밥에 물과 누룩을 넣고 발효시킨 제주의 전통 음료로, 지
역에 따라 '순다리' 또는 '쉰다리'라 부르기도 한다. 제주는 지리적 특성상
쌀농사가 어렵다 보니 쌀알 한 톨도 귀하게 여겨 어쩌다 생긴 찬밥 역시
쉽게 버리지 않았다. 제주 사람들은 찬밥에 누룩과 물을 섞은 뒤 상온에서
발효시켰다. 그러면 막걸리와 식혜 중간 정도의 저농도 알코올 음료가
되는데, 이것이 쉰다리이다. 약간 상한 밥도 물에 헹구어 술로 빚었는데,
실온숙성이 끝난 쉰다리는 약한 불로 살짝 끓였다가 식혀서 마셨다. 색깔
과 맛은 막걸리와 비슷하여 시큼하면서도 달고 톡 쏘는 맛이 난다. 이

음료는 발효된 것이기 때문에 소화를 돕고 위를 편안하게 하여 옛날에는 소화제를 대용할 목적으로 쉰다리를 만들었다고 한다. 쉰다리는 주도가 낮아 여름철 음료수로 음용하였고 남녀노소 구분 없이 즐겨 마셨다.

당 이 섬의 여성 사회는 무속 안에 있었다. 예를 들면, 어느 부락에나 무속의 메카인 '당'이 설치되어 수호신으로 숭배되고 있었는데, 거기에는 일정한 무당과 박수의 주관으로 부락 공동의 제사가 행해졌다. 신체(神體)는 주로 큰 팽나무였는데, 그 나무는 신목(神木)으로 여겨졌다. 5-11-1:13

▶ 제주의 각 마을에는 하나 이상의 신당이 있다. 대표적으로는 마을 수호신의 좌정처인 본향당(本鄕堂)이다. 이곳의 신은 마을과 주민의 안녕과 번성, 풍요를 관장하며 수호해 주는 역할을 한다. 이외에 풍농신의 좌정처인 여드렛당, 전염병신의 좌정처인 일뤠당 등 고유한 직능이 각기 다른 신의 신당이 여럿 있다. 본향당에는 마을에 따라 조금씩 다르지만 1년에 4번의 당굿이 있는데, 1월의 신과세제(新過歲祭), 2월의 영등굿, 7월의 마불림제, 10월의 신만곡대제(新萬穀大祭) 등이 있다. 각 본향당에는 본풀이라는 신의 내력담이 전승되고 있어 그 신의 좌정 경위를 알 수 있다. 신당의 형태는 크게 신목형(神木型), 신목·당집형, 당집형(堂-型), 굴형(窟型), 굴·신목형, 돌담형, 기타형 등 7가지 유형으로 구분된다. 제주의 신당은 대체로 신목형이 많고, 간혹 굴형이 전해진다. 신목형이란 7~8평 내지 50~60평 넓이의 땅에 둘린 돌담 울타리 안에 주로 팽나무 고목(古木)이 있고, 고목 앞에 자연 반석(盤石)으로 제단(祭壇)을 꾸며놓은 형태를 말한다. 신목·당집형이란 신목형의 신당 안에 당집을 지어놓은 것이다. 당집형은 신목·당집형에서 신목이 없어진 형태로, 서귀포시 성산읍 신풍리의 본향당 등 몇 개에 불과하다. 굴형은 깊지 않은 굴이 신당이 된 것이다. 굴·신목형은 굴형에다 신목이 있는 형태다. 이 유형은 제주시 애월읍 상귀리의 본향당에서 보인다. 돌담형은 돌담 울타리 안에 제단이 마련되어 있는 것 외에는 다른 특징이 없다. 제주시 애월읍 애월리의 해신당(海神堂)이 이에 해당한다. 이 밖에 바위나 바위틈에 신당을 만들어 놓은 경우

도 있으나 그 수는 매우 희박하다.

대가족주의 가족이라기보다는 대가족주의, 씨족제 사회였으므로 일족(일
가 또는 문중)이라고 하는 편이 옳았다. 이러한 가족이 이곳 섬사람들에게
는 다양한 형태의 친척이나 인척 관계로 얽혀 있었기 때문에 더욱 넓게
연결되어 있었다. 그러므로 섬 주민들의 의사는 혈연적인 요소로 인해
자식들이 지향하는 방향으로 조직될 수밖에 없는 풍토를 지니고 있었다.
2-5-1:326

▶ '괸당' 혹은 '궨당'은 친척을 뜻하는 제주 방언이다. 육지의 친척이 보통
혈연관계만을 의미하는 반면에 제주에서의 괸당은 혈연관계를 넘어서
지연과 학연을 모두 내포하고 있다. 제주 방언 연구자인 현평효(玄平孝,
1920~2004)는 '괸당'이 돌보는 무리라는 뜻인 '권당(眷黨)'의 제주어 표기
라고 하였다. 제주 속담 연구자인 고재환(高在奐, 1937~)은 괸당은 친족
과 외척, 고종, 이종 등 멀고 가까운 친척을 두루 일컫는 말이며, 혼례나
장례를 비롯하여 집안에 일이 있을 때 모여 서로 돕고 걱정하며 정분을
돈독히 한 것이 관습화된 개념이라고 설명하였다. 괸당은 '성펜괸당(父系
親)', '외펜괸당(外戚)', '처괸당(妻族)', '시괸당(媤家)'으로 분류된다. '마을
내에 매놈(완전한 남)이 없다'는 말이 있을 정도로 동네 사람들이 모두
친척 관계로 얽혀 있고, 이로 인해 동네 어른을 모두 '삼촌'으로 부르는
관행이 정착됐을 정도로 괸당은 제주만의 독특한 문화라고 할 수 있다.

도깨비 │도체비│ 이밖에도 가는 곳마다 무속과 관련된 신과 신앙이 살아
있었지만, 그 한편에는 뿌리 깊은 '귀신'의 신앙이 있었다. 대표적인 것이
도깨비였다. 도깨비는 이 섬에서는 도체비로 불리는 일종의 요괴, 잡귀
종류로, 밤에 도깨비불로 출몰한다. 그러나 도체비는 무서운 것만은 아니
었다. 때로 인간에게 여러 가지 이익을 주기도 하는 신이었으며, 한밤중에
인간을 상대로 씨름을 걸어온다든가 장난을 좋아하는 익살스런 요괴이기
도 했다. 개중에는 인간의 모습을 한 것도 있다. 5-11-1:13

▶ 제주에서는 도깨비를 '도체비'라고 하는데, 무속에서는 도체비라 부르

지 않고 '영감' 또는 '참봉'이라는 경칭으로 부른다. 일반적으로는 영감이라고 부르는데, 이 도체비와 관련한 이야기들이 제주의 여러 지역에서 다양한 형태로 구전된다. 육지의 도깨비와 달리 제주의 도체비들은 요괴이기도 하면서 선신(善神)의 모습으로 등장하기도 한다. 이러한 도체비를 잘 섬기면 복을 받지만 그렇지 않은 경우에는 집안에 해를 입는다. 이 때문에 제주에서는 도체비를 가신(家神)으로 모시고 집안에서 제를 올리는 풍습이 있었다. 도체비는 다양한 성격을 지닌 존재로 등장한다. 가령, 놀기 좋아하고 술과 고기를 좋아하며 여자를 좋아하는 모습으로 전해진다. 또한 사람에게 범접하여 병을 일으키는 존재이기도 하나 만선과 풍어를 이루어주고 물질과 배질의 안전을 살펴주는 선왕(船王)이기도 하다. 한편, 풀무를 생업으로 삼던 마을에서는 당신(堂神)으로 모셔 풀무의 신으로 섬기기도 한다. 성냥간(대장간)을 하는 집과 뱃일을 하는 집에서 도체비를 신앙으로 섬겼는데, 특히나 해안가 지역의 사람들은 만선을 기원하고자 도체비 귀신을 정성껏 섬기었다. 수수범벅을 만들어 배에 싣고 바다로 나가 도체비에게 만선과 풍어를 빌던 풍습이 있을 정도였다. 모래사장이 넓게 발달한 제주시 조천읍 함덕리와 구좌읍 김녕리·월정리·동복리, 서귀포시 성산읍 동남리 등의 마을을 중심으로 그물접(網契)이 구성되어, 멸치를 잡도록 도와주는 영감 도체비를 위해 멜굿, 도체비굿을 많이 벌였다. 특히, 함덕리에서 쓰여온 '말둥이영감'은 멸치를 몰아다 주는 도깨비를 가리키는 말이다.

도향수 "(…) 도향수(都鄕首)라고 있잖아. 신방 조직의 총책임자를 말하는 것인데, 그 네 명의 아들과 딸들이, 노쇠한 양친이 동굴 속에서 비참한 생활을 하고 있는데도, 신방의 자식이라는 말을 듣기 싫어서, 부모를 버리고 제각각 흩어져 버렸다는 이야기도 있어. (…)" 6-15-6:412

▶1910년대까지 제주의 심방들을 아우르던 조직 '심방청'의 우두머리를 '도황수(都鄕首/都行首)'라 하였다. 도황수는 밑으로 '도공원(都公員)'이라는 심방을 두어 재무 관리를 분담하였다. 도 단위 심방청 아래에는 각

면마다 면심방청이 있어 '면황수'와 '면공원'이 되었다. 심방청은 도내 심방들을 엄격하게 관리하였는데 심방들이 굿을 서툴게 하는 경우, 심방청 모르게 굿을 하는 경우, 미(未)가입 심방들이 굿을 하는 경우, 비행(非行) 등을 저지르는 경우 처벌을 내리기도 하였다. 도황수는 제주 무속에서 최고의 사제자로, 제주목사가 참관하는 무속의례인 제주목 동헌 마당의 입춘굿에서 제주목사와 나란히 앉아 담배를 나눠 피우며 굿을 할 정도였다고 한다. 일제강점기 초에 마지막 도황수로 이름이 알려진 인물로는 고임생(高壬生), 홍매화(洪梅花) 등이 있다. 도황수는 해방 이후 심방청의 해산과 함께 사라지게 된다.

돌담　왼쪽 길가에는 검은 화산암 조각으로 쌓아 올린 돌담이 버스와 앞을 다투듯 이어졌고, 그 너머로는 푸른 보리밭이 펼쳐져 있었다. 1-서:11 ¶ 어디에나 돌과 바위투성이인 섬이었다. 돌담은 논밭의 경계선이 될 뿐만 아니라, 바람을 막아 주는 방풍의 역할은 물론, 방목하는 소와 말의 침입을 막아 주기도 하였으며, 또한 그것이 돌 많은 섬의 처리 방법이기도 하였다. 집 주위도 돌담이었고, 만두 모양의 무덤과 해안의 용천에도 돌담을 둘렀으며, 성장(城牆)이라 불리는 방파제도 역시 돌이었다. 3-7-5:354 ▶ 제주에서는 밭(밭담)이나 집(집담), 무덤(산담)의 경계를 명확히 하고자 그 둘레를 돌로 쌓아 담을 이루었는데, 이를 통칭하여 돌담이라고 한다. 돌담은 쌓은 위치나 기능에 따라 구체적인 이름을 달리하기도 한다. 가령, 밭에서 나온 돌들을 밭담에 의지하여 쌓아두고 사람이 통행할 수 있도록 만든 '잣담'도 있다. 특히, 산담은 사자(死者)의 영혼이 깃드는 공간이자 사자의 생활공간이라는 의미가 있다. 조선시대에 제주를 방문했던 선비는 끝없이 이어지는 검은 돌담을 보고 '흑룡만리(黑龍萬里)'라 표현하기도 하였다. 이 돌담에는 흔히 새까만 현무암(玄武巖)이나 회녹색을 띠는 조면암(粗面巖)이 사용된다. 현무암과 조면암은 모두 화산이 폭발하여 제주섬이 형성될 당시 흘러나온 용암류(鎔巖流)에서 생성된 것이다. 현무암이 제주 전역에 걸쳐 고루 분포하고 있는 데 반해 조면암은 한라산 백록담 부근을 비롯하여 한라산 남쪽 지역 등에 부분적으로 분포한다. 이 때문에 회색이나 연녹색 조면암 돌담은 주로 서귀포와 안덕, 그 주변 지역에서 부분적으로 확인할 수 있다. 그 외 대부분의 지역에서는 검은색 현무암 돌담이 주를 이룬다.

돌하르방　ㅣ우석목, 돌할망ㅣ 건물 양옆에 검은 현무암으로 만든 돌하르방이 묵묵히 서 있었다. 거대한 코, 툭 튀어나온 둥글고 커다란 눈, 꽉 다문 커다란 입, 한 아름 하고도 반이나 되는 두루뭉술한 몸통에 새겨진 글러브 같은 양손. 벙거지를 뒤집어쓴 모양으로 사람 키의 두 배는 족히 됨직한 거대한 노인상은 거친 화산암 속에 말을 가두어 버린 듯 뭔가 할 말이 있는 것 같으면서도 말이 없다. 돌로 변한 노인이었다. 이른바 섬의 '안녕'과 '질서'를 지키고 마귀를 쫓는 수호신으로, 우석목(偶石木)이라고도 하는데, 무사도 젊은이도 아니고 노인인지 노파인 게 재미있었다. 성별은 확실히 판별하기 어렵지만, 여성인 경우는 돌할망이라고 한다. 게다가 그 모습은 마치 국민학생의 조각처럼 소박하고 괴이하다. 2-3-2:41

▶육지의 장승이나 제주도 거욱대(마을 어귀에 세운 수호신)의 변형으로 제주 특유의 종교와 문화를 표현한 석상이다. 현무암으로 만든 돌하르방은 툭 튀어나온 부리부리한 큰 눈, 자루병같이 큼지막한 코, 굳게 다문 입, 넓게 뻗은 귀 등 해학적인 생김새를 하고 있다. 벙거지를 쓴 듯한 머리는 약간 옆으로 비스듬하고 하체는 옷자락에 가려서 발이 보이지 않은 채로 배 중심에 두 손을 가지런히 모으고 있는 자세이다. 옛사람들은 돌하르방을 지나갈 때에 말에서 내려 경의를 표할 정도로 신성시하였다고 전해진다. '돌하르방'이란 명칭은 본래 이름이 아니라 근래에 생긴 것으로, 그 석상이 할아버지를 닮았다고 하여 어린이들 사이에서 불리던 것이다. 1971년 8월 26일에 돌하르방이 지방문화재로 지정되면서 이는 공식적인 명칭이 되었다. 그 이전에는 우석목, 무성목(武石木), 옹중석(翁仲石), 벅수머리, 돌영감 등 여러 가지 명칭으로 불렸다. 이러한 명칭은 석상의 형태나 기능, 신앙적 의미와 관련하여 붙여진 것들이다. 돌하르방

이 언제, 어떤 목적으로 만들어졌는지 확실한 기록은 없으나, '남방 기원설', '제주 자생설', '몽골 유풍설' 등 몇 가지 설로 그 유래를 추정하고 있다.

돼지우리 돼지들이 싸움을 하고 있는지 알 수 없는 비명을 지를 때마다, 변소를 겸한 돼지우리 쪽에서도 냄새가 풍겨 오는 듯했다. / 시골 변소는 돼지우리를 겸하고 있어서(그래서 어느 집에나 돼지 두세 마리는 키우고 있었다) 푸른 하늘을 머리에 이고 볼일을 보고 있으면 돼지들이 몰려와서 먹어 치운다. 1-2-6:269

▶ 제주의 농가에서는 돌담으로 터를 두른 돼지우리에 변소를 설치하는 경우가 많았다. 이 돼지우리 겸 변소를 '돗통'이라고 하며 '통시' 혹은 '돗통시'라고도 불렀다. 돗통은 안거리(안채) 정지(부엌)와 반대쪽 위치에 두거나 멀리 떨어진 밖거리(바깥채) 옆에 설치하여 마당에서 직접 보이지 않는 곳에 두었다. 이는 사람이 대소변을 보는 시설인 변소(0.5평 내외)와 돼지가 기거하는 집인 돼지막(약 1평), 그리고 돼지가 활동하는 마당(3~5평)으로 구성된다. 이러한 돗통은 돼지를 사육하여 사람의 배설물을 처리하는 기능 이외에도 음식물 찌꺼기를 처리하는 기능을 한다. 또한 집안의 경조사가 있을 경우에 돼지를 잡아 행사를 치르기 위한 준비 공간이기도 하다.

말고기 자루에 넣은 보리나 쌀, 옥수수를 생으로 씹거나, 삶아서 두부처럼 얇게 사각으로 만든 말린 말고기를 아껴 먹거나 했다. 말고기는 짭짤해서 따로 조미를 할 필요가 없었다. 12-26-1:11

▶ 제주에서는 중산간 지대의 넓은 목초지에 말을 방목하는데, 고려시대에 몽골의 지배를 받으면서 말을 사육하는 목장이 들어서게 되었다. 말의 사육이 정착되고 개체수가 증가하면서 말고기를 식용하는 문화도 생겨났다. 조선시대에는 궁중의 제사 음식으로 말고기 육포를 진상하였다. 그러나 말의 공급이 부족하자 금살도감(禁殺都監)을 세워 우마의 도축 금지령을 내려 말고기의 섭취를 엄격하게 제한하였다. 그럼에도 불구하고 말고기를 식용하는 문화는 쉽게 사라지지 않았다. 제주에서는 마을 사람들이

말을 공동으로 구입하고 도축한 다음 고기를 나눠 갖는 '말고기 추렴'이 있나. 추렴한 말고기는 삶아서 소금에 찍어 수육으로 믹기도 하고 무를 썰어 넣고 메밀가루 풀을 풀어 걸쭉한 구으로 만들어 머기도 하였다. 한편, 일제강점기에는 일본인들이 제주 한림에 말고기 통조림 공장을 세워 태평양전쟁을 위한 군사 식량으로 말고기를 일본으로 반출하였다. 제주에는 다른 지방과 달리 말이나 말고기를 소재로 한 속담이 많이 있다. "말궤기론 떼 살아도 쉐궤기론 떼 못산다(말고기로는 끼니가 되어도 소고기로는 끼니가 안 된다)", "물 수정골은 쉐 수정골 줘도 안 바꾼다(말 사골은 소 사골을 줘도 안 바꾼다)" 등의 속담에서는 제주 사람들이 말을 소보다 더 귀하게 여겼음을 알 수 있다. 이와 달리, "말고기를 먹으면 과월 난산 한다", "말고기를 먹으면 3년 재수 없다" 등과 같이 말고기를 부정한 음식으로 취급하여 이를 금기하고자 한 표현들도 보인다. 의례와 같은 대소사를 앞두고 말고기 먹는 것을 삼가는 습속이나 "말고기 삶는 데 가지 마라(말고기 삶는 데 얼씬거리다가 도축 누명을 쓰고 오해를 살 수 있다)" 등의 속담에서 말고기를 부정한 음식으로 취급한 사람들의 인식을 발견할 수 있다.

맷돌노래 그때 어디선가 여자들의 노랫소리가, 일하면서 부르는 노랫소리가 느긋하고 애절한 곡조에 실려 들려왔다. (…) 방아를 찧을 때나 맷돌을 돌릴 때 부르는 노래인데, 아마 맷돌을 돌리면서 부르고 있을 것이다.
4-8-4:104~105

▶ 맷돌로 곡식을 갈거나 부술 때에 부르는 민요이다. 이러한 종류의 노래는 전국적으로 분포되어 있으나, 주로 제주에서 집중적으로 전승된다. 밭농사가 대부분인 제주에서는 주요 경작물이 조·보리·수수 등 잡곡이었고, 이러한 곡식을 갈고 부수어야 할 일거리가 많은 탓에 〈맷돌노래〉가 널리 전승되었다. 제주 여인들은 집집마다 다공질현무암(多孔質玄武巖)으로 ᄀ레(맷돌)를 마련하여 집 안에서 늘 맷돌질을 하여 곡물을 손질했다. 〈맷돌노래〉의 가락은 한 가지이지만, 그 사설은 여러 종류이며 제주에서

전승되는 사설 수효만 하더라도 무려 10,000여 편에 달한다. 그리고 사설은 대체로 남방아(나무방아)를 찧으면서 부르는 〈방아노래〉와 넘나든다. 따라서 가락으로 본다면 〈맷돌노래〉와 〈방아노래〉는 다른 노래이지만, 사설을 기준으로 구분한다면 〈맷돌—방아노래〉를 한 종류의 민요로 묶어도 무방하다. 〈맷돌노래〉의 사설은 여성의 속사정과 여러 가지 사연을 정제된 형식으로 드러낸다. 육지의 〈맷돌노래〉는 단순히 노동의 상황과 현장을 표현하는 것에 그치지만 제주 민요의 경우에는 그 사설의 제재가 다양하여 일상생활 전반을 소재로 삼고 있다. 부녀자들은 자립적이고 근면한 생활 태도에서부터 집안일과 가족, 세상살이에 대한 지혜와 신앙·실상·세태 등 생활 풍속을 두루 노래하였다.

무가 "(…) 지방에 묻혀 있는 민간전승 문화나 무가(巫歌) 같은 걸 소개하는 일도 꽤 재미있다네. 무가는 무녀들이 굿을 할 때 부르는 노래인데, 일하는 틈틈이 수집하고 있다네. (…)" 1-1-2:56

▶굿은 심방이 매개하여 신령과 인간이 만나 대화를 하는 의례이다. 그런데 이 대화는 주로 '노래'라는 구연 방식을 취하기 때문에 '무가(巫歌)'라고 불린다. 제주에서 심방이 하는 사설에는 '순수 가요'와 '순수 대화'의 형식이 있으며, 이 대화 형식에 운율을 붙인 '운율적 사설'도 있다. 또한 운율적 사설이 노래의 형식을 일부 갖고 있으나 아직 노래라고 하기에는 미흡한 '반가요(半歌謠)' 형식도 있다. 제주의 무가는 내용에 따라 대체로 일반 무가, 서사 무가, 희곡 무가로 나눌 수 있다. 일반적으로 육지의 무가는 내용에 따라 교술 무가, 서정 무가, 서사 무가, 희곡 무가로 사분화하는 것이 정설처럼 되어 있으나, 제주의 무가는 이러한 문학적 장르 분류에 그대로 적용시키기 어려운 점이 있다. 왜냐하면 제주의 굿에서 행해지는 심방의 구연에는 교술적이라거나 서정적이라고 하는 내용을 구분하거나 의식하고 있지 않기 때문이다. 다만 놀이굿의 경우에는 굿이 전개되는 양상이 희곡의 형식과 유사하므로 희곡 무가로 분류해도 무방하다. 무가의 가창 방식에 따라서는 네 가지 유형으로 나눌 수 있는데, 무격(巫覡)이

혼자서 계속 노래하는 경우, 심방이 선소리를 하고 반주를 하는 소미들이 선소리를 따라하는 경우, 심방이 선소리를 하고 소미들이 일정한 후렴을 받는 경우, 심방이 선소리를 하면 모든 청중이 후렴을 받는 경우 등이다.

물허벅 |물동이| 그런데 성내의 이 주변에는 수도가 들어와 있기 때문인지, 물허벅(항아리)을 담은 구덕(바구니)을 지고 가는 아낙네나 아이들의 모습은 그다지 보이지 않았다. 1-1-1:36 ¶마을의 각 집에서 마시는 음료수는 여자들이 물동이를 등에 짊어지고 아침저녁으로 몇 번씩 해변에 있는 샘에서 물을 길어 오는 것으로 해결했다. 2-5-3:379

▶물을 길어 운반할 때 사용하는 도구이다. 몽골이 제주를 지배하던 시기에 제주에는 몽골의 제도와 관습이 많이 유입되었는데, 허벅도 '바가지'라는 뜻의 몽골어 '허버'에서 그 어원을 찾을 수 있다. 물허벅은 부리가 좁고 배가 불룩하게 생겼으며, 굽을 평평하게 만들어 운반하는 사람이 머리에 이거나 등에 져도 쉽게 물이 쏟아지지 않도록 만든다. 허벅의 중요한 용도는 식수 운반이었으나 쓰임새에 따라 다른 종류의 것도 많이 개발되었다. 물허벅 이외에도 죽을 담는 '죽허벅', 씨앗을 담는 '씨허벅', 오줌을 담는 '오좀허벅' 등이 있다.

민요 젊은 엄마가 울음을 그치지 않는 등에 업은 아이를 달래며, 자랑자랑 윙이자랑…… 하는 자장가를 불렀다. 이윽고 민요를 부르는 소리가 이어졌다. 이 섬에 많은 본처와 첩이 다투는 노래였는데, 또 다른 목소리가 가사의 문구 '첩'을 '그 여자'로 바꿔 불러 사람들을 웃겼다. 2-5-2:338 ¶집들의 돌담 사이에 낀 좁은 길을 빠져나가자, 어디선지 모르게 다듬잇돌을 두드리는 투명한 소리가 들려왔다. 그 높고 낮은 리듬을 타고 노래하는 여자의 애조를 띤 이 섬의 민요가 들려왔다. 4-9-4:288

▶제주의 민요는 크게 농요(農謠)와 어요(漁謠), 노동요(勞動謠)와 의식요(儀式謠), 부녀요(婦女謠)와 동요(童謠) 그리고 통속화된 잡요(雜謠)로 나눌 수 있다. 농요로는 〈검질 매는 소리〉라고 하는 밭의 김을 매는 소리가 가장 많은데, 이를 〈사대소리〉 혹은 〈사디소리〉라고도 한다. 그밖에 〈밭

밟는 소리(踏田謠)〉, 〈도리깨질 소리〉, 〈방아 찧는 소리〉 등이 있다. 이 중에서 제주 특유의 소리로 〈밭 밟는 소리(밭 불리는 소리, 혹은 물 불리는 소리)〉가 유명하다. 조씨를 파종한 다음 조랑말을 앞세워 밭을 밟으면서 부르는 노래로, 장단 없이 음정의 굴곡이 심한 시김새(꾸밈음)를 많이 사용하여 부르는 가락이 독특하다. 이 노래는 보리타작이 끝나는 6월에 시기적으로 가장 많이 불렸다. 어요에는 해녀들이 전복을 따러 갈 때 노를 저어가며 부르는 〈해녀 뱃소리〉, 즉 〈노 젓는 소리〉와 〈멸치 후리는 소리〉 등이 있다. 노동요에는 맷돌질하면서 부르는 〈고래 소리〉, 〈가래질 소리〉, 〈꼴 베는 소리〉, 〈톱질 소리〉, 〈방앗돌 굴리는 소리〉 등이 있고, 의식요에는 〈행상(行喪) 소리〉, 〈달구 소리〉, 〈질토굿 소리〉, 〈꽃염불〉 등이 있다. 부녀요와 동요에는 〈시집살이노래〉, 〈애기흥그는 소리〉, 〈웡이자랑〉, 〈꿩꿩장서방〉, 〈원님노래〉 등이 있다. 제주에는 일하면서 부르는 노동요가 많은 데 비해 놀이판에서 놀며 부르는 민요는 희소한 편이다. 제주 일대에서 통속화되어 불리는 잡요로는 〈오돌또기〉, 〈이야홍타령〉, 〈서우젯소리〉 등이 있다. 대체로 제주 민요의 노랫말은 독특한 제주 방언을 많이 사용하였고, 육지의 경기소리제인 경토리(삼현육각, 굿 등에서 나타나는 가락)와 비슷한 것들이 있으나 시김새가 다른 특징이 나타난다. 경기소리가 경쾌한 데 비하여 제주 민요는 계면조의 가락으로 구슬픈 편이다. 굿거리장단과 같은 고정된 박자에 따라 부르는 민요도 있으나 대체로 고정된 장단 없이 부르는 노래가 많다. 부녀자들은 장구 대용으로 물을 길을 때 쓰는 동이인 '물허벅'이나 물바가지인 '태왁'을 두드리며 장단을 맞추기도 한다.

바깥 덧문 바람에 미닫이문이 흔들리고 틈새바람이 느껴졌다. 지붕 위를 스쳐 가는 바람 소리가 들린다. 유달현은 일어서서 미닫이문 쪽으로 걸어가 양쪽으로 열려 있는 바깥 덧문을 닫았다. 1-1-4:112

▶ 문짝 겉쪽에 덧다는 문으로, 바닷가나 섬에서는 비바람을 막기 위해 세살문이나 반문으로 된 덧문을 이중으로 설치하였다. 바깥 덧문은 기후

에 적응하며 살아온 제주 사람의 삶의 한 단면을 보여주는 주거 양식이라고 할 수 있다.

방아노래 그때 어디선가 여자들의 노랫소리가, 일하면서 부르는 노랫소리가 느긋하고 애절한 곡조에 실려 들려왔다. (…) 방아를 찧을 때나 맷돌을 돌릴 때 부르는 노래인데, 아마 맷돌을 돌리면서 부르고 있을 것이다. 4-8-4:104~105

▶ 방아로 곡식을 찧거나 빻을 때에 부르는 민요이다. 제주는 밭농사 중심의 경작을 하였기 때문에 주요 곡물인 조·보리·수수 등 잡곡을 찧거나 빻는 데에 방아를 사용하였다. 따라서 집집마다 느티나무로 만든 제주 지역 특유의 남방아(나무방아)가 있었다. 방아를 찧거나 맷돌을 돌리는 일은 여인들의 몫이었는데, 이때 노동요로 〈방아노래〉가 불렸다. 〈방아노래〉의 가락은 한 가지이나 그 사설은 무척 많으며, 대부분 〈맷돌노래〉의 사설과 교류하고 있다. 한데 사설의 내용이 일하는 상황에 관한 것이 아니라는 점은 육지의 민요와 매우 다른 특징이다. 제주의 〈방아노래〉는 일하는 상황에 대한 내용보다는 서민의 삶에서 발견되는 온갖 실상과 속사정, 감정을 노랫말에 담고 있다. "저산둘런 난지젠ᄒᆞ난/ 짐패○란 못지듯/ 부뮈공은 가프젠ᄒᆞ난/ 멩이○란 못가파라."라는 노랫말은 부모의 은공을 찬탄하는 내용으로, "높다란 산을 등에 둘러서 내가 지려 하지만 질빵이 짧아서 질 수 없듯이 부모의 은공을 갚고 싶지만 부모의 수명이 짧아 못 갚는다."라는 의미이다.

뱀 이 섬에는 뱀이 전설이나 민담에도 등장하고, 사신(蛇神)으로서 민간신앙의 대상이 될 만큼 뱀이 많았는데, 이제 슬슬 겨울잠에서 깨어난 독사들이 따뜻한 햇볕에 이끌려 땅 위를 기어 다닐 계절이었다. 4-8-3:77

▶ 고온다습한 기후 조건에 따라 제주에는 뱀이 많이 서식해 왔다. 이에 제주에는 뱀 관련 설화가 다수 전해지는데, 이 이야기들은 보통 두 가지 유형으로 나뉜다. 하나는, 〈뱀이 나타나면 흉조〉와 같은 이야기로, 뱀이 집안을 망하게 하는 재앙신적 존재로서 등장하는 유형이고 다른 하나는,

〈뱀 모신 칠성눌〉과 같은 이야기로, 뱀이 재물을 가져다주고 소원을 들어주는 가신(家神)적 존재로 군림하는 유형이다. 제주에서는 뱀신을 '칠성신'이라 부르며 귀하게 대접을 하였다. 칠성은 가정신앙, 당신앙, 조상신앙 등 여러 영역에서 활발히 전승되어 왔다. 16세기 초에 김정(金淨)은 《제주풍토록(濟州風土錄)》에서 "풍속에 몹시 뱀을 꺼려 이것을 신이라 하여 받들어서 이것을 보면 곧 술로 주문을 외우며 거룩한 신으로 하여 감히 쫓아내거나 죽이지 않는다(俗甚忌蛇 奉以爲神 見卽呪酒 不敢驅殺)."라고 하였다. 또한 17세기에 이건(李健)은 《제주풍토기(濟州風土記)》에서 "섬사람들은 큰 구렁이와 뱀을 구별함이 없어 보기만 하면 이를 부군신령이라 하여 쌀과 정수를 뿌리면서 그에 빌며 이를 살해하는 바가 없다. 만일에 어떤 사람이 이것을 죽였다면 그 사람에게는 반드시 앙화가 있어 발꿈치를 움직이지 못하여 죽게 된다고 한다(島人則 勿論蟒蛇見之 輒謂之府君神靈 必以精米淨水酒 而祈之切不殺害 若或殺之 其人必有殃 不旋踵死云)."라고 하였다. 이러한 기록에서 제주 사람들은 뱀을 죽일 경우 반드시 그에 상응하여 재앙과 화가 닥친다는 관념이 있었음을 알 수 있다.

보리 조와 보리가 주식인 이 섬에서는 지금이 곡식을 저장해 둔 곳간의 항아리가 바닥을 보이기 시작하는 '춘궁기'였다. 1-1-2:46 ¶ 실제로 보리는 어느 낱알이나 모두 반으로 쪼개져 있었고 탄력이 있었다. 상품가치는 이로써 결정되었다. 이 섬에서는 일단 절구에 찧은 보리알을 다시 작은 맷돌에 넣어 반으로 쪼개야 했다. 사실 이것도 원래는 척박한 땅의 가난한 사람들이 식량의 분량을 늘리기 위해 생각해 낸 지혜였다. 1-1-2:47
▶제주는 돌이 많고 토질이 부박하여 농사에 적합한 땅은 섬 전체의 30퍼센트 미만이다. 더욱이 토양은 침수성이 강한 화산회토(火山灰土)이므로 강우량이 많아도 빗물이 지하로 스며들고 만다. 이러한 토질은 논농사에 부적합하여서 밭작물을 주로 경작할 수밖에 없다. 삼국시대(탐라국)에는 토양 상태가 비교적 양호한 지역을 중심으로 잡곡 농사를 시작하였고, 그중에서도 토질 환경에 적합한 보리가 주요 생산 곡물이었다. 제주의

반농반어(半農半漁)식 경제활동 가운데 보리농사는 중요한 생업이라고 할 수 있다.

삼다삼무도 초가지붕인 ㄱ 집은 이 섬의 거의 모든 집이 그러했듯 대문이 없었다[이 섬을 삼무도(三無島)라고도 하는데, 대문이 없고, 도둑이 없고, 거지가 없다는 것을 가리킨다. 말하자면 도둑이 없으니까 대문이 필요 없는 셈이다. 그러나 이것은 옛날부터 전해 오는 말로서, 지금은 비유에 지나지 않았다. 또한 삼다도(三多島, 돌, 바람, 여자가 많다는 뜻)라고도 한다]. 2-3-4:44

▶ 제주학 연구자 석주명(石宙明, 1908~1950)이 제주의 지역적 특성을 '삼다삼무(三多三無)의 섬'이라 설명한 이래 삼다삼무는 제주의 상징어가 되었고, 제주도는 삼다도 혹은 삼무도로 불리게 되었다. '삼다(三多)'는 돌이 많고(石多), 바람이 많고(風多), 여자가 많다(女多)는 것을 의미한다. '석다(石多)'는 한라산의 화산 활동에서 연유한 화산암이 많다는 것으로, 제주는 대표적 화산암인 현무암이 가장 흔한 지역이다. 제주 사람은 땅을 덮은 숱한 돌덩이를 치워 밭을 개간하고 각 지역의 요충지에 방호소(防護所)의 성담을 쌓는 긴 과정을 통해 제주를 개척하고 터전을 일구었다. '풍다(風多)'는 석다(石多)와 마찬가지로 제주의 생존환경이 매우 각박함을 말해준다. 제주는 열대 해상에서 발생하는 태풍의 길목에 자리하고 있어 지정학적으로 한반도 내에서 바람이 많은 지역으로 손꼽힌다. 예로부터 제주인들은 바람과 싸우지 않으면 안 되었는데, 풍다(風多)의 영향은 석다(石多)와 함께 제주의 생활모습 전반에 두루 나타난다. 돌 울타리를 쌓고 나직한 지붕을 새(띠풀)로 얽어맨 초가나 돌담으로 울타리를 두른 밭들이 그 예이다. '여다(女多)'는 인구통계상 남성보다 여성이 많음을 의미하기도 하지만, 그보다는 제주의 여성들이 근면하고 억척스럽게 생활하는 모습을 의미한다고 해야 옳을 것이다. 거친 파도와 싸우며 어획하는 해녀(海女)는 여성들이 바다로 나가서 일하는 여다(女多)의 섬, 제주를 표상하기도 한다. '삼무(三無)'는 도둑이 없고(盜無), 거지가 없고(乞無), 대문이 없다(大門無)는 것을 의미한다. 제주인들은 예로부터 거칠고 척박한 자연환경을

개척하기 위해 근면·절약·상부상조를 미덕으로 삼았다. 섬이라는 한정된 구역에서 도둑질을 하거나 구걸을 하지 않고, 집에 대문도 없이 살았다. 그런가 하면 제주에서는 지조와 절개를 지키다가 유배되어 온 선비들을 조상으로 모시고 있어서 명예심을 중요하게 여겼다. 요컨대 좁은 섬 안에서 서로 익히 알기 때문에 수치스럽고 부끄러운 짓을 삼갔고, 평소 근면·절약하고 상부상조하는 삶을 이루어 집의 대문도 필요하지 않았다. 집주인이 일터로 나갈 때 사람이 없다는 표시로 집 입구에 긴 나무를 걸쳐두면 되었다.

새끼회 | 아저회 | 이방근은 지금 새끼회[아저회(兒猪膾)라고도 한다. 돼지의 태를 다져서 여러 가지 양념으로 무친 회]를 파는 식당으로 가는 길이었다. 2-3-4:90 ¶ 새끼회는 태아를 양막(羊膜)과 함께 잘 다져서 식초·고추장·후춧가루·참기름·참깨·설탕·간장·마늘·파 등 갖은 양념을 넣어 맛을 낸다. 거기에다 소중히 받아둔 양수(羊水)를 적당히 넣어 섞으면 완성된다. 이방근은 언젠가 주인에게 들은 적이 있지만, 새끼회의 태반은 아무것이나 다 되는 게 아니었다. 새끼를 밴 지 한 달 내지 한 달 반 정도 지난 것이 아니면 안 되었다. 돼지는 보통 114일을 전후로 출산을 하는데, 2개월이 지나 버리면 회로 먹기에는 적당치 않다. 또한 도살 후, 여름에는 열 시간, 겨울에는 24시간이 지나면 좋지 않다고 한다. 2-3-4:95

▶ 어린 새끼 돼지를 통째로 다지고 양념하여 맵고 차게 해서 먹는 회이다. 돼지는 일반적으로 임신기간이 3개월인데, 새끼회로 만드는 것은 암돼지의 자궁 속에서 1개월에서 2개월쯤 자란 미성숙 돼지이다. 이를 '아저(兒猪)'라고도 하고 '애저' 혹은 '돗새끼'라고도 한다. '아저'는 돼지의 형체가 대체로 갖추어졌으나 뼈가 채 형성되지 않고 피부에 털도 생기지 않아 회로 요리하여 먹는 데 지장이 없다. 제주에서 새끼회는 보신용이나 숙취해소용으로 먹는 음식인데, 약간 신맛이 나면서도 단맛이 있으며 구수한 맛이 어우러져 양념의 맛이 강하면서도 시원하다. 이 음식의 유래는 몽골의 지배를 받은 고려시대로 추정한다. 삼별초(三別抄)가 진압된 후 탐라는

100여 년간 고려와 몽골의 이중 지배를 받았는데, 양국의 정치적 지배를 받는 이 시기에 이민족의 식문화가 유입되었다는 것이다. 육식 위주의 유목민족이 시생활 문화가 제주 원주민의 식생활 문화와 융화하여 토착화된 음식이라고 하겠다.

설날 계엄령이 끝난 1948년 섣달 그믐날 성내의 밤은, 한 발의 총성도 울리지 않고 심야에 용해되어, 평일과 거의 다르지 않은 1949년 1월 1일을 맞았다. 이것이 구정이라면 새벽에 가까울 때까지, 설날의 선조를 모시는 제단에 올릴 제수 준비와 그 뒤처리로 부엌은 활기로 가득찰 것이다. 12-27-3:170~171

▶제주에서는 설을 '정월 멩질'이라고 부르는데, '멩질'은 명절이라는 말의 음가가 변화한 것이다. 사람들은 정월 초하룻날 아침에 '멩질옷'이라고 부르는 설옷(설빔)을 입고 친족 집에서 제사를 지낸다. 제주 안에서도 지역에 따라 팔촌에서 십일촌까지 방문하는 친족의 범위가 조금씩 다르다. 이러한 친족 방문을 '멩질 먹으러 간다'고 한다. 조상에게 제사를 지내는 것도 '멩질 한다'고 한다. 세배는 정월 초하루부터 대보름까지 친척집을 직접 순회하며 드리는 특징이 있다. 제주 지역에서는 일제강점기를 제외하고는 음력 정월 초하룻날 차례를 지내는 풍습이 있었다. 일반적으로 서열에 따라 윗대 조상의 차례를 먼저 지내지만, 경우에 따라서는 자신의 집에서 먼저 차례를 지낸 뒤 가까운 친척집으로 차례를 지내러 이동하기도 한다. 윗대부터 차례를 지내는 집안에서는 제일 먼저 고조부모제를 지내는 친족의 집으로 간다. 고조부모제 이후 증조부모제, 조부모제, 부모제 순으로 지낸다. 설날의 차례를 포함한 모든 차례는 기제사와 동일한 방식이다. 병풍을 세우고 지방을 써 붙인 다음, 삼헌관(三獻官)과 양집사(兩執事)가 서서 참신(參神)·강신(降神)·초헌(初獻)·아헌(亞獻)·종헌(終獻)·첨작(添酌)·유식(侑食)·잡식(雜食)·철변(撤籩)의 순으로 진행한다. 차례가 끝나면 식구들이 모여 음복을 한 후, 다음 조상의 차례가 있는 집으로 이동하여 같은 방식으로 제사를 행한다. 제주에서는 독특하게 정월 멩질

에 떡국 대신 기제사 때와 같은 제물을 상에 올린다. 시루떡·은절미(인절미)·새미떡·솔변·절변·기름떡을 순서대로 쌓아올리고 각종 나물류와 청주를 같이 올리는 것이다. 나물류 중에서도 고사리탕쉬(고사리채)는 가장 중요한 나물로 여겨 맨 위에 놓으며, 차조로 만든 발효주인 오메기주를 빚어 젯술로 준비한다.

설문대할망 이러한 상상과 제주도 개벽설화인 설문대할망의 이야기를 연결시켜 보는 것도 재미있었다. 한마디로 말하자면, 설문대라는 할머니 여신이 남해에 섬을 만들어 살고 싶어져서 한강의 흙을 손에 한 줌 쥐고 바다 위를 날아가 남해상에다 뿌렸더니 순식간에 섬이 생겼는데, 가장 큰 흙덩어리가 한라산이 되고, 작은 자갈이 흩어져 많은 오름, 즉 기생화산이 되었다는 이야기였다. 설문대할망은 해안에 서서 한라산 꼭대기의 분화구인 백록담에 머리를 감았다니까, 그 키가 어느 정도였는지는 상상이 간다. 3천 미터는 됨직한 여자 거인인 셈이다. 어쩌면 그때 설문대할망이 흙덩어리를 주물러 산을 만들다가, 우리 인간을 위해 장난으로 그런 신비한 조합을 했는지도 모를 일이다. 그렇다면 꽤 재치 있는 할멈이 아니겠는가. 3-7-5:363~364

▶ '설망대할망', '선문대할망', '설명도할망', '설명지할망', '설만두할망' 등 발음이 비슷한 다른 이름으로도 불린다. 설문대할망은 제주의 한라산과 여러 오름들, 그리고 제주 주변의 섬들을 만든 창조신이다. 제주 일부 지역에서는 해녀와 뱃사람의 수호신으로 섬겨지기도 한다. 어떤 설화에서는 설문대할망이 희화화(戱畵化)되어 나타나기도 한다. 죽 끓이는 솥에 빠져서 허무하게 죽는다거나 커다란 성기를 사용해서 어부를 잡는다거나 자신의 몸 크기를 자랑하려다 죽는 모습 등이 그러한 예인데, 이러한 세속화된 이야기에서는 신격인 설문대할망이 인간적 면모를 지닌 존재로 전해진다. 설화의 줄거리는 다음과 같다. 설문대할망은 옥황상제의 셋째 딸이었다. 절대 아래를 내려다보지 말라는 옥황상제의 명을 어기고, 어느 날 아래를 내려다보았다. 그곳에 하늘과 땅이 붙어 있는 천하(天下)의 세

상이 있었다. 설문대할망은 하늘과 땅을 떼어서 지금의 모양이 되게 하였다. 이 일로 설문대할망은 아래 세상으로 쫓겨났는데, 흙을 퍼 날라 제주도를 만들었다. 그때 가장 높은 봉우리가 한라산이 되고 흘린 흙은 오름이 되었다. 한라산이 너무 높아 흙을 한 줌 떠내었는데, 이것이 산방산이 되고 흙을 떠낸 자리는 백록담이 되었다. 설문대할망은 몸이 무척 컸기 때문에 입을 옷이 없이 지냈다. 어느 날 마을 사람들에게 육지까지 다리를 놓아주겠으니 옷을 한 벌 만들어 달라고 하였다. 명주 100동이 필요한데 사람들이 아무리 모아도 99동밖에 되지 않았다. 결국 다리는 놓이지 않았고 설문대할망은 자신의 키를 늘 자랑하고 다녔다. 사람들이 깊다고 하는 물에 들어가 보았지만 모두 설문대할망의 키보다 수심이 얕았다. 우쭐한 설문대할망에게 누군가 물장오리(오름)보다 크냐고 물었다. 분화구의 바닥이 터진 줄 모르는 설문대할망은 물장오리에 들어갔다가 빠져 죽고 말았다.

소를 모는 소년　지프는 멈춰 서서 우마 떼가 지나가기를 기다렸다. / "양동무는 어릴 때 소나 말을 몰아본 적이 있겠지?" 소를 모는 소년들의 맑은 목소리를 들으며 이방근이 말했다. 호―, 호―, 호―……는 말을 모는 소리였다. 눈앞에 나타난 예기치 않은 광경이 갑자기 불안해진 이방근의 기분을 진정시켜 준 모양이었다. "……그건 멋진 경험일 거야. 이 섬에서 태어나 자라면서 그런 경험이 없는 게 유감이야." 1-2-6:259

▶ 목동을 '테우리'라고 부르는데, 제주에서만 사용하는 방언으로 '모으다'라는 의미를 가진 몽골어 'Teuri'에서 유래되었다고 한다. 제주에서는 주로 방목의 방식으로 우마를 사육하였으므로 이를 돌보는 목동이 있었다. 목동은 자기 소유의 우마뿐만 아니라 같은 마을의 사람들이 맡긴 우마 떼까지 함께 몰아 풀이 무성히 자란 곳으로 이동하며 먹이를 먹였다. 병든 우마, 새끼를 밴 우마를 돌보는 일도 하였다.

신방　│무당│ 이 섬에서는 신방(神房)이라 불리는 무당 혼자서 장시간에 걸쳐 굿을 진행하였지만, 도중에 조수 역이자 악기 연주자이기도 한 조무가 대신하는 경우도 있었다. 이처럼 굿은 심야까지 계속되다가 새벽 두 시경에 일단 휴식에 들어가 잠시 눈을 붙인 뒤, 새벽녘에 다시 시작되어 이튿날까지 계속된다. 그 한밤중의 휴식시간에 들어가기 전에, 일반 부녀자들이 노래하고 춤추는 '무감'이라 불리는 가무의 장이 펼쳐진다. 무녀들의 반주로 무녀들에게 빌려 온 형형색색의 화려한 무복을 입고 흥겹게 노래하고 춤을 추는데, 이는 일반 부녀자들이 무감에 참가하여 신의 은혜를 나누어 받으려는 신앙의식이라고 한다. 5-11-1:19

▶제주에서는 무속적 사제를 통칭하는 무당이라는 말 대신에 '심방'이라고 쓴다. 육지에서는 여자 무당(巫女, 萬神)과 남자 무당(박수)을 구분하기도 하나, 제주에서는 일반적으로 남녀를 따로 구분하지 않는다. 이들을 통칭하여 심방이라 부르고, 굳이 구분한다면 남자 심방은 '소나이심방', 여자 심방은 '예펜심방'이라고 한다. 심방은 제주만의 특수한 명칭으로, 제주 이외의 지역에서 심방이라 부르는 경우는 없다. 심방은 명칭뿐 아니라 입무 과정, 신관, 제의 형식, 개인적 신당의 유무 등에서도 육지의 무(巫)와는 다른 특징을 보인다. 무당을 '강신무(降神巫)'와 '세습무(世襲巫)'로 분류하는 육지의 기준과 달리, 제주의 심방은 대체로 '세습무형(世襲巫型)'에 해당한다. 그러나 제주의 무당은 영력을 중시하고 신에 대한 확고한 인식을 바탕으로 뚜렷한 신관이 정립되어 있다는 점에서 일반적인 세습무와 차이가 있다. 한편, 제주에서는 무속적 사제의 소질이나 경력, 굿을 할 수 있는 능력이 일정 수준에 달하면 심방이라 부르기도 한다. 굿을 맡은 심방을 '큰심방' 또는 '수심방'이라 하고, 일부 간소한 굿이나 약식의 비념(축원 제의) 정도만을 할 수 있는 무속 사제를 '소미(小巫)'라 한다. 큰심방은 '초감제'와 각종 맞이굿을 담당하며, 소미는 굿을 할 때 보통 징, 설쇠, 북 등의 악기를 친다.

쌀밥 2, 3일 전까지만 해도 감자와 보리나 조밥밖에 먹지 못했던 제주도의 현실은 어떻게 되는 건가……. 실제로 농민들이 쌀밥 짓는 일은 설날이나 제삿날을 제외하고는 없었다. 2-5-4:401 ¶성내를 벗어난 그런 시골에서는 흰 쌀은 '고운 쌀'이고, 흰 쌀밥은 '고운 밥'이어서, 설날이나 제삿날, 추석과 같은 명절 외에는 먹지 않는다. 평소에는 보리와 조, 피 등을 먹는데, 이방근의 생활은 이 섬의 일반적인 생활상과는 크게 동떨어진 것이었다. 4-8-3:74

▶ 제주에서는 흰쌀밥을 '곤밥'이라고 하였다. 쌀로 지은 밥은 다른 곡식에 비하여 흰색이 고왔던 탓에 다른 잡곡밥과 구분하여 '고운 밥'이라는 의미로 곤밥이라 부른 것이다. 제주는 화산 폭발로 형성된 섬이므로 대부분의 토양이 사질토와 현무암으로 이루어져 있다. 이러한 토양에서는 물이 가둬지지 않고 지하로 침투되거나 바다로 흘러가버려 논농사가 어렵다. 주식으로는 밭농사에 적합한 보리, 조, 수수, 콩, 팥, 메밀 등의 잡곡류가 재배되었다. 제주에서 벼는 지극히 일부 지역에서 소량 생산되었는데 이 또한 천수답(天水畓)이 아닌 밭과 논의 혼합형에서 생산된 밭벼였다. 그로 인해 쌀은 귀하였고, 각 가정에서 제사, 차례, 혼례 등 집안 대소사가 있을 때에만 밥으로 지어 먹었다. 마을 여성들은 집안의 행사에 쓸 쌀을 구하고자 '쌀 계(契)'를 조직할 정도였다.

아기 요람 드롭스를 파는 젊은이의 목소리는 좀 불안정했지만, 지금 눈앞에 있는 배 모양을 한 이 섬만의 아기 요람, 소쿠리, 바구니, 체, 빗자루 등의 대나무와 억새로 만든 제품들이 갑자기 그의 마음을 끌어당겼다. 1-1-2:45

▶ 아기를 눕히는 구덕으로, 아기를 재우거나 아기를 데리고 외출하는 경우에 주로 이용하였다. '애기구덕'은 일반적인 구덕보다 길고 높은 형태로 만들었으며 가장자리는 넓적하게 만들어 손잡이로 사용하였다. 바닥에 보릿대와 요를 깔았는데, 이는 통풍이 잘되게 할 뿐만 아니라 아기가 오줌을 눠도 밖으로 잘 배출되게 하는 기능이 있었다. 제주는 여름에 습하고 더운 해양성 기후의 지역으로, 밭농사에서 잡초를 제거할 때 많은 노동력이 필요하였다. 이러한 여건 속에서 여인들은 아기를 데리고 밭에 나가 일을 할 수 있도록 애기구덕을 사용하였다.

안채 이방근은 어둠 속에서 두 귀를 세운 채, 건너편 안채의 아버지가 있는 거실 쪽의 기척을 살폈지만, 누군가, 아마도 그것은 계모이겠지만, 밖으로 나오는 것 같지는 않았다. 4-10-4:445 ¶ 예전에는 안뜰을 끼고 마주한 아들의 서재가 있는 바깥채와 아버지가 있는 안채는 하천을 사이에 둔 맞은편 냇가처럼 서로 닿는 일이 없었다. 10-23-6:354

▶ 제주의 가옥 구조는 안채(안거리)를 중심으로 하여 바깥채(밖거리), 모커리(안채와 바깥채에 대하여 모로 배치된 건물), 눌굽(낫가리를 놓는 장소) 등으로 나뉜다. 육지의 가옥은 '안채 = 여성, 사랑채 = 남성'으로 성별에 따라 공간을 분리하는 반면에, 제주에서는 '안거리 = 부모 세대, 밖거리 = 자녀 세대'로 세대에 따라 공간을 분리하는 특징이 있다. 게다가 각 채에는 부엌과 창고가 따로 마련되어 있는데 이는 부모와 출가한 자녀의 경제 생활을 독립된 것으로 인정해온 풍습에서 기인하였다.

영등할망 "나흘 전이라면, '영등'은 불지 않던가? 고향에서는 슬슬 심술궂은 '영등할망'이 사납게 불 때인데. 옛날부터 봄이 시작되는 지금이 배가 침몰하기도 하여 가장 무서운 때라고들 하는데, 용케도 배를 띄워서 왔구만 그래. 영등할망은 만나지 않았단 말이지?"/ 강몽구가 '영등할망'은 만나지 않아서 괜찮았습니다, 라고 말했다. 어머니는 안심했다는 듯 한숨을 가볍게 쉬며 고개를 끄덕였다./ 영등할망이라는 것은 봄을 시샘하여 히스테리를 일으키는 심술궂은 바람의 신을 말하는 것이었다. 겨우 겨울이 지나 봄다워지는 음력 2월 초에 갑자기 거칠게 불어 대는 강한 북서풍을 가리켜 사람들은 그렇게 불렀으며, 그녀가 지상으로 내려온 동안에는 바다에 나가는 것을 금기시했다. 2-5-5:432~433

▶ 육지의 해안 지방에서는 풍신(風神, 바람신)의 개념이 강하지만 제주에서는 해산물이나 농작물의 풍요로움을 가져다주는 풍농신(豊農神)으로 더 알려진 신이다. 구전에 의하면, 영등할망은 음력 2월 초하룻날 한림읍 귀덕리에 있는 '복덕개'라는 포구로 들어온 후, 먼저 한라산에 올라가 오백장군에게 문안을 드리고 어승생 단골머리부터 시작하여 제주 곳곳을

돌며 복숭아꽃·동백꽃 구경을 한다. 그런 다음에 세경 너른 땅에는 열두 시만국(十二新萬穀) 씨를 뿌려 주고, 갯가 연변에는 우뭇가사리·전복·소리 미역·진긱·편포 등이 낳이 사라노독 씨를 뿌린다. 이후 2월 15일경에 우도를 거쳐 자신이 사는 곳으로 돌아간다. 이 때문에 제주 지역에서는 2월을 '영등달'이라고 부르고 이 달에 영등굿을 벌여 영등할망을 대접한다. 초하룻날은 영등할망을 맞는 영등 환영제를 하며 12일에서 15일 사이에는 영등할망을 보내는 영등 송별제를 연다. 굿은 주로 마을 단위로 행해지며 어업이나 농업의 풍요를 기원한다. 영등할망은 제주 앞바다의 어디쯤에 있는 외눈박이섬(一目人島)에서 찾아온다는 사람도 있고, 강남천자국(江南天子國)에서 들어온다고 하는 사람도 있을 정도로 거처가 불분명한 신이다. 다만 음력 2월 초하룻날 제주에 와서 바닷가를 돌면서 보말(고동의 일종)을 까먹으며 다니기 때문에 2월에 보말 속이 비어 있으면 영등할망이 찾아온 증거라고 여긴다. 이 시기에는 영등할망이 노한다고 하여 배를 타지 못하게 하는 금기가 생겼으며, 사나운 날씨와 관련 있는 속신의 하나가 되었다. 제주의 속담에 "영등할망 청치매 입엉 들어오민 날 좋곡, 우장 썽 들어오민 날 우치곡, 무지게 입엉 들어오민 춥곡, 몹쓸 민 브름 분다(영등할망이 청치마를 입고 오면 날이 좋고, 우장을 쓰고 오면 비가 내리고, 누비옷을 입고 오면 춥고, 사나우면 바람이 분다)."라는 말이 있다. 이 속담에서도 영등할망이 날씨와 밀접한 관련이 있음을 알 수 있다.

오름 │기생화산, 측화산│ 이 지역에선 '오름'이라 부르는 이들 기생화산 정상에서 바다를 내려다보면 파도 사이로 어른거리는 작은 배도 분간해 낼 수 있다. 기생화산 사이에는 반드시 해안부락이 형성되어 있고, 이들 오름에서는 먼 옛날부터 이따금 봉화가 올랐다. 1-서:11~12 ¶한라산은 아직 저 멀리 아득히 우뚝 솟아 있고, 산기슭 여기저기에 솟아 있는 오름이라 불리는 측화산들도 손바닥 안에 들어갈 정도의 크기로밖에 보이지 않았다. 8-4-3:75

▶한라산을 중심으로 제주 전역에 분포하는 오름은 예로부터 제주의 민속

신앙과 연관되어 있다. 다양한 형태의 오름은 제주의 개벽 설화에서부터 시작하여 수많은 전설을 갖는다. 제주를 창조하였다는 여신인 〈설문대할망〉 설화에 오름에 관련한 이야기가 등장하며, 명승지로 꼽는 제주의 오름을 찾아 시문을 남긴 옛사람이 적지 않다. 제주 오름과 관련된 최초의 기록은 1273년 삼별초의 대몽항쟁(對蒙抗爭)이 '붉은오름'에서 종식되었다는 고려시대 때의 내용이며, 조선시대에는 오름이 외적의 침입을 막는 방어 시설의 역할을 하였다고 전해진다. 일제강점기에는 군사 기지로 기능을 하였는데, 일제 말기에 일본군은 섬 전역을 요새화할 때 제주의 오름을 주둔지, 훈련기지, 격납고, 고사포 진지 등으로 사용하고자 크게 훼손하였다. 또한 오름은 제주 역사에서 가장 큰 비극인 4·3사건의 주요 현장이기도 하다.

오메기술 | 오메기주 | 이방근은 맥주 한두 병 정도를 마시고 있었지만, 술을 억제했다. 소주나 좁쌀이 원료인 토속주 오메기술이 있다면 그것을 마시고 싶었지만, 오늘 밤 아버지와 이야기를 나누어야 했고, 그 앞에서 과도한 취기를 보이거나, 술 냄새를 풍겨서는 안 되었다. 8-18-2:40 ¶ 여자를 불렀지만 오메기주는 없었다. 위스키를 마실 기분은 나지 않았고, 오메기주를 일단 머릿속에 떠올리니 소주 생각도 없어졌다. 8-18-2:41

▶좁쌀과 누룩으로 발효시킨 양조 곡주이다. 오메기술은 탐라국이 건국되기 이전부터 신에게 제사를 드리기 위해 제조한 것으로 추정된다. 제주에서는 조·보리·수수 등의 곡물로 술을 빚어 마셨다. 이 가운데 조를 가루로 내어 동그랗게 만들고 끓는 물에 삶은 떡을 오메기떡이라 하는데 술을 빚는 데에 사용한다고 하여 술떡이라고도 한다. 시루에서 쪄낸 술떡에 누룩가루를 섞은 후 물을 붓고 나서 일주일간 발효를 시키면 오메기술이 된다. 술은 대체로 지명이나 재료, 향이나 술맛 또는 빚는 시기 등에 따라 이름이 붙여지는데 오메기술은 독특하게도 오메기떡이라는 술 재료의 처리 방법에서 유래되었다.

옥돔 그녀는 낡은 신문지로 싼 무슨 꾸러미 같은 것을 들고 나와 두 사람에게 하나씩 건네주면서 말린 옥돔이라고 말했다. 그리고 보니 반쯤 마른 생선 냄새가 두꺼운 포장지에서 새어 나오고 있었다. 1-2-6:272 ¶ 두 사람은 함께 숟가락을 들고 미역을 넣은 옥돔국 국물을 입으로 옮겼다. 9-20-6:167 ¶ 아버지의 거실에 이미 돼지고기 편육과 각각 큰 접시에 담은 자그마한 옥돔 조림 등 많은 음식이 차려진 탁자 양쪽으로 부자가 마주 보고 앉았다. 9-21-5:367 ¶ 부산의 딸들한테 받은 제주산 설마른 옥돔이, 요 3, 4일, 매일 밤 식탁에 오르고 있었다. 깊고 부드러운 흰 살에 참기름 맛을 살린 구이는 일품이었다. 11-25-8:419

▶ 다금바리, 자리돔과 함께 제주를 대표하는 물고기로 꼽는다. 제주 사람들은 옥돔을 '솔라니'라고 하는데, '솔'은 '살', '라니'는 많음을 의미하는 '한이'가 변한 말로서, 살이 많은 생선이라는 뜻이다. 옥돔은 청정해역인 제주 근해에서 잡히는 고급 생선으로, 조선시대에는 대표적인 왕실 진상품이었다고 한다. 사방이 바다인 제주는 해산물이 풍부하지만 그중 옥돔을 생선 중의 생선으로 여겼다. 제주에서 '생선국'이라 함은 보통 '옥돔국'을 가리키며, 잔칫날 다른 음식을 아무리 잘 차려도 옥돔이 없으면 '옥돔 빠진 잔치는 먹을 것도 없이 소리만 요란한 헛 잔치'라고 말할 정도였다. 옥돔은 보통 말려서 보관하는데, 당일 잡은 생선을 비늘과 내장을 제거한 후 해풍에 일정 시간 동안 자연 건조한다. 건조된 옥돔은 껍질 표면에 스며 나온 기름이 피막을 형성하여 각종 영양소와 수분이 유지되며, 생선살이 단단해져 모양이 잘 풀어지지 않는다. 탕, 구이, 조림, 찜 등의 옥돔 요리는 잔칫상은 물론이거니와 제사상과 차례상에도 빠지지 않고 올라가는 토속 음식이다.

왕벚나무 | 사오기 | 실제로 한라산에는 오래전부터 왕벚나무가 자생하고 있었기 때문에 한라산은 왕벚나무의 고향이라고 일컬어지고 있었다. 제주어로는 이 나무를 '사오기'라고 부른다. 산간 부락에 사는 촌로들은 한라산의 '사오기'로 집을 짓고 가구를 만들기도 했다. 아무튼 5백 년 전 조선의 세종대왕 때 세워진 관덕정 초석 위의 다섯 기둥도 '사오기'가 목재

로 사용되었다. 벗나무 가지를 잘라 만든 지팡이를 '사오기 몽둥이'라고
부르는데, 이방근의 집에도 두세 개가 굴러다니고 있었다. 1-2-4:218

▶ 주로 제주에 자생하는 나무로, 원산지는 한국이며 장미과에 속한 낙엽
성(落葉性) 교목이다. 한라산을 중심으로 많은 개체의 왕벗나무가 자라고
있는데, 이 중 오래된 왕벗나무는 천연기념물로 지정하여 보호하고 있다.
잎이 나오기 전에 흰색 또는 홍색의 꽃이 먼저 개화하여 이른 봄철 관상용
수목으로 이용된다. 또한 목재의 재질이 단단하고 무늬가 아름다워 예로
부터 건축재나 고급 가구재의 소재로도 사용되었다.

용천 전날 밤 비에 젖은 양말은 아침에 빨아 온돌방에서 말렸지만, 셔츠나
바지 등은 그리 간단하지 않았다. 물이 없었기 때문이다. 마을의 각 집에
서 마시는 음료수는 여자들이 물동이를 등에 짊어지고 아침저녁으로 몇
번씩 해변에 있는 샘에서 물을 길어 오는 것으로 해결했다. 그것도 샘에
바닷물이 들어오지 않는 간조 때가 아니면 안 되었다. 물 긷는 일은 여자
들의 날마다 빠뜨릴 수 없는 중요한 일과의 하나였다. 물이 귀한 산간
부락 등지에서는 빗물을 먹는 물로 사용하였다. 용천(湧泉)이 있는 해변은
조금 달랐지만, 물을 둘러싼 분쟁이나 물 도둑 같은 소동이 벌어질 만큼
섬에서는 물이 소중했다. 2-5-3:379

▶ 제주 지각의 대부분을 구성하는 현무암은 구멍이 나 있어 물이 잘 빠지
게 한다. 게다가 빗물은 고이지 않고 땅속으로 스며들어 버린다. 용천수는
지하의 지층에 흐르던 지하수가 지표 부근의 지층이나 암석의 틈을 통해
솟아나오는 것이다. 제주에서는 이 물을 '나는 물'이라고 한다. 사람들은
용천수 주변을 돌담으로 쌓아 물이 솟는 가장 가까운 곳은 '먹는 물' 취수
전용장으로 보호하고, 조금 떨어진 곳은 생활용수, 하류는 목욕장으로
썼다. 이처럼 용천수를 중심으로 마을이 형성되었는데, 용천수는 정치·경
제·사회·문화의 기원적 역할을 하는 중요한 요소라고 할 수 있다. 제주의
어른들은 "ᄂ ᆾ 씻을 때 물 하영 쓰민 저승 강 그 물 다 먹어사 ᄒᆞᆫ다(얼굴
씻을 때 물을 많이 쓰면 저승 가서 그 물을 다 먹어야 한다)"라며 물 아끼는

것을 강조하였다. 이른 아침 물허벅을 지고 물을 긷는 것은 하루의 시작이 었는데, 이는 대부분 여성들의 몫이었다. 물과 관련된 속담 중에는 "정월 멩질날 물지지 말라", "정월 초성에 빈 허벅 만나민 새수엇다", "정월 초흐를날 물허벅 지민 등 오그라진다"는 말이 있다. 이는 정초에 빈 허벅을 지고 물을 지러 다닌다는 것은 새해를 맞을 준비 자세가 되어 있지 않음을 나무라는 뜻으로, 물항아리가 비는 집은 문제가 있거나 게으르다고 여겼던 것이다. 그만큼 물은 제주인의 삶에 중요한 부분이었다.

우마방목　열두세 살쯤 돼 보이는 소년 둘이서 가느다란 대나무 회초리로 소의 엉덩이를 때리면서 이랴― 이랴―, 호― 호―…… 하는 맑은 목소리로 우마들을 몰고 있었다. 우마 떼 맞은편에서 자동차 경적이 울렸다. 우마들이 종종걸음으로 신작로를 가로지른다. 마을의 우마들을 초원에 방목하러 가는 길인 모양이었다. 1-2-6:259

▶ 제주에서는 예로부터 소와 말을 들에 방목하여 사육하였다. 크고 작은 돌담과 하천이 울타리의 역할을 하여 그 둘레를 경계로 하는 천연의 방목지가 형성되었다. 한편, 제주에서는 화산회토에 적합한 진압농법(鎭壓農法)을 위해 공동 목장 제도를 마련하기도 하였다. 즉, 방목한 우마(牛馬)가 푸석푸석한 '뜬땅'을 밟게 함으로써 땅의 수분 증발을 막고자 한 것이다. 한마을에 거주하는 주민들이 목장 조합을 만들어 우마를 방목하는 이 공동 목장 제도는 다른 지역에서 찾아보기 힘든 사육 방식이다.

유배의 땅　옛날부터 중앙정부의 버림을 받은 '지수민빈(地瘦民貧)'의 학정에 시달리던 백성의 땅. 일찍이 적객(謫客, 정치범)들이 서울에서 출발하여 험한 산과 물길을 몇 달씩이나 걸려 고생 끝에 간신히 도착한 유배의 땅. 저주 받은 천형(天刑)의 땅이었고, 본토인으로부터 멸시와 차별이 중첩된 땅이었다. 6-14-7:185

▶ 조선시대에 제주도는 원악도(遠惡島)로 꼽힐 만큼 최악의 유배지였다. 육지에서 가장 멀리 떨어진 절해고도(絶海孤島)로, 모든 정보가 차단되고 경제적 여건도 좋지 않은 척박한 지역이었기 때문이다. 제주 오현단(五賢

壇)은 제주 지역의 교학 발전에 공헌한 다섯 사람이 배향된 곳이다. 김정·
송인수(宋麟壽)·김상헌(金尙憲)·정온(鄭蘊)·송시열(宋時烈)이 바로 그들이
다. 이들 오현(五賢)은 당시 학문의 불모지나 다름없던 제주에서 학문을
진작하고 후학을 양성하는 데 기여하였다. 그런데 이 다섯 인물 중 제주
어사로 파견된 김상헌을 제외하고는 네 사람 모두 사화와 당쟁의 여파로
정치적으로 축출되어 제주로 유배를 온 인물들이었다. 19세기 이후에도
제주는 당대의 명망가들을 유배자로 맞이했다. 그중 추사(秋史) 김정희(金
正喜)는 1840년부터 9년 동안 제주도에 유배되었고, 그 유명한 추사체를
이곳에서 완성하였다. 그는 유배 생활을 하는 이 시기에 선비 정신을 잃지
않고 인격과 학문을 고양시켰는데, 제자 이상적(李尙迪)에게 "추운 계절이
지난 후에야 소나무와 잣나무가 푸르게 남아 있음을 안다(歲寒然後 知松柏
之後凋)."라는 《논어(論語)》의 문장을 담은 〈세한도(歲寒圖)〉를 완성해 보
내주었다. 김정희 외에도 최익현(崔益鉉), 김윤식(金允植), 박영효(朴泳孝)
등 조선 말기의 몰락하는 조선 사회를 변혁하고자 한 인물들이 제주로
유배되는 비운을 겪기도 하였다. 이처럼 조선시대의 제주는 정치적으로
핍박과 탄압을 받았던 당대의 정치가와 지식인들이 격리된 공간이면서,
자신의 신념과 지조를 지키며 재기하고자 의지를 굳힌 공간이었다.

유지매미 아까부터 열심히 울어 대던 유지매미의 울음소리가 피아노의
가벼운 멜로디의 흐름에 밀려 사라지고, 피아노의 은색으로 튕기는 소리
가 땀이 배는 여름 오후의 고즈넉함을 부각시켰다. 6-14-1:24

▶ 서귀포시 일대에서 서식하는 매미과 곤충으로, 날개 색깔이 마치 '기름
먹인 종이'와 비슷하다고 하여 '유지(油紙)매미'라는 이름이 붙었다. 몸통
의 크기는 평균적으로 3센티미터 내외이며, 날개 길이는 몸통의 두 배
정도이다. 등에는 흑색 또는 흑갈색 바탕에 적갈색 무늬가 불규칙하게
있고, 등판을 중심으로 몸 표면에 흰 가루가 있다. 앞날개와 뒷날개는
불투명하고 흑색, 갈색, 초록색의 무늬가 알록달록하게 배열되어 있으며,
날개맥은 황갈색 또는 연한 초록빛을 띤다. 성충(成蟲)은 대개 평지나 낮

은 산지의 나무에서 흔하게 볼 수 있는데, 줄기에 모여들어 나무의 수분을 빨아먹는다. 수컷은 짝을 찾기 위하여 우렁찬 울음소리를 낸다. 유충(幼蟲)은 땅속에서 굼벵이 종류를 비롯하어 사나무·배나무·매화나무·포도나무·감나무·복사나무·진달래 등의 뿌리 즙액을 빨아먹고 산다. 애벌레의 형체로 토양층에 7년 정도 있다가 나무 위로 올라와 성충이 된다. 유지매미는 민간에서 해열제·소염제·피부병·당뇨병 치료제·혈액 해독제 등의 약재로 이용되었다.

이어도 타령　해조음 같은 파도 소리와 함께 아득히 먼 저편에서 들려오는 환청이 이어, 이어, 이어도 하라, 라며 이방근의 고막을 조용히 두드렸다. 조금 전 맷돌을 돌리는 노래와는 다른, 해난(海難)의 노래, 연부(戀夫)의 노래였다. 이어, 이어, 이어도 하라……. 강남을 가려거든 햇님을 보고 가라, 이어도까지가 절반 길이라 한다, 이어도란 말은 말고서 가라, 말하지 않고 가면 사람들이 웃는다, 이어도란 말은 말고서 가라, 이어도 하면 눈물이 난다……. 이어, 이어, 이어도 하라……. 4-8-4:108~109

▶ 제주 해녀들이 배를 저어가면서 부르던 노래인 〈해녀 노 젓는 소리〉 중 하나로 〈잠녀 노래〉라고도 한다. "이여도사나 이엿사나"와 같은 후렴구가 있는 이 노래는 잔잔한 바다에서 천천히 배를 저을 때 부른다. 주로 메기고 받는 선후창 방식으로 부르며, 가락은 단순하면서도 역동적이다. 가사는 "이어도 하라. 이어도 하라. 이엿말 하면 나 눈물 난다. 이엿말은 말앙은 가라. 강남을 가건 해남을 보라. 이어도가 반이엥 한다."이다. 예로부터 제주 사람들은 이어도가 강남(남쪽의 먼 곳)으로 가는 뱃길의 중간 지점에 있다고 상상하였는데, 〈이어도 타령〉은 제주의 근해보다는 한반도 서남해안으로 물질하러 오가는 동안 주로 불렸다. 이 노래의 주제는 제주 해녀의 의지와 정한(情恨)이라고 할 수 있는데, 그 내용은 노래의 진행에 따라 노동의 내용, 임에 대한 그리움, 신세타령, 인생무상, 가족 걱정 등으로 다양하게 구성된다. 제주 여성들의 고단한 삶은 이들만의 독특한 원망을 형성하게 되었고, 〈이어도 타령〉에는 고된 삶에 맞서는 제주 여성

의 강한 기질과 욕망이 내재되었다.

이재수 이야기 "(…) 손 서방은 육지에서 온 사람이라 모르겠지만, 옛날이 섬에, 내가 아직 어릴 때였는데, 이재수(李在守)란 훌륭한 장수가 있었수다…… 그때 일이 지금 생각남수다."/ "어험, 이재수라면 나도 알고 있지." 홍 영감이 긴 곰방대의 대통을 줄 손잡이에 통통 두들겨 재를 털면서 말했다. "내가 서당에 다니던 개구쟁이 시절 일인데, 이 마을에서도 많은 사람들이 무기를 들고 일어났지. 이재수가 가는 마을마다 폭죽을 터뜨리며 환영하고 술이랑 음식을 내어 대접했어. 그래서 모두들 농민군에 가담해서, 이재수를 따라 말일세, 관리들과 양놈들이 한패가 된 천주교도들이 우글거리는 성내로 쳐들어갔다네. 큰 난리가 났는데, 이재수는 보통 사람이 아니었어. 이재수는 잡혀서 서울로 압송되어 죽었는데, 그때 옷을 벗겨보니 이재수 몸에 멋진 날개가 두 개 달려 있었다는 거야. 물론 관리들은 칼로 그 날개를 베어버렸지만 말야. 어렸을 적 우리들은 이런 얘길 많이 들었었지……."/ 젊은 남승지조차도 어렸을 때 어머니가 동경과 존경이 가득한 표정으로 이재수 이야기를 들려주던 일을 기억하고 있었다. 두 개의 날개 이야기도 들었다. 어린 그는 날개가 돋아난 훌륭한 '장수'에 대해 신비하면서도 뭔가 괴물과 비슷하다는 상상도 했다. 이렇게 1901년에 일어났던 민란 지도자는 현실의 틀을 벗어나 섬 사람들 사이에 전설 속 인물이 되어 있었다. 2-5-1:329~330

▶1901년 5월 외래종교, 즉 천주교와 그 교도에 대한 제주 민중들의 저항이 일어났다. 이처럼 이재수의 난은 신축년(辛丑年)에 발발하였기에 '신축교란(辛丑敎難)', '신축민란(辛丑民亂)'이라고도 부른다. 이와 관련된 〈이재수 전설〉은 제주 민중과 함께 봉기한 이재수가 봉세관(封稅官)과 천주교도들의 횡포와 수탈에 저항하였으나 조정과 외세의 개입으로 죽음을 맞게 된다는 인물 전설이다. 전해지는 이야기는 크게 세 유형으로 구분할 수 있는데, 민중의 입장에서 구술된 것이 가장 많고 관의 입장과 천주교도의 입장에서 구술된 것도 있다. 1960년대까지 장두 이재수, 오

대현(吳大鉉), 강우백(姜遇伯)의 삼의사(三義士)를 강조하던 추세에서 점점 이재수를 강조하는 쪽으로 바뀌었다. 이재수 전설의 전체적인 내용은 다음과 같다. 성교(聖敎, 천주교)에 든 노룩놈과 쌍패의 패악이 계속되어 백성들의 원성이 극에 달하자 오대현과 강우백이 장수로 나서서 난을 일으켰다. 성교꾼들에게 장수가 사로잡히고 수세에 몰리자 이때 이재수가 나섰다. 이재수가 포수를 대동하여 성을 둘러싸니 성교꾼들은 성 안에서 버텼는데, 식량이 떨어져 죽게 되자 성 안의 여자들이 문을 열어 주었다. 이재수는 성 안에 들어가 성교꾼 수백 명을 칼로 도륙하고 권세를 휘둘러 백성을 못살게 군 양반들도 잡아다 죽였다. 나라에서는 허가 없이 싸웠다고 이재수를 잡아갔고, 외세(프랑스)가 자국의 선교사들을 살해한 데에 보복하지 않도록 이재수를 죽였다. 이 이야기는 서양, 기독교 세력의 진출과 왕실의 지나친 수탈에 항거하는 반외세·반봉건의 민중항쟁에 대한 이야기로서 장두 이재수의 영웅화가 특히 두드러진다.

자리물회 아침식사는 안쪽 거실에서 당숙인 이건수와 밥상을 마주하고 앉아 간단하게 끝냈는데, 무엇보다 해장이 필요한 뱃속에 자리회와 그것을 냉육수로 만든 물회가 좋았다. 회를 차가운 국물로 만드는 것은 제주도식 조리법이었는데, 자리 외에도 참깨와 부추, 풋고추 등을 썰어, 그것을 여러 양념과 버무린 식초를 넣은 국물을, 딱딱한 작은 뼈를 기름기가 오른 살점과 함께 씹어 뱃속으로 보내는 느낌이 참 좋았다. 5-13-3:426~427

▶동해안과 남해안 지방 일부에서 고추장을 타서 만드는 친숙한 물회 요리와 달리, 제주에서는 된장을 풀어 물회를 만든다. 또한 제주의 물회는 날된장과 보리밥을 발효시켜 만든 쉰다리 식초의 맛이 강한 특색이 있다. 별도의 보관시설이 없던 시절에 물회는 시큼한 국물 맛이 잃어버린 입맛을 찾게 해주는 여름철의 별미였다. 가장 대표적인 것은 자리물회이다. 자리는 돔 중에서 작은 축에 속하는 자리돔을 일컫는다. 제주와 남해안에서 서식하는 어류인데, 주로 5월 봄철에 제주의 근해에서 많이 잡힌다. 제주는 출륙금지령이 있던 1629년부터 1834년까지 205년간 육지로 이동

이 불가하였고 관이 운용하는 배 이외에는 배를 가질 수 없었다. 이 때문에 '테우'라는 뗏목을 사용하여 근해에서 어획을 하였는데, 이때 자리가 많이 잡혔다. 이로 인해 자리는 제주 사람들이 가장 즐겨먹는 생선이 되었다. 특히, 자리는 물회로 만들어 먹었다. 자리물회는 자리를 뼈째로 썰어 채소와 함께 토장 등으로 양념한 후 시원한 물을 부어 만든다. 본래 자리를 손질할 때, 머리의 눈 부위에서부터 아가미와 내장이 있는 부분까지 자른 후 몸통을 사선으로 잘라 가시까지 같이 먹었으나 근래에는 비늘과 가시를 발라 생선살만 취하여 양념을 가미한다.

장례식 가령 사체가 있다고 해도, 너무나 갑작스러운 죽음이기 때문에, 이제부터 풍수사, 혹은 풍수에 밝은 고학의 유식자에게 부탁하여, 묘지의 지맥, 수맥의 지형, 방위의 길흉을 점치는 최소한의 절차가 필요했다. 사체가 가족의 품에 돌아온 뒤에도, 정식으로 장례식을 치르기까지는 상당한 시일이 걸릴 것이다. 이 나라에서 장례식은 전답을 팔아서라도 비용에 충당해야 하는 대사였다. / 성내 가까운 곳에 적당한 장지가 금방 발견될리도 없고, 한창 동란인 때에 지관이라 불리는 풍수가 여기저기 답사하면서 토지를 물색하는 일도 어려웠다. 어쨌든 번문욕례의 복잡한 의식이 행해지는 것인데, 장례식은 유족과 그 친척인 정씨 문중이 주재하기 때문에, 이씨 집안에서는 장례식 참석만으로 충분했다. 12-종장-5:321~322

▶ 제주에서 《예서(禮書)》에 명시된 절차에 따라 상례 문화가 정착된 것은 예학(禮學)이 성행한 조선시대부터이다. 그러나 제주의 상례는 민간 신앙과 결합된 양상이 있어, 《예서》의 장례 절차를 따르면서도 이 절차를 변용하는 방식으로 정착되었다. 상례 절차는 임종(臨終)·수시(收屍)·초혼(招魂)·염습(殮襲)·조관(造棺)·입관(入棺)·출구(出柩)·발인(發靷)·운상(運喪)·하관(下棺)·성분(成墳)·초우(初虞)·귀양풀이·재우(再虞)·삼우(三虞)·졸곡(卒哭)·소상(小祥)·대상(大祥)·시왕맞이·담제(禫祭) 등의 순서로 진행된다. 장례 전날 하루 동안 문상객을 받는데, 이를 일포(日哺)라고 한다. 문상 온 남성 조문객들은 제상 앞에 가서 부조금을 놓은 후 절을 하고,

여성 조문객들은 혼백이 모셔진 방에 들어가 곡을 한다. 제주에서는 상제들에게 각각 부조하는 '겹부조'가 일반적이며, 장례 집안의 여성 상주들에게도 일일이 부조를 하는 특징이 있다. 상례의 세불이나 신설은 일반 제사와 크게 다르지 않다. 다만 떡으로 '중궤(직사각형의 흰떡)'와 '약궤(정사각형의 흰떡으로 네 귀퉁이와 가운데 구멍을 뚫은 것)'가 추가되는 점이 다르다. 상례 때 친족들의 부조는 의무적인데, '고적'이라고 부르는 부조는 떡과 쌀로 구분하였다. 친족의 부고가 전해지면 메밀가루를 둥글넓적하게 만든 고적 떡을 부조로 준비하는 경우가 있었다. 상여(喪輿)가 나가는 날에는 장지가 아무리 멀어도 이 고적 떡을 등에 지고 장지로 향했는데, 이 떡으로 장지에서 식사를 대용하였다. 상가의 사돈집에서는 상주들을 위해 팥죽을 쑤어 갔다. 성복(成服)을 하기 전까지 상주들이 대체로 식사를 하지 않기 때문에 사돈집에서는 상주들을 위하여 팥죽으로 부조를 한 것이다. 장례 뒷날 재우제를 지내고, 다음날 삼우제를 지낸다. 망자가 사망한 날로부터 100일이 지난 뒤 정일(丁日)이나 해일(亥日)에 졸곡제(卒哭祭)를 지낸다. 사망일로부터 1년이 되어 소상을 치르면 상제들은 상복을 벗는다.

전복젓갈 그리고 나서 소주의 자극이 채 가시지 않은 입안에 전복젓갈을 넣고 씹었다. 전복 내장의 맛을 몇 배 농축시킨 듯한 깊이 있는 쓴맛과 고춧가루의 매운맛이, 소주의 자극이 남아 있는 혀와 입천장의 얼얼함과 겹쳐지면서, 맛인지 냄새인지 알 수 없는 뜨거운 것이 솟구치며 입안에서 난기류를 일으켰다. 4-8-6:155

▶ 전복은 해심 60미터 이내의 물이 맑고 조수의 흐름이 완만한 곳에 서식하며 주로 미역과 같은 해조류를 먹고 산다. 오래전부터 제주의 해안 마을에서는 해녀들이 잡은 생전복(生全鰒)을 관가에 진상용으로 바치거나 팔기 위해서 손질하였는데, 그 과정에서 발생하는 부산물이 바로 전복내장, 즉 '게웃'이었다. 제주 사람들은 이 '게웃'을 활용하여 죽을 쑤거나 젓갈을 담가 먹었다. 게웃젓은 전복내장을 소금으로 버무려 열흘에서 보

름 정도 숙성시킨 것으로, 숙성된 '게웃'은 잘게 썰어 풋고추, 붉은 고추, 쪽파, 깨소금 등의 양념과 버무려서 먹는다. 제주에서는 '게웃젓'을 가장 귀한 젓갈로 취급한다.

제사　제사 전날에는 친척들이나 이웃 여자들이 도와주러 오기도 했다. 그러나 여동생이 사람들 틈에 섞여 움직이고 있으면 돌아가신 어머니의 제사로 느껴지는 것이 신기했다. 흐음, 모레가 어머니 제사란 말이지. 2-3-1:8　¶ 아버지가 미리 일러두었는지 친척 노인들은 제사의 원칙을 주장하는 따위의 이의를 제기하지는 않았다. 육촌 형 상근이 집사를 맡은 가운데, 이방근이 아버지를 대신해서 상주 자리에 앉아 첫 배례를 마쳤다. 그리고 나서 아버지를 제외한 가족이(그래 봤자 여동생과 계모 선옥밖에 없었지만) 집사의 시중을 받으며 배례를 끝내자, 이어서 친척들이 뒤를 따랐다. 다음에는 일반 참례객들이 절을 두 번 하는 배례만 하면 되었다. 그러나 사람들이 많았다. 줄지어 선 수십 명의 사람들이 제단 앞으로 두 사람씩 나가 배례를 했다. 그동안 탁자에 남은 음식이 모두 치워지고, '음복'을 위한 준비가 시작되었다. 2-4-4:279~280

▶ 제주에서는 제사(忌祭)를 흔히 '식게'라고 한다. 또한 제사에 참석하러 가는 것을 '식게 먹으러 간다'고 하는데, 이는 제사 음식을 음복하러 간다는 뜻이다. 제사를 지낼 때 가까운 친척은 물론 근방에 거주하는 아주 먼 친척이나 지인들까지 불러 함께 제사를 지내고 음식을 나누어 먹는다. 이웃의 제사에 식게 먹으러 갈 때에는 쌀이나 술, 빙떡이나 상웨떡(제사상에 올리는 보리떡) 등을 가지고 가는 것이 일반적이었는데 요즘에는 간단하게 봉투(현금)로 대신하기도 하나, 제삿집에는 결코 빈손으로 가지 않는 것이 일반적이다. '식겟날'은 사자(死者)를 추모하는 엄숙한 분위기의 날보다 '먹으러 가는 날'로서 친족과 지인이 만나 친교를 맺는 만남의 자리가 되는 날이다. 제주의 제사는 친족과 이웃 간의 동질성을 확인하고 친목과 유대를 강화하는 매개의 기능이 있다. 제주(祭主)는 사흘 전부터 상가 방문, 병문안, 사체 보기, 피 흘림, 성생활, 다툼이나 욕설, 말고기나

개고기 섭취 등 부정한 일을 삼가고 몸가짐을 정결히 하여 준비한다.

제주도 사투리 황동성은 이방근의 말에 미간을 찡그렸다. 이방근은 자신의 발음과 그 억양이 서울말의 그것과는 달리 제주도 사투리라는 것을 납득하면서, 황동성의 탓이 아닌데도 조금 불쾌해졌다. 6-14-7:184

▶제주 방언은 다른 지역의 방언들과 비교해 독자적이며 고유한 변천을 보이는 사례가 매우 풍부하다. 조선 전기의 문관인 김정은 《제주풍토록》에 "이곳 사람들의 말소리는 가늘고 날카로워 바늘 끝같이 찌르며 또 알아들을 수도 없었는데, 여기 온 지 이미 오래되니 자연히 능히 통하게 되었다(土人語音細高如針刺且多不可曉, 居之旣久自能通之)."라는 기록을 남겼다. 제주의 방언은 억양이나 단어, 문법 등에서 육지의 말과 차이가 많이 나기 때문에 이러한 생경함을 느낄 수밖에 없었던 것이다. 한 언어의 방언 중 동일하거나 유사한 방언을 사용하여 공통적인 영역을 배타적으로 추출할 수 있는 영역을 방언권이라고 한다. 동일한 정도의 상대적 차이에 따라 소방언권, 중방언권, 대방언권으로 나누는 것이 일반적인데, 이들의 구분은 상대적이다. '제주 방언'은 대방언권의 하나로 볼 수 있는데, 방언권 내의 언어적 동질성이 매우 강한 편이다. 전통적으로 한라산을 중심으로 산북(山北) 방언과 산남(山南) 방언으로 구분하여 왔으나 다른 지역의 방언권과 비교하면 두 방언의 차이는 하나의 소방언권을 하위 구획한 수준의 차이에 불과하다. 제주의 방언은 'ᄋ'의 존재와 조사·어미의 특수성 등 음운과 문법에서 다른 방언과 차이가 분명할 뿐 아니라, 의미 영역이나 어원을 달리하는 단어 또는 몽골어 등 외래어의 영향으로 독특한 단어가 매우 많이 나타난다. '패마농(파)', '꿩마농(달래)', '대사니(마늘)'를 총칭하는 '마농'이라는 말이 있다든지, '새끼줄'의 방언형이 굵기에 따라 '배(大)', '슨 네끼(中)', '노(小)'로 분화되어 있다든지 하는 예는 언어의 의미 영역이 달라진 경우이다. 그리고 '가라물(黑馬), 골겡이(호미), 꽝(뼈), ᄂ단손(오른손), ᄂ뻬(무), 비바리(처녀), 세우리(부추), 지실(감자)' 등은 어원을 달리하거나 외래어에 기원을 둔 이질적인 단어의 예이다. '구덕(바구니의 일

종), 올레(골목에서 마당으로 들어오는 짧은 골목), 허벅(물동이의 일종)' 등 제주에서만 독특하게 발견되는 특수한 단어도 상당수이다.

제주도 여자 일반적으로 굳세고 억척스러운 것이 제주도 여자의 특징이라 하는데, 어쩌면 그런 점에서 부잣집 딸과는 상반된 성격의 일면이라 할 수 있을지도 몰랐다. 그녀의 그러한 성격이 때로는 상당히 무례한 말투로 나타나 남승지의 자존심을 건드리기도 했다. 1-1-5:126 ¶"어두운 새벽부터 밭에 나가 풀을 뽑고, 밤에는 늦게까지 맷돌을 돌리고, 망건을 짜기도 하고, 정말로 제주도 여자는 일하기 위해 태어났다고 해도 틀린 말은 아니지. 고향의 일을 생각한다면 이 정도 일은 아무것도 아니야. (…)"2-5-6:446 ▶제주의 삼다(三多) 중 하나인 여자들은 억척스럽고 부지런하여 생활력이 강하다는 인식이 있다. 이러한 인식은 제주의 남자들이 바다로 나가 어업 중에 조난을 당하거나 사망하는 경우가 많아 여자의 인구가 상대적으로 많았던 데에서 연유한다. 또한 생활 풍토가 각박하여 여자들도 남자와 함께 일터로 나와 농사를 돌봐야 하는 상황도 이유가 되었다. 조선 중기의 문장가인 이수광(李睟光)은 《지봉유설(芝峰類說)》 제6장 〈풍속(風俗)〉에서 제주 여자에 대해 다음과 같이 서술하였다. "탐라는 멀리 떨어진 바다 가운데 있다. 주민들은 바다를 집으로 삼아 고기 잡고 해초 캐는 것으로 먹고사는 생업을 삼는다. 해마다 풍랑에 떠내려가거나 물에 빠져 죽는 일이 많아서 매장되는 남자는 드물다. 그러므로 남자는 적고 여자는 많다. 그 때문에 수십 명의 아내를 거느린 남편도 있다. 비록 매우 가난한 남자일지라도 최소한 아내가 10명은 된다. 그 아내가 항상 힘껏 일하여 그 남편을 먹여 살린다(耽羅在絶海中. 居人以海爲家. 以漁採爲食. 歲多漂溺. 男子之得葬者寡矣. 以其男少女多. 故一夫而數十妻者有之. 雖甚貧窶者. 亦不下十婦. 其婦常力作. 以食其夫焉)." 한편, 제주는 남녀의 만남을 통제하는 육지와 달리 자유로운 이성교제를 허용하는 문화였고, 같은 마을에서 혼인하는 경우도 많았다. 한데 비교적 이혼율이 높았으며 재혼율도 높았다. 특이한 것은 남편과 사별한 이후 재혼하는 여성의 비율은 높지 않지만 이혼한 여성의 경우, 재혼하는 비율이 높았다는 것이다. 사별 시에는 남편이 남긴 재산을 여성이 소유할 수 있었지만, 이혼을 하게 되면 시가 쪽에서도 친정으로부터도 재산 상속을 받지 못했기 때문이라고 한다.

조왕신과 노일저대　조왕신과 측간신인 노일저대는 원수지간……이란 말이지. 그렇군, 변소와 부엌이 사이좋게 함께 있는 것은 좋지 않겠지……. 이런 것들은 이 나라의, 특히 이 섬의 샤머니즘, 즉 무속에서 나온 신앙이었다. 무가로 전해지는 신화적인 설화로서, 그것이 섬의, 특히 부녀자의 생활습관에 커다란 영향을 미쳐 왔다. 조왕인 여산부인과 측간신 노일저대는 처첩의 관계였다. 4-10-1:377

▶ 제주 무속에서 구송되는 〈문전본풀이〉의 주인공들이다. 〈문전본풀이〉는 집 안의 여러 공간, 즉 올레(집으로 오는 길목)와 주목정쌀(집 안팎의 경계), 사방(東西南北)과 앞문, 뒷문, 그리고 부엌과 측간을 지키는 신들에 관한 본풀이를 말한다. 이 본풀이는 전형적인 계모담(繼母談)인데, 그 내용을 정리하면 다음과 같다. 승전 땅에서 살고 있는 '조정승따님애기'는 세상으로 공부하러 내려온 '하늘옥황수문대장아들'과 만나 함께 살게 된다. 두 신이 함께 살다 보니 생불꽃이 내리기 시작하여 어느덧 남자 형제 일곱을 낳게 되었는데, 아홉 식구가 궁핍하게 살다 보니 부인은 남편에게 다른 나라에 가서 무곡(貿穀)을 사 와 장사를 해보라고 제의하게 된다. 이에 남편은 배를 타고 떠나가 3년이 지나도록 돌아오지 않았고, 부인은 아들들이 만들어준 짚신 일곱 켤레를 가지고 남편을 찾아 나서지만 찾지 못한다. 그러자 아들들이 이번에는 배를 만들어 주니 배를 타고 다시 길을 나서 '오동국'에 당도한다. 그곳에서 부인은 새 쫓는 아이가 부르는 노랫소리를 듣고 남편이 있는 곳을 알게 되었다. 드디어 남편을 만났으나 '노일제대귀일의 딸'에게 속아 가져간 재산을 탕진하고 그녀와 함께 살고 있음을 알게 된다. 조정승따님애기는 남편에게 쌀밥을 지어 올리고 첩(妾)인 노일제대귀일의 딸까지 데리고 집으로 돌아가고자 하였다. 한데 오는 도중 노일제대귀일의 딸이 본부인을 물에 빠뜨려서 죽게 하고 집에 와서

는 마치 자신이 그녀인 것처럼 아들들을 속이려 하였다. 그러나 열쇠로 문을 여는 것을 잘 못하고 아들들에게 차려주는 밥상이 뒤바뀌어 의심을 받게 된다. 그러자 노일제대귀일의 딸은 중병(中病)으로 위장하고 남편에게 뒷밭으로 가서 중(僧)에게 점을 친 후 처방을 알아오게 하였다. 그 처방인즉 아들들의 애(간)를 꺼내어 먹으면 낫는다는 것이었다. 그 중은 노일제대귀일의 딸이 가장한 것이었는데, 영리한 막내아들이 이를 알아차리고 새끼 돼지의 애를 대신 내어 노일제대귀일의 딸을 속였다. 그녀는 입에 피를 묻히고 애를 먹은 흉내만 낸다. 문틈으로 이를 목격한 막내아들이 달려들어 노일제대귀일의 딸과 6개의 애를 붙잡고 사람들에게 이 사실을 알렸다. 그러자 노일제대귀일의 딸은 도망가다가 측간에서 목매어 자살하고, 아버지는 정낭에 걸려 죽는다. 아들들은 계모의 시신을 조각낸다. 그리고는 오동국으로 가 물속에서 어머니의 시체를 찾아내고, 서천꽃밭에 가서 죽은 어머니를 살려낸다. 막내아들은 어머니가 물에 오래 있어 춥다고 하자 불이 있는 부엌의 조왕신으로 들어서게 했다. 아버지는 올레 주목정쌀 지신으로, 계모는 측간신으로 집의 공간을 맡게 하였다. 막내아들은 다섯 형들이 각각 오방(五方)의 대장군으로, 여섯째 형은 뒷문전에 좌정하도록 하고, 자신은 일문전으로 들어섰다. 이와 같이 〈문전본풀이〉는 집안의 안주인이자 본처(本妻)인 어머니가 부엌의 조왕신이 되고 첩은 측간신이 된다는 결말이다. 생산의 공간인 부엌과 배설의 공간인 측간에 대한 사유가 처첩의 관계로 형상화된 본풀이라고 할 수 있다.

좁쌀 소주 │도둑술│ 두 사람은 호리병에 담긴 소주를 서로의 잔에 따랐다. 이 지방 특산인 좁쌀 소주로 일명 도둑술이라고도 한다. 찰지면서도 깔끔한 맛이 일품이었다. 쫀득쫀득한 돼지고기에는(아이 손바닥만 한 돼지고기를 알맞게 익은 김치에 싸서 한 입에 털어 넣는다) 고구마 소주도 좋았지만 그래도 좁쌀 소주가 최고였다. 1-2-2:186

▶ 제주에서는 좁쌀 소주를 '고소리술'이라고도 부른다. 몽고군의 침략이 있던 고려시대에 몽고인들의 증류기법이 그대로 전해지면서 제주에서도

증류주가 생산되기 시작했다. 이 기법으로 만든 최초의 술이 좁쌀 소주이다. 소주를 내리는 도구를 '소줏고리'라고 하는데 제주에서는 이를 '고소리'라고 부르기 때문에 고소리술이라는 이름이 붙었다. 김정의《제주풍토록》에 "벼는 매우 적기에 지방 토호들은 육지에서 사들여다 먹고, 힘없는 자는 밭곡식을 먹으므로 청주는 매우 귀하다. 겨울이나 여름은 물론이고 소주를 쓴다(而稻絶少 土豪貿陸地而食 力不足者 食田穀 所以淸酒絶貴 冬夏 勿論用燒酒)."라고 하였다. 이처럼 제주에서 쌀로 빚은 청주는 정치적으로 지배층에 속하는 토호들이 마시는 정도였고, 서민들이 음용하는 술은 잡곡으로 빚은 술이었다. 제주의 지형상 배수가 잘되는 곳에서도 재배가 잘되는 조 농사를 많이 지었는데, 여름작물로 수확한 조를 막걸리나 청주뿐 아니라 소주를 주조하는 데에도 활용하였다. 좁쌀 소주는 발효가 끝난 오메기술(좁쌀 청주)을 증류시킨 소주이다. 청주나 막걸리는 오래 저장할 수 없는 반면에 좁쌀 소주는 오래 보관할 수 있어 제주 사람들이 특히나 많이 빚어 마셨다.

집 지붕이며 엔진 덮개, 유리창까지 온통 먼지를 뒤집어쓴 버스는 낮게 늘어선 집들 사이를 천천히 나아갔다. 1-1-1:28 ¶ 남승지의 고모 댁은 동서로 뻗은 마을의 서쪽 끝에 있었다. 나지막한 초가집들을 둘러싼 돌담 사이로 난 구불구불한 골목길을 지나 막다른 곳에 있는 그 집은 이 근처에서는 보기 드문 대문이 있었다. 1-2-6:267

▶제주는 우리나라에서 강수량이 가장 많고 바람 또한 강한 지역으로, 가옥 형태는 이러한 기후와 밀접한 관련이 있다. 강한 풍속의 바람에 지붕이 망가지지 않도록 하고자 제주의 가옥은 전체적으로 높이가 낮게 짓는다. 지붕도 경사를 완만하게 설치한다. 또한 바람에 받는 압력을 최소화하고자 지붕에 용마름을 하지 않고 처마의 높이도 낮게 하는 특징이 있다.

차조떡 중산간 부락 등의 아지트로 운반되어 오는 차조떡이나 미숫가루 등은, 마을의 부녀자들이 입산한 남편과, 아들 딸, 형제들을 생각해서 정성껏 만든 귀중한 식량이었다. / 차조로 만든 떡은 잘 부패하지도 않고 딱딱하기 때문에, 취사할 필요가 없이 간편한 휴대식량이 되었다. 8-19-1:269

▶ 익반죽한 차조가루를 도넛이나 새알심 모양으로 빚은 후 삶아낸 떡에 고물을 묻혀 먹는 음식이다. 화산섬인 제주의 토양은 화산회토의 토질로 물 빠짐이 잘되어 벼농사보다는 밭농사에 적합한 땅이었다. 특히나 조와 보리는 물을 적게 필요로 하는 작물이므로 제주의 밭에서 흔히 재배되는 곡식이었다. 이러한 환경으로 차조의 수확량이 많다 보니 자연스레 차조로 술을 빚어 먹게 되었다. 차조떡, 즉 오메기떡은 본래 술을 빚기 위해 반죽한 밑떡이었다. 이것 또한 쫀득한 식감의 별미가 되어 고물을 묻혀서 떡으로 만들어 먹게 되었다. 예전에는 술을 빚는 날이면 술독 주변에 여럿이 모여 오메기떡을 만들어 나누어 먹는 풍습이 있었다고 한다. 차조는 보리보다 소화가 잘되고 저장성 또한 탁월하여 오래 보관하더라도 맛이 쉽게 변하지 않고 병충해도 적었다. 이 때문에 제주 사람들은 수확한 차조를 재료로 삼아 오메기떡을 만들고 간식으로 먹기에 이른다. 역사적으로 보면, 원나라가 탐라총관부(耽羅摠管府)를 설치하여 지배하던 고려 후기에 원나라로부터 메밀과 소줏고리가 유입되었다. 소주를 내리는 도구인 소줏고리를 사용하여 증류주를 만들었는데, 이 증류기법으로 술을 만들 때 차조로 만든 밑떡을 빚었다. 기록에 의하면 고소리술의 역사가 약 800년 이상 되므로 그 무렵부터 오메기술과 오메기떡이 있었다고 추정할 수 있다.

초가지붕 기와지붕들 사이에 띄엄띄엄 있는 초가지붕이 유독 눈에 띄었다. 성내 입구 주변에는 강풍에 날아가지 않도록 굵은 밧줄로 바둑판처럼 동여맨 초가지붕들이 땅에 달라붙은 갑충 모양으로 밀집해 있었다. 1-1-1:27

▶ 제주의 가옥은 대부분 '띠'로 지붕 전체를 얽어맨 초가(草家)였다. 한라산 기슭 초원지대에서 자라는 자연적 초재(草材)인 새(茅)를 사용한 초가

집이 주류를 이루었다. 초가지붕은 2년마다 한 번씩 새롭게 이며, 그 시기
는 동절기 초기인 10월부터 12월 초까지이다. 새 줄은 굵기가 지역적으로
동서(東西)에 따라 구별되는데, 동쪽 지역은 3센티미터 내외인 반면, 서쪽
지역은 4센티미터 내외로 꼰다. 지붕을 일 때는 자(子), 오(午), 묘(卯),
유(酉)의 천화일(天火日)을 피하는데, 제주에서는 천화일에 지붕을 손보게
되면 화재나 재앙으로 집안이 망한다고 믿었기 때문이다.

탐라 ｜탐모라, 섭라, 담라｜ 상고시대에 독립국이었던 탐라(제주)는 백제,
통일신라에 예속되었고, 고려조에 이르러 군현제의 일부로서 탐라군이
되었다. 고종(13세기) 때에 제주로 개칭. 그 후 원−몽고 백 년의 지배를
받으면서(13~14세기), 중국인이나 몽고인의 유입에 의한 혼혈이 있었지
만, 조선시대에 들어서면서 본토로부터의 입도가 압도적으로 많아졌다.
(…) 덧붙이자면 고대 제주의 명칭인 탐라는 탐모라(耽牟羅), 섭라(涉羅),
담라(儋羅)…… 그 밖의 많은 명칭 중의 하나로, 섬라, 섬나라─섬의 나라,
섬의 취음으로 여겨지고 있다. 8-18-6:154

▶ '섬나라'라는 의미로, 섬에 위치하여 오랫동안 독자적인 국가의 형태로
존속하였던 나라이다. 탐라국에 관한 기록은 《구당서(舊唐書)》〈유인궤전
(劉仁軌傳)〉에 처음 등장한다. 한데 이미 《후한서(後漢書)》에는 섭라, 《북
사(北史)》나 《수서(隋書)》의 〈백제전〉에는 탐모라국(耽牟羅國), 《신당서
(新唐書)》 등 국내외 사서에는 담라, 혹은 탐부라(耽浮羅)·탁라(乇羅)·탁
라(托羅)·탁라(託羅)·둔라(屯羅) 등이 나타나 있다. 탐라국시대는 제주가
성주(星主)·왕자(王子)·도내(徒內)에 의해 지배되고 있었던 시기를 말한
다. 이들은 탐라 지배층을 가리키는 호칭으로, 《고려사》 지리지(地理志)에
따르면 탐라 왕족인 고후(高厚)·고청(高淸)·고계(高季) 삼형제가 신라의
왕과 조회하였을 때 신라왕이 그들에게 내린 작위에서 유래하였다. 《삼국
사기》에는 탐라국이 고구려·백제·신라와 각각 교역하였다는 기록이 있
다. 신라와 당나라 연합군에 의하여 백제가 멸망한 직후에는 일본과 중국
당나라와도 외교관계를 맺었다. 한편, 662년(문무왕 2년)에 탐라국주 좌

평 도동음률(徒冬音律)이 신라에 가서 항복함으로써 이후로부터 신라의 속국이 되었고, 신라 사신의 경략을 받은 678년(문무왕 18년) 이후로는 신라와 교섭을 강화하였다. 신라 말기에는 점차 복속관계에서 벗어나 신진 세력인 고려와 우호관계를 맺고자 하여 925년(태조 8년)에 사신을 파견하여 고려에 방물(方物)을 바쳤다. 938년(태조 21년)에는 탐라국주 고자견(高自堅)이 태자 말로(末老)를 파견해 입조하였으며, 고려로부터 신라의 예에 따라 성주·왕자의 작위를 받아 고려의 번국(蕃國)으로서 독립적인 체제를 유지하였다. 그 후 1105년(숙종 10년)에 탐라가 고려의 지방행정구획인 1개의 군(郡)으로 개편되면서 반독립적인 체제는 사라졌다. 1153년(의종 7년)에 탐라군은 탐라현(縣)으로 격하되었고, 그 후 고려 조정으로부터 파견된 현령이 탐라의 행정업무를 관장하게 되었다. 그런데《고려사》오행지(五行志)에 따르면 1220년(고종 7년)에 탐라가 군으로 나타나듯이 무인정권기에 행정구획이 군으로 회복했다. 이후《고려사》세가(世家) 고종 16년 2월에 '제주'가 등장하는 것으로 보아 탐라군(耽羅郡)을 제주(濟州)로 승격시켰으며, 이에 탐라국 체제는 없어지고 성주와 왕자의 관직만이 남아 상징적 존재로 유지되었다. 1404년(태종 4년)에 성주는 좌도지관(左都知管), 왕자는 우도지관(右都知管)으로 개칭되어 존속하다가 1445년(세종 27년)에 이 관직마저 폐지되어 이때부터 독립국 상태로서 탐라를 상징하는 귀족계급은 역사에서 소멸되었다.

한라산신 "(…) ……음, 섬사람들은 한라산의 영기(靈氣)를 믿고 있잖나. 산신의 존재도 말야. 난 특별히 믿는 것은 아니지만, 어험, 산속에서 이런 말을 하면, 산신님의 분노를 살지도 모르겠군. 한라산은 신비한 산이야. 깊고 넓은 계곡 바닥으로 내려가서, 그곳에서 커다란 소리를 내면, 곧 주위에 짙은 안개가 자욱이 끼지. 신심 깊은 여자라면, 이 눈보라는 산신님의 뜻이라고 할지도 몰라." 12-26-3:85~86

▶흔히 '하로산또'라고 하며, 한라산을 신격화한 의미로 '한라산님' 또는 '한라산 신령님'이라고도 한다. 육지에도 산신이 있으나 제주의 하로산또

는 다른 지역의 산신과는 성격이 다르다. 한라산신은 본래 제주 한라산에 거하는 산신이지만, 이와 별개로 당신(堂神)으로서 남성 신격으로도 존재하였다. 어원상 '한라산'에 존칭접미사인 '一또'가 붙어 '하루산또'라는 신명(神名)이 만들어졌을 것으로 본다. 한데 조선시대에 사전(祀典) 정비의 일환으로 한라산신을 모시는 제의가 국가의 공식적인 제사로 인정되면서 신의 성격이 달라졌다. 1418년(태종 18년)에 한라산신을 모시는 제사가 춘추로 거행되자 신당에서 모시던 하로산또와 국행제로 모시게 된 한라산신이 동일시된 것이다. 한라산에 따로 마련된 제장에서 관(官) 주도로 지내기 시작한 한라산신제는 광양당(廣壤堂, 고려시대에 한라산의 호국신들을 모시고자 세운 신당)에서 민간인들과 심방들이 주도하여 지낸 광양당제와는 본래 성격이 달랐다. 한라산신과 광양당신의 혼란이 바로잡힌 것은 조선 후기의 제주목사 이형상(李衡祥)이 1702년에 신당을 철폐하고 제주의 풍속을 유교화하면서부터이다. 한라산신제가 사전에 본래대로 등재되었으며 본격적인 제향이 이루어졌다. 이전까지는 한라산신에 대한 유교식 제의와 별도로 광양당에서 하로산또에 대한 당굿을 지속하였는데, 훼철 방침에 따라 광양당에서 행해지던 당굿은 금지되고 한라산신에 대한 유교식 제의가 강화되었다. 그러나 이러한 정책에도 불구하고 광양당은 쉽사리 없어지지 않아 민간 차원에서 비념 수준의 제의로 이어진다. 이 외에도 한라산신은 제주의 여러 마을에서 본향당신(本鄉堂神)으로서 마을 사람들의 풍요와 안녕, 삶과 죽음 등을 관장하는 신으로 모셔진다.

해녀 해녀의 딸……. 이 말이 이방근의 뇌리에 울렸다. '서북'과 함께 사는 해녀의 딸. '해녀'는 제주도의 대명사이기도 하고, 멸시가 담긴 말이기도 했다. '서북'과 함께 사는 제주의 딸……. '서북'과 '결혼'을 했다는 여동생과 어머니에 대한 경야의 제사를 지내고 저 세상으로 보내 버린 오남주가 지금 여기에 있다면, 당장 일어섰을 것이다. 7-16-8:202

▶ 해녀(海女) 또는 잠녀(潛女)는 전 세계에서 우리나라와 일본밖에 없는 직업이다. 우리나라의 해녀들은 모두 제주에서 출가한 뒤 울릉도를 비

롯하여 전국으로 퍼져나가게 되었다. 제주에서는 예로부터 동부 지역에
해녀가 많았는데, 이곳은 쿠로시오 해류와 쓰시마 해류가 흐르고 지형
상 수심이 깊은 편이라 각종 해조류가 풍부하게 서식하였다. 해조류를
먹고 사는 전복과 소라도 풍성하였으므로, 이러한 해산물을 채취하는 해
녀의 기원은 필연적이라 할 수 있다. 제주 해녀가 처음 등장한 문헌은
《삼국사기》 고구려본기 505년(문자왕 13년)이며, '잠녀'라고 기록된 문헌
은 17세기 이건의 《규창집(葵窓集)》과 《제주풍토기》이다. 문헌에 의하면
원래 물질은 제주 남성들의 몫이었다고 하는데, 17세기에 조선 조정에서
남성들을 대거 징병하면서부터 물질은 여성들의 일이 되었다. 제주는 해
마다 공물로 전복을 바쳐야 하는데 진상품을 구하고자 여성들이 물질을
도맡은 것이 오늘에 이르렀다. 일제강점기에 민족적 수탈을 경험하며 섬
을 이탈한 남성들과는 달리 제주의 여성은 약탈과 고난을 인내하며 제주
섬을 지켰다. 그리고 마침내 제주 특유의 공동체 정서를 바탕으로 1920년
제주도해녀어업조합을 창설하였다. 그러나 일본인 제주도사가 조합장을
겸임하면서 해녀들의 불만은 고조되었고 1932년 해녀투쟁이 일어난다.
이후 청년사회운동 세력과 결합하면서 항일투쟁에 참여할 수 있었다. 이
러한 해녀항쟁의 결과로 공동판매제도와 특정상인 지정제가 폐지되었
다. 해녀들의 항쟁 성과가 비교적 크지 않았지만 이는 반일(反日)과 반제
(反帝)의 저항운동이었다. 제주 여성들은 가정 경제를 책임질 뿐만 아니
라 항일운동에 참여하여 반외세의 주체적 삶을 찾고자 하였던 것이다.
지금도 제주의 성산·구좌 지역에는 전복과 소라를 채취하는 해녀들이
있다. 2016년에 이러한 해녀문화가 유네스코 인류무형문화유산에 등재
되었으며, 2017년에 국가무형문화재 제132호로 지정되었다.

해초국 밥과 해초에 돼지의 대창 살점을 넣어 밀가루로 찰기를 낸 국,
소박하고 풍미가 있는 일반 가정의 어느 식탁에나 나오는 국이 나오자,
이방근은 맛없는 술을 그만두고 식사를 시작했다. (…) 해초국이 맛있었
다. 9-21-5:376

▶ 해조류 중 하나인 모자반을 제주에서는 '몸'이라 불렀으며, 이 몸을 넣고 끓인 국이라서 '몸국'이라 칭한다. 현기영(玄基榮, 1941~)은 그의 소설 〈지상에 숟가락 하나〉에서 몸국을 '돗배설국'이라고 소개하고 있다. 모자 반뿐 아니라 돼지고기도 주요한 재료로 사용되기 때문이다. 몸국에는 돼 지고기와 뼈는 물론이고 내장과 수애(순대)까지 삶아낸 국물을 육수로 사용한다. 그리고 겨울에 채취하여 말려 놓은 모자반을 찬물에 충분히 불려 염분이 제거되도록 잘 빨아서 준비한다. 모자반의 염분이 제대로 씻기지 않으면 국물 맛이 개운하지 않고 쓴맛이 난다. 준비한 육수에 모자 반을 총총히 썰어 넣은 후 돼지고기의 내장과 장간막을 넣어 걸쭉하게 끓여낸다. 보통 메밀가루를 풀어 국의 농도를 걸쭉한 상태로 만들며, 신 김치를 잘게 썰어 넣어 간을 맞추기도 한다. 제주에서 몸국이 갖는 의미는 나눔의 문화에 있다. 혼례와 상례 등 제주의 대소사에 빠지지 않고 상에 오르는 음식이 몸국이기 때문이다. 시간이 흐르며 가정의례 간소화 정책 에 따라 '돼지 추렴' 자체가 많이 사라지면서 행사용 음식이던 몸국은 점차 사라졌다. 그러나 몸국을 끓여 먹는 가정식을 중심으로 이 음식이 알려지면서 전문 음식점이 생겨나는 등 제주 고유의 토속 음식으로 자리 잡았다.

흑돼지 시골 변소는 돼지우리를 겸하고 있어서(그래서 어느 집에나 돼지 두세 마리는 키우고 있었다) 푸른 하늘을 머리에 이고 볼일을 보고 있으면 돼지들이 몰려와서 먹어 치운다. 즉 인분이 돼지의 사료가 되고 또 그 돼지를 인간이 먹는 셈인데, 모습이 멧돼지와 비슷한 이 섬의 흑돼지는 고기가 쫀득쫀득하고 기름기가 적어서 그 맛이 일품이다. 1-2-6:269

▶ 멧돼지와 유사한 생김새의 고유종 돼지로, 제주 특유의 기후와 풍토에 적응하여 자란 재래 가축이다. 제주 흑돼지는 3세기의《삼국지(三國志)》 위서(魏書)의 〈동이전(東夷傳)〉과 17세기의《탐라지(耽羅志)》, 18세기의 《성호사설(星湖僿說)》, 19세기의《해동역사(海東繹史)》등의 고문헌에 기 록되어 있다. 흑돼지는 제주어로 '검은 도새기'라고 하며, 예로부터 '돗통'

이라는 돼지우리 겸 변소에서 사육했기 때문에 일명 '똥돼지'로 알려져
있다. 몸의 털이 검고 굵어 일반 사육돼지에 비해 검은 색깔을 띠는 것이
특징이다. 입과 코는 가늘고 긴 편이고, 귀는 일반 돼지보다 크기가 작고
위쪽으로 뻗어 있다. 체구는 작지만 질병의 저항성이 강하여, 비가 잦고
더위가 심한 제주의 아열대성 기후에 적격인 동물이다. 흑돼지고기는 대
사(大事)가 있을 때 빠지지 않고 준비되는 귀한 음식으로 제주의 식문화를
대표한다.

흰 머릿수건　|하얀 두건| 시골길을 여자들이, 섬의 풍습에 따라 흰 수건
으로 머리에 두르고 외출할 때 짐을 넣고 다니는 대바구니를 등에 짊어진
채 다가오고 있었다. 4-8-3:69 ¶그때, 언덕 아래 숲의 나무 그늘에 가려진
산길에서 두 사람의, 머리에 하얀 수건으로 두건을 쓰고 꽤 커다란 짐을
짊어진 여자가 앞뒤로 한 사람씩 올라오고 있었다. 하얀 두건으로 머리
를 가리는 것은 이 섬 여자들의 외출할 때의 습관이었는데, 두 여자의
모습은 절에 바칠 공양미 가마니라도 짊어지고 참배하러 오는 신자처럼
보였다. 8-19-1:273

▶ 여자들이 머리에 쓰는 수건으로, 민간에서 많이 사용하는 머릿수건은
무명이나 명주를 겹으로 또는 누벼서 만든 천이었다. 제주에는 바람이
많이 불기 때문에 머리카락이 날리지 않도록 하고자 긴 무명 수건을 한
겹으로 접어 두부(頭部)를 씌우고 이마를 약간 가린 채 수건 끝을 단단하
게 묶어 맸다.

부록

김석범(金石範) 연보

1925년(1세) 10월 2일(음력 8월 15일) 출생. 본명 신양근(愼洋根). 부 신수연, 모 강정산. 모친이 제주에서 도일한 지 3~4개월 후 오사카 이카이노(大阪猪飼野)에서 태어나다.

1927년(3세) 부친은 제주의 몰락한 계급의 후손으로 파락호였다고 한다. 전답과 가산이 제법 있었는데 모두 탕진하고 36세에 제주에서 병사하다. 부친의 사망 이후 모친이 한복 재봉을 하면서 조그만 집에서 조선인들에게 하숙을 치면서 생계를 이어가다. 하숙집에는 조선인, 일본 노동자들이 빈번하게 드나들었고, 모친은 넉넉하지 않은 생활인데도 도울 수 있는 한 물심양면으로 그들을 돕다. 대여섯 살 무렵 자고 있을 때 일본노동조합전국협의회(약칭 전협) 소속이었던 형을 체포하기 위해 사복형사 여러 명이 신발을 신은 채 들이닥치는 것을 목격하다.

1938년(14세) 오사카 시립 쓰루하시(鶴橋) 제2심상소학교를 졸업하다. 곧바로 칫솔공장에서 일하기 시작하다.

1939년(15세) 여름, 유소년 시절에 몇 번 제주를 오간 적이 있었지만 철이 들어서는 처음으로 제주도에 건너와 수개월간 지내다. 한라산의 웅장한 모습에 혼이 나갈 정도로 감동을 받다. 오사카로 돌아와서 간판점, 철공소 등에서 다시 일하다. 가장 오래 한 일은 신문배달이다. 독학을 시작하다. 제주에서 돌아온 후에는 태어난 곳인 오사카가 고향이 아니라 제주도가 고향이라는 의식이 강하게 들었고 그즈음 반일사상도 짙어지면서 조선 독립의 꿈을 열망하는, 어린 민족주의자로 변하다. 남몰래 조선사 책을 구해 읽다. 잃어버렸던 조국에 대한 생각을 억누르기가 어려워지다.

1940년(16세) 오사카 부립 고즈(高律) 야간 중학교 입학 자격을 얻었지만 본시험(학과시험 없는) 체력 검사와 구두시험에서는 불합격하다.

1941년(17세) 오사카 지쿄(自彊)학원 중학교 3년으로 편입, 1년간 재학하다. 12월 8일 진주만 공습이 있던 날 이마자토(今里)로터리 부근《마이니치신문(毎日新聞)》판매점에서 신문을 배달하면서 결국 일본은 패망할 것이라는 막연한 생각에 확신이 생기다.

1943년(19세) 가을, 제주도 숙모 집과 원당봉 원당사, 한라산 관음사에서 기숙하면서 한글과《천자문》,《동몽선습》등의 한문을 읽으면서 조선어를 공부하다. 관음사에서 김상희와 한패가 되다. 조선 독립에 대해서 이야기를 나누다.

1944년(20세) 여름까지 제주도에 머물다. 몇 번인가 서울에 가려고 했지만 계획을 이루지 못하고 오사카로 돌아오다. 곧바로 제주도에서 단파무선전신국(短波無線電信局) 사건(청진단파사건, 11월)이 일어나다. 제주도에 머물고 있었을 때 심야에 제주도무선전신국에서 조선 독립을 호소하는 샌프란시스코 방송을 함께 들었던 김운제(金運濟)가 소련으로 탈출을 하던 도중에 청진에서 체포되면서 김상희도 체포되어 청진형무소로 보내진 것을 알게 되다.

만약 한두 달 정도 오사카로 돌아오는 게 늦었다면 체포되었을 것이다. 일본 패전 후에 사건 관계자들은 석방되었지만 김상희는 여전히 행방불명되다. 형이 경영하는 공장에서 일하면서 도사보리(土佐堀) YMCA 영어학교에 다니기 시작하다. 다음해 3월까지 재학하다. 일본 국내에서 중국으로의 탈출 결심을 굳히다.

1945년(21세) 3월 하순 대한민국 임시정부가 있는 중국 충칭(重慶)으로 망명을 염두에 두고 제주도에서 징병검사를 받는다는 구실로 서울에 가다. 당시 징병검사는 살고 있던 오사카에서 받아야 했지만 고향 제주의 선영을 참배한 후에 일편단심으로 임하겠다는 결심을 밝혀 겨우 경찰의 도항 증명을 얻게 되다. 일본에서는 마지막이라는 심정으로 오사카에서 출발하다. 일단 서울 선학원에서 지내면서

4월 초에 이른바 창씨개명 신고를 하지 않으려고 본명 그대로 제주에서 징병검사를 받다. 며칠 전부터 식사를 하지 않고, 안경을 쓰지 않으면서 검사를 받았지만 제2을종에 합격하다. 곧바로 서울로 가다. 선학원에서 이석구(李錫玖) 선생과 만나다. 이 선생의 제자로 청년 승려 행색이었던 장용석(張龍錫)이 전라도로 여행을 하던 도중 선학원에서 하룻밤을 지냈고 그와 밤을 새워가며 조선 독립을 이야기하다. 장용석은 아침 일찍 떠나다.

5월 발진티푸스를 앓아 순화병원에 한 달 가까이 입원하다. 의지할 데 없는 몸이었지만 조선의 수도에 있다는 존재 감각만으로 고독을 떨쳐버리다. 퇴원 후 이 선생의 주선으로 강원도의 궁벽진 시골 사찰에서 요양을 위해 10일 정도 머물다. 그때 이 선생에게 설득되어 중국행이 터무니없는 공상에 지나지 않다는 것을 알다. 이 선생에게 모친과 형이 있는 오사카로 돌아가겠다고 말하자 노골적으로 화를 내면서 "이제 와서 무엇 때문에 불바다로 변한 일본으로 돌아가는가?"라며 반대하고, 절의 주지도 같이 반대하다. 이 선생은 "금강산에 있는 절에 가서 잠시 때를 기다리게. 거기에는 나와 같은 뜻을 지닌 청년들이 은신해 있네. 시기가 되면 연락을 할 테니 그때 하산하시게."라고 했지만 시기가 언제일지는 좀체 알지 못하다.

일본 패전이 얼마 남지 않았던 시점이었지만, 그때만 하더라도 일본이 패전하리라는 생각을 미처 하지 못하다. 6월 말경에 살도 빠지고 수척해져서 반대를 무릅쓰고 오사카로 되돌아오다.

8월 일본 항복, 조선 독립. 조국의 독립을 기쁘게 맞지 못하면서 8·15광복 이후 급격하게 허무적 상태가 되어 칩거하다. 사회주의의 지향과는 상극이라는 생각이 깊게 들다.

11월 신생 조국 건설에 참가하기 위해 이번에야말로 일본에서 조선으로 가야겠다는 결심으로 서울에 가다. 이 선생과 장용석 등을 만나 비로소 선학원이 독립운동의 아지트이며, 조선인민당 조직부장인 이 선생이 당시 승려로 변장하고 조선건국동맹의 간부로서 지하 운동을 하고 있던 독립운동 투사였다는 것을 알게 되다. 일본 패전을 전제로 한 조선 독립 비밀 결사 건국동맹이 여운형(呂運亨), 이석구, 김진우(金鎭宇) 등 6명을 주동으로 해방 한 해 전에 조직되다. 사찰 주지 선생도 동지이다.

장용석이 있던 남산 자락의 옛 사택에서 김동오, 김영선 등 노동조합 간부 청년, 학생들과 공동생활을 시작하다.

12월 말 모스크바 삼상회의에서 조선 신탁통치가 결정되었다는 뉴스가 전해지자 서울은 신탁통치 반대 움직임으로 떠들썩해지다.

1946년(22세) 1월부터 조선공산당, 조선인민당 등이 신탁통치 반대 데모에서 급거 신탁통치 찬성 데모로 바뀌자 데모에 연일 참가하다. 하룻밤 사이에 반탁에서 찬탁으로 변한 고비에 직면하다.

3월 서울에서 조선 임시정부 수립을 위해 제1차 미·소공동위원회가 개최되었지만 5월 결렬되다.

이 기간에 이석구 선생의 권유를 받아 조선 독립운동의 동지이며 한학의 대가로서 역사학자이자 국문학자인 정인보(鄭寅普) 선생이 설립한 서울 국학전문학교 국문과에 장용석, 김동오와 함께 입학하다.

여름 한 달을 예정으로 오사카로 밀항하다. 가을부터 임시로 거주하던 이쿠노 나카가와(生野中川) 조선소학교에서 아동을 상대로 가르치다.

1947년(23세) 서울에서 장용석으로부터 편지가 오다. "왜 너는 우리들이 기다리고 있는 조국에 돌아오지 않는가"라는 내용이다. 이 편지도 한 달이 지나서야 도착, 편지는 한 달에 한두 통씩, 그가 총살되었다고 생각될 무렵까지 이어지다. 마지막 편지에 적힌 날짜는 1949년 5월 5일. 전해 여름 서울에 머물렀거나 오사카에서 예정대로 다시 서울로 갔더라면 동년배의 그들과 함께 20대 초반에 세상을 떠났을 것이다. 장용석이 보낸 편지 스무 통은 지금도 가지고 있다.

4월 간사이(關西)대학 전문부 경제학과에 3학년으로 편입하다. 5월부터 서울에서 개최된 제2차 미·소공동위원회가 결렬되다. 조선의 '해방'은 이름뿐, 일본제국의 조선총독부 기구를 그대로 물려받은 미군정은, 전쟁 전 친일파 세력을 토대로 한층 더 가혹해지다.

1948년(24세) 3월 간사이대학 전문부 경제학과를 졸업하다.

4월 교토(京都)대학 문학부 미학과에 입학하다. 예술의 '영원성'과 '보편성'을 부정하는 마르크스주의 예술 이데올로기론에 의문이 들어 미학을 선택했지만, 대학에 거의 나가지 않다. 일단 퇴학계를 냈지만 주임교수 이지마 쓰토무(井島勉) 선생의 만류로 간신히 졸업하다. 재일조선인 대학생동맹 간사이본부(오사카) 일에 종사하다. 일본공산당에 입당하다. 제주4·3사건이 일어나다. 한신(阪神)교육투쟁 탄압에 항의하여 오사카부청 앞 데모에 참가하다. 이때 김태일(金太一) 소년을 사살한 경찰의 총소리를 데모대 인파 너머에서 듣다.

가을 이후 제주도에서 학살을 피해 오사카 지방으로 밀항이 시작되다. 밀항한 사람들은 굳게 입을 다물고 말하지 않았지만 그들 중 먼 친척이었던 사람에게서 학살의 진상을 듣다. 평생을 지배하는 크나큰 충격이 되다.

1949년(25세) 9월 〈단체 등 규정령〉에 따라 재일본조선인연맹(약칭 조련) 해산 명령이 내려지고 재산 강제몰수 조치가 취해지다. 10월 조선인학교 폐쇄·개조 명령이 내려지고 모든 학교가 폐쇄되다.

다음해 6월 25일 한국전쟁이 발발하다.

1951년(27세) 3월 교토대학 문학부 미학과를 졸업하다. 졸업 논문은 〈예술과 이데올로기(芸術とイデオロギー)〉이다.

4월 조련 해산 후 재일조선통일민주전선(약칭 민전) 조직 산하 오사카조선청년고등학원에서 일하다. 30명 정도 되는 조선인 청년 노동자들이 모인 야학으로 수업료는 없다. 경영난으로 얼마 안가 문을 닫다.

10월 오사카조선인문화협회 설립에 관여하다.

12월 김종명 등과 《조선평론(朝鮮評論)》을 창간하다. 활자화된 첫 작품인 《1949년 무렵의 일지에서―〈죽음의 산〉의 한 구절(1949年頃の日誌より―〈死の山〉の一節より)》을 박통(朴樋)이라는 필명으로 《조선평론》에 게재하다.

1952년(28세) 2월 일본공산당 당적을 버리다. 《조선평론》 제3호 편집 작업을 끝마치고 나서 은밀히 센다이(仙台)로 가다. 그곳에서, 겉으로는 지방 신문사 광고 수주 일이었지만 사실상 조직의 일에 관여하다. 극도의 신경증으로 일을 견디지 못해서, 3~4개월 만에 그만두고 도쿄로 가다. 조직 활동을 하면 애국이라고 하던 시절이었는데 2개의 조직에서 나왔다는 것은 정치생명이 끊어지는 것을 의미한다. 자기 자신에 대한 절망적인 심정이 되어 갔던 센다이에서의 생활은 나중에 《까마귀의 죽음》 집필의 계기가 되다. 이후 도쿄에서 《평화신문(平和新聞)》 편집부와 재일조선인문학회의 일을 시작하다. 이 무렵 김태생(金太生)과 처음 만나다.

1955년(31세) 5월 재일조선통일민주전선 조직이 해산되고 재일본조선인총연합회(약칭 조선총련)가 결성되다. 오사카로 돌아가 공장 노동 등으로 생계를 이어가다.

1957년(33세) 5월 구리 사다코(久利定子)와 결혼하다.

〈간수 박 서방(看守朴書房)〉을 《문예수도(文藝首都)》 8월호에 발표하다.

《까마귀의 죽음(鴉の死)》을 《문예수도》 12월호에 발표하다.

1958년(34세) 모친, 병환으로 돌아가시다. 향년 72세.

1959년(35세) 12월 북조선 귀국운동이 시작되고 제1차 귀국선이 니가타(新潟)를 출항하다. 오사카 쓰루하시(鶴橋)역 근처에 선술집(야키토리 가게)을 열다. 근처에 조선총련 오사카본부가 있다. 지인들이 매우 놀라다. 그중에는 대학까지 나온 녀석이 선술집밖에 할 게 없

느냐는 사람도 있었지만 생면부지의 사람들과 인연을 맺기도 하다. 친구들도 자주 오다. 여러 손님들의 이야기를 들을 수 있었는데, 나중에 발표한 〈똥과 자유와(糞と自由と)〉는 선술집에서 들었던 이야기를 소재로 한 것이다.

1960년(36세) 3월 선술집 문을 닫다. 그때까지 단골손님이었던 오사카 조선고등학교 교장 한학수(이후 아내와 함께 북조선으로 귀국한 뒤 처형됨)와 같은 학교 선생이었던 강재언(姜在彦) 등(학생 동맹 시대부터의 친구들)에게 센다이의 일을 그만두고 고등학교로 오는 게 어떠냐는 권유를 받았지만 응하지 않다. 3월 들어 일본어 교사한 명이 그만두었다는 사정으로 갑작스런 부탁을 받아 1년 정도예상하고 신학기부터 오사카 조선고등학교 교사가 되다. 자유롭게 수업을 해도 좋다고 했기 때문에 일본어 시간에는 부교재로《김사량 전집》을 사용해 1년을 마치다. 한편 고학년은 문학(조선어) 수업을 맡았고 다음해 한 학기까지 재직한 후에 학교를 떠나다. 〈똥과 자유와〉를《문예수도》 4월호에 발표하다.

1961년(37세) 10월, 한 달 전 일간지로 바뀐《조선신보(朝鮮新報)》 편집국으로 자리를 옮기다.
한글 단편 〈꿩 사냥〉이《조선신보》에 12월 8일, 9일, 11일 총 3회 연재되다.

1962년(38세) 〈관덕정(觀德亭)〉을《문화평론(文化評論)》 5월호에 발표하다.
한글 단편 〈혼백〉이 재일본문학예술가동맹의 기관지《문학예술》제4호에 발표되다.

1964년(40세) 한글 단편 〈어느 한 부두에서〉가《문학예술》 제10호에 발표되다.
가을, 재일본조선문학예술가동맹(약칭 문예동)으로 옮겨 조선어 문예지《문학예술(文學藝術)》 편집을 맡다.

1965년(41세) 한글 장편《화산도》를《문학예술》 제13호에 발표하다. 이후 1967년 제21호(6월호)까지 총 9회 연재하다 미완결로 중단하다.

1967년(43세) 9월《까마귀의 죽음》, 〈간수 박서방〉, 〈똥과 자유와〉, 〈관덕정〉

4편을 실은 작품집 《까마귀의 죽음》을 신코쇼보(新興書房)에서 발간하다. 《까마귀의 죽음》 간행에는 조직의 비준이 필요했는데 비준을 받지 않은 채 강행하다.

10월 위암 수술로 요요기(代々木) 병원에서 그해 말까지 3개월간 입원하다.

1968년(44세) 건강 회복에 애쓰다. 여름 조선총련 조직을 떠나다.

1969년(45세) 〈어느 재일조선인의 독백(一在日朝鮮人の獨白)〉을 《아사히신문(朝日新聞)》 2월 16일호부터 3월 16일호까지 5회 연재하다. 〈허몽담(虛夢譚)〉을 《세카이(世界)》 8월호에 발표하다. 7년 만에 일본어로 쓴 소설이다. 일본어로 다시 쓴다는 것에 대해서 고민하다.

1970년(46세) 이즈미 세이이치(泉靖一)와의 대담 〈고향과 제주도(ふるさと濟州島)〉가 《세카이》 4월호에 실리다.

9월 〈언어와 자유―일본어로 쓴다는 것(言語と自由―日本語で書くということ)〉을 《인간으로서(人間として)》 제3호에 게재하다.

오에 겐자부로(大江健三郎), 이회성(李恢成)과의 3인 대담 〈일본어로 쓴다는 것에 대해서(日本語で書くことについて)〉를 《문학(文學)》 11월호에 게재하다.

12월 〈만덕유령기담(万德幽靈奇譚)〉을 《인간으로서(人間として)》 제4호에 발표하다.

1971년(47세) 〈장화(長靴)〉를 《세카이》 4월호에 발표하다. 〈만덕유령기담〉이 1971년 상반기 제65회 아쿠타가와상 후보작에 오르다.

7월 〈왜 일본어로 쓰는가에 대하여(なぜ日本語で書くかについて)〉를 《문학적입장(文學的立場)》 5월호에 게재하다. 〈민족의 자립과 인간의 자립(民族の自立と人間の自立)〉을 《전망(展望)》 8월호에 게재하다.

10월 신장판 《까마귀의 죽음》을 간행하다.

11월 《만덕유령기담》을 간행하다. 〈밤(夜)〉을 《문학계(文學界)》 11월호에 발표하다.

12월 〈고향(故鄕)〉을 《인간으로서》 제8호에 발표하다.

1972년(48세) 〈등록 도둑(トーロク泥棒)〉을 《문학계》 5월호에 발표하다. 〈김지하와 재일조선인 문학자(キム・ジハと在日朝鮮人文學者)〉를 《전망》 6월호에 게재하다.

7월 평론집 《언어의 주박(ことばの呪縛)》을 지쿠마쇼보(筑摩書房)에서 간행하다.

9월 〈방황(彷徨)〉을 《인간으로서》 제11호에 발표하다.

12월 〈사라져버린 역사(消えてしまった歷史)〉를 《인간으로서》 제12호에 발표하다. 〈거리감(距離感)〉을 《전망》 12월호에, 〈언어, 보편으로 가는 가교가 되는 것(ことば, 普遍への架橋をするもの)〉을 《군상(群像)》 12월호에 게재하다.

1973년(49세) 〈재일조선인문필가에 대해서(在日朝鮮人文筆家のことについて)〉를 《전망》 3월호에, 〈나에게 있어서의 언어(私にとってのことば)〉를 《와세다문학(早稻田文學)》 3월호에, 〈이 훈장(李訓長)〉을 《문학계》 6월호에 발표하다.

7월 〈출발(出發)〉을 《문예전망(文藝展望)》 제2호에 발표하다.

10월 〈밤〉, 〈등록 도둑〉, 〈이 훈장〉 3편을 수록한 작품집 《밤(夜)》을 문예춘추사(文藝春秋社)에서 간행하다.

1974년(50세) 4월 〈장화〉, 〈고향〉, 〈방황〉, 〈출발〉을 크게 수정한 장편 《1945년 여름(1945年夏)》을 지쿠마쇼보에서 간행하다. 〈사기꾼(詐欺師)〉, 〈밤의 소리(夜の聲)〉, 〈도상(途上)〉 3편을 수록한 작품집 《사기꾼(詐欺師)》을 고단샤(講談社)에서 간행하다. 〈'재일조선인문학'에 대하여(〈在日朝鮮人文學〉について)〉를 《신일본문학(新日本文學)》 7월호에, 《제주도 4·3사건과 이덕구(濟州島4·3事件と李德九)》를 《역사와 인물(歷史と人物)》 7월호에, 〈말하라, 말하라, 찢겨진 몸으로(語れ, 語れ, ひき裂かれた體で)〉를 《중앙공론(中央公論)》 7월호에 게재하다.

박정희 정권이 민청학련 사건으로 체포된 김지하(金芝河) 등에게

사형을 선고하자, 7월 16~19일에 마쓰기 노부히코(眞繼伸彦), 난보 요시미치(南坊義道), 김시종(金時鐘), 이회성과 함께 김지하 사형 파결에 항의하며, 스키야바시(數寄屋橋)공원에서 단식투쟁을 결행하다. 〈내 안의 조선(私の中の朝鮮)〉을 《월간 이코노미스트》 10월호부터 12월호까지 3회 연재하다. 〈박정희 정권과 테러리즘(朴政權とテロリズム)〉을 《중앙공론》 11월호에 게재하다.

1975년(51세) 2월 전해 준비 단계부터 편집위원으로 관여했던 《계간 삼천리(季刊三千里)》를 창간하다.

4월 평론집 《입 있는 자는 말하라(口あるものは語れ)》를 지쿠마쇼보에서 간행하다.

5월 〈취우(驟雨)〉를 《삼천리》 제2호에 발표하다.

6월 〈《마당》의 질문에 답하다—제주4·3봉기에 대하여(《まだん》の質問に答える—濟州4·3蜂起について)〉를 《삼천리》 제3호에 발표하다.

9월 〈남겨진 기억(遺された記憶)〉을 《문예(文芸)》 9월호에 게재하다.

1976년(52세) 2월 〈해소(海嘯)〉(이후 《화산도》 제1부가 됨)를 《문학계》 2월호에 발표하며 연재를 시작하다. 요코하마(橫浜) 지방재판소에서 〈사죄광고 및 손해배상 청구사건〉(《마당》 편집위원 김양기(金兩基)가 원고) 공판 개시 이후 1977년 2월까지 11차례 공판을 받으면서, 1978년 1월에 화해하고 고소를 취하하다. '명예훼손' 소송에 대해서는 《삼천리》 편집위원 중 한 명의 입장에서 그 경과를 《삼천리》에 〈왜 재판인가〉라는 제목으로 여름(5월) 제6호부터 1978년 봄(2월) 제13호까지(10호, 11호 제외) 6차례 쓰다.

8월 〈재일조선인문학〉을 이와나미서점(岩波書店)에서 간행한 《이와나미 강좌 문학》 제8권에 게재하다.

〈일본어로 '조선'을 쓸 수 있는가(日本語で朝鮮を書けるか)〉를 《언어(言語)》 10월호에 게재하다.

11월 평론집 《민족·언어·문학(民族·ことば·文學)》을 소주샤(創樹社)에서 간행하다. 〈우아한 유혹(優雅な誘い)〉을 《문예》 11월호에 발표하다.

1977년(53세) 1월 〈취우〉, 〈남겨진 기억〉, 〈우아한 유혹〉 3편을 모아 작품집 《남겨진 기억》을 가와데쇼보신샤(河出書房新社)에서 간행하다.

〈재일조선인 청년의 인간선언─귀화와 아이덴티티(在日朝鮮人靑年の人間宣言─歸化とアイデンティティ)〉를 《주간 이코노미스트》 2월 15일호에 발표하다.

1978년(54세) 7월 〈만덕 이야기(マンドギ物語)〉를 지쿠마쇼보, 〈지존의 아들(至尊の息子)〉을 《스바루(すばる)》 8월호에 게재하다.

11월 〈결혼식 날(結婚式の日)〉을 《삼천리》 제16호에 발표하다.

1979년(55세) 〈왕생이문(往生異聞)〉을 《스바루》 8월호에 게재하다.

11월 〈지존의 아들〉, 〈왕생이문〉 2편을 모아 작품집 《왕생이문》을 슈에이샤(集英社)에서 간행하다.

1980년(56세) 영화평 〈영화 '유랑 연예인의 기록'이라는 것(映畵 〈旅芸人の記録〉のこと)〉을 《스바루》 4월호에 게재하다. 〈일본어의 주박(日本語の呪縛)〉을 《언어생활(言語生活)》 5월호에 게재하다. 한국에서 광주항쟁이 일어나자 〈광주학살을 생각한다(光州虐殺に思う)〉를 《삼천리》 제23호에 게재하다.

1981년(57세) 〈제사 없는 제의(祭司なき祭り)〉를 《스바루》 1월호에 발표하다.

2월 《삼천리》 편집위원이었던 김달수(金達壽), 강재언, 이진희 등이 한국을 방문하다. 이들의 방한을 반대했기 때문에 일본으로 이들이 돌아온 3월 말에 편집위원을 그만두다. 〈유방 없는 여자(乳房のない女)〉를 《문학적입장》 5월호에 발표하다.

6월 《제사 없는 제의》를 슈에이샤에서 간행하다. 〈해소〉를 《문학계》 8월호까지 연재 후 종료하다.

12월 평론집 《재일의 사상》을 지쿠마쇼보에서 간행하다.

1982년(58세) 〈유명의 초상(幽冥の肖像)〉을 《문예》 1월호에 발표하다.

〈취몽의 계절(醉夢の季節)〉을 《해(海)》 8월호에 발표하다.

10월 〈유방없는 여자〉, 〈유명의 초상〉, 〈취몽의 계절〉, 〈결혼식 날〉 4편을 모은 작품집 《유명의 초상》을 지쿠마쇼보에서 간행하다.

1983년(59세) 《문학계》에 연재한 〈해소〉에 10장부터 12장까지 약 1,000매 정도를 새로 더하고, 《화산도》로 제목을 바꿔서 6월에 제1권, 7월에 제2권, 9월에 제3권을 문예춘추사에서 발간하다.

1984년(60세) 제주 출신 소설가 현기영의 〈순이 삼촌〉, 〈해룡 이야기〉 2편을 일본어로 번역하고, 〈현기영에 대해〉라는 해설을 덧붙여 《해(海)》 4월호에 게재하다. 소설을 쓰고 있으면서도 번역을 한 이유는 제주4·3사건을 다룬 소설이 30년이라는 시간을 지나 발표되었다는 점에 감격했고, 시공간적으로 보편성을 담보하는 작품이라고 생각했기 때문이다.

〈속박의 세월(金し縛りの歲月)〉을 《스바루》 7월호에 발표하다.

10월 《화산도》(전 3권)로 제11회 오사라기지로(大佛次郎)상을 수상하다.

12월 아사히신문사(朝日新聞社)에서 제공한 경비행기로 제주도 인근 방공식별구역까지 비행하며, 아득히 멀리서 제주도를 바라보다.

1985년(61세) 〈돌아가는 길(歸途)〉을 《세카이》 7월호에 발표하다. 틈틈이 젊은 이들과 지문날인 거부 운동에 참여하다.

11월 외국인 등록증을 교체할 때에 가와구치(川口) 시청에서 지문날인을 거부하다.

1986년(62세) 《화산도》(제2부)를 《문학계》 6월호에 연재하기 시작하다.

9월 〈속박의 세월〉, 〈돌아가는 길〉, 〈향천유기(鄕天遊記)〉 3편을 수록한 작품집 《속박의 세월》을 슈에이샤에서 발간하다.

1988년(64세) 4월 제주4·3사건 40주년 기념집회가 도쿄와 서울에서 열리다. 재일제주 출신을 중심으로 '제주도 4·3사건을 생각하는 모임'을 결성하고, 한국에서 온 유학생들도 함께 참여해 이전보다 조직적으로 준비하다. 도쿄 집회에는 600명 가까이 모이다. 제주도에서 개최하려던 계획은 성공하지 못하다. 서울 집회는 도쿄 집회와 연동해서 제주4·3을 공식화하기 시작한 획기적인 집회이다.

5월 한국에서 《화산도》(제1부)가 다섯 권으로 출판(실천문학사, 이호철·김석희 옮김)되었고, 《까마귀의 죽음》(소나무, 김석희 옮김)도 번역·출간되다.

6월 《까마귀의 죽음》 중국어 번역본이 《당대 세계 소설가 독본》(타이페이, 광복서국) 31권으로 출간되다. 《화산도》, 《까마귀의 죽음》 번역 출간을 기념하기 위해서 출판사 초대로 한국 방문이 예정되어 있었지만 한국 대사관의 연기 요청으로 단념하다. 한국어판 《화산도》, 《까마귀의 죽음》이 일시적으로 금서가 되다.

11월 42년 만에 한국, 고향 제주도를 방문하게 되다. 4일부터 25일까지 22일 동안 주로 서울과 제주도에서 머물다.

1989년(65세) 《42년 만의 한국, 나는 울었다(42年ぶりの韓國, 私は泣いた)》를 《문예춘추(文藝春秋)》 5월호에 쓰다.

〈현기증 속의 고국(眩暈のなかの故國)〉을 《세카이》에 9월호부터 12월호까지 4회 연재하다.

1990년(66세) 8월 평론집 《고국행》을 이와나미서점에서 간행하다. 전해 《세카이》에 연재했던 〈현기증 속의 고국〉을 〈고국행〉으로 제목을 바꾸고, 《화산도》와 제주도에 대한 에세이를 더해 책 제목으로 정하다.

1991년(67세) 〈꿈, 풀 우거지고(夢, 草深し)〉를 《군상》 4월호에 발표하다. 〈권력은 스스로의 정체를 폭로한다(權力は自らの正體を暴く)〉를 《세카이》 4월호에 게재하다.

8월 《만덕유령기담·사기꾼》을 고단샤에서 간행하다.

10월 연재 중인 《화산도》(제2부) 취재 목적으로 한국에 입국 신청을 했지만 일정을 앞두고 이유 없이 거부당하다. 〈이루지 못한 고국 방문(故國再訪, 成らず)〉을 《문학계》 12월호에 쓰다.

1992년(68세) 〈고국으로의 질문(1)—재방문을 거부당해서(故國への問い(1)—再 訪を拒まれて)〉를 《세카이》 2월호에 게재하다.

〈고국으로의 질문(2)—친일에 대하여(故國への問い(2)〈親日〉に ついて)〉를 《세카이》에 6월호부터 다음해 2월까지 6회 연재하다.

1993년(69세) 7월 평론집 《전향과 친일파(轉向と親日派)》를 이와나미서점에서 간행하다.

〈작렬하는 어둠(作製する闇)〉을 《스바루》 9월호에 발표하다.

1994년(70세) 〈테코와 코마(テコとコマ)〉를 《스바루》 2월호에 발표하다.

〈김일성의 죽음, 그 외(金日成の死, その他)〉를 《문학계》 10월호 에 쓰다.

〈빛의 동굴(光の洞窟)〉을 《군상》 12월호에 게재하다.

1995년(71세) 6월 〈꿈, 풀 우거지고〉, 〈빛의 동굴〉 두 편을 묶어 《꿈, 풀 우거지 고(夢, 草深し)》를 고단샤에서 간행하다.

〈노란 햇빛, 하얀 달(黃色き陽, 白き月)〉을 《군상》 12월호에 발표 하다.

1996년(72세) 6월 〈작렬하는 어둠〉, 〈테코와 코마〉, 〈노란 햇빛, 하얀 달〉을 모 아 《땅그림자(地の影)》라는 제목으로 슈에이샤에서 발간하다.

8월 《화산도》 제4권을 문예춘추사에서 간행하다.

《화산도》(제2부)를 《문학계》 9월호까지 연재하고 종료하다.

10월 서울에서 열리는 〈한민족문학인대회〉(문화체육부 후원)에 초청되었기에 《화산도》 취재도 겸해서 참가하여, 해방 후 두 번째 로 한국을 방문하게 되다. 도쿄에서 출발하는 당일(2일)이 되어서 야 입국허가 임시여권이 발행되다. 17일간의 여정으로 제주도에 서는 10일 동안 머무르다. 〈외딴 숲(離れた森)〉을 《군상》 10월호 에 발표하다.

11월 《화산도》 제5권을 문예춘추사에서 간행하다.

1997년(73세) 1월 《화산도》 제6권을 문예춘추사에서 간행하다.

〈다시 한국, 다시 제주도—〈화산도〉로의 길(再びの韓國, 再びの濟

州島ー〈火山島〉への道)〉을《세카이》2월호와 4월호에 연재하다. 9월《화산도》제7권을 발간하다. 1976년《문학계》2월호에 연재를 시작한 이후 20여 년이 지나서야 원고지 11,000매 분량의《화산도》전 7권이 완결되다.《까마귀의 죽음》으로부터는 40년이 걸리다.

1998년(74세) 1월《화산도》(전 7권)로 마이니치(每日) 예술상을 수상하다.

5월 김시종 시인과의 대담〈제주도 4·3사건 50주년에, 반세기를 되돌아보며(濟州島四·三事件50周年に, 半世紀を振り返って)〉가《새누리(セヌリ)》제29호에 게재되다.〈망각은 되살아나는가ー'중얼거림의 정치사상'에의 단상(忘却は蘇るかー'つぶやきの政治思想'への断想)〉을《사상》5월호에 게재하다.

7월 제주도에서 열리는 제주도 4·3사건 50주년 국제심포지엄 참가를 위해 한국에 입국 신청을 했지만 거부되다. 대회참가자 300여 명 전원의 항의로 한국 정부가 입장을 바꿔 입국을 허가하자 급히 대회 마지막 날 제주도에 도착하게 되다.

〈잡풀 무성한 애기 무덤(紵茂る幼い墓)〉을《군상》10월호에 발표하다.〈지금 '재일'에게 국적이란 무엇인가ー이회성에게 보내는 편지(いま,〈在日〉にとって〈國籍〉とは何かー李恢成君への手紙)〉를《세카이》10월호에 게재하다.

〈이토록 어려운 한국행(かくも難しき韓國行)〉을《군상》12월호에 게재하다.

1999년(75세) 3월 강연록〈문화는 어떻게 국경을 넘는가ー재일조선인 작가의 시점에서(文化はいかに國境を越えるかー在日朝鮮人作家の視点から)〉가《릿쿄아메리칸스터디(立教アメリカン·スタディーズ)》제21호에 게재되다.《까마귀의 죽음·꿈, 풀 우거지고(鴉の死·夢, 草深し)》를 쇼가쿠칸문고(小學館文庫)에서 간행하다. 2편의 소설 이외에 평론《왜 일본어로 쓰는가에 대하여(なぜ日本語で書くのかについて)》를 수록하다.

〈다시 '재일'에게 있어서의 '국적'에 대하여―준통일 국적의 제도를(再び,〈在日〉にとっての〈國籍〉について―準統一國籍の制定を)〉을《세카이》5월호에 게재하다.

〈바다 밑에서, 땅 밑에서(海の底から, 地の底から)〉를《군상》11월호에 발표하다.

2000년(76세) 2월《바다 밑에서, 땅 밑에서》를 고단샤에서 간행하다.

12월 프랑스 판《까마귀의 죽음》이 번역·출간되다.

2001년(77세) 4월〈만월(滿月)〉을《군상》4월호에 발표하다. 오사카 성광회(聖光會)가 기획한 '4·3사건 유적지 순례 투어'로 제주와 서울에 가다.

5월 평론집《신편, '재일'의 사상(新編, '在日'の思想)》을 고단샤에서 간행하다.

8월《만월(滿月)》을 고단샤에서 간행하다. 현기영과의 대담〈왜 제주4·3사건을 써왔는가(濟州島4·3事件をなぜ書き續けるか)〉가《세카이》8월호에 게재되다.

이노우에 히사시(井上ひさし), 고모리 요이치(小森陽一), 박유하(朴裕河)와의 좌담회〈재일조선인 문학―일본어 문학과 일본 문학(在日朝鮮人文學―日本語文學と日本文學)〉이《스바루》10월호에 게재되다.

11월 문경수가 엮은 김시종 시인과의 공저《왜 계속 써왔는가, 왜 침묵해왔는가―제주도 4·3사건의 기록과 문학(なぜ書き續けてきたかなぜ沈黙してきたか―濟州島4·3事件の記錄と文學)》을 헤이본샤(平凡社)에서 간행하다.〈고난의 끝 한국행(苦難の終りの韓國行)〉을《문학계》11월호에 발표하다.

2002년(78세)〈허일(虛日)〉을《군상》5월호에 발표하다.

〈거짓은 어떻게 커져 가는가(噓は如何にして大きくなるか)〉,〈월드컵 내셔널리즘(W杯のナショナリズム)〉을《문학계》8월호에 발표하다.

12월〈잡풀 무성한 애기 무덤〉,〈외딴 숲〉,〈허일〉3편의 소설과

기행문과 에세이를 담은 《허일(虛日)》을 고단샤에 간행하다. 〈역사는 완수될 것인가―한일국교정상화에 대해서(歷史は全うされるか―日韓國交正常化について)〉를 《세카이》 12월호에 발표하다.

2003년(79세) 제주MBC 특별기획 〈4·3과 화산도〉 출연을 위해 한국에 가다.

2004년(80세) 〈귀문으로서의 한국행(鬼門としての韓國行)〉을 《문학계》에 1월호부터 3월호까지 3회 연재하다.

8월 평론집 《국경을 넘는다는 것―〈재일〉의 문학과 정치(國境を越えるもの―在日の文學と政治)》를 문예춘추사에서 간행하다.

2005년(81세) 4월 제주4·3 58주년 기념행사 참가를 위해 한국에 가다.

〈적이 없는 한국행(籍のいない韓國行)〉을 《스바루》 6월호에 게재하다.

〈연작 괴멸 1―돼지의 죽음(連作壞滅 1―豚の死)〉을 《스바루》 7월호에, 〈연작 괴멸 2―이방근의 죽음(李芳根の死)〉을 《스바루》 10월호에 발표하다.

《김석범 작품집 1, 2권》을 헤이본샤에서 간행하다.

2006년(82세) 〈연작 괴멸 3―깨져버린 꿈(割れた夢)〉을 《스바루》 1월호에, 〈연작 괴멸 4―하얀 태양(白い太陽)〉을 《스바루》 4월호에 발표하다.

《재일문학전집 김석범(〈在日〉文學全集金石範)》을 벤세이출판(勉誠出版)에서 간행하다.

《땅 밑의 태양(地底の太陽)》을 슈에이샤에서 간행하다.

2008년(84세) 제주4·3 60주년을 맞아 한국에 가다.

〈슬픔의 자유의 기쁨(悲しみの自由の喜び)〉을 《스바루》 7월호에 발표하다.

2010년(86세) 9월 《만덕유령기담》 영역본을 출간하다.

10월 《죽은 자는 지상으로(死者は地上に)》가 이와나미서점에서 간행되다.

2012년(88세) 2월 《과거로부터의 행진(過去からの行進)》(전 2권)이 이와나미서점에서 간행되다.

2015년(91세) 4월 제1회 4·3평화상 수상자로 선정되다. 특별상에는 인도네시아 무하마드 이맘 아지스가 선정되다. 평화상 수상을 위해 제주를 방문하다. 이날 수상소감으로 해방기 친인파와 이승만 정부에 대한 비판을 했는데 이를 한국의 보수 언론인《조선일보》가 사설로 비난하다. 일부 국회의원과 보수단체들도 평화상을 박탈하자고 하는 등 한국에서 논란이 일다. 이 일이 빌미가 되어《화산도》완역 출간을 기념해 열릴 예정이었던 '재일 디아스포라 문학의 글로컬리즘과 문화정치학 김석범 화산도' 심포지엄에는 주한일본대사관이 여행증명서를 발급해주지 않아 참석하지 못하다.

10월《화산도》를 이와나미서점에서 주문제작 형태로 복간하다. 한국어판《화산도》(김환기·김학동 옮김)가 전 12권으로 완역되어 보고사에서 출간되다.

11월 한국어판《까마귀의 죽음》(김석희 옮김)을 도서출판 각에서 복간하다.

2016년(92세) 〈마지막 한국행(終わりの韓國行)〉을《세카이》2월호와 3월호에 발표하다.

2017년(93세) 4월 한국어판《1945년 여름》(김계자 옮김)을 보고사에서 출간하다.

9월 제1회 이호철통일로문학상을 수상하다. 수상을 위해 다시 한국에 가다.

2018년(94세) 4월 제주4·3 70주년을 맞아 제주에 가다. 한국어판《과거로부터의 행진 상, 하》(김학동 옮김)를 보고사에서 출간하다.

2019년(95세) 6월《김석범평론집Ⅰ》을 아카시서점(明石書店)에서 간행하다.

2020년(96세) 2월 작품집《바다 밑에서》를 이와나미서점에서 간행하다. 〈삶·글쓰기·죽음(生·作·死)〉을《스바루》12월호에 발표하다. 6월 갑작스러운 심장 질환으로 수술 후 보름 가까이 입원했을 때 들었던 생각을 쓰다.

2021년(97세) 9월 한글소설 작품집《혼백》(김동윤 엮음)을 보고사에서 간행하다.

2022년(98세) 7월 소설집《보름달 아래 붉은 바다》를 쿠온(クオン)에서 간행하다.

9월 평론집《말의 주박》이《언어의 굴레》(오은영 옮김)라는 제목으로 번역되어 보고사에서 출간되다.

2023년(99세) 4월 장편소설《바다 밑에서》(서은혜 옮김)를 도서출판 길에서 출간하다.

4~6월 4·3문학 특별전〈김석범·김시종―불온한 혁명, 미완의 꿈〉이 제주문학관에서 개최되다.

8월《김석범평론집Ⅱ》를 아카시서점에서 간행하다.

참고자료

단행본·논문

강권용, 〈도황수〉, 《한국민속신앙사전: 무속신앙 편》, 국립민속박물관, 2009.

강소전, 〈칠성새남〉, 《한국민속신앙사전: 무속신앙 편》, 국립민속박물관, 2009.

강영심 외, 《일제 시기 근대적 일상과 식민지 문화》, 이화여자대학교출판부, 2008.

강정식, 〈광양당제〉, 《한국세시풍속사전》, 국립민속박물관, 2007.

＿＿＿, 〈영감놀이〉, 《한국민속신앙사전: 무속신앙》, 국립민속박물관, 2009.

＿＿＿, 〈해신사〉, 《한국민속신앙사전: 마을신앙 편》, 국립민속박물관, 2010.

고광명, 《재일(在日) 제주인의 삶과 기업가 활동》, 제주대학교 탐라문화연구소, 2013.

고광민, 《제주도의 생산기술과 민속》, 대원사, 2004.

고려대학교민족문화연구원, 《고려대한국어대사전》, 고려대학교민족문화연구원, 2009.

고명철, 《세계문학, 그 너머: 탈구미중심주의, 경계, 해방의 상상력》, 소명출판, 2021.

＿＿＿, 《흔들리는 대지의 서사》, 보고사, 2016.

＿＿＿, 〈'탈식민－냉전', '65년 체제', 그리고 김석범의 한글 단편소설〉, 《영주어문》 제54
　　　집, 영주어문학회, 2023.

고명철·김동윤·김동현, 《제주, 화산도를 말하다》, 보고사, 2017.

고명철·김동윤·김동현·김재용·하상일, 《김석범×김시종: 4·3항쟁과 평화적 통일독립》, 보
　　　고사, 2021.

고재환, 《제주도속담사전(개정증보)》, 민속원, 1999.

＿＿＿, 《제주어개론 상·하》, 보고사, 2011.

고정삼, 《제주의 술》, 제주문화, 2003.

고정하, 〈제주도 상·장례 절차에 나타난 '토롱'의 교육적 의미 연구〉, 제주대학교 교육대학
　　　원 석사학위논문, 2004.

고준석, 《아리랑 고개의 여인》, 한울, 1990.

고창석, 〈탐라의 명칭과 대외 관계〉, 《탐라, 역사와 문화》, 제주사정립사업추진협의회,
　　　1998.

국립문화재연구소, 《제주도 세시풍속》, 국립문화재연구소, 2001.

국립제주박물관, 《제주의 역사와 문화》, 통천문화사, 2001.

국토지리정보원, 《한국지명 유래집: 전라·제주편》, 진한엠앤비, 2015.

김기혁 외, 《한국지명유래집 전라·제주편 지명》, 국토지리정보원, 2010.

김동섭, 《제주도 전래농기구》, 민속원, 2004.

_____, 〈삼성혈〉, 《한국민속신앙사전: 마을신앙 편》, 국립민속박물관, 2009.

김민규, 《조천읍지》, 도서출판 제주문화, 1991.

김석범, 김동윤 엮음, 《혼백》, 보고사, 2021.

김승찬, 〈도깨비고사〉, 《한국민속신앙사전: 가정신앙 편》, 국립민속박물관, 2011.

김영돈, 《제주도 민요연구 하권: 이론편》, 민속원, 2002.

김영중, 《내가 보는 제주 4·3 사건》, 삼성인터컴, 2012.

김용철, 〈제주4·3사건 초기 경비대와 무장대 협상 연구〉, 제주대학교 대학원 석사학위논
　　　　문, 2009.

김인덕, 《재일본조선인연맹 전체대회 연구》, 선인, 2007.

김일우, 〈탐라와 몽골문화의 교류와 탐라사회의 변화〉, 전경수 외 공저, 《탐라사의 재해석》,
　　　　제주발전연구원, 2013.

김정동, 《문학 속 우리 도시 기행 2》, 푸른역사, 2005.

김지순, 《제주도음식문화》, 제주문화, 2001.

김태일, 〈제주건축의 맥〉, 《제주학총서 1》, 제주대학교출판부, 2005.

김학동, 《재일조선인 문학과 민족》, 국학자료원, 2009.

김환기, 〈김석범『화산도』·'제주4·3'〉, 《일본학》 제41집, 2015.

나카무라 후쿠지, 표세만 외 옮김, 《김석범『화산도』 읽기》, 삼인, 2001.

노영근, 〈낯선 문학 가깝게 보기: 한국고전〉, 인문과교양, 2013.

농촌진흥청 국립농업과학원, 《전통 향토음식 용어사전》, 교문사, 2010.

류은주, 《모발학사전》, 광문각, 2003.

문경수, 고경순·이상희 옮김, 《재일조선인 문제의 기원》, 도서출판 문, 2016.

문무병, 〈이어도〉, 《한국민속문학사전: 설화 편》, 국립민속박물관, 2012.

_____, 〈제주해신제〉, 《한국민속신앙사전: 마을신앙 편》, 국립민속박물관, 2009.

문순덕, 《섬사람들의 음식연구》, 학고방, 2010.

미즈노 나오키·문경수, 한승동 옮김, 《재일조선인: 역사, 그 너머의 역사》, 삼천리, 2016.

박보름, 〈김석범의 한글소설에 나타난 작가의식 :「꿩 사냥」과 「어느 한 부두에서」를 중심
　　　　으로〉, 《한민족문화연구》 제80집, 한민족문화학회, 2022.

박영수, 《우리나라 문화여행》, 거인, 2005.

박종분, 《답사여행의 길잡이 11: 한려수도와 제주도》, 돌베개, 2008.

박찬승 외, 《쟁점 한국사: 근대편》, 창비, 2017.

박찬식, 《4·3과 제주역사》, 각, 2008.

_____, 〈제주 4·3사건 관련 목포형무소 재소자 연구〉, 《역사학 연구》 제30집, 호남사학회,

2007.

박철수 외, 《경성의 아파트》, 도서출판 집, 2021.

방언학연구회, 《방언학 사전》, 태학사, 2001.

서귀포시지편찬위원회, 《서귀포시지》, 서귀포시, 2001.

서울역사박물관, 《서울의 전차》, 서울책방, 2019.

서울특별시시사편찬위원회, 《서울지명사전》, 서울시, 2009.

서중석, 《사진과 그림으로 보는 한국 현대사》, 웅진지식하우스, 2005.

_____, 《전환기 현대사의 역사상》, 역사비평사, 2021.

송성대, 《문화의 원류와 그 이해》, 도서출판 각, 2001.

신동일·박경란, 《제주의 문화재 안내문안집》, 제주도·제주발전연구원, 2000.

신무라 이즈루(新村出), 이성규 외 옮김, 《고지엔 일한사전(廣辭苑 日韓辭典版) 1, 2》, 어문
학사, 2012.

신병주·노대환, 《고전소설 속 역사여행》, 돌베개, 2005.

신연우, 〈심방청〉, 《한국민속신앙사전: 무속신앙 편》, 국립민속박물관, 2009.

신재경, 《재일제주인 그들은 누구인가》, 보고사, 2014.

신정일, 《신정일의 새로 쓰는 택리지 7: 제주도》, 다음생각, 2012.

_____, 《신정일의 새로 쓰는 택리지 9: 우리 산하》, 다음생각, 2012.

신현기, 《경찰학사전》, 법문사, 2012.

안종철, 《광주·전남 지방현대사 연구: 건준 및 인민위원회를 중심으로》, 한울아카데미,
1991.

양영훈, 《자연이 빚어낸 환상의 섬 제주》, 넥서스북스, 2004.

양정심, 《제주 4·3항쟁》, 선인, 2008.

역사문제연구소, 《제주 4·3연구》, 역사비평사, 1999.

오구균·서민환·정승준·이유미, 《손에 잡히는 생태수목도감》, 광일문화사, 2005.

오영주, 〈제주말고기 음식문화와 영양기능성〉, 《감귤원예》 160, 제주감귤협동조합, 2006.

오영주·최광수·최영진, 《말고기요리》, 제주한라대학교, 2010.

오창명, 《제주도 마을 이름의 종합적 연구》, 제주대학교출판부, 2007.

_____, 《제주도 오름과 마을 이름》, 제주대학교출판부, 1998.

_____, 〈제주(濟州)'의 옛 이름 재해석〉, 전경수 외 공저, 《탐라사의 재해석》, 제주발전연
구원, 2013.

온이퍼브 편집부, 《제주의 세시풍속》(e-book), 온이퍼브, 2017.

우사연구회, 《몸으로 쓴 통일독립운동사─우사 김규식 생애와 사상 2》, 한울, 2000.

우성옥, 《한국사 학습사전》, 박문각, 2010.

이석범, 《제주전설 3》, 살림, 2016.

이수자, 〈문전본풀이〉, 《한국민속신앙사전: 무속신앙 편》, 국립민속박물관, 2009.

이승엽, 〈내선일체운동과 녹기연맹〉, 《역사비평》 제50호, 역사비평사, 2000.

이승철 외, 《한국민속문학사전: 설화 편》, 국립민속박물관, 2012.

이승호, 《한국의 기후 & 문화 산책》, 푸른길, 2009.

이영권, 《새로 쓰는 제주사》, 휴머니스트, 2005.

이윤정, 《한국 경찰사: 근현대편》, 소명출판, 2015.

이응백, 《국어국문학자료사전》, 한국사전연구사, 1994.

이재봉, 《두 눈으로 보는 북한》, 평화세상, 2008.

이재언, 《한국의 섬: 제주도》, 지리와역사, 2017.

이종수, 《행정학사전》, 대영문화사, 2009.

이주영, 《서북청년회》, 백년동안, 2015.

임동권, 《한국민요집》, 집문당, 1993.

임송자, 〈제주4·3의 진압과정과 선무공작의 전개 양상〉, 《민족문화연구》 제98권, 고려대학
        교 민족문화연구원, 2023.

임우기, 《토지 사전》, 솔출판사, 1997.

정대성, 〈작가 김석범의 인생역정, 작품세계, 사상과 행동〉, 《한일민족문제연구》 제9호,
        2005.

정세호, 〈서귀포시의 곤충류〉, 《서귀포시지 상》, 서귀포시, 2001.

정승철, 《한국의 방언과 방언학》, 태학사, 2013.

정재홍, 《한국의 떡》, 형설출판사, 2003.

정진성, 〈조총련 조직 연구〉, 《국제·지역연구》 제14권 4호, 서울대 국제학 연구소, 2005.

정혜경, 〈1920년대 재일조선인과 민족운동〉, 《한국근현대사연구》 제20권, 한국근현대사학
        회, 2002.

정혜정, 《전통주 한식과 만나다》, 푸디, 2018.

제민일보 4·3취재반, 《4·3은 말한다 1》, 전예원, 1994.

_____, 《4·3은 말한다 3》, 전예원, 1995.

제주4·3사건진상규명및희생자명예회복위원회, 《제주4·3사건 진상조사보고서》, 2003.

제주4·3평화재단, 《제주4·3사건 추가진상조사보고서 Ⅰ》, 도서출판 각, 2019.

_____, 《제주4·3평화기념관 상설전시관 전시도록》, 도서출판 각, 2018.

제주관광학회, 〈탐라와 몽골음식문화의 동질성과 차별성〉, 《2012년 제주관광학회 학술대
        회 발표논문집》, 제주관광학회, 2012.

제주도, 《제주의 민속》, 제주도, 1995.

_____, 《제주의 전통문화》, 제주도교육청, 1996.

제주시, 《제주시의 향토민속》, 제주대학교 탐라문화연구소, 1992.

조영배, 《제주도 노동요 연구》, 예술, 1992.

_____, 〈제주도굿무가〉, 《한국민속예술사전》, 국립민속박물관, 2016.

조한성, 《해방 후 3년》, 생각정원, 2015.

청암대학교 재일코리안연구소, 《재일코리안 디아스포라의 형성》, 선인, 2013.

최기호, 《어원을 찾아 떠나는 세계문화여행》, 박문사, 2009.

최동호·김윤식, 《소설어사전》, 고려대학교출판부, 2000.

친일인명사전편찬위원회, 《친일인명사전 1, 2, 3》, 민족문제연구소, 2009.

하응백, 《창악집성》, 휴먼앤북스, 2011.

한국고전용어사전편찬위원회, 《한국고전용어사전 1~5》, 세종대왕기념사업회, 2001.

한국사사전편찬회, 《한국 근현대사사전》, 가람기획, 2005.

한국사전연구사 편집부, 《국어국문학자료사전 상·하》, 한국사전연구사, 1994.

_____, 《종교학대사전》, 한국사전연구사, 2005.

한국학중앙연구원, 《한국구비문학대계 9: 제주특별자치도 제주시》, 역락, 2017.

허남춘, 〈설문대할망과 여성신화: 일본·중국 거인신화와의 비교를 중심으로〉, 《탐라문화》
　　　제42호, 제주대학교 탐라문화연구소, 2013.

허남춘·허영선·강수경, 《할망 하르방이 들려주는 제주음식이야기》, 제주대학교박물관,
　　　2016.

허영선, 《제주 4·3을 묻는 너에게》, 서해문집, 2014.

허용호, 〈심방〉, 《한국민속신앙사전: 무속신앙 편》, 국립민속박물관, 2009.

_____, 〈하로산또〉, 《한국민속신앙사전: 마을신앙 편》, 국립민속박물관, 2010.

현승환, 《제주도의 통과의례》, 문화관광부, 2006.

_____, 〈한라산〉, 《한국민속문학사전: 설화편》, 국립민속박물관, 2012.

현용준, 《제주도 무속과 그 주변》, 집문당, 2002.

_____, 《제주도 신화》, 서문당, 1976.

_____, 〈영감놀이〉, 《한국세시풍속사전》, 국립민속박물관, 2007.

_____, 〈제주도의 굿〉, 《삶과문화》 제32호, 제주문화예술재단, 2011.

현평효, 《제주어사전(개정증보)》, 제주특별자치도, 2009.

홍성천 외, 《원색한국수목도감》, 계명사, 1995.

白井勝也, 《(コンパクト版) 日本地名百科事典》, 小學館, 1998.

신문기사 외

강은미, 〈억새 이는 바람에도〉, 《제민일보》, 2022.09.26.

강호석, 〈미군정, 3·1만세 부른 제주를 '빨갱이 섬'이라 학살한 이유〉, 《민플러스》, 2023.
　　　04.03.

강호석, 〈제주 95% 노동자 총파업 돌입, 실화냐?〉, 《민플러스》, 2021.04.03.

고명철, 〈5·18광주민주화항쟁: 낭만적 초월, 역설의 숭고성, 역사의 시간〉, 《제주의소리》, 2020.06.15.

고희범, 허호준, 〈'제주 4·3' 이끈 교사출신 유격대장〉, 《한겨레》, 1990.04.06.

길윤형·강성만, 〈'일본인으로서 일본의 조선 상대 범죄 입증하고 싶었죠'－임종국상 특별상 받은 히구치 유이치 전 관장〉, 《한겨레신문》, 2023.11.17.

김관후, 〈'친애하는 장병들이여! 그 총이 어디서 나왔느냐!'〉, 《제주의소리》, 2013.11.11.

_____, 〈그들에겐 '빨치산', '게릴라' 아닌 '폭도'〉, 《제주의소리》, 2016.04.25.

_____, 〈폭도에 약탈당한 식량, 산중서 발견〉, 《제주의소리》, 2015.08.31.

김광철, 〈제주 4·3 무장대 대장 이덕구의 흔적을 찾아서〉, 《오마이뉴스》, 2022.10.14.

김명선, 〈제주당굿 기록(16): 위미2·3리 영등굿〉, 《한라일보》, 2013.09.26.

김명환, 〈停電 잦자 '집집마다 등잔 만들자' 요릿집·극장들, 앞다퉈 '자가 발전'〉, 《조선일보》, 2014.02.26.

김봉현, 〈일제군사시설 강제노역현장 찾아간다〉, 《서귀포신문》, 2006.11.10.

김석윤 외, 〈제주 건축의 향토성 개념 정립과 보급 확대 방안 연구〉, 제주도청, 1987.

김성수, 〈노무현 사과 깡그리 부정하는 국가망각 행위〉, 《제주의소리》, 2016.08.17.

김영준, 〈목포형무소 합장비 '문화유산' 됐다〉, 《목포시민신문》, 2019.12.11.

김영중, 〈내가 보는 제주4·3사건: 3. 주체〉, 《미디어와이》, 2011.07.22.

_____, 〈내가 보는 제주4·3사건: 4. 지령과 배후세력〉, 《미디어와이》, 2011.07.25.

김재명, 〈몇 번 구타로 日항복 뒤 '전범' 낙인 찍힌 148명 한국인〉, 《프레시안》, 2023.02.25.

김준주, 〈나의 편웅〉, 《매일경제》, 1969.04.26.

김치관, 〈역사의 공백 '일제하 재일조선인', 조직활동으로 조명〉, 《통일뉴스》, 2022.04.26.

김태홍, 〈제주도의 생활문화 '괸당'〉, 《제주환경일보》, 2012.12.14.

문정임, 〈'활화산' 제주도의 막내 화산은 '돌오름'〉, 《국민일보》, 2020.02.24.

문희주, 〈제주어로 그릇인 '바리'의 뜻을 가진 죽은바리메〉, 《제주일보》, 2022.10.20.

박미라, 〈제주 한라산 2000년전까지 화산 분출…시기 규명 논문 학술지 게재〉, 《경향신문》, 2021.02.17.

박삼종, 〈한국사회와 기독교 종북론의 뿌리〉, 《유코리아뉴스》, 2017.10.12.

박상진, 〈한라산 산신령을 불러 내리던 곳, 제주 산천단 곰솔〉, 《문화유산채널》, 한국문화재재단, 2014.05.06.

박성준, 〈밝혀진 김구 암살의 진실…미국이 백범을 쏘았다?〉, 《시사저널》, 2001.09.20.

박장미, 〈'협화사업'은 아시아 침략을 확대한다는 발상이었다〉, 《동양일보》, 2019.08.06.

박태균, 〈반탁에서 '3상협정 지지'로 입장을 선회한 조선공산당〉, 《중앙일보》, 2009.12.31.

변지철, 〈"삶이 곧 신앙"…1년 12달 제주는 신과 만난다〉, 《연합뉴스》, 2022.01.02.

선주호, 〈1948년 4월 3일, 350여 명의 남로당 제주도당 무장대가 제주도에서 봉기를 일으키다〉, 《카이스트신문》, 2013.03.27.

손원천, 〈광기·삐뚤어진 열망…日 군국주의의 최후〉, 《서울신문》, 2013.07.13.

송상교, 〈목포시, 목포근대역사관 및 시 문화유산 일제정비한다〉, 《시사매거진》, 2019.04.22.

시사IN편집국, 〈4·3 일지 및 희생자 분포지도〉, 《시사IN》, 2018.04.02.

원소정, 〈70여 년 세월에 묻힌 제주 4·3 유물 노로오름 일대서 발견〉, 《제주일보》, 2022.12.13.

이문영, 〈평생 4·3을 쓰도록 결박된 운명 ─ '역사적 퇴행'의 기로에서 집필 40년 만에 〈화산도〉 한국어 완역…작가 김석범과 함께한 일본 현지 문학르포〉, 《한겨레21》, 2016.03.31.

이문호, 〈궨당의 뿌리를 찾아서, 돌과 담: 괸담과 괸당〉, 《제주의소리》, 2016.12.16.

전우용, 〈국민통합, 내선일체〉, 《경향신문》, 2015.07.03.

제주신문, 〈4·3국가추념일 3주기 특집〉, 《제주신문》, 2017.03.27.

제주일보, 〈용천수(湧泉水) '물허벅' 사연 후세에 전해야〉, 《제주일보》, 2016.12.05.

조선일보, 〈김구, 단정수립 반대 성명 발표〉, 《조선일보》, 1947.12.23.

중앙일보, 〈(668)제30회 서북청년회(28)〉, 《중앙일보》, 1973.01.26.

최병준, 〈백두산이 곧 폭발한다고?〉, 《경향신문》, 2011.03.10.

최윤필, 〈도쿄 대공습〉, 《한국일보》, 2017.03.09.

최현미, 〈일제에 작위 받은 '조선 친일 귀족' 이완용 등 총 150여명〉, 《문화일보》, 2015.08.19.

콘텐츠그룹재주상회편집부, 〈제주의 물〉, 《리얼제주 매거진 인(iin)》, 콘텐츠그룹재주상회, 2016년 여름호.

한형진, 〈생사의 갈림길 4·3격전지, 모든 영혼을 위로하다〉, 《제주의소리》, 2019.04.13.

홍의석, 〈오라리 방화사건 '제주도의 메이데이'…학살의 전주곡이 시작되다〉, 《제주일보》, 2018.10.28.

홍정표, 〈제주4·3유적 '주정공장 터' 도심 공원화〉, 《연합뉴스》, 2010.09.02.

황리현, 〈달콤쫄깃 제주 '오메기떡', 천 년 역사를 아시나요?〉, 《제주N》, 2019.05.29.

_____, 〈더운 여름 제주 전통 음료 '쉰다리' 한잔 어때요?〉, 《제주N》, 2019.06.27.

데이터베이스 외

국사편찬위원회 역사지리정보 데이터베이스(db.history.go.kr/hgis/)

국사편찬위원회 우리역사넷(contents.history.go.kr)

국사편찬위원회 한국사 데이터베이스(db.history.go.kr)

국사편찬위원회 한국역사용어 시소러스(thesaurus.history.go.kr/)

금성출판사 티칭백과(dic.kumsung.co.kr)

나무위키(namu.wiki)

네이버 지식백과:《문화원형백과》

네이버 지식백과:《한국전통주백과》

다음 국어사전(dic.daum.net/index.do?dic=kor)

다음 백과(100.daum.net)

두산백과(www.doopedia.co.kr)

디지털서귀포문화대전(seogwipo.grandculture.net/seogwipo)

디지털제주문화대전(jeju.grandculture.net)

부산역사문화대전(busan.grandculture.net/?local=busan)

북한지역정보넷(www.cybernk.net)

세계한민족문화대전(www.okpedia.kr)

위키백과(ko.wikipedia.org/wiki)

한국민족문화대백과사전(encykorea.aks.ac.kr)

한국전통지식포탈(www.koreantk.com)

한국향토문화전자대전(www.grandculture.net)

ウィキペディア日本語版(ja.wikipedia.org/wiki/メインページ)

고령군(www.goryeong.go.kr)

광주광역시(www.gwangju.go.kr)

국사편찬위원회(www.history.go.kr)

군위군(www.gunwi.go.kr)

김해시(www.gimhae.go.kr)

남산골한옥마을 서울남산국악당(www.hanokmaeul.or.kr)

남원시(www.namwon.go.kr)

달성군(www.dalseong.daegu.kr)

대구광역시(www.daegu.go.kr)

대전광역시(www.daejeon.go.kr)

대한민국역사박물관(www.much.go.kr)

동북아역사재단(www.nahf.or.kr)

목포시(www.mokpo.go.kr)

민족문제연구소(www.minjok.or.kr)

민주화운동기념사업회(contents.kdemo.or.kr)

법무부 교정본부(www.corrections.go.kr/corrections/index.do)

부산광역시(www.busan.go.kr)

(사)제주다크투어(https://www.jejudarktours.org/ko/)

서귀포시(www.seogwipo.go.kr)

서대문구 대표신문 서대문사람들(www.esdmnews.com)

서울미래유산(futureheritage.seoul.go.kr)

서울역사박물관(museum.seoul.go.kr)

서울특별시(www.seoul.go.kr)

수원시(www.suwon.go.kr)

순천시(www.suncheon.go.kr)

안양시(www.anyang.go.kr)

여수시(www.yeosu.go.kr)

영광군(www.yeonggwang.go.kr)

영도구(www.yeongdo.go.kr)

인천광역시(www.incheon.go.kr)

재일한인역사자료관(www.j-koreans.org/kr)

전주시(www.jeonju.go.kr)

제주 관음사(www.jejugwaneumsa.or.kr)

제주 삼성혈(samsunghyeol.or.kr)

제주4·3평화재단(jeju43peace.or.kr)

제주도 공식 관광정보 포털(www.visitjeju.net/kr)

제주시(www.jejusi.go.kr)

제주우체국(www.koreapost.go.kr)

제주특별자치도(www.jeju.go.kr)

한겨레21(h21.hani.co.kr/arti/COLUMN)

한국은행(www.bok.or.kr)

한국철도공사(info.korail.com)

지도

〈서울특별시가도(서울特別市街圖)〉, 《서울지도》, 서울역사박물관 유물관리과, 2006.

대한안내사, 〈제주도행정요도(濟州道行政要圖)〉, 《지도박물관 옛 지도집: 고지도 도록》, 국토지리정보원, 2015.

제주관광안내소, 〈제주시가도(濟州市街圖)〉, 《제주 고지도: 제주에서 세계를 보다》, 국립제주대학교박물관, 2020.

조선철도국, 〈조선교통약도(朝鮮交通略圖)〉,《조선의 여행(朝鮮の旅)》, 조선철도국, 1939.

United States. Army Map Service, 〈목포 지도(Mokp'o (Moppo))〉,《Korea City Plans》,
     Army Map Service, 1944~1946.

                               , 〈부산 지도(Pusan (Fusan))〉,《Korea City Plans》,
     Army Map Service, 1944~1946.

국토지리정보원 국립지도박물관(www.ngii.go.kr/map/main.do)

서울역사아카이브(museum.seoul.go.kr/archive/NR_index.do)

제주학연구센터(jst.re.kr/main.do)

Perry-Castañeda Library Map Collection(maps.lib.utexas.edu/maps/ams/korea_city_
     plans/)

총 색인

461

ㅈ

화산도 소설어 사전 편찬팀

편찬 책임자 고명철

책임편찬 박보름·최동일

편찬자 고명철(광운대학교 국어국문학과 교수)
김문정(동국대학교)
박보름(문화예술교육사)
손병현(소설가)
유승호(경희대학교)
천유철(인문학자)
최동일(출판기획자)
최빛나라(고려대학교 민족문화연구원)

트리콘 세계문학 총서 8

화산도 소설어 사전

2024년 5월 28일 초판 1쇄 펴냄

엮은이 화산도 소설어 사전 편찬팀
발행인 김흥국
발행처 보고사

책임편집 황효은
표지디자인 김규범

등록 1990년 12월 13일 제6-0429호
주소 경기도 파주시 회동길 337-15 보고사
전화 031-955-9797 **팩스** 02-922-6990
메일 bogosabooks@naver.com
http://www.bogosabooks.co.kr

ISBN 979-11-6587-720-0 94810
979-11-5516-700-7 세트
ⓒ 화산도 소설어 사전 편찬팀, 2024